すぐに作れる ずっと使える

GIMPのすべてが身に付く本

［改訂新版］

GIMP 3.0 対応

土屋徳子 著

技術評論社

CONTENTS
目次

CHAPTER 2
イラストを描く

CHAPTER 3
Web会議用の背景画像を作成する

CHAPTER 4
ロゴを作成する

CHAPTER 5

チラシを作成する

CHAPTER 6

ポストカードを作成する

[リファレンス編]

CHAPTER 1

色と明るさを調整する

CHAPTER 2
画像を修正する

CHAPTER 3
画像を変形させる

CHAPTER 4

画像を選択して編集する

CHAPTER 5

レイヤーを編集する

CHAPTER 6
レイヤーを活用する

CHAPTER 7
文字を書き込む

CHAPTER 8
ペイントツールで描画する

CHAPTER 9

パスを利用する

CHAPTER 10

補助機能を活用する

Appendix

サンプルのダウンロード

サンプルデータの内容

付属以下のURLから、本書の内容を試していただけるサンプルファイルをご利用いただけます。圧縮ファイル形式（zip）でダウンロードされますので、解凍してご利用ください。

https://gihyo.jp/book/2025/978-4-297-14974-1/support

サンプルファイルには、以下の3つのフォルダが収録されています。

●GIMP_installer

GIMP本体のインストーラーが収録されています。下記の「GIMPをインストールする」を参考にご利用ください。

●tutorial_sample

チュートリアル編での各作例のベースとしたり、合成で使ったりするための素材画像です。手順解説の内容に従ってご利用ください。なお、各Chapterのフォルダには、完成例の画像データも収録されています。作例の完成形の確認にご利用ください。

●reference_sample

リファレンス編の各Sectionで使う画像です。解説する操作をお手元で試していただけます。

GIMPをインストールする

1 サンプルデータをダウンロードして、zipファイルを展開します。展開した保存先をエクスプローラーで表示します。＜GIMP_installer＞に収録されている＜gimp-3.0.2-setup-1.exe＞をクリックします❶。ユーザーアカウント制御の画面が表示されたら、＜はい＞をクリックします。

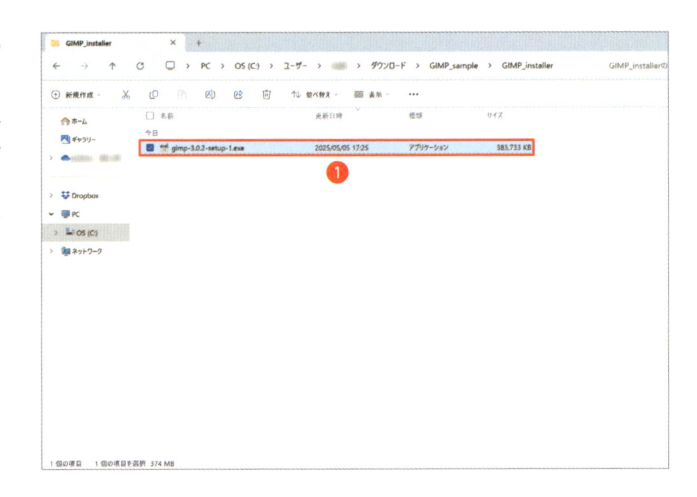

2 <インストール>をクリックします❶。

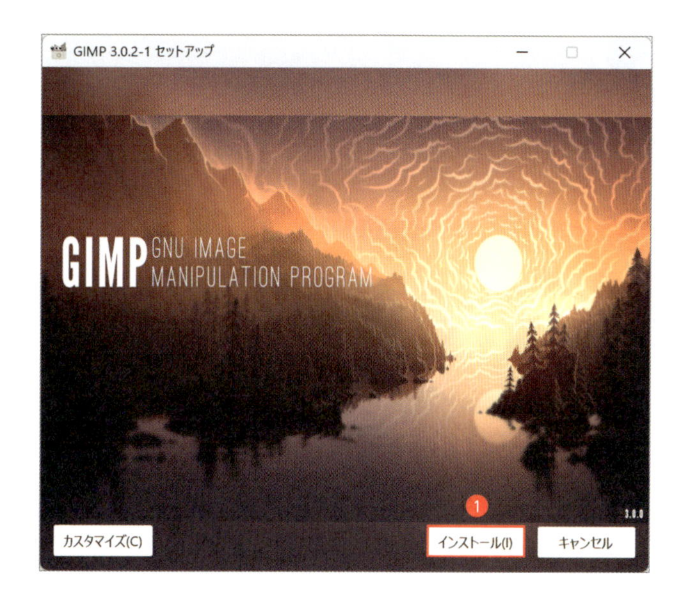

3 インストールがはじまります。

4 <完了>をクリックすると❶、GIMPのインストールが完了します。

GIMPをアップデートする

GIMPは不定期にアップデートが行われます。新しいバージョンが公開されている場合、GIMPの起動時に通知画面が表示され、更新を確認できます。通知画面内の＜GIMP ○○をダウンロードする＞をクリックすると、ブラウザでGIMPのダウンロードページ（https://www.gimp.org/downloads/）が開きます。そこにある＜Download GIMP ○○ directly＞をクリックしてインストーラーをダウンロードし、10〜11ページと同様の手順でインストールすれば、最新版へ更新できます。
アップデートには、不具合の修正や新機能の追加などが含まれることがあります。その影響で、画面のレイアウトや表示が変更され、本書の内容と一部差異が生じる場合がありますので、あらかじめご了承ください。

注意事項

●本書に記載された内容は、情報の提供のみを目的としています。したがって、本書を用いた運用は、必ずお客様自身の責任と判断によって行ってください。これらの情報の運用の結果について、技術評論社および著者はいかなる責任も負いません。

●本書記載の情報は、特に断りのない限り、2025年5月現在のものを掲載しています。本文中で解説しているWebサイトなどの情報は、予告なく変更される場合があり、本書での説明とは画面図などがご利用時には変更されている可能性があります。

●本書記載の情報は、特に断りのない限り、以下の環境で使用した場合のものです。

OS：Windows 11
ソフトのバージョン：GIMP 3.0.2

●以上の注意事項をご承諾いただいた上で、本書をご利用願います。これらの注意事項をお読みいただかずに、お問い合わせいただいても、技術評論社および著者は対処できません。あらかじめ、ご承知おきください。

●本文中に記載されているブランド名や製品名は、すべて関係各社の商標または登録商標です。

なお、本文中に®マーク、©マーク、™マークは明記しておりません。

CHAPTER

0

GIMPの基本操作

SECTION

01 GIMPとは

GIMPは20年もの長きにわたり多くのユーザーに支持されてきた画像編集ソフトです。無料でありながらも高機能なツールを使えることが大きな魅力です。

GIMPとは

GIMPは1996年のリリースから20年以上の歴史を持つ、誰でも無料で使うことができるグラフィックソフトです。Windows、Mac、GNU/Linuxなどのプラットフォームが用意されており、有志によって進化を重ねて現在にいたっています。無料でありながら色調補正、合成、ペイント、豊富なフィルターなど、多くの機能を備えていることから人気があり、ウェブ用のグラフィックや写真編集、ペイントツールなど、幅広い用途を持つソフトとして多くのユーザーに支持され続けています。

●画像の色調補正

●ペイント機能

●合成

●豊富なフィルターの適用

GIMP 3.0での新機能

GIMPは2025年3月に3.0にアップデートしました。アップデートに伴い以下の機能が追加されています。

●＜Welcome＞ダイアログの追加

起動時に目的別タブが配置されたダイアログが開きます。

●非破壊編集に対応

色調補正やフィルターなどの効果を柔軟に再編集できる非破壊編集機能が付きました。

●レイヤーの自動拡張機能の追加

＜Expand Layers＞が有効のときに現在のレイヤーからはみ出してペイントすると、レイヤーが自動的に拡張されます。

●スマートガイドによるスナップ機能の追加

＜表示＞メニューから＜Snap to Bounding Boxes＞を有効にすることで、レイヤーを移動したときにスマートガイドが表示されてスナップしやすくなります。

＜Welcome＞ダイアログ

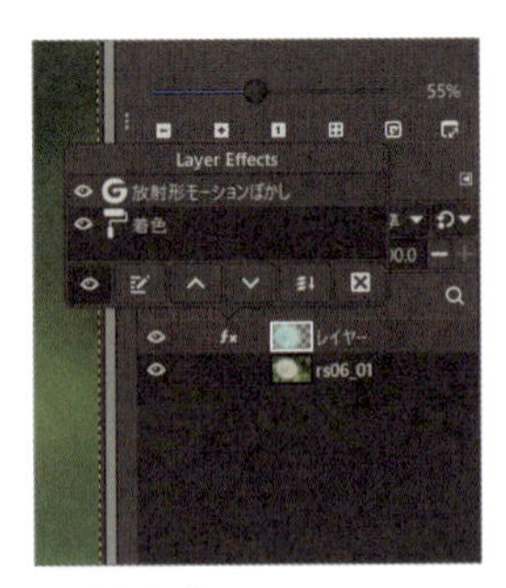

非破壊編集

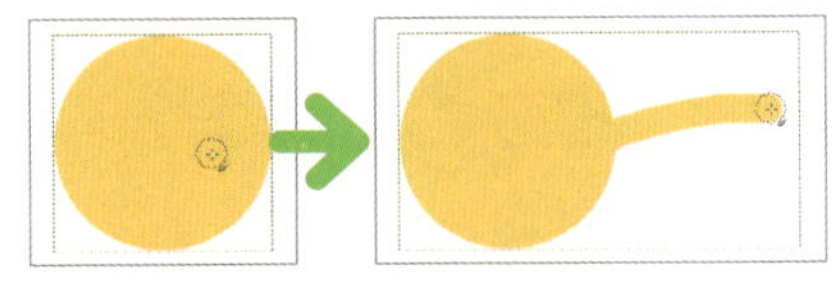

レイヤーの自動拡張

SECTION 02

GIMPを起動・終了する

インストールしたGIMPを起動します。GIMPのキャラクター「ウィルバー君」のアイコンが目印です。

GIMPを起動する

1 ＜スタート＞ボタンをクリックして❶、＜すべて＞をクリックします❷。アプリの一覧から＜GIMP 3.0＞をクリックします❸。

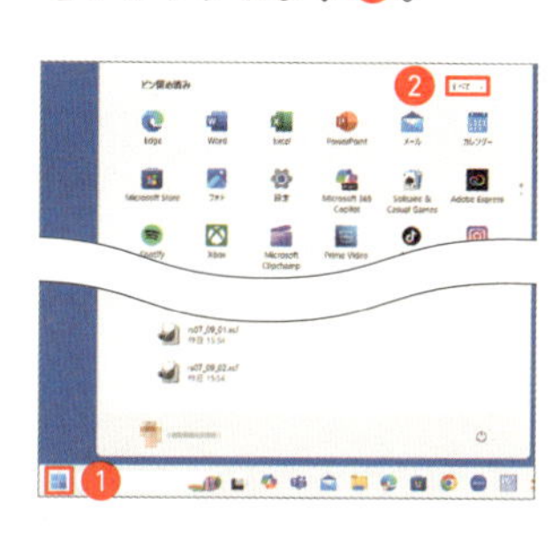

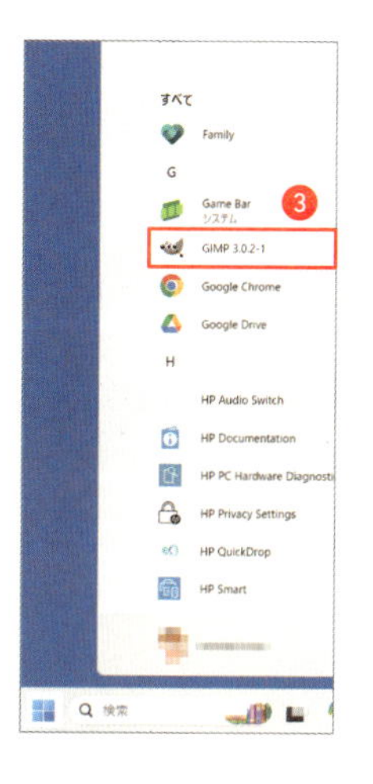

2 GIMPが起動します。初期設定では最前面に＜Welcome＞ダイアログが開きます。

GIMPを終了する

1 ＜ファイル＞メニューをクリックして❶、＜終了＞をクリックします❷。

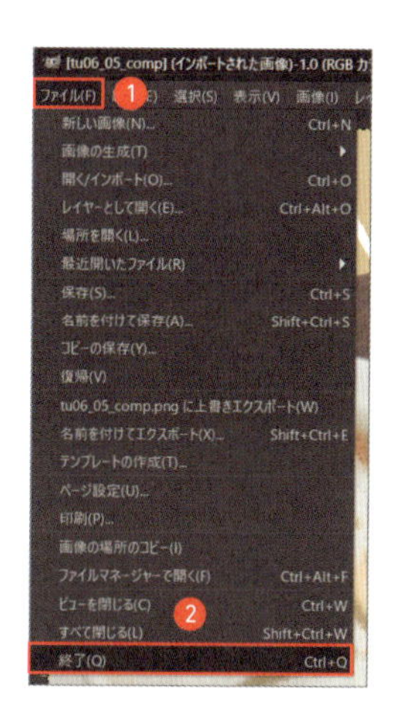

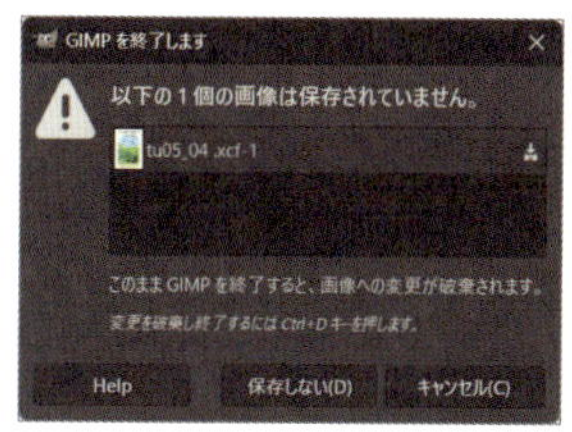

2 画像に何らかの編集を加えている場合、＜GIMPを終了します＞ダイアログが表示されます。保存する場合は＜キャンセル＞をクリックして、画像を保存します（30ページ参照）。保存しない場合は＜保存しない＞をクリックしてそのまま終了します。

HINT 複数のウィンドウが出ている場合

シングルウィンドウモード（18ページ参照）の場合はウィンドウの＜閉じる＞ボタンをクリックしても終了します。各種ウィンドウを切り離したマルチウィンドウモードでは、GIMPで開いているすべての画像ウィンドウの＜閉じる＞ボタンをクリックして、GIMP全体を終了します。

SECTION

03 ＜Welcome＞ダイアログを利用する

GIMP 3.0では起動時に＜Welcome＞ダイアログが開きます。GIMPを使うための5つのセクションから目的に合った項目を選んで進める導入画面です。

＜Welcome＞ダイアログとは

GIMPを起動すると初期設定では＜Welcome＞ダイアログが開きます。GIMPに関わる情報の確認や、設定、レポートの送信、画像を開く、リリースノートを確認するための導入画面として必要に応じて利用するか、または＜閉じる＞をクリックしてGIMPの編集に進めます。

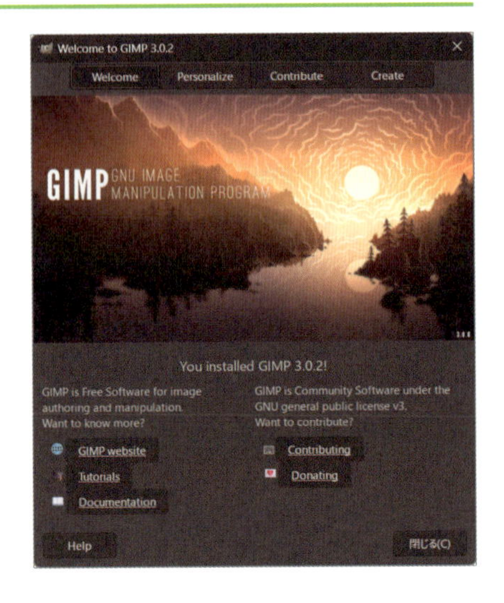

＜Welcome＞ダイアログの構成

1 Welcome

GIMPのWebサイトへのリンクが配置されています。チュートリアル、ドキュメント、GNP（ライセンス）、寄付といった情報を確認することができます。

2 Personalize

GIMPの個人設定を行います。編集を行う環境にあわせて、カラー、アイコン、フォントのテーマを設定したり、システム設定の言語、補助のための設定を行います。

3 Contribute

主にバグの報告や、GIMPの開発に貢献するための各リンクが配置されています。

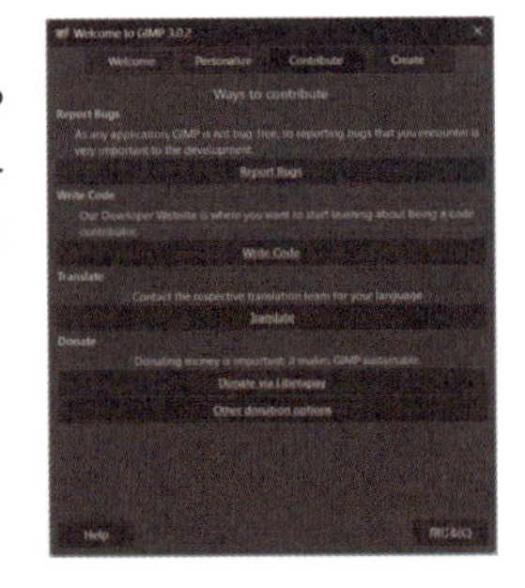

4 Create

GIMPで新しい画像の作成や、開きたい画像ファイルを指定して開きます。また、GIMPの起動時に＜Welcome＞ダイアログを毎回起動させたくないときは＜Show on Start＞のチェックを外します。

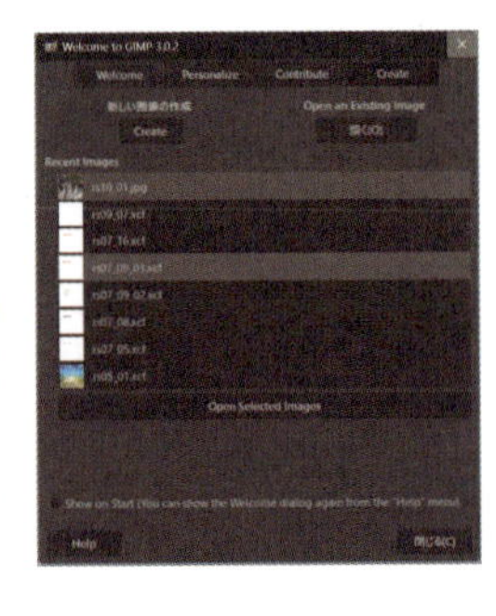

≫ <Welcome>ダイアログから新しい画像を作成する

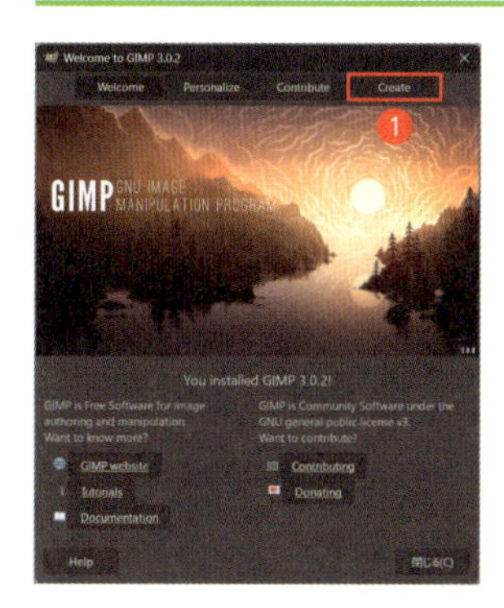

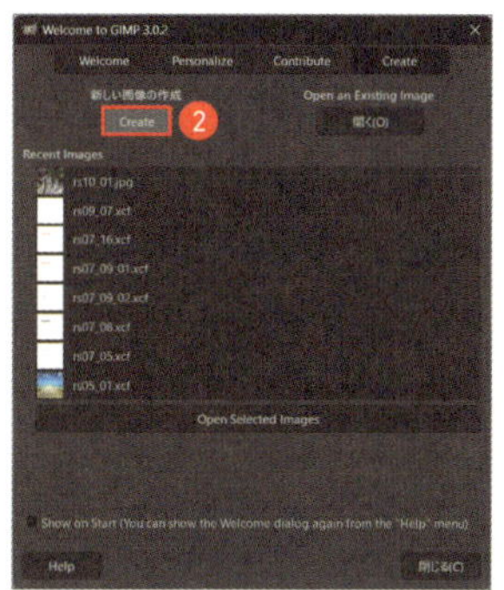

1 <Welcome>ダイアログの<Create>を選び❶、<Create>をクリックします❷。

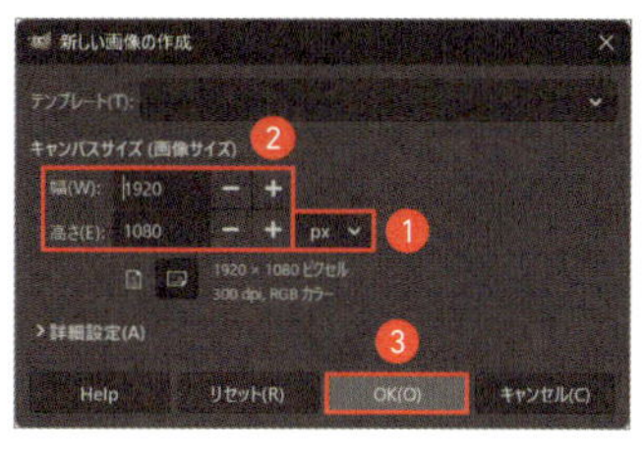

2 <キャンバスサイズ（画像サイズ）>の単位を設定して❶、<幅>と<高さ>に数値を入力します❷。<詳細設定>を開くと背景色などを設定できます（詳しい手順は26ページを参照）。<OK>をクリックします❸。

3 画像ウィンドウに新しい画像が開きます。

≫ <Welcome>ダイアログから画像を開く

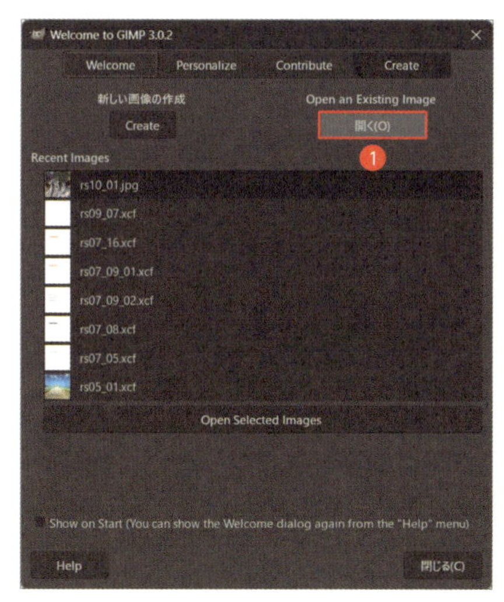

1 <Welcome>ダイアログの<Create>を選択して、<開く>ボタンをクリックします❶。

HINT 最近開いた画像を開く

<Recent Imags>には最近開いた画像が表示されます。ここから開きたい画像を選択して<Open Selected Images>をクリックすると、最近選択した画像を開くことができます。

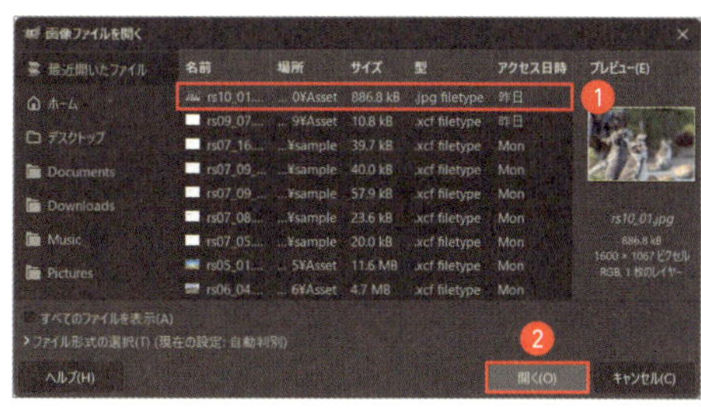

2 <画像ファイルを開く>ダイアログが開きます。画像の保存場所を選択し、開きたいファイルを選択します❶。<開く>をクリックします❷（詳しい手順は24ページも参照）。

3 画像ウィンドウに画像が表示されます。

SECTION

04

画面構成を知る

GIMPの表示画面は「シングルウィンドウモード」と「マルチウィンドウモード」の2種類があります。ウィンドウやダイアログの位置はそれぞれ変更することもできます。

GIMPの画面構成

GIMPをインストール後初めての起動では、各ウィンドウがドッキングした「シングルウィンドウモード」で開きますが、各ウィンドウが切り離された「マルチウィンドウモード」にも切り替えられます（19ページ参照）。下図はシングルウィンドウモードの画面です。

1 メニュー
GIMPの各種機能を操作できます。それぞれのメニューをクリックして表示されるリストから、利用する項目を選択します。

2 ツールボックス
画像を選択したり、絵を描いたりなど、目的によって必要なツール（道具）をここから選択します（20ページ参照）。

3 ツールオプション
ツールボックスで選択したツールごとに必要な細かい調整を行います。

4 画像ウィンドウ
GIMPで編集するための画像を表示します。

5 ステータスバー
画像上のポインターの座標や定規などの単位、画像の表示サイズ、ツールのヒントなどを表示します。

6 ダイアログのドック（上）
複数のダイアログ（22ページ参照）をまとめて管理します。それぞれのダイアログは上部のタブをクリックして切り替えます。

7 ダイアログのドック（下）
ダイアログのドックは2つに分かれています。初期状態では＜レイヤー＞など一部のダイアログが下のドッグに表示されています。

2つのウィンドウモード

GIMPでは、ツールボックスやツールオプション、各種ダイアログが一体化した「シングルウィンドウモード」と、これらを個別に切り離した従来の「マルチウィンドウモード」を切り替えることができます。本書では断りがない限り、シングルウィンドウモードの画面で解説します。シングルウィンドウモードでは画面の構成が本書と変わる場合がありますが、利用できる機能は同じです。

●シングルウィンドウモード

●マルチウィンドウモード

シングルウィンドウモードとマルチウィンドウモードを切り替える

1 マルチウィンドウモードに切り替えるには、＜ウィンドウ＞メニューをクリックして❶、＜シングルウィンドウモード＞のチェックを外します❷。

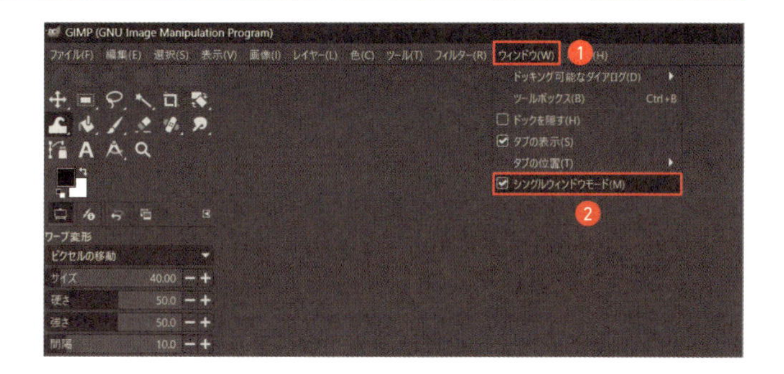

2 マルチウィンドウモードになります。

3 ＜ウィンドウ＞メニューをクリックして❶、＜シングルウィンドウモード＞のチェックを入れると❷、マルチウィンドウモードが解除されシングルウィンドウモードになります。

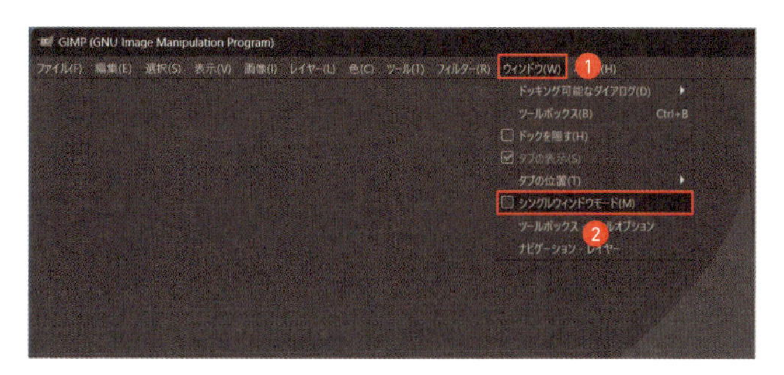

SECTION

05 ツールボックスを利用する

画像を編集する上で必要な道具がまとめて収められているのがツールボックスです。それぞれの特徴を表現しているアイコンをクリックしてツールを切り替えます。

ツールボックスとは

ツールボックスには画像編集のための複数のツールが、関連するツールごとにまとめられて配置されています。アイコンとツール名を確認して、目的に合わせて適したツールをクリックして選択しましょう。

右下に小さい三角形のついているツールは複数のツールのグループです。複数のツールからなるグループは右クリックすると❶、各ツールの一覧が表示されるので、目的のツールをクリックします❷。

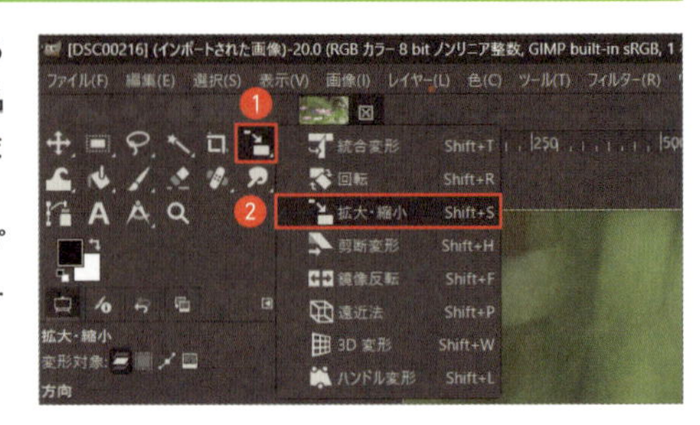

各ツールの機能

1 <移動・整列>グループ

	移動	オブジェクトの位置を移動します（182ページ参照）。
	Align and Distribute	複数のオブジェクトの位置を整列させます（183ページ参照）。

2 <矩形・楕円選択>グループ

	矩形選択	長方形の範囲を選択します（191ページ参照）。
	楕円選択	円形の範囲を選択します（191ページ参照）。

3 <自由選択>グループ

	自由選択	フリーハンドによる自由な領域を選択します（200ページ参照）。
	電脳はさみ	色の差の大きい輪郭を自動選択します（203ページ参照）。
	前景抽出選択	大まかな領域を囲み色の差が大きい輪郭を自動検出して選択します（204ページ参照）。

4 <自動選択>グループ

	ファジー選択	同じ色の隣接している領域を選択します（201ページ参照）。
	色域を選択	同じ色の離れた領域も含めて選択します（202ページ参照）。

5 <切り抜き>グループ

	切り抜き	画像を長方形や正方形に切り取ります（175ページ参照）。

6 <変形・回転>グループ

	統合変形	移動や変形の統合ツールです（184ページ参照）。
	回転	レイヤーや選択範囲を回転します（179ページ参照）。
	拡大・縮小	レイヤーや選択範囲を拡大・縮小します（176ページ参照）。
	剪断変形	平行四辺形に変形します（178ページ参照）。
	鏡像反転	レイヤーや選択範囲を水平・垂直方向に反転します（179ページ参照）。
	遠近法	遠近感を加えたり、遠近感のある変形をします（177ページ参照）。
	3D変形	レイヤーや選択範囲やパスに3次元による変形をします（187ページ参照）。
	ハンドル変形	ハンドルを追加して変形や回転、移動させます（185ページ参照）。

7 <ワープ・ケージ変形>グループ

	ワープ変形	画像をドラッグして柔軟に変形します（186ページ参照）。

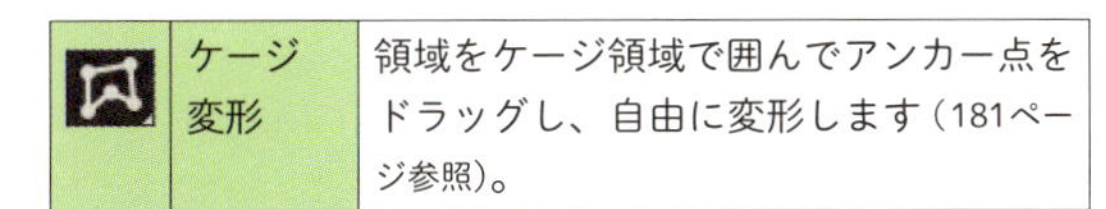

	ケージ変形	領域をケージ領域で囲んでアンカー点をドラッグし、自由に変形します(181ページ参照)。

8 <塗りつぶし・グラデーション>グループ

	塗りつぶし	任意の領域を色やパターンで塗りつぶします(277ページ参照)。
	グラデーション	任意の領域をグラデーションで塗りつぶします(278ページ参照)。

9 <描画>グループ

	ブラシで描画	輪郭がソフトな線を描画します(267ページ参照)。
	鉛筆で描画	輪郭がくっきりした線を描画します(267ページ参照)。
	エアブラシで描画	淡い線や太さや濃さに変化を加えながら描きます(267ページ参照)。
	インクで描画	カリグラフィなどのペン先の効果を加えながら描きます(267ページ参照)。
	MyPaintブラシで描画	ペイントソフト「MyPaint」のブラシを使用して描きます(280ページ参照)。

10 <消しゴム>グループ

	消しゴム	色を削除や透明化をしたり、背景色と重ねたりします(267ページ参照)。

11 <スタンプで描画・修復>グループ

	スタンプで描画	画像の一部分をコピーしたりパターンで描きます(162ページ参照)。
	遠近スタンプで描画	画像の一部分をコピーして遠近感を加えながら、不要な物を消します(164ページ参照)。
	Healing	画像の一部分をコピーしながら描き重ねて、不要な物を消します(163ページ参照)。

12 <レタッチ>グループ

	にじみ	画像の一部分の色をにじませます(168ページ参照)。
	ぼかし/シャープ	画像の一部分をぼかしたりくっきりさせます(165ページ参照)。
	暗室	画像の一部分を覆い焼きや焼き込みをします(167ページ参照)。

13 <パス>グループ

	パス	選択や描画したい形の輪郭に合わせてアンカーポイントを追加し、境界線を作成します(286ページ参照)。

14 <テキスト>グループ

	テキスト	テキストの追加と編集をします(247ページ参照)。

15 <スポイト・定規>グループ

	スポイト	画像の色を抽出して描画色や背景色に適用します(266ページ参照)。
	定規	任意の距離を測定します(309ページ参照)。

16 <ズーム>グループ

	ズーム	表示倍率を拡大・縮小します。

17 描画色と背景色

	描画色	色を描いたり効果を加えるときの色です(265ページ参照)。
	背景色	背景の色や効果を加えるときの補助色として利用します(265ページ参照)。

ツールオプションとは

ツールボックスで選択したツールは、「ツールオプション」で詳細設定をすることができます。ツールオプションは、選択したツールによって設定できる内容が変わります。ダイアログのひとつとして扱うこともできますが、通常はツールボックスの下に常に配置して使用します。

MEMO マルチウィンドウモードでツールボックスが隠れた場合

マルチウィンドウモードでツールボックが隠れてしまった場合は、<ウィンドウ>メニューから<新しいツールボックス>を選択します。また、ツールオプションを閉じてしまった場合は、<ウィンドウ>メニューから<ドッキング可能なダイアログ>の<ツールオプション>を選択すると表示されます。

SECTION

06

ダイアログを利用する

GIMPには画像編集を行うために必要な設定や操作を行うための様々なダイアログが用意されています。

ダイアログとは

「ダイアログ」は画像編集の機能を制御するためのサブウィンドウです。必要に応じて目的のダイアログを開いて操作を行います。ドックには複数のダイアログがまとめられて、個々のダイアログはタブをクリックして切り替えます。

ダイアログを切り替える

1 切り替えたいタブをクリックします❶。

2 タブが切り替わります❶。

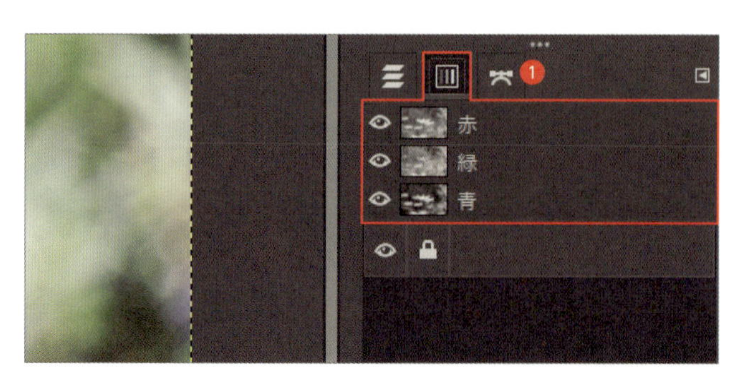

HINT タブ一覧から切り替える

ダイアログのタブは一覧から切り替えることもできます。タブを右クリックすると、ダイアログの一覧が表示されます。そこから切り替えたいタブをクリックすると、選択したタブに切り替えることができます。

ダイアログのタブを追加・削除する

1 タブを追加する場合は、<このタブの設定>をクリックして❶、<Add Tab>を選択し❷、追加したいダイアログ（ここでは<作業履歴>）をクリックします❸。

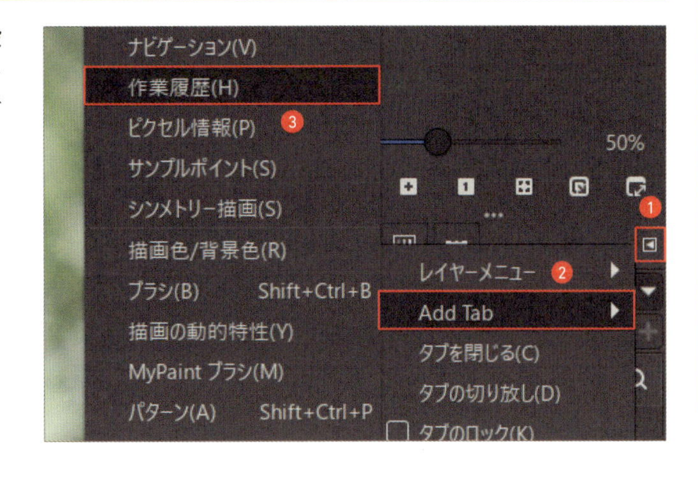

2 追加したダイアログのタブが表示されます❶。

3 タブを削除したい場合は、削除したいタブをクリックして、<このタブの設定>をクリックします❶。メニューの一覧から<タブを閉じる>をクリックします❷。

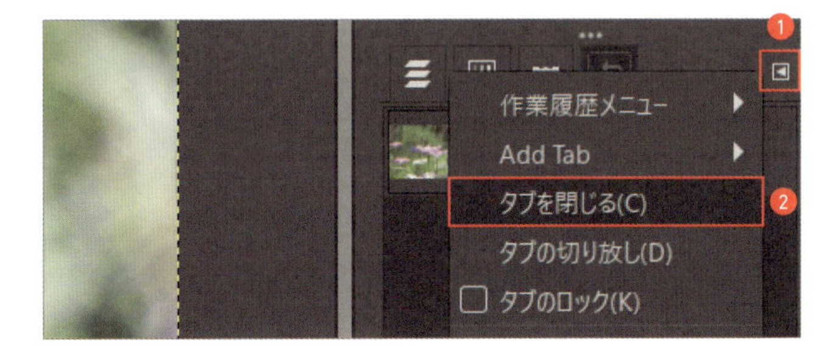

4 タブが削除されます。

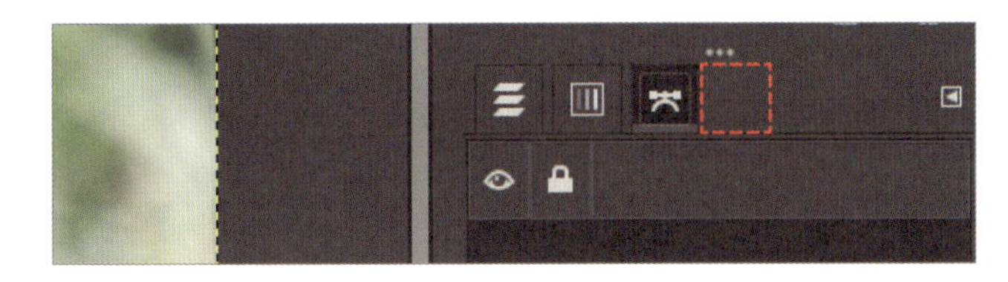

HINT ダイアログを切り離す・ドッキングさせる

タブをドラッグすると単体のダイアログとして切り離すことができます。切り離したダイアログのタブは、ドッグのタブにドラッグすると再び収めることができます。

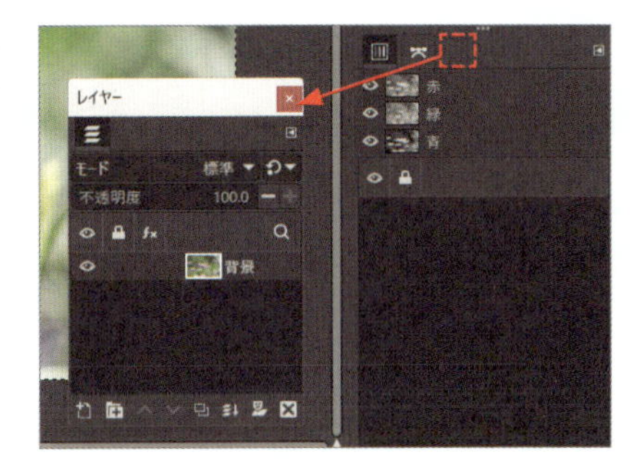

SECTION

07 画像を開く

GIMPで画像を開くための複数の方法を覚えておきましょう。また、複数画像を開くこともできますが、その場合はタブで画像を切り替えましょう。

パソコン内の画像を開く

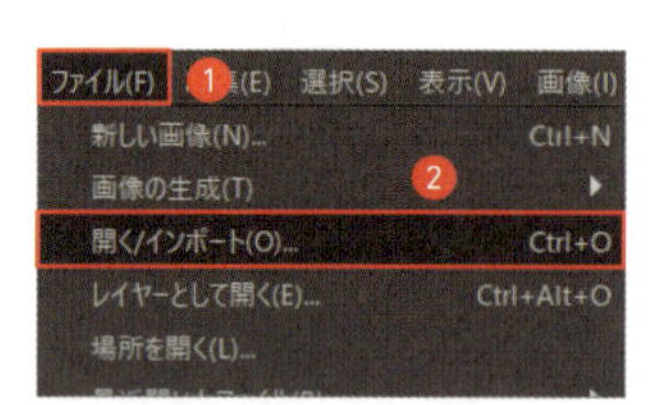

1 <ファイル>メニューをクリックして❶、<開く/インポート>をクリックします❷。

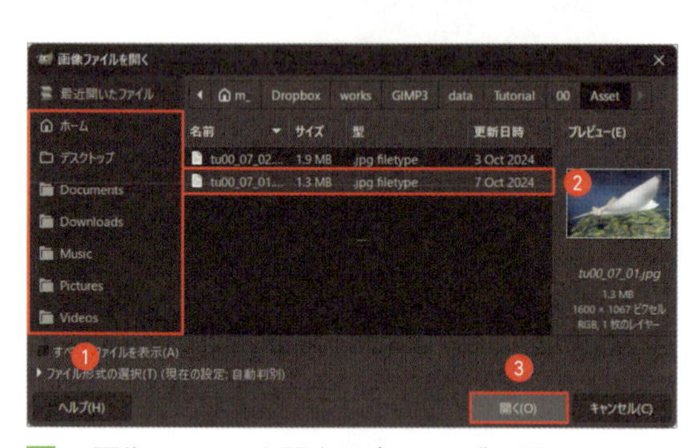

2 <画像ファイルを開く>ダイアログが開きます。画像の保存場所を選択し❶、開きたいファイルを選択します❷。<プレビュー>に表示される選択したファイルの画像を確認して、<開く>をクリックします❸。

3 画像ウィンドウに画像が表示されます。

画像タブを切り替える・削除する

1 複数の画像をGIMPで開くと、画像ウィンドウの上にタブが複数表示されます。タブをクリックします❶。

2 画像が切り替わります。タブの☒をクリックします❶。

3 タブが消えます。

MEMO カラープロファイルの変換オプション

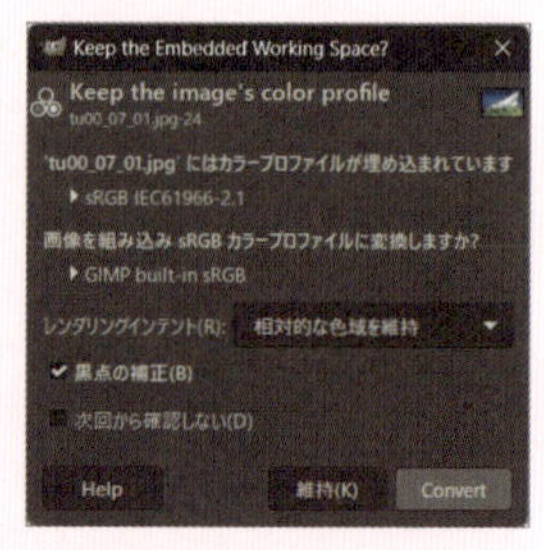

画像を開く際に<Keep the Embedded Working Space ?>ダイアログが表示された場合は、<レンダリングインテント>で<相対的な色域を維持>を選択して<Convert>をクリックします。著しく色のイメージが異なる場合はほかの変換方法に切り替えて開き直します。

SECTION 08

対応する画像形式について知る

GIMPは様々なファイル形式の画像を読み込めます。保存する際もファイル形式を指定できるので、活用する目的に応じてファイル形式を選びましょう。

読み込む形式を確認する

GIMPに画像を読み込む際には、＜ファイル＞メニューから＜開く/インポート＞を選びます。＜画像ファイルを開く＞ダイアログの＜名前＞の一覧には読み込める画像ファイル名が表示されていますが、＜ファイル形式の選択＞を開くと、様々なファイル形式に対応していることがわかります。

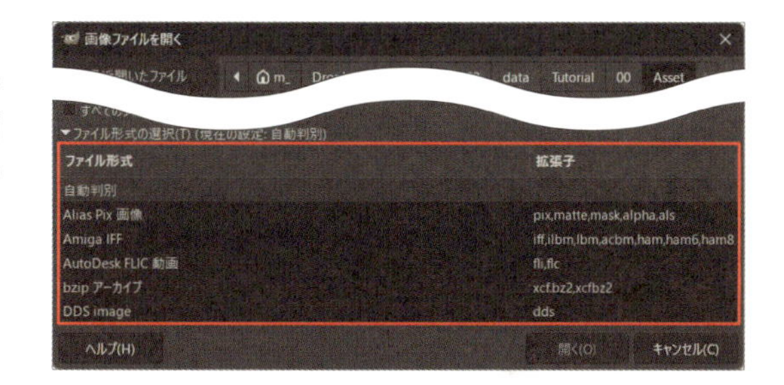

保存する形式を確認する

GIMPで編集した状態をそのまま保存する場合、通常はGIMP標準のファイル形式であるGIMP XCF画像を選びます。拡張子は「.xcf」です。XCF画像はレイヤーや非破壊編集などの情報を含めた状態で保存ができます（XCF画像を保存する方法は30ページ参照）。

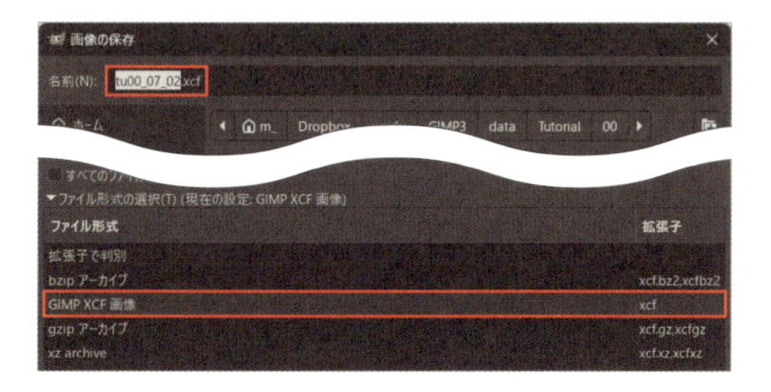

書き出し（エクスポート）する形式を確認する

編集した結果を目的に合わせたファイル形式で書き出すこともできます。一般的なJPEG画像（.jpg）やPNG画像（.png）はもちろん、Photoshop画像（.psd）やHEIF/HEIC（.heifまたは.heic）等が選べます。また＜TIFF of Big TIFF Image＞（.tifまたは.tiff）を選ぶと、レイヤーの状態を含めた状態で保存することもできます（画像形式を選択してエクスポートする方法は30ページ参照）。

MEMO JPEGとPNGの特徴と用途

・JPEG画像（.jpg）
保存時に画像を圧縮することでファイルサイズを小さくします。参照用の画像など、画質にこだわらない場合に利用します。繰り返し保存すると画質が劣化します。

・PNG画像（.png）
画質を保ちながら保存できることから、画質を優先する場合に利用します。透過の情報も含めて保存できます。ただしJPEG画像に比べてファイルサイズが大きくなります。

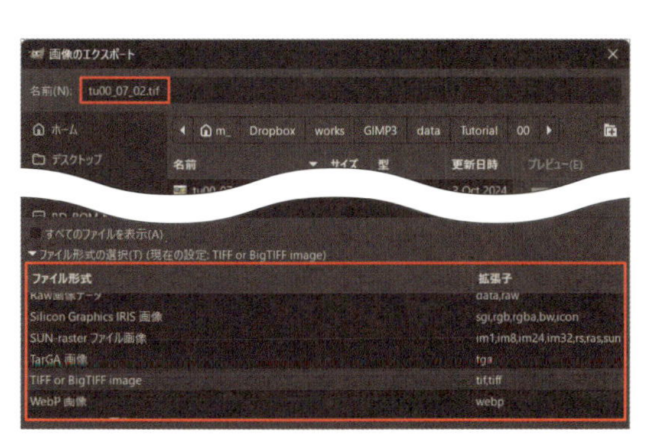

SECTION

09 画像を新規作成する

GIMPで新規のキャンバスを作成して開きます。一般的なサイズをテンプレートから選んだり、任意の幅と高さや解像度を指定して開くこともできます。

画像を新規作成する

1 ＜ファイル＞メニューをクリックして❶、＜新しい画像＞をクリックします❷。

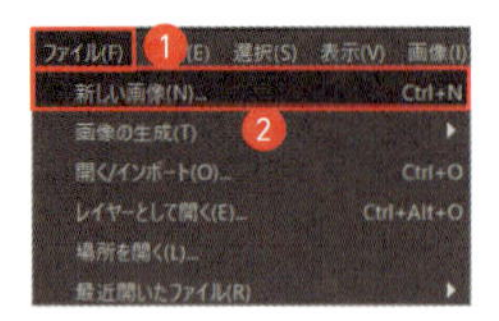

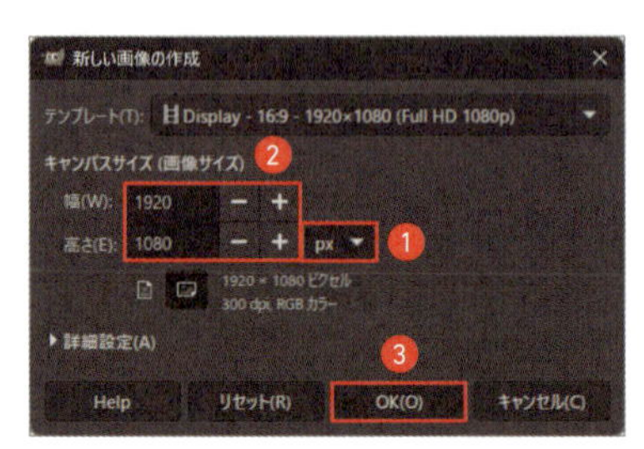

2 ＜キャンバスサイズ（画像サイズ）＞で単位を選択し❶、作成したいキャンバスの数値を＜幅＞と＜高さ＞で設定します❷。＜OK＞をクリックします❸。

HINT 詳細設定で解像度や塗りつぶす色を選ぶ

＜詳細設定＞をクリックすると＜解像度＞、＜カラープロフィール＞、さらに右側のバーを下にスクロールして＜塗りつぶし色＞や＜コメント＞などを設定することができます。

3 画像ウィンドウに新しい画像が開きます。

＜新しい画像を作成＞ダイアログの見方

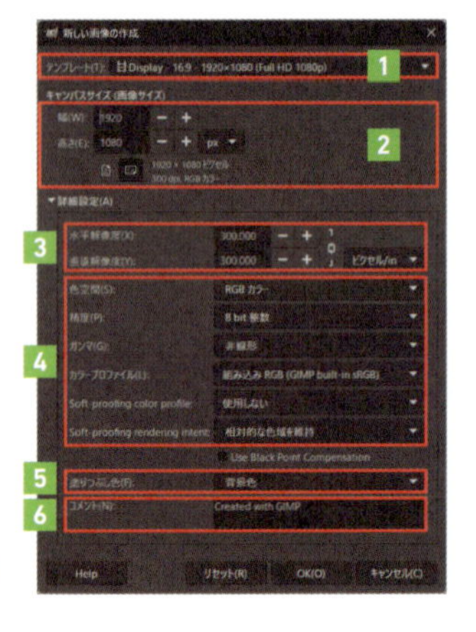

1 テンプレート

作成するキャンバスのサイズのテンプレートを利用できます。

2 キャンバスサイズ（画像サイズ）

作成するキャンバスのサイズを設定できます。下にある＜縦に開く＞か＜横に開く＞をクリックすると、設定した数値で縦長、または横長に切り替えます。

3 水平解像度・垂直解像度

水平解像度・垂直解像度をそれぞれ設定します。右側のボタンをクリックして単位を選択し、＜水平解像度＞と＜垂直解像度＞に変更したい数値を入力します。

4 色空間など

それぞれ色に関する高度な設定を行います。

5 塗りつぶし色

キャンバスを塗りつぶす色を選択します。

6 コメント

必要に応じて画像に関連するコメントを入力します。

SECTION 10

キャンバスサイズを変更する

開いた画像の幅と高さのサイズを変更します。追加された領域には設定した色で塗りつぶされ、元のサイズよりも短く設定した領域は切り取られます。

<キャンバスサイズの変更>ダイアログを開く

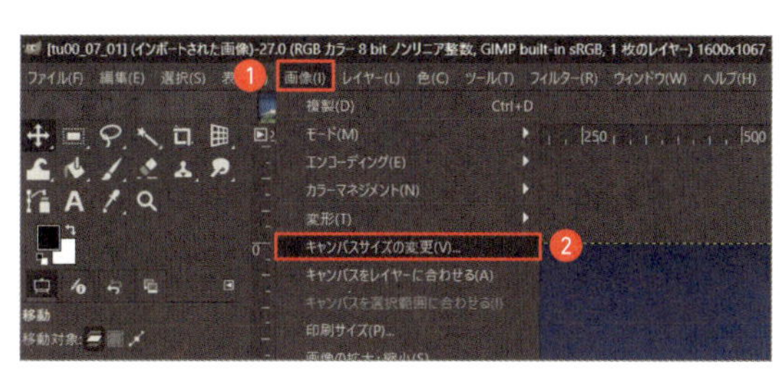

1 <画像>メニューをクリックして❶、<キャンバスサイズの変更>をクリックします❷。

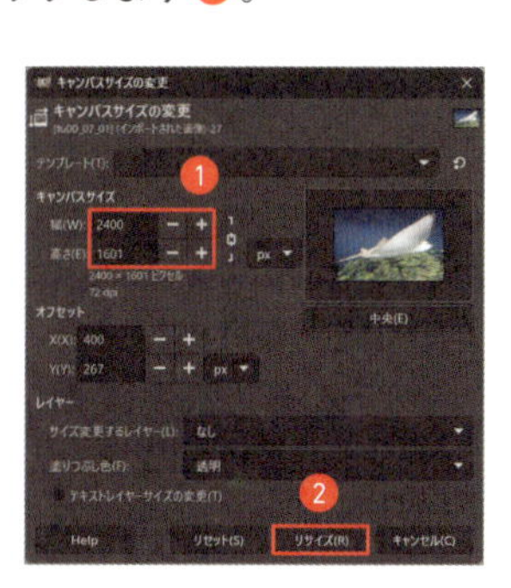

2 <キャンバスサイズの変更>ダイアログが開きます。<キャンバスサイズ>の<幅>と<高さ>を設定して❶、<リサイズ>をクリックします❷。

3 指定したサイズにキャンバスがリサイズされます。元のサイズよりも大きく設定した場合は、画像の周りに余白が追加され、元のサイズよりも小さく設定すると、画像の一部分が切り取られます。

<キャンバスサイズの変更>ダイアログの見方

1 キャンバスサイズ

右側のボタンをクリックして単位を選択し、<幅>と<高さ>に変更したい数値を入力します。<幅>と<高さ>の右側の鎖型のアイコンをクリックして鎖がつながった状態になると、幅と高さの比率が保たれます。

2 オフセット

リサイズ後の画像の端からの距離を設定します。

3 レイヤー

サイズを変更するレイヤーを指定したり、拡張される余白の色や透明などを選択します。

MEMO オフセットの設定方法

X値を増やすと設定した単位で水平に右に画像が移動し、Y値を増やすと垂直に下に移動します。<中央>をクリックすると、キャンバスの水平および垂直の中央に画像が配置されます。

MEMO 塗りつぶし色を確認する

<塗りつぶし色>にはキャンバスのサイズが拡張された場合の余白に適用される色（または透明）を選択します。ここでは<透明>を選択しているので余白は透明になります。

SECTION

11 画像の解像度について知る

画像のサイズを決めるうえで解像度の設定が重要になります。画像のサイズを表すピクセル数とともに解像度にも注目しましょう。

解像度とは

解像度とは画像を構成する色のピクセルの密度を表しています。GIMPにおける解像度の単位はデフォルトでは＜ピクセル/in＞に設定されていますが、これは画像の1インチに何ピクセル含まれているのかを表しています。解像度の数値が高いほど高解像度になります。GIMPでは水平解像度と垂直解像度をそれぞれ設定することができます。

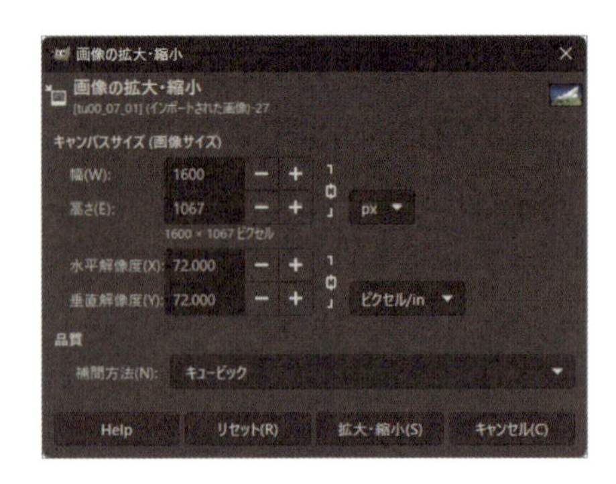

解像度を変更する

1 ＜画像＞メニューをクリックして❶、＜画像の拡大・縮小＞をクリックします❷。

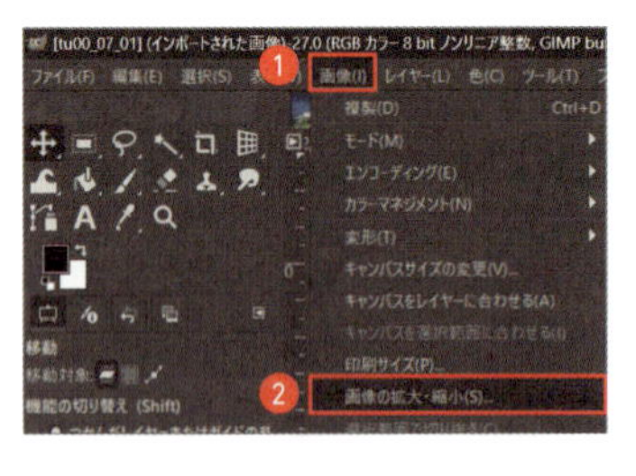

2 ＜画像の拡大・縮小＞ダイアログが開きます。設定を変更して、＜拡大・縮小＞をクリックします❶。

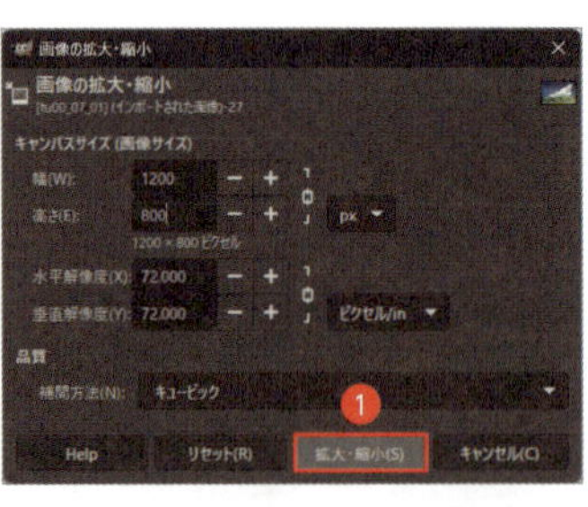

3 指定した解像度に変換します。

＜画像の拡大・縮小＞ダイアログの見方

1 幅と高さ

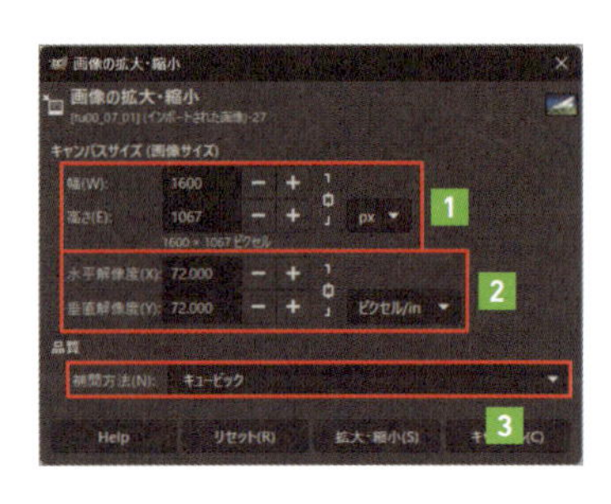

画像の幅と高さのピクセル数を変更します。右側のボタンをクリックして単位を選択し、＜幅＞と＜高さ＞に変更したい数値を入力します。＜幅＞と＜高さ＞の右側の鎖型のアイコンをクリックして鎖がつながった状態になると、幅と高さの比率が保たれます。

2 水平解像度と垂直解像度

この数値が画像解像度です。通常は＜ピクセル/in＞に設定されています。これは1インチに何ピクセル存在しているかを表しています。数値が大きいほどピクセルの密度は高く、より高解像度になり、ファイル容量が大きくなります。印刷が目的の画像は解像度を「300」程度に高く設定しましょう。

3 ＜品質＞の＜補完方法＞

通常は＜キュービック＞を選択することで、拡大や縮小によって自然にきれいに処理されます。

SECTION 12

操作を元に戻す・やり直す

GIMPで行った編集結果をひとつ前の状態に戻したり、またはひとつ先の状態に進めたり、いわゆるアンドゥ操作をおぼえましょう。

<編集>メニューで元に戻す・やり直す

1 ここでは拡大した画像を小さく戻します。<編集>メニューをクリックして❶、<○○を元に戻す>をクリックします❷。

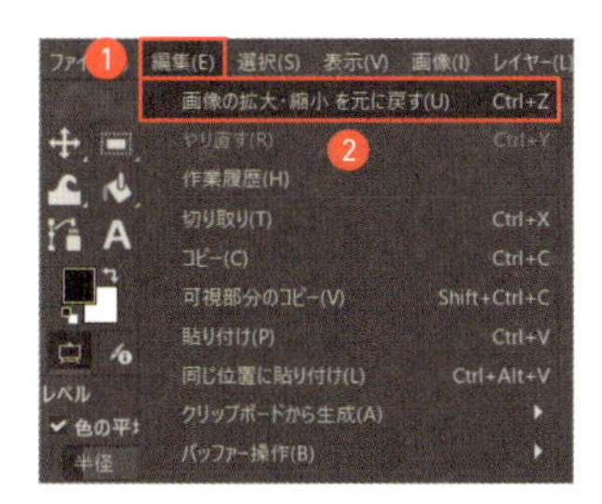

2 編集した内容が元に戻ります。

3 <編集>メニューをクリックして❶、<○○をやり直す>をクリックします❷。

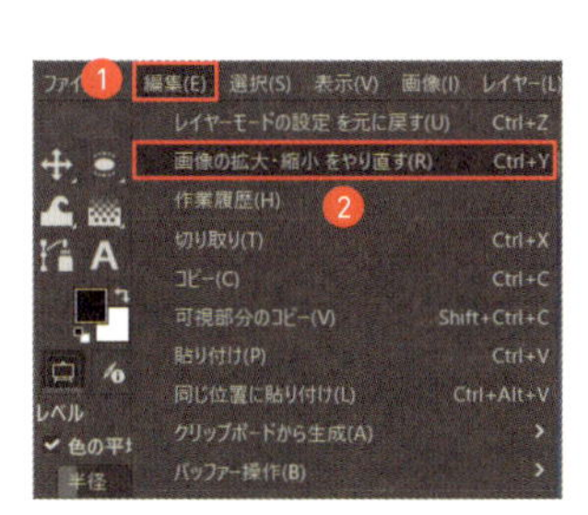

4 操作のやり直しが完了します。

作業履歴を確認する

1 <編集>メニューをクリックし❶、<作業履歴>をクリックします❷。

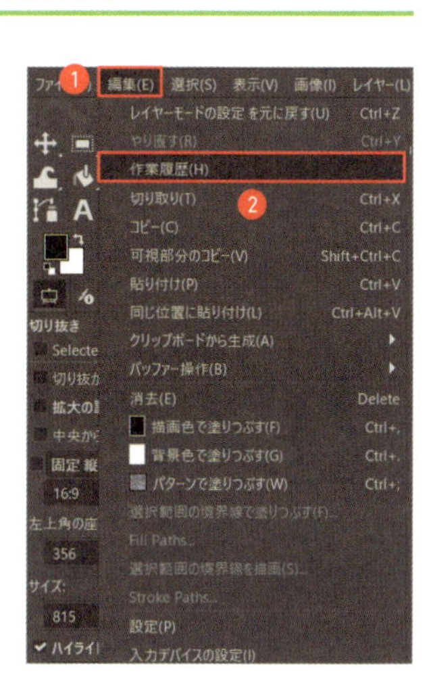

2 <作業履歴>ダイアログが開きます。<作業履歴>ダイアログの上が古い履歴で、下になるほど新しい履歴です。戻りたい状態の履歴をクリックします❶。

HINT ツールオプションで履歴を確認する

ツールオプションの<作業履歴>タブをクリックすると、下に一覧が表示されます。

HINT ショートカットキーを利用する

ショートカットキーを利用して元に戻す/やり直す操作をすることもできます。元に戻す場合はCtrl+Zを押して戻せます。やり直す場合は、Ctrl+Yを押します。

SECTION

13

画像を指定した形式で保存する

画像を使用する目的に合わせて指定したファイル形式で保存をしましょう。この保存方法は＜エクスポート＞や＜書き出し＞と呼ばれています。

JPEGなどの形式でエクスポートする

1 ＜ファイル＞メニューをクリックして❶、＜名前を付けてエクスポート＞を選択します❷。

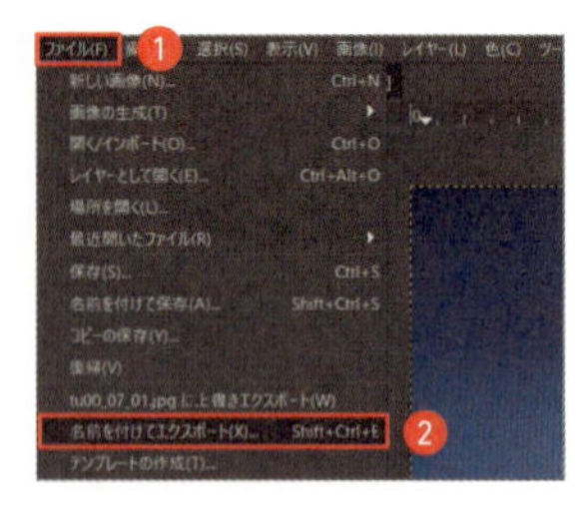

2 ＜ファイル形式の選択＞をクリックします❶。

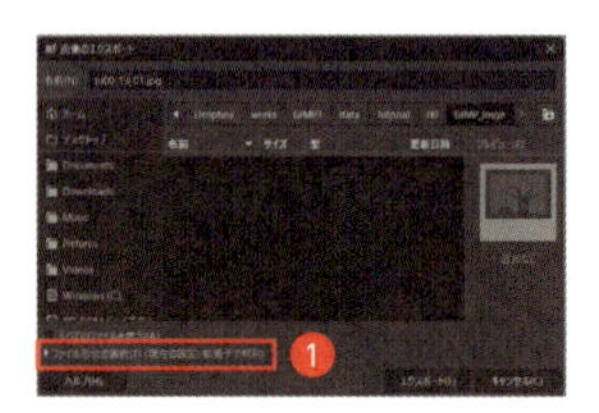

3 様々な画像の一覧が表示されます。保存する形式（ここでは＜JPEG画像＞）をクリックします❶。保存するフォルダを指定して❷、＜名前＞に画像のファイル名を入力し❸、＜エクスポート＞をクリックします❹。

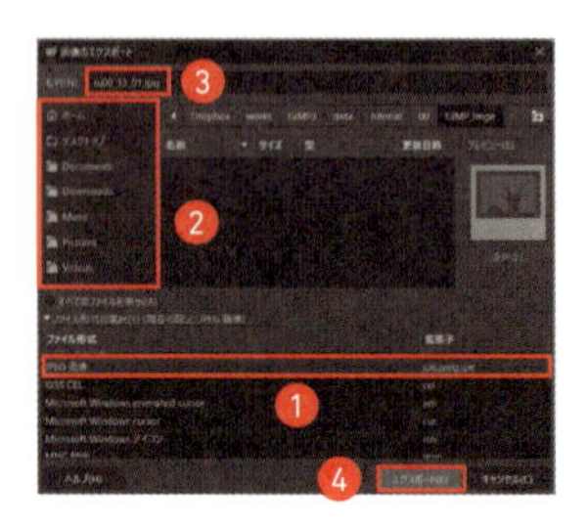

4 選択したファイル形式によっては、さらにダイアログが開きます。指示に従って設定を行い、＜エクスポート＞をクリックします❶。

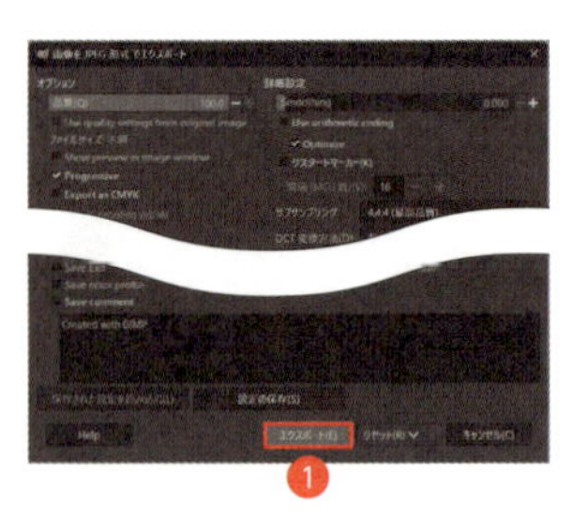

XCF形式で画像を保存する

1 ＜ファイル＞メニューをクリックして❶、＜名前を付けて保存＞をクリックします❷。

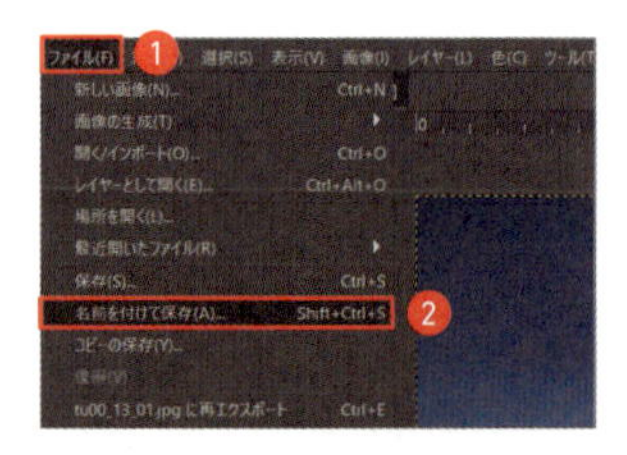

2 保存するフォルダを指定し❶、＜名前＞に画像のファイル名を入力して❷、＜保存＞をクリックします❸。

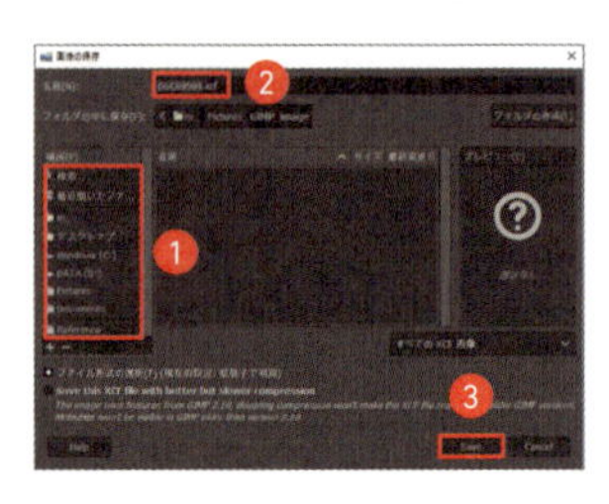

HINT 上書き保存の場合

編集中の画像を上書き保存したい場合は、＜ファイル＞メニューから＜○○に上書きエクスポート＞を選択します。

MEMO 画像を印刷する

GIMPから画像を印刷するには、＜ファイル＞メニューをクリックして、＜印刷＞をクリックします。ダイアログが開くので、＜プリンター＞の一覧から印刷可能なプリンター名を選択します。＜その他の設定＞をクリックすると、用紙の種類や用紙のサイズ、印刷の品質などを設定できます。印刷設定は＜OK＞をクリックすると終了するので、もとのダイアログに戻ったら＜印刷＞をクリックして印刷します。

なお、GIMPではプリンタードライバーの設定通りに印刷できないことがあります。また、設定を指定しても、正確に印刷できない場合が少なくありません。正確に印刷できない場合は、画像をPNGやJPEGなどの一般的なファイル形式で保存をし、ほかの画像編集アプリやOSの写真アプリでの印刷設定をおすすめします。

[チュートリアル編]

CHAPTER

1

画像をきれいに補正する

SECTION

00 この章の流れ

風景や人物の写真を部分的に調整して、イメージに近い色や明るさになるように写真を補正します。

この章で行うこと

1 風景写真全体を鮮やかにするだけでなく、＜調整する基準色＞で特定の色を選んで彩度を高めます。さらに＜オーバーラップ＞で特定の色をピンポイントで調整します。

写真全体が暗くなっています。

写真全体をを明るく補正します。特に、空の青さを強調します。

2 写真の不要なものを消すには<Healing>(修復ブラシ)が便利です。写真の同じような色や形状の部分をソースに指定して、消したい部分をドラッグして消していきます。

青空の写真に避雷針が写り込んでしまっています。

<Healing>を利用すれば写真から不要なものを消すことができます。

3 人物をより良く見せます。目、鼻、唇、頬といったパーツの形はそのままに、色や明るさを調整することで自然な印象を残しながら魅力的に仕上げることができます。

写真が暗い印象になってしまっています。

全体を明るくするだけでなく、メイクを施したように仕上げることができます。

4 室内で料理を撮影すると不足しがちな明るさや彩度、ホワイトバランスを補正します。さらに色ごとに彩度を高めて美味しそうに仕上げます。

室内だと食べ物をおいしそうに取り損ねることもあります。

食べ物の色ごとに明るさを調整しておいしそうに見せましょう。

SECTION

01 風景を鮮やかにする

＜色相-彩度＞ダイアログで風景写真全体の彩度を高めます。調整する色は＜調整する基準色＞で選択します。

SAMPLE tu01_01.jpg

写真全体の彩度を調整する

1 ＜ファイル＞をクリックして❶、＜開く/インポート＞をクリックします❷。

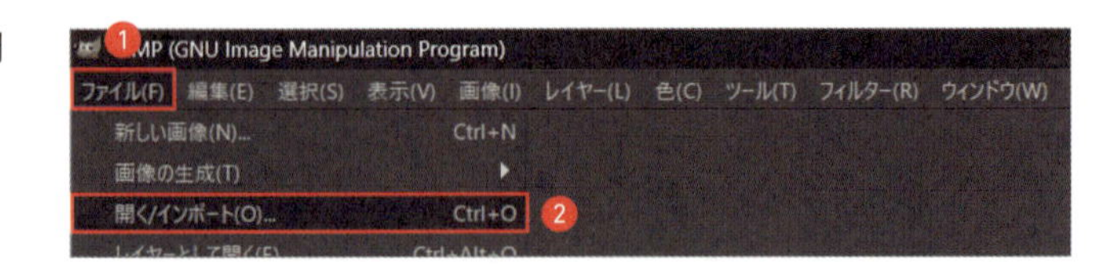

2 ＜画像ファイルを開く＞ダイアログで、画像の保存場所を選択し❶、＜名前＞で開く画像のファイル名(ここでは「tu01_01.jpg」)クリックします❷。＜開く＞をクリックします❸。

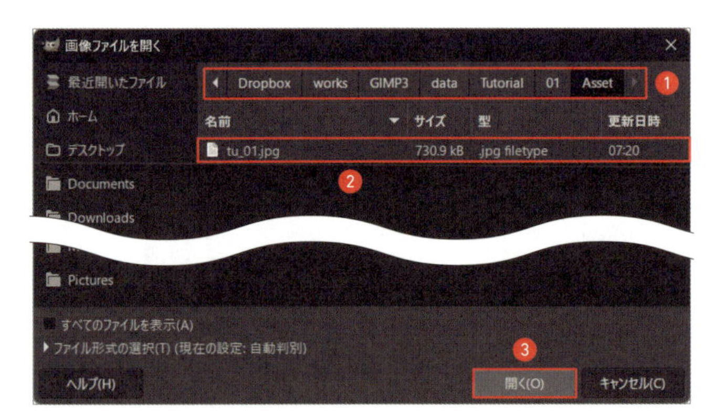

3 画像が開きます。＜色＞メニューをクリックし❶、＜色相-彩度＞をクリックします❷。

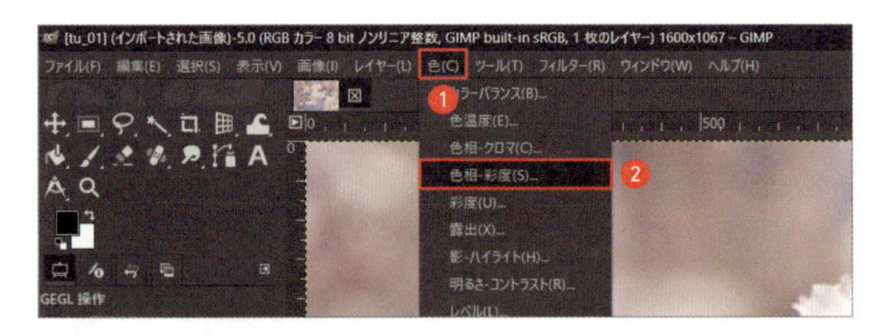

4 ＜色相-彩度＞ダイアログが表示されます。＜選択した色を調整＞の＜彩度＞のスライダーを右にドラッグして、数値を「30」に設定します❶。設定したら＜OK＞をクリックします❷。

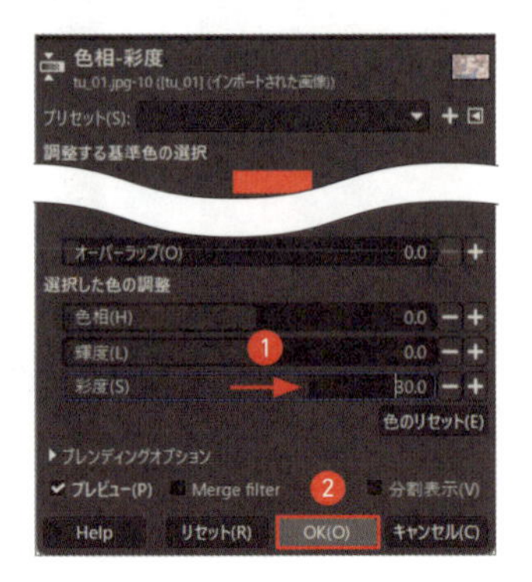

MEMO 彩度

＜彩度＞では写真の彩度を調整できます。写真によって、彩度が強すぎて色がきつくならない程度に調整しましょう。

5 写真全体が鮮やかになります。

空を鮮やかにする

1 34ページの手順**3**と同様の方法で＜色相-彩度＞ダイアログを開き、＜調整する基準色を選択＞で＜B＞をクリックします❶。＜彩度＞のスライダーを右にドラッグし、数値を「30」に設定します❷。

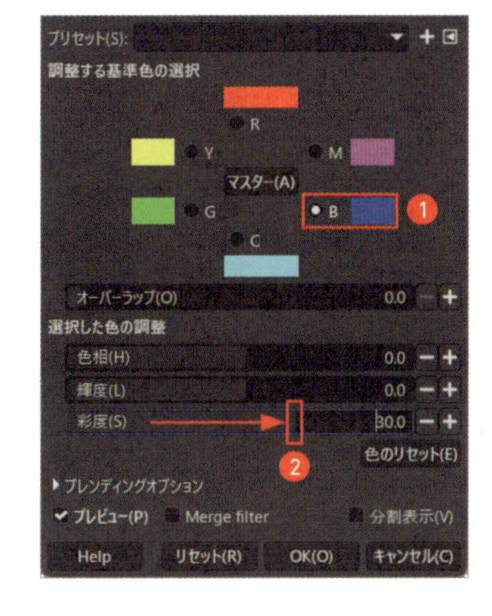

2 ＜調整する基準色を選択＞で＜R＞をクリックして❶、＜オーバーラップ＞を「100」に高めます❷。さらに、＜輝度＞を「20」に上げて❸、＜OK＞をクリックします❹。

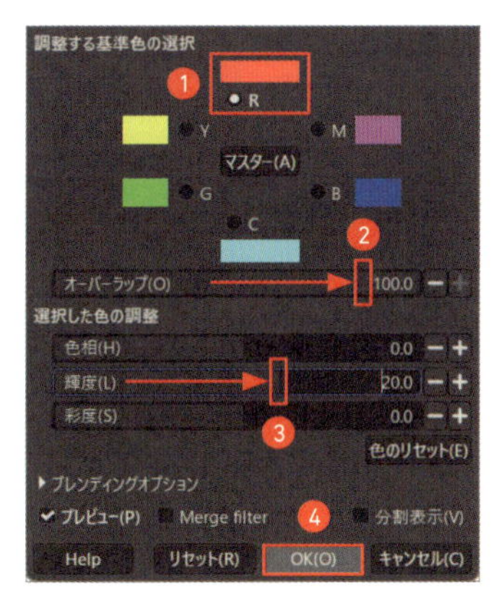

MEMO ＜オーバーラップ＞とは

＜オーバーラップ＞は色の調整範囲を絞り込む機能です。

3 空の青さが強調されます。

SECTION

02

写り込んだ余計なものを消す

写真の不要なものを<Healing>(修復ブラシ)で目立たなく消します。周囲と同じような色や形状の箇所を修復ソースに指定し、消したいところをドラッグします。

SAMPLE tu01_02.jpg

<Healing>の設定をする

1 34ページの手順1～2と同様の手順で画像「tu01_02.jpg」を開きます。<ズーム>をクリックして❶、消したい部分(ここではアンテナ)とその周辺をドラッグして拡大表示します❷。

2 ドラッグした箇所が拡大されます。ツールボックスの<スタンプで描画・修復>グループを右クリックして、<Healing>(修復ブラシ)をクリックし❶、<ツールオプション>で<ブラシ>をクリックします❷。表示されるブラシの一覧から、<2.Hardness 075>をクリックします❸。

3 <ツールオプション>の<サイズ>に「100」と入力して Enter キーを押します❶。

写りこんだものを消す

1 消したい箇所に隣接している色や模様が周囲と同じような部分を、Ctrlキーを押しながらクリックして、修復ソースに指定します❶。ブラシを消したい部分に重ねてドラッグします❷。

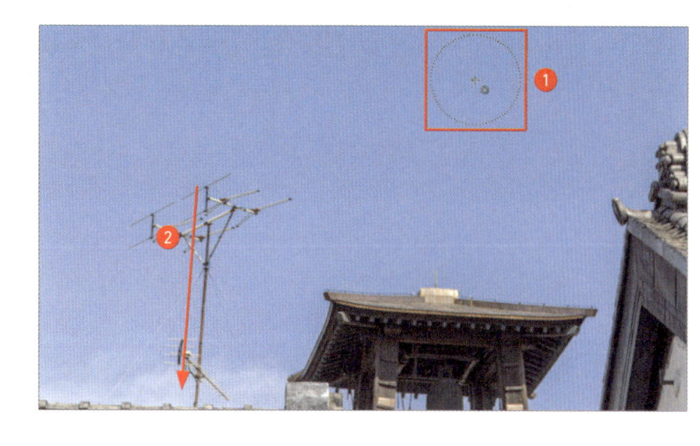

HINT 細かく修正を重ねたい場合

細かく塗り消したい場合は、一度消した箇所を再び修復ソースに指定して、少しずつドラッグを繰り返すと、上手に消すことができます。

2 アンテナがソース画像で塗られていきます。途中で隣接する箇所をクリックしてソース指定し直し❶、繰り返しアンテナの下までドラッグして消していきます（付け根近くは少し残しておきます）❷。

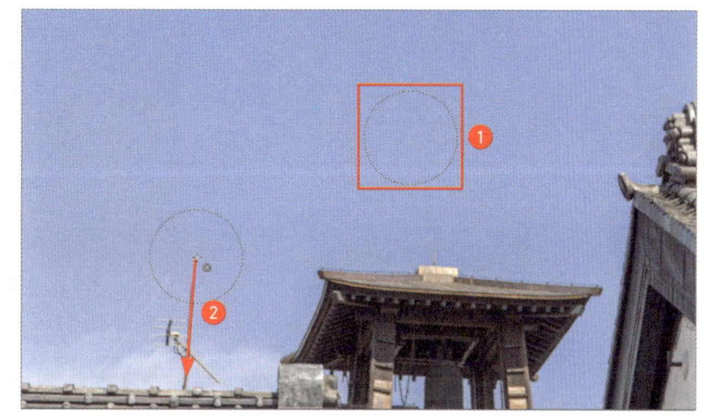

3 消し残した部分を36ページの手順1の方法でさらに拡大表示をします。<Healing>をクリックして❶、ブラシサイズを「50」に変更します❷。ここでは屋根と空の境界にある突起部分をソースに指定して❸、ドラッグして消していきます❹。

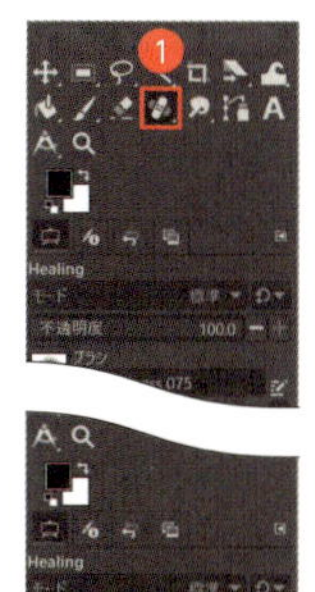

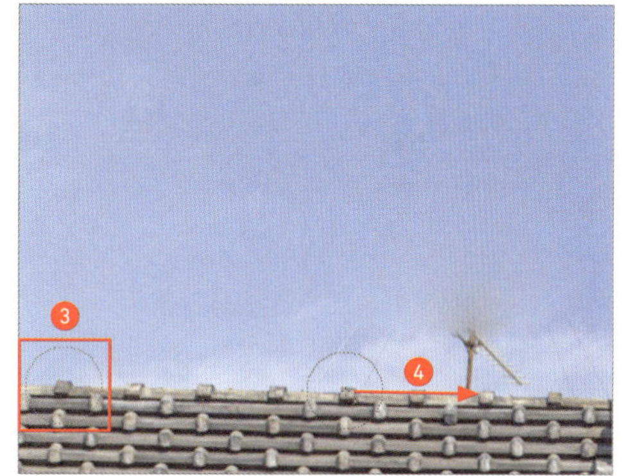

4 アンテナがすべて消え完成です。

SECTION

03 人物をきれいに見せる

人物の顔写真を肌に適したトーンに整えます。目、鼻、唇、頬といったパーツごとにメイクを施す要領で色や明るさを加えて、顔写真を魅力的に仕上げましょう。

SAMPLE tu01_03.jpg

肌に合わせて写真全体を明るくする

1 34ページの手順 1 ～ 2 の方法で画像「tu01_03.jpg」を開きます。<色>メニューをクリックして❶、<レベル>をクリックします❷。

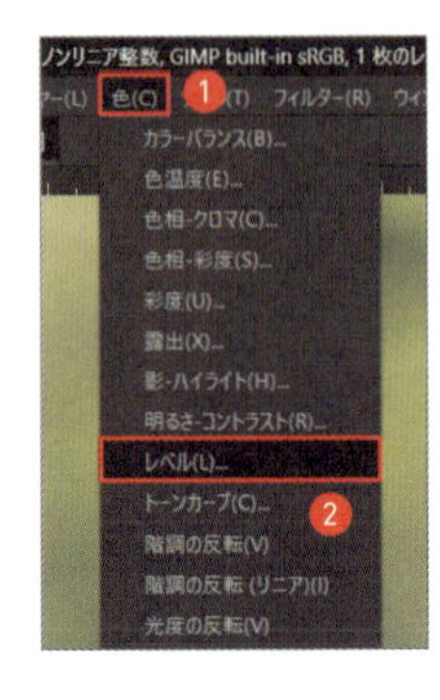

2 <レベル>ダイアログが表示されます。<入力レベル>の白いマーカーを、数値が「230」になるまでドラッグします❶。さらに、中間の三角形のマーカーを左にドラッグして、数値を「1.16」に設定します❷。設定が終わったら、<OK>をクリックします❸。

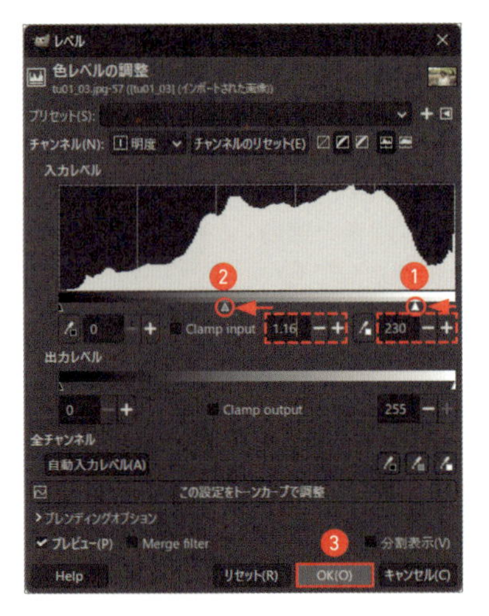

3 肌を中心に写真全体の明るい部分がより明るくなります。

レイヤーを使って口紅を塗る

1 ＜レイヤー＞メニューをクリックして❶、＜新しいレイヤーの追加＞をクリックします❷。

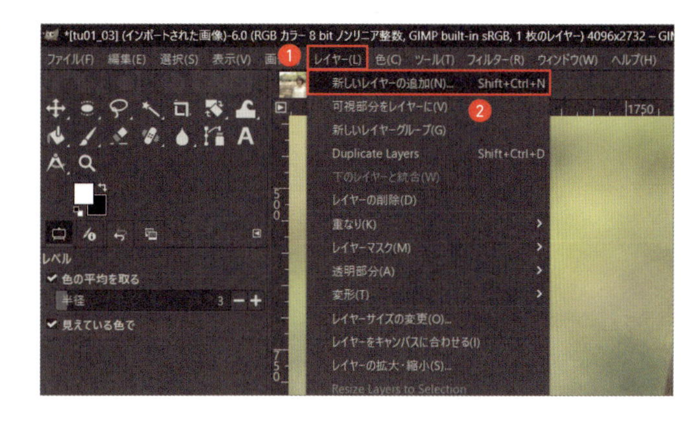

2 ＜新しいレイヤー＞ダイアログが表示されたら、＜レイヤー名＞に「リップ」と入力します❶。＜塗りつぶし色＞は＜透明＞を選択して❷、＜OK＞をクリックします❸。

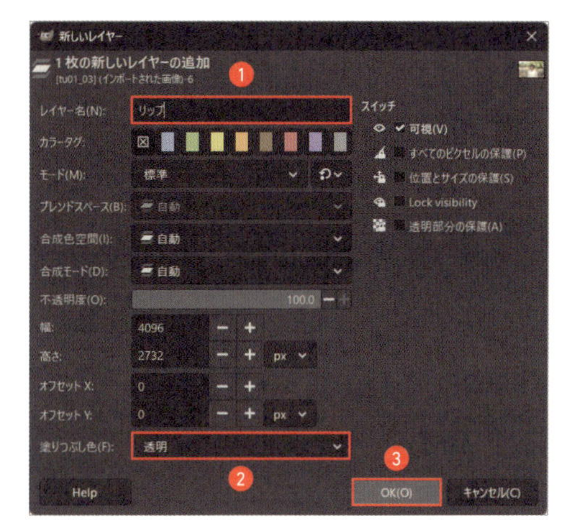

3 ＜レイヤー＞ダイアログの＜モード＞をクリックして❶、＜HSL カラー＞メニューをクリックします❷。

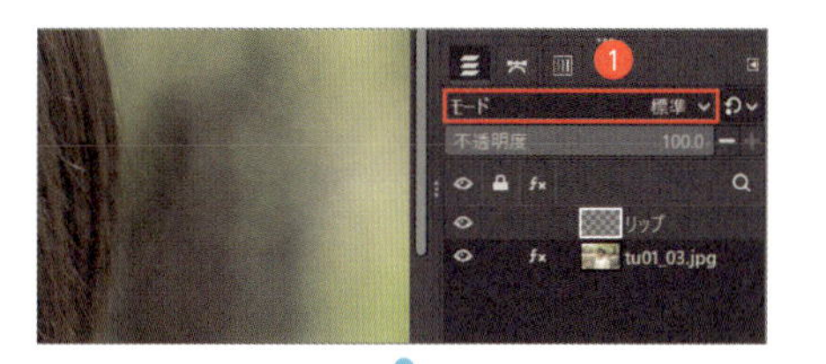

MEMO レイヤーのモード

レイヤーは重なり方を様々なモードから選択できます。＜HSL カラー＞は元々ある色の明るさに応じて着色されます。

4 ＜描画色＞をクリッククリックして❶、＜描画色の変更＞ダイアログで＜HTML表記＞に「e1a9a9」と入力して❷、＜OK＞をクリックします❸。

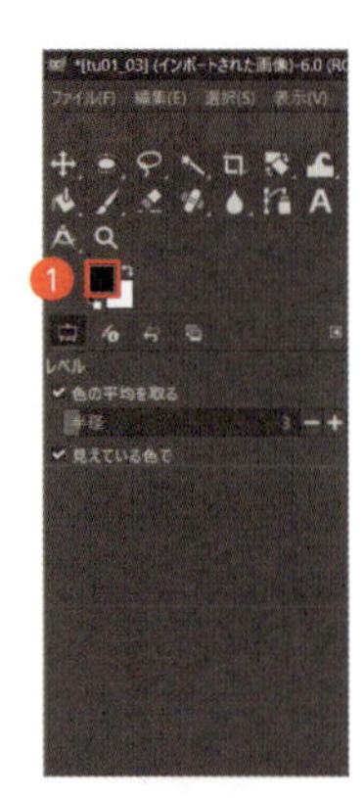

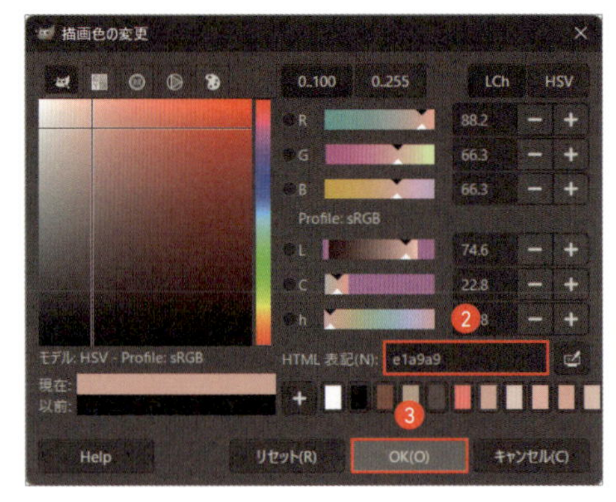

5 描画色が肌よりも少し濃いピンクベージュ色に設定されます。ツールボックスの＜描画＞グループを右クリックして＜ブラシで描画＞をクリックします❶。＜ツールオプション＞で＜ブラシ＞をクリックして、一覧から＜2.Hardness 050＞を選択します❷。サイズは「30」にします❸。唇の部分をドラッグすると描画色で着色されます❹。

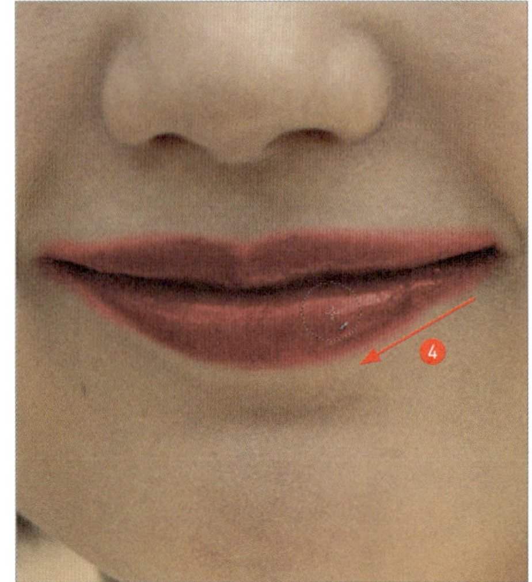

MEMO 着色のコツ

繰り返し塗り重ねると色が濃くなるので、なるべく一度のドラッグで着色します。

6 ツールボックスの＜消しゴム＞をクリックして❶、はみ出した部分をドラッグします❷。色を消せます。

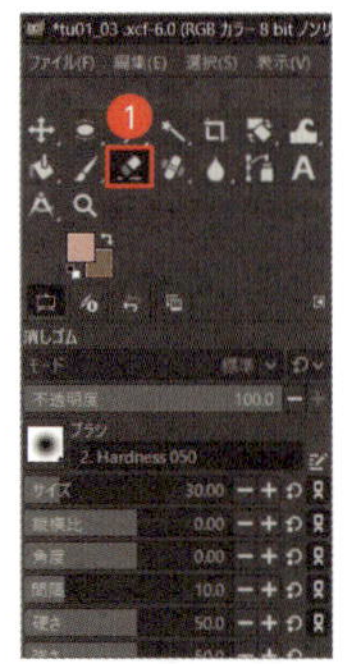

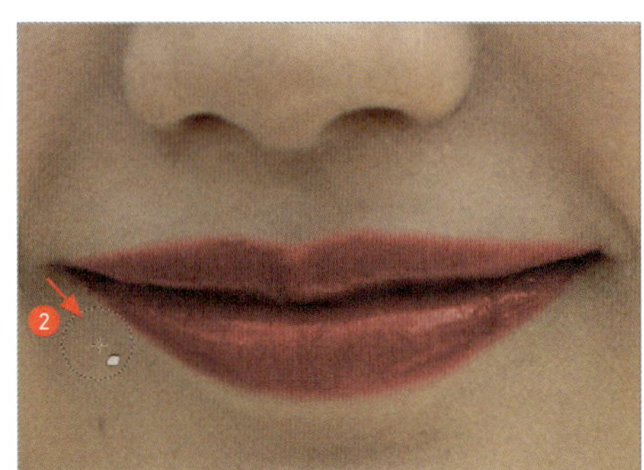

7 ＜レイヤー＞ダイアログの＜不透明度＞をドラッグして「45」に下げます❶。ここでは元の唇の凹凸感になじませていますが、濃さは好みで調整しましょう。

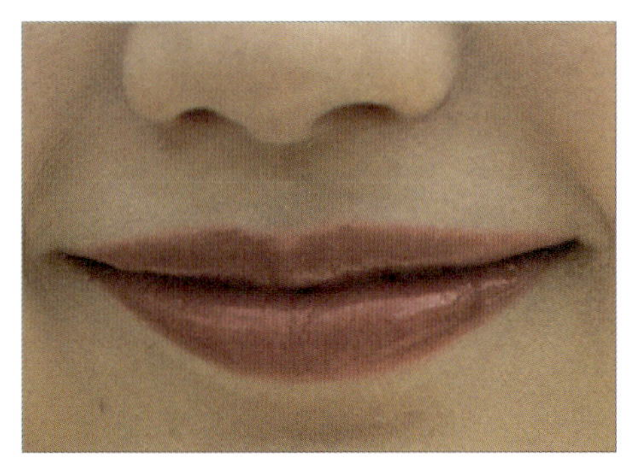

チークとハイライトを加える

1 39ページの手順**1**～**2**の方法で新規レイヤーを追加します❶。<レイヤー名>は「チーク・ハイライト」にして、<塗りつぶし色>は<透明>にします。また、39ページの手順**3**の方法でレイヤーの<モード>を<オーバーレイ>に設定します❷。

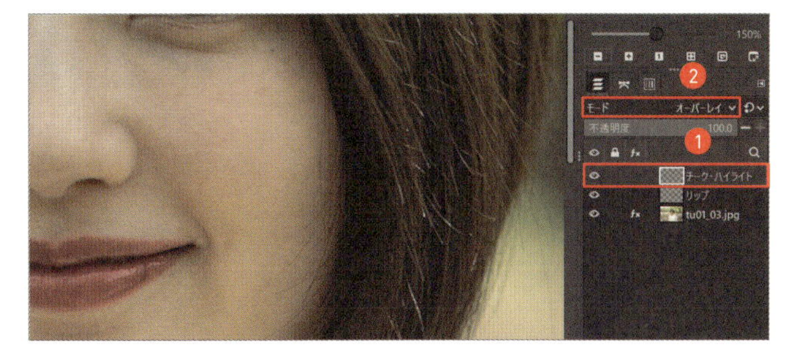

2 40ページの手順**4**の方法で<描画色の変更>ダイアログを表示します。<HTML表記>に「ff5d78」と入力して❶、<OK>をクリックします❷。

3 描画色がピンクベージュに変更されます。ツールボックスの<ブラシで描画>をクリックします❶。<ツールオプション>の<不透明度>を「10」に下げて❷、<サイズ>を「200」に広げます❸。両頬とあごをそれぞれ一度だけドラッグして、薄いピンク色で着色します❹。

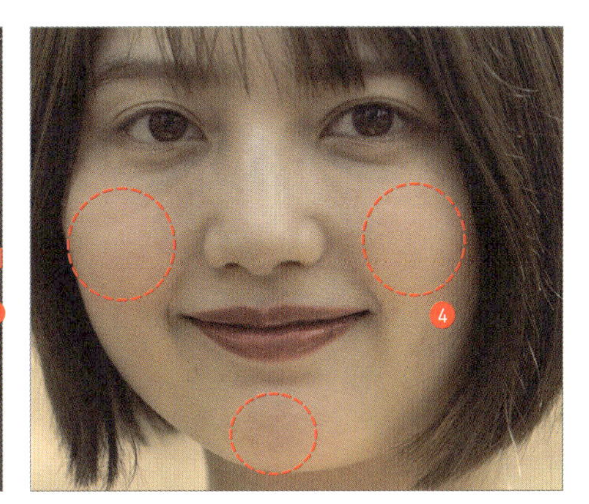

着色するコツ

繰り返し塗り重ねると色が濃くなるので、なるべく一度のドラッグで着色します。

4 40ページの手順**4**と同様の手順で、<描画色>を白（HTML表記で「ffffff」）に変更します❶。<ツールオプション>で、<サイズ>を「100」に縮小します❷。あごをドラッグし❸、まぶた、目の下、鼻の先端といった光の当たる箇所をサッと一度だけドラッグして❹、明るさを加えます。

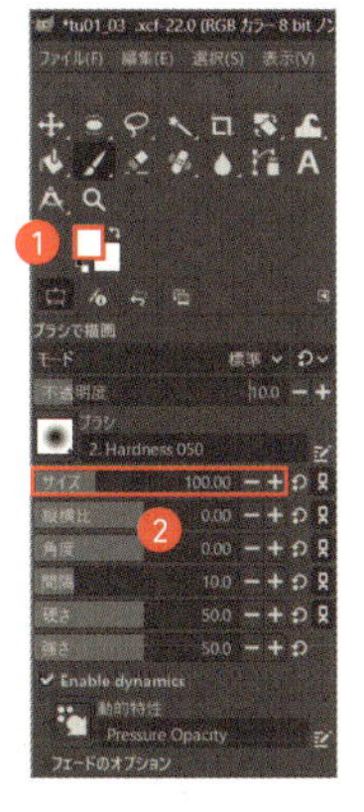

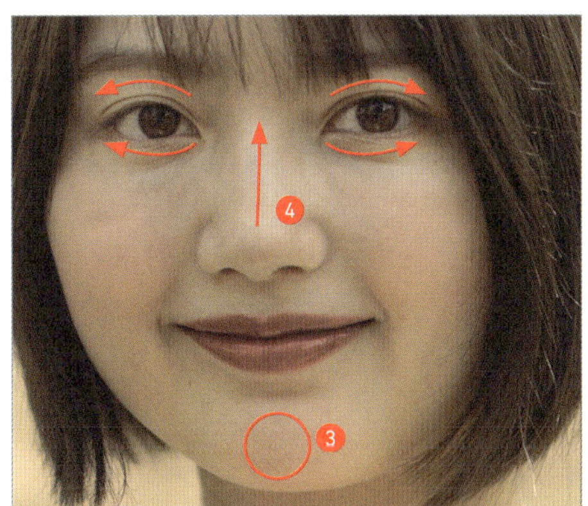

アイラインを引く

1 39ページの手順1～2の方法で「アイライン」という名前のレイヤーを追加します。レイヤーの<モード>を<オーバーレイ>に設定します。また、40ページの手順4の方法で<描画色の変更>ダイアログを表示します。<HTML表記>に「534b4b」と入力して❶、<OK>をクリックします❷。

2 <ズーム>をクリックして❶、目の部分をドラッグして拡大表示します❷。

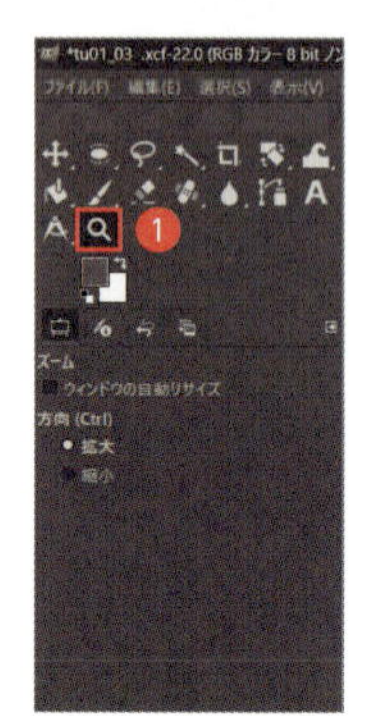
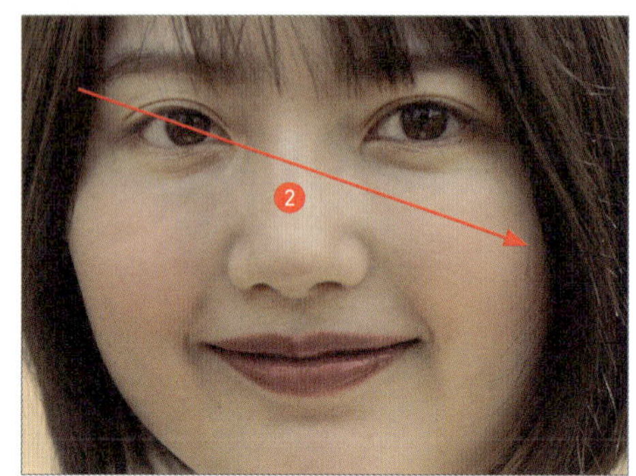

3 ツールボックスの<ブラシで描画>をクリックします❶。<ツールオプション>で<不透明度>を「80」に❷、<サイズ>は「10」に変更します❸。目の上の縁に沿ってドラッグしてアイラインを塗ります❹。

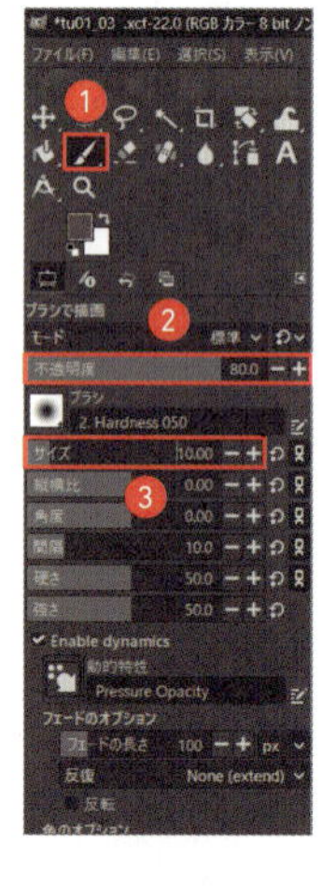
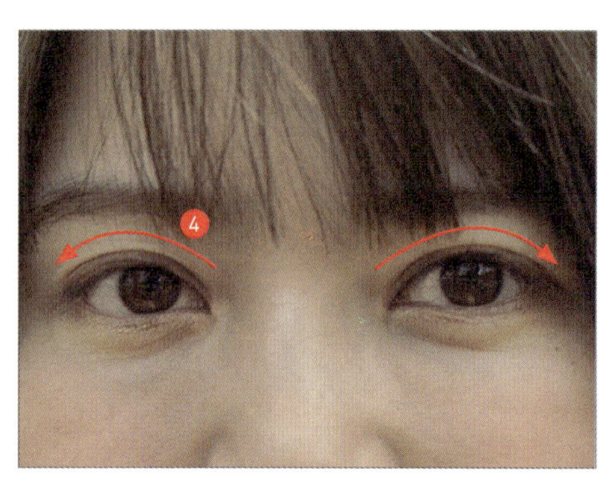

4 さらに、<ツールオプション>で<不透明度>を「50」に❶、<サイズ>を「5」に設定します❷。下の目の縁に沿って、目尻から2/3のあたりまでドラッグします❸。

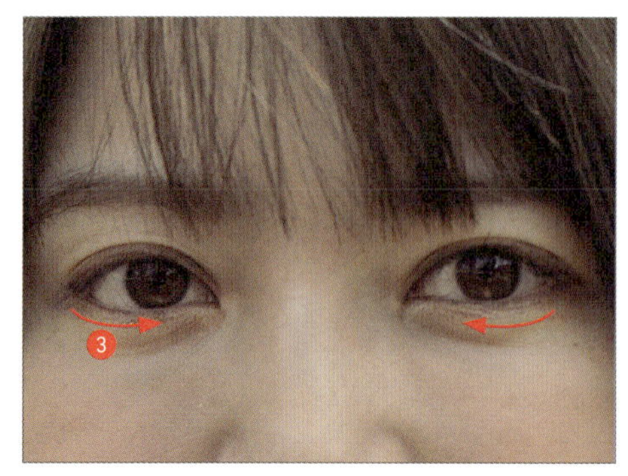

5 ツールボックスの<レタッチ>グループを右クリックして、<ぼかし/シャープ>をクリックします❶。<ツールオプション>で<サイズ>を「50」にします❷。<色混ぜの種類>は<ぼかし>に❸、<割合>は「100」に変更します❹。一度引いたアイラインの部分をドラッグすると❺、綿棒でぼかしたように自然に仕上がります。

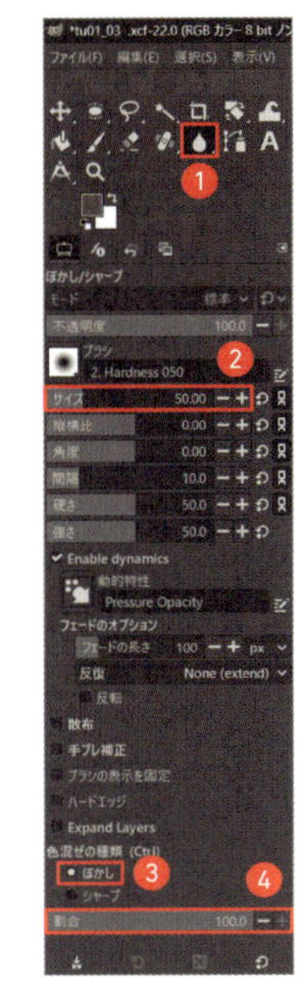

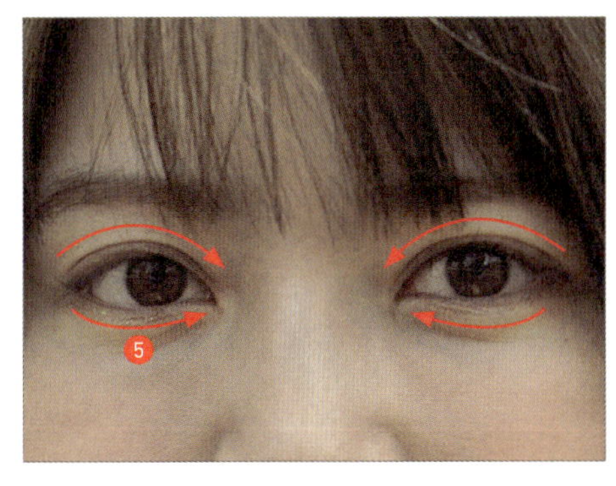

6 肌が明るくなり、メイクを施したようになりました。

SECTION

04 食べ物をおいしそうに見せる

照明の足りない室内で料理の写真を明るく補正して、食べ物本来の発色になるようにホワイトバランスを整えます。

SAMPLE tu01_04.jpg

色と明るさを補正をする

1 34ページの手順 1 ～ 2 の方法で画像「tu01_04.jpg」を開きます。＜色＞メニューをクリックして❶、＜レベル＞をクリックします❷。

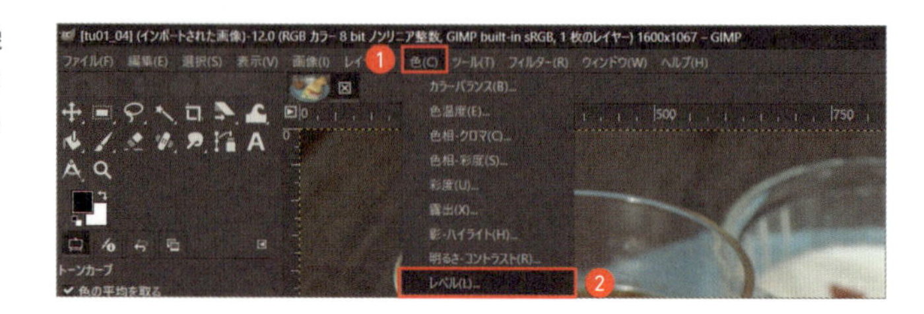

2 ＜レベル＞ダイアログで＜Pick gray point for all channels＞をクリックします❶。

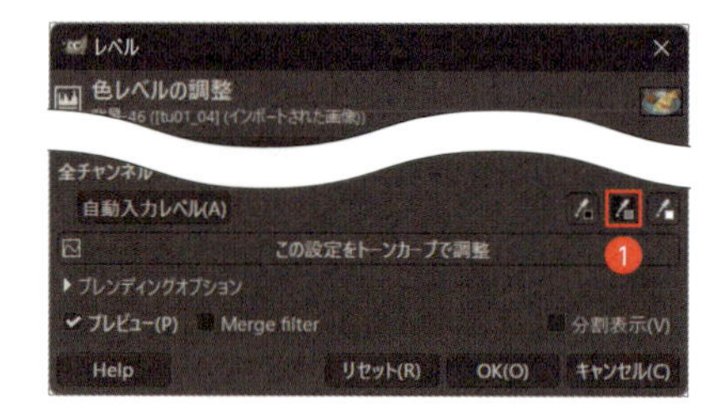

3 基準となる点（ここではカップの縁のあたり）をクリックします❶。写真のグレーの箇所をクリックすると、そこを基準に写真全体の色が自動的に補正されます。

HINT グレー点の指定箇所

クリックした箇所によっては適した結果が得られ無い場合があります。その場合は、ほかの箇所をクリックして、できるだけ本来の色味に近づけましょう。

4 ＜レベル＞ダイアログに戻り、＜入力レベル＞で白色点のマーカーを「240」までドラッグして❶、明るい部分を強調します。さらにグレー点のマーカーを「2.00」になるようドラッグして❷、写真全体を適度に明るくします。黒点のマーカーを「10」になるようドラッグして❸、暗い部分を明るく補正します。それぞれ完了したら、＜OK＞をクリックします❹。

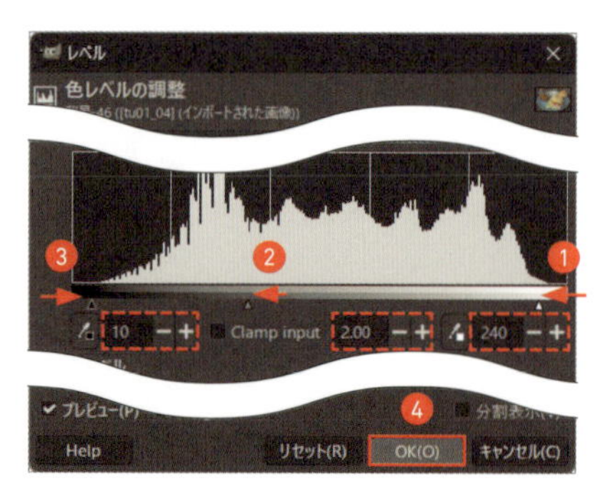

5 画像の明るさが調整されます。

彩度を高めて色のメリハリを出す

1 ＜色＞をクリックして❶、＜色相-彩度＞をクリックします❷。

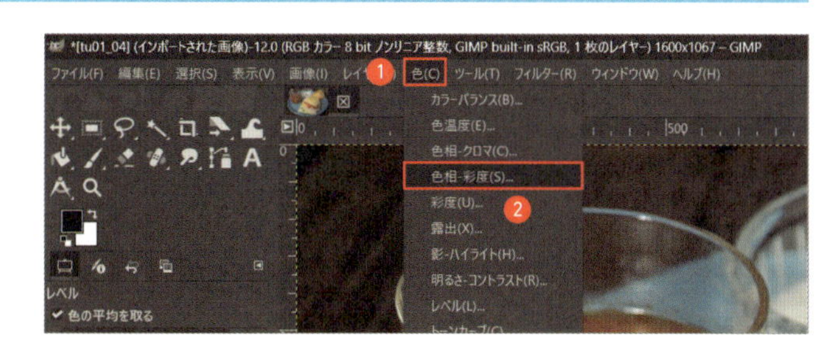

2 ＜色相-彩度＞ダイアログで＜G＞をクリックして❶、＜オーバーラップ＞を「100」になるまでドラッグします❷。＜輝度＞も「24」に設定し❸、＜OK＞をクリックします❹。

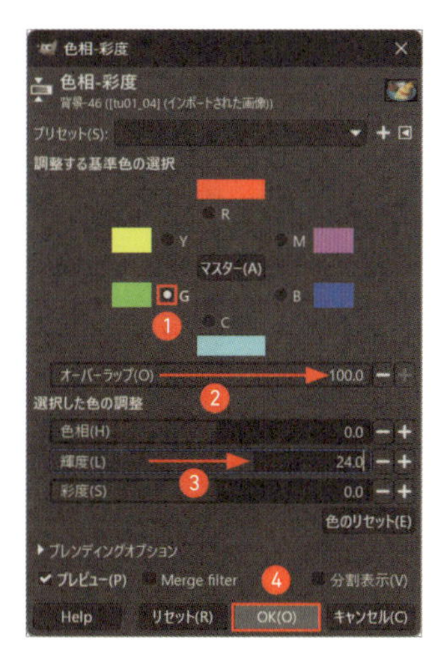

3 手順1の方法で＜色相-彩度＞ダイアログを再び表示します。＜R＞をクリックして❶、＜オーバーラップ＞を「100」に❷、＜彩度＞を「80」に設定し❸、＜OK＞をクリックします❹。

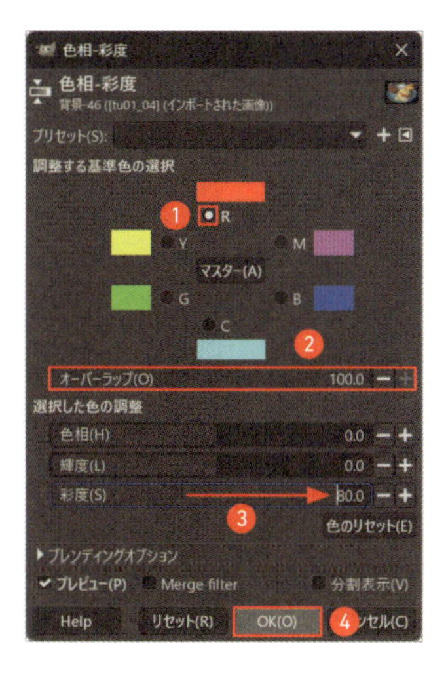

4 レタスの葉とトマトの色が鮮やかになります。

HINT 色の表示が不自然になる場合

＜色相-彩度＞ダイアログでの調整後に色の表示が不自然になる場合は、画像を開く際のカラープロファイル設定が原因の可能性があります。＜Keep the Embedded Working Space?＞ダイアログで＜Convert＞を選択しているか確認してみましょう（24ページ参照）。

コントラストを調整する

1 ＜色＞をクリックして❶、＜トーンカーブ＞をクリックします❷。

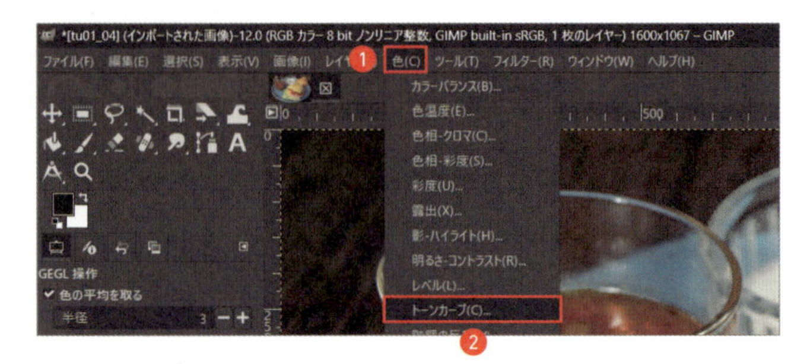

2 カーブの中央がずれないように、右上を少し上にドラッグし❶、左下を下にドラッグします❷。ゆるいS字型の曲線になったら、＜OK＞をクリックします❸。

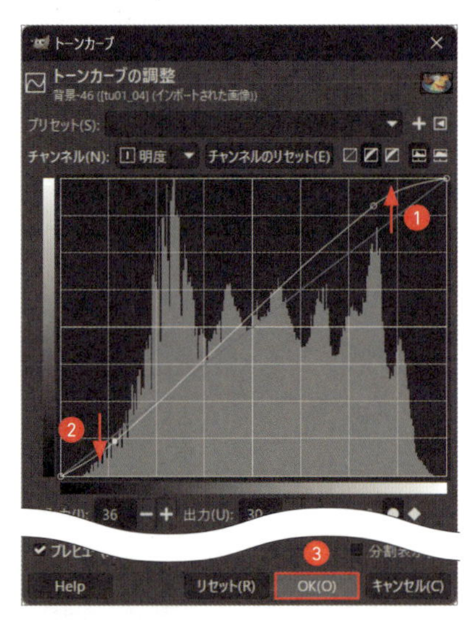

3 明るさ、暗さ、色が強調されて、美味しそうに完成します。

HINT 効果の再編集

レイヤーにある＜fx＞アイコンをクリックするとレイヤーに適用された調整項目が表示されます。各効果名をクリックするとダイアログが開き、前回の調整結果から引き続き再編集ができます。

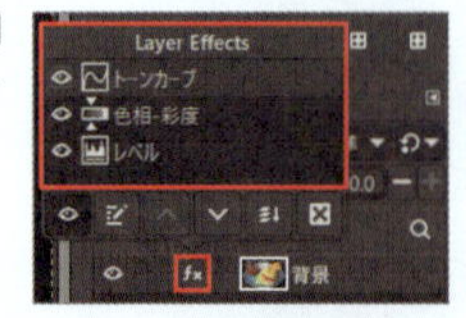

［チュートリアル編］

CHAPTER 2

イラストを描く

SECTION 00

この章の流れ

下絵をもとにイラストを描いて着色します。着色のコツとして、レイヤーを使う方法を覚えましょう。

この章で行うこと

下絵を元に選択範囲、パス、ブラシを使ってイラストを描きます。各パーツをレイヤーに分けて描き重ねていくので、あとからパーツごとに微調整しながら仕上げられます。なおレイヤーの構成を保ちながら保存をするにはGIMP標準のXCF形式を選び、工程ごとに保存をしておくと安心です。

1 下絵を開いてレイヤーを追加して白背景を作り、下絵を＜乗算＞モードで常に表示されるように設定します。

2 足と手のパーツを＜楕円形選択＞で作り、肌色で塗りつぶします。また足の一部分をパスで形を整えます。

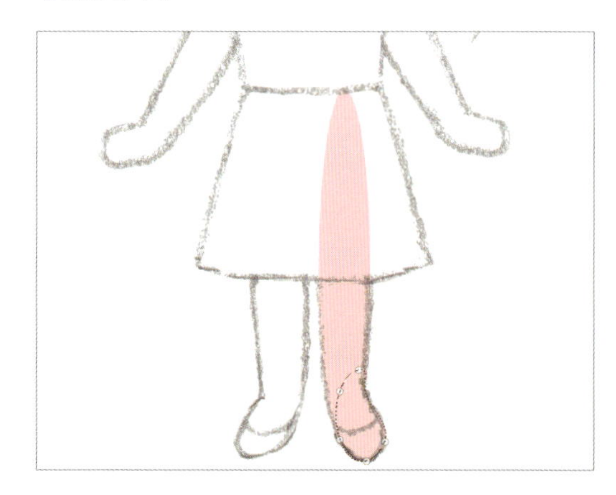

3 スカート、上着を<矩形選択>で作り、パスに変換して曲線を形作ります。それぞれを色で塗りつぶして重ね順を入れ替えます。

4 首、顔を重ねて描き、目、頬のパーツを作成します。眉、口を<ブラシで描画>で描き重ねます。

5 <パス>で髪の毛の線に沿って角と曲線で境界線を結び、選択範囲の変換して塗りつぶします。

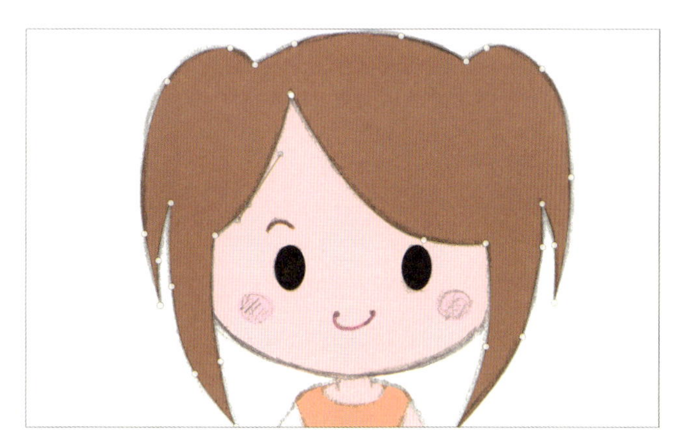

6 手と足をそれぞれ複製して水平方向に反転し、位置を調整ます。最後に下絵のレイヤーを非表示にして完成です。

SECTION

01 下絵と背景のレイヤーを作る

ここではあらかじめ用意した下絵を利用します。この下絵のレイヤーのモードを＜乗算＞に変換して、常に線画を表示させます。

SAMPLE tu02_01.jpg

レイヤーを追加する

1 ＜ファイル＞メニュー→＜開く/インポート＞をクリックして、下絵の画像ファイル（tu02_01.jpg）を開きます。＜レイヤー＞メニューをクリックし❶、＜新しいレイヤーの追加＞を選択します❷。

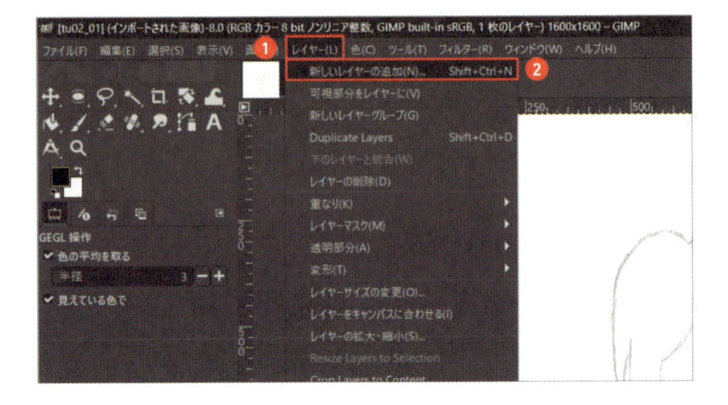

2 ＜新しいレイヤー＞ダイアログが表示されます。レイヤー名を＜背景＞に変更し❶、＜塗りつぶし色＞は＜白＞を選択して❷、＜OK＞をクリックします❸。

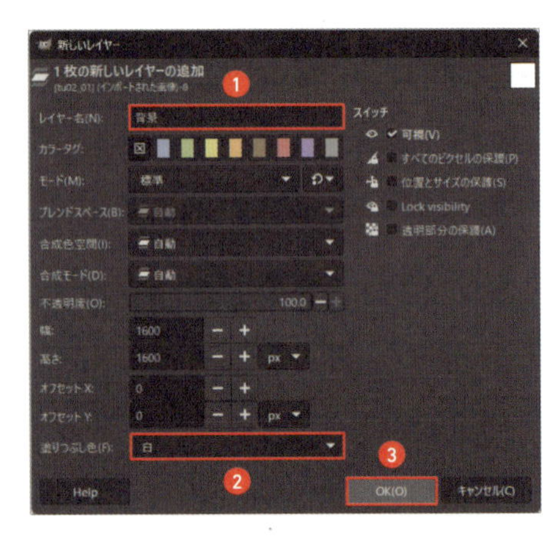

MEMO レイヤーとは

レイヤーとは透明なシートのようなもので、それらを重ねて1枚の画像に見せる機能のことも指します。レイヤーには色を着けたり画像を貼り付けたりします。複数のレイヤーを重ねることで、透明な領域には下にあるレイヤーの色が透けて見えます。

3 白く塗りつぶされたレイヤーが重なります。＜レイヤー＞ダイアログで＜背景＞レイヤーを＜tu02_01.jpg＞レイヤーの下にドラッグします❶。

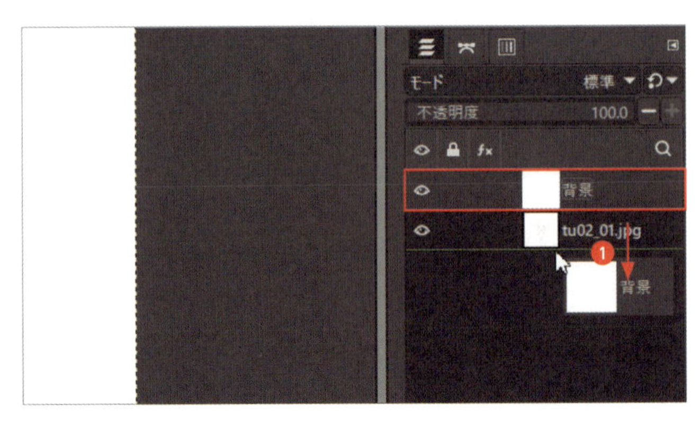

4 レイヤーの重なり順が入れ替わり、下絵が再び表示されます。＜モード＞をクリックします❶。

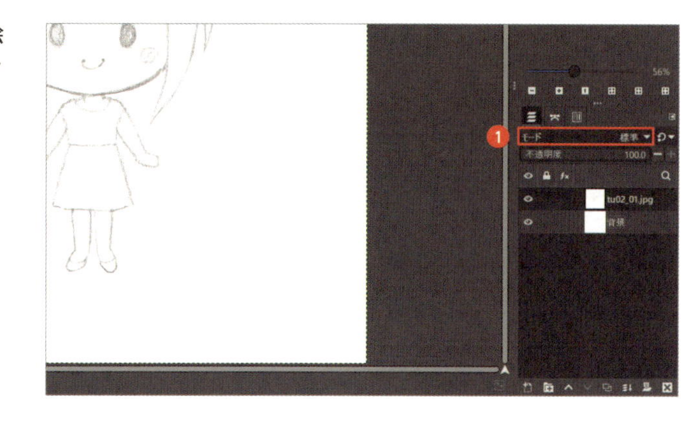

5 レイヤーモードを＜乗算＞に変更します❶。

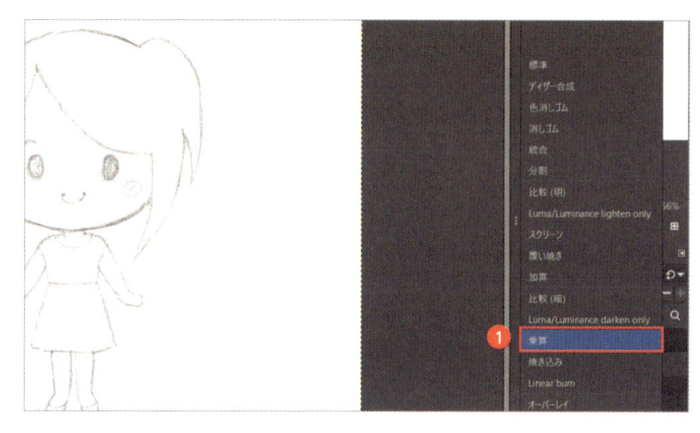

HINT レイヤーモードを変更する

モードを＜標準＞から＜乗算＞に変更しても見た目には変化がありません。しかし、以後レイヤーを追加して着色した際に、色も線画も表示され続けるため、着色する領域の目安になります。

6 ＜背景＞レイヤーを選択します❶。手順**1**と同様の方法で＜新しいレイヤー＞ダイアログを表示します。＜レイヤー名＞を＜足＞に変更し❷、＜塗りつぶし方法＞は＜透明＞を選択します❸。＜OK＞をクリックします❹。

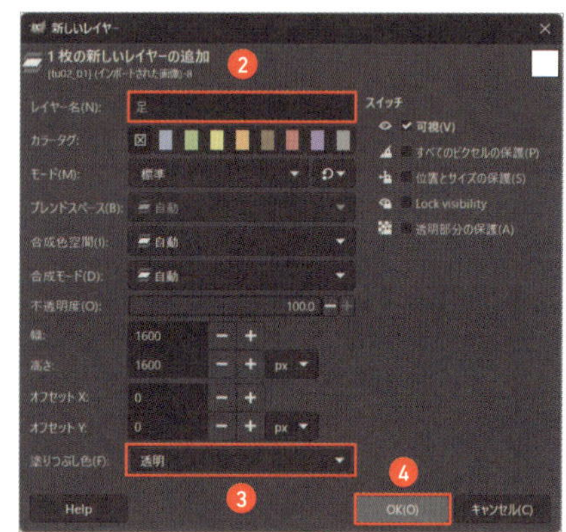

7 ＜足＞レイヤーが追加されます。

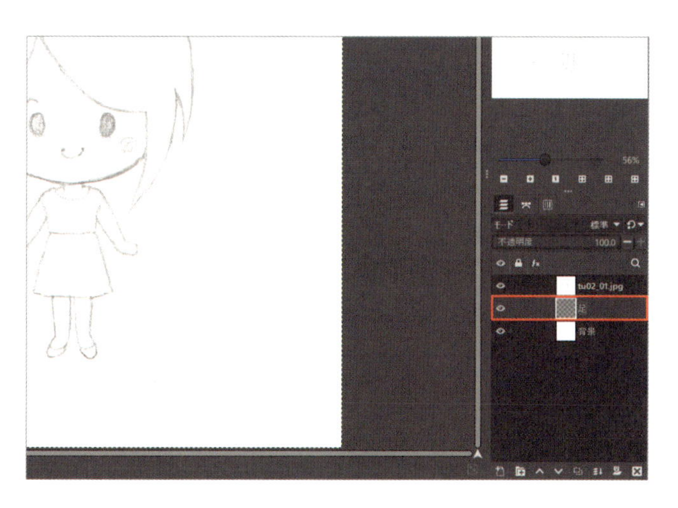

SECTION 02

手足を描く

足と手を片方ずつ<楕円選択>で塗りつぶします。また、足の一部分を追加してパスで形を整えて、選択範囲に変換してから塗りつぶします。

SAMPLE tu02_02.xcf

足を範囲選択で塗りつぶす

1 画像ウィンドウ左下の表示倍率ボタンをクリックして❶、「200%」をクリックします❷。画像が拡大されるので、画像ウィンドウの右側および下側のバーをドラッグして、足下を表示します。

2 <描画色>をクリックします❶。<描画色の変更>ダイアログで<HTML表記>に「ffdbe1」と入力し❷、<OK>をクリックします❸。

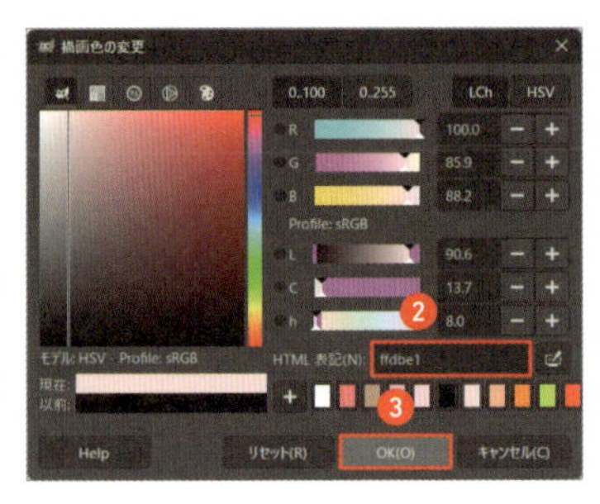

3 ツールボックスの<矩形・楕円選択>グループを右クリックして<楕円選択>をクリックし❶、足の線画に合わせてドラッグして縦長の選択範囲を作ります❷。

MEMO 選択範囲の大きさを調整する

作成した選択範囲は、ほかのツールなどに切り替えるまでは四隅をドラッグすることで大きさを、範囲の囲みの中をドラッグすることで位置を自由に調整できます。はみ出した部分は後でスカートを描いて重ねるので隠れます。

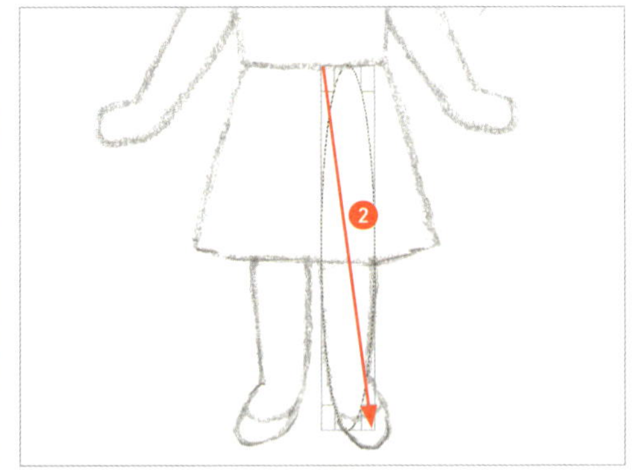

4 <足>レイヤーが選択されていることを確認します。<編集>メニューをクリックして❶、<描画色で塗りつぶす>をクリックします❷。

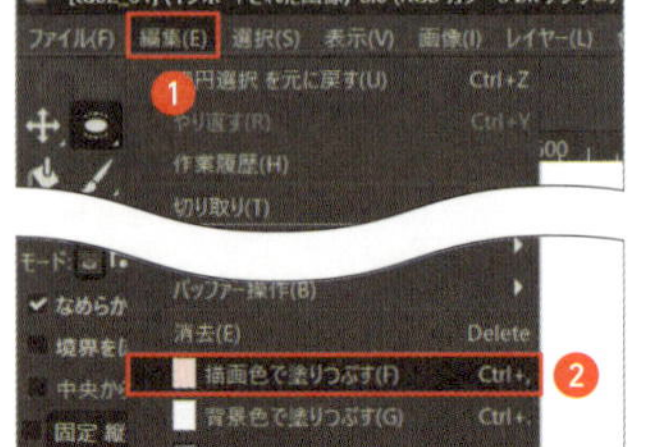

5 選択範囲内が描画色で塗りつぶされます。<選択>メニューをクリックして❶、<選択の解除>をクリックします❷。

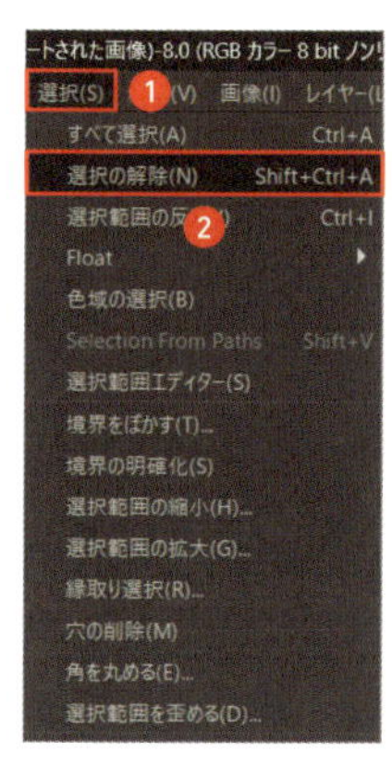

パスを利用して着色する

1 足の先端をドラッグして、小さい縦長の楕円形の選択範囲を作ります❶。

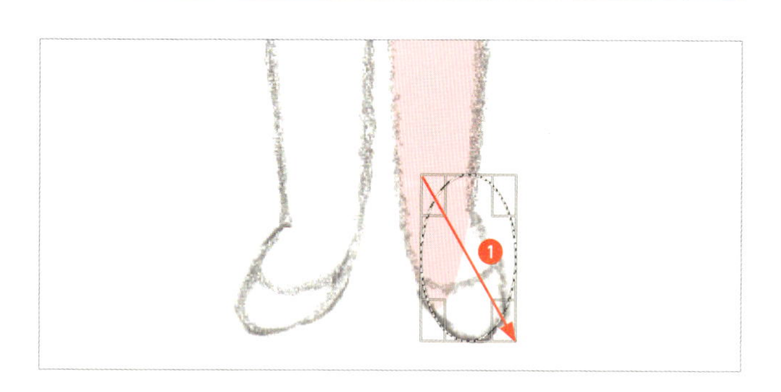

MEMO パスとは

パスはベクトル形式の線を作成ペイントするツールです。一般的なペイントツールで描いた線と異なり、変形をしても滑らかな状態を保ちます。直線、曲線、図形を描いたり、選択範囲を作るために利用します。

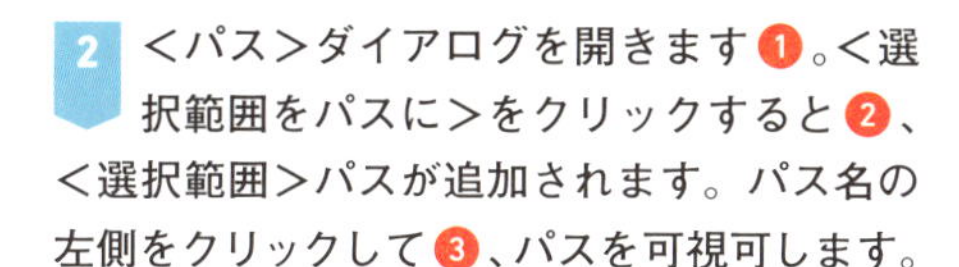

2 <パス>ダイアログを開きます❶。<選択範囲をパスに>をクリックすると❷、<選択範囲>パスが追加されます。パス名の左側をクリックして❸、パスを可視可します。

HINT <パス>ダイアログが見つからない場合

<パス>ダイアログが見当たらない場合は、<ウィンドウ>メニューから<ドッキング可能なダイアログ>をクリックし、<パス>を選択します。

3 上記の手順5と同様の方法で選択を解除します。さらに、ツールボックスの<パス>をクリックして❶、パスの境界線をクリックします❷。赤いパスとアンカーポイントが表示されます。

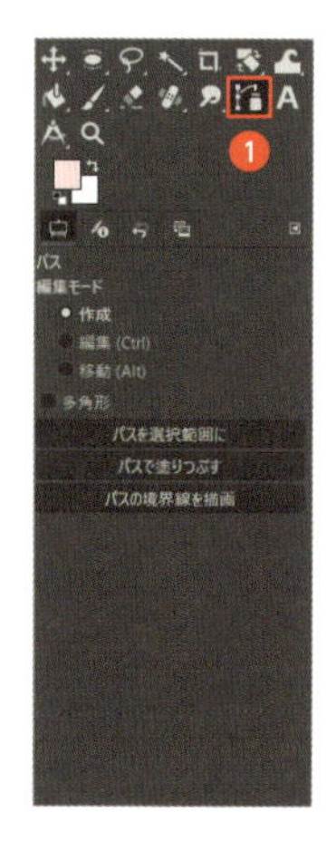

MEMO アンカーポイントとは

アンカーポイントとは、パスを作成する際にクリックした地点に作成されるポイントです。クリックを重ねてポイントを増やすことでパスが延長されていきます。また、アンカーポイントをドラッグすることで、曲線の形をコントロールします。

4 ＜ツールオプション＞の＜編集モード＞で＜作成＞をクリックします❶。アンカーポイントを足の先の線画に沿うようにドラッグします❷。＜ツールオプション＞で＜パスを選択範囲に＞を選択して❸、＜パス＞ダイアログの目の形のアイコンをクリックします❹。パスが非表示になります。

MEMO **アンカーポイントを操作しやすくするには?**

アンカーポイントではなくハンドルを操作してしまう場合は、表示倍率を高めて「○」の形を確認してからドラッグします。

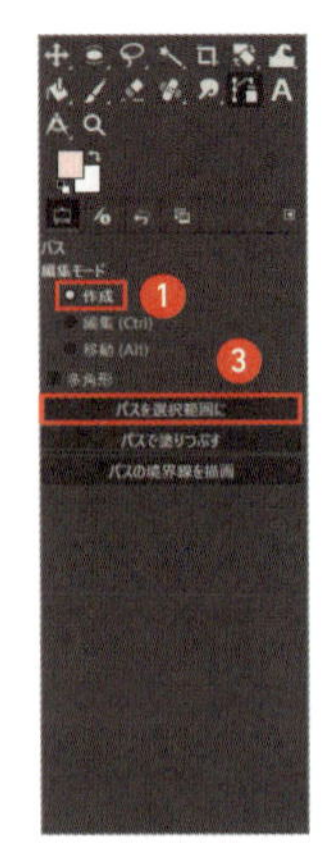

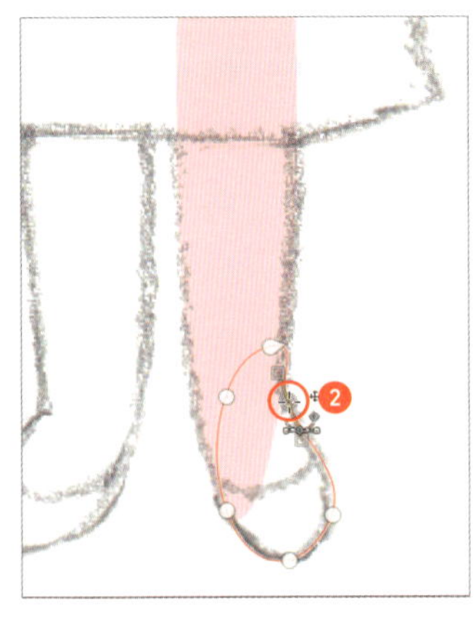
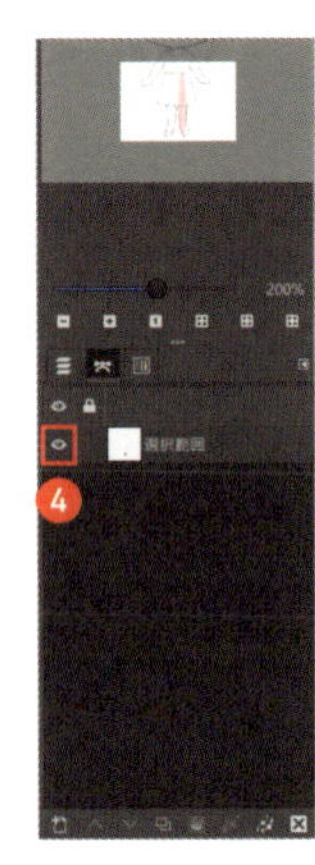

5 ＜レイヤー＞ダイアログを選択して❶、＜足＞レイヤーを選択します❷。52ページの手順4と同様に、選択範囲を描画色で塗りつぶします❸。

肩と手を着色する

1 表示位置を上半身の辺りに移動します。ツールボックスの＜楕円選択＞をクリックし❶、肩のラインから下にかけてドラッグします❷。その後、52ページの手順4と同様に、選択範囲を描画色で塗りつぶします❸。

MEMO **塗りと選択範囲の重なりに注意**

＜楕円選択＞で選択範囲を作るときに＜足＞の塗りつぶし部分に重なると切り取られてしまうので注意します。

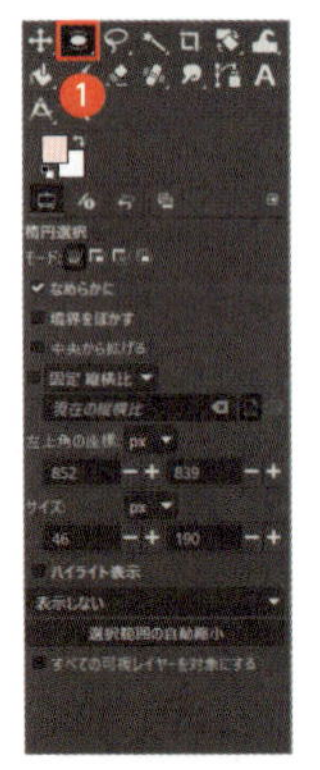

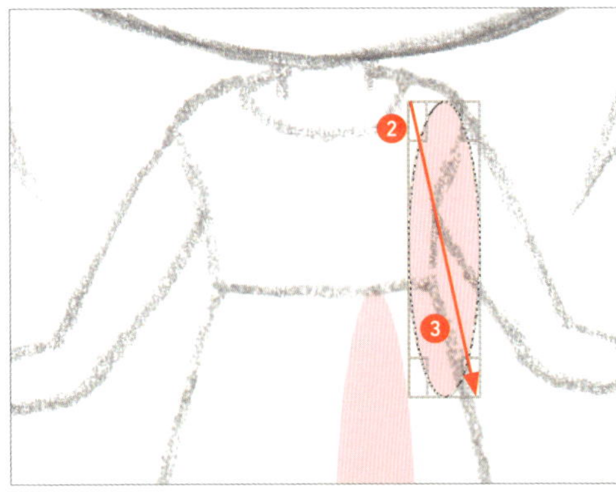

2 ツールボックスの＜変形・回転＞グループを右クリックして＜回転＞をクリックし❶、腕の楕円形の選択範囲をクリックします❷。

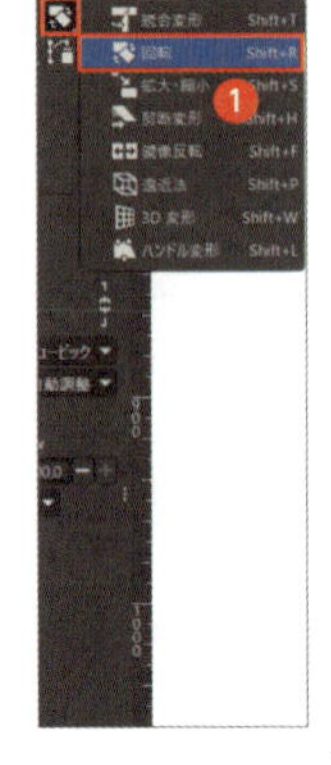

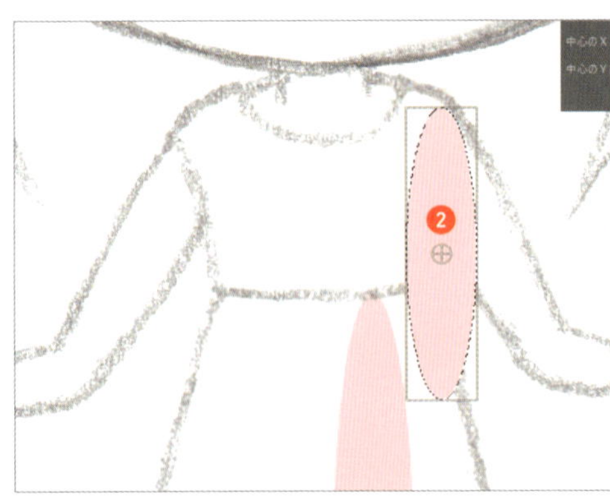

3 中心のポイントを上にドラッグして移動し❶、腕の外側をドラッグして回転させ❷、<回転>をクリックします❸。

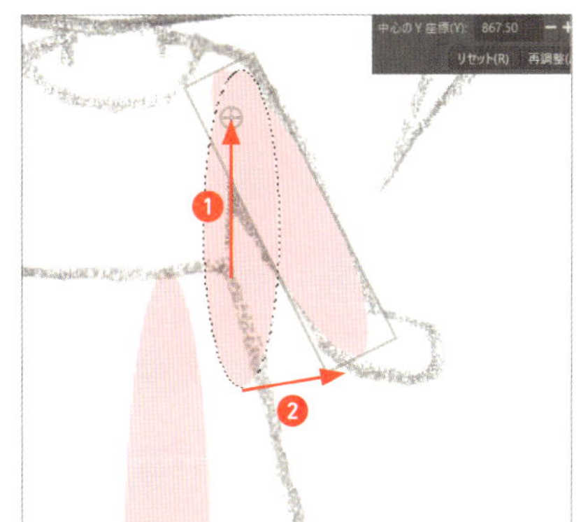

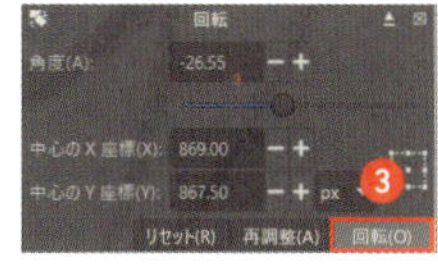

4 <レイヤー>ダイアログに<Floating Layer（変形）>レイヤーが追加されます❶。<新しいレイヤーの追加>をクリックします❷。

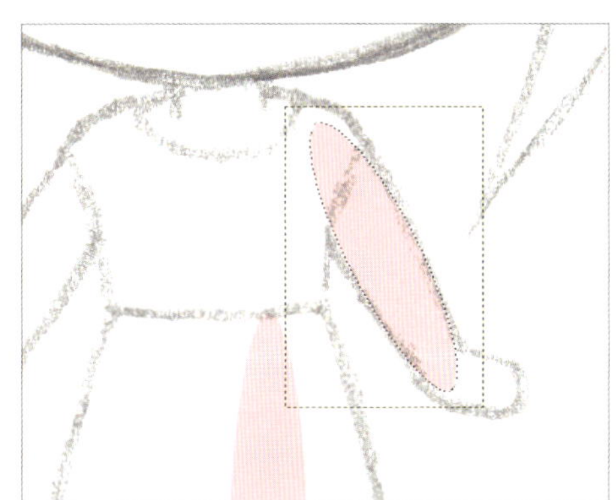

5 フローティング選択範囲（< Floating Layer（変形）>レイヤー）が<変形>レイヤーに変換されます。<変形>レイヤーのレイヤー名の部分をダブルクリックして、<手>に変更します❶。また、<レイヤー>メニューをクリックして❷、<レイヤーをキャンバスに合わせる>をクリックします❸。

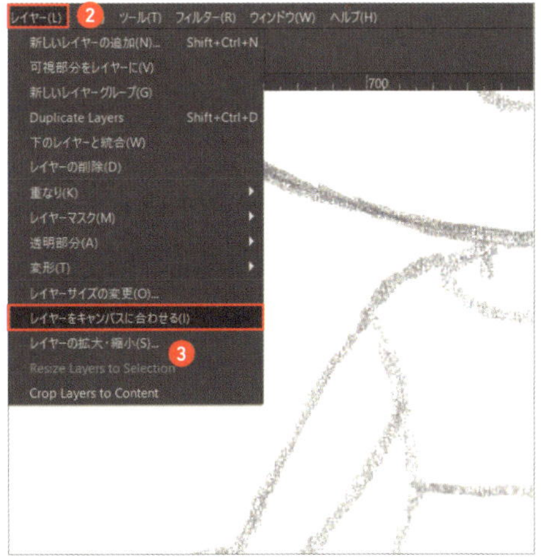

HINT レイヤーをキャンバスに合わせる

レイヤー領域が塗りの領域に合わせて小さくなっている場合、レイヤーをキャンバスいっぱいまで広げることにより描画や効果を加えられる範囲も広がります。

6 ツールボックスの<楕円選択>をクリックして❶、足の先の追加と同じようにドラッグして形を作ります❷。53～54ページの「パスを利用して着色する」の手順と同様に<編集>メニュー→<描画色で塗りつぶす>の順にクリックして、選択範囲を描画色の肌色で塗りつぶしたら、選択範囲を解除します。

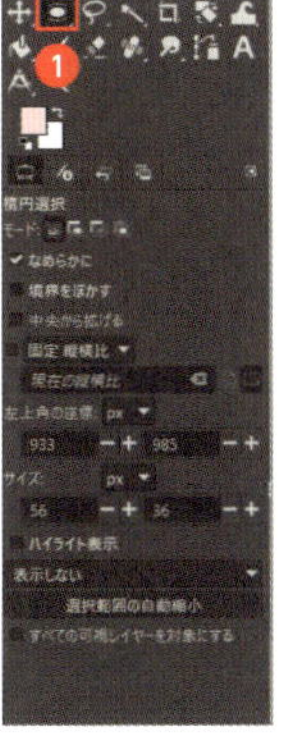

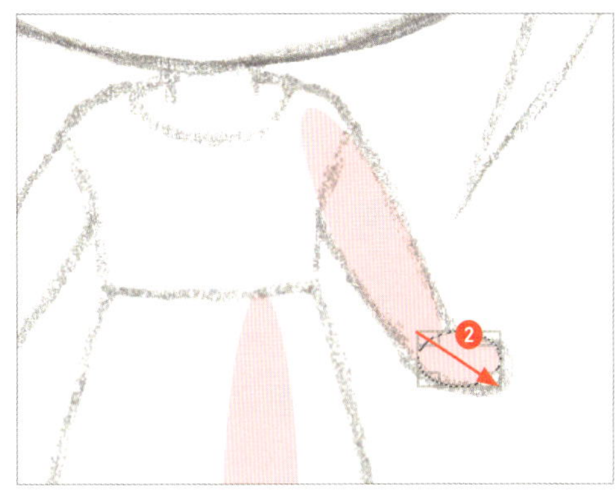

SECTION 03

服を描く

スカート、上着を<矩形選択>で作り、パスに変換して曲線を形作ります。その後、それぞれを色で塗りつぶして、重ね順を変えます。

SAMPLE tu02_03.xcf

スカートの形に合わせてパスを編集する

1 50ページの手順1～2の方法でレイヤーを追加します（<レイヤー名>は<スカート>にして、<塗りつぶし色>は<透明>を選択します）①。ツールボックスの<矩形・楕円選択>グループを右クリックして、<矩形選択>をクリックし②、スカートのサイズに合わせてドラッグして長方形の選択範囲を作成します③。

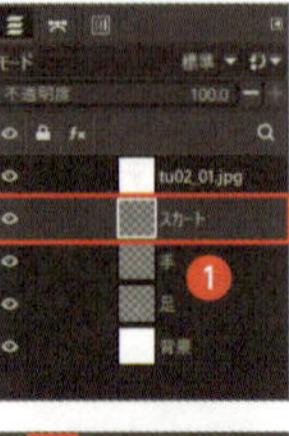

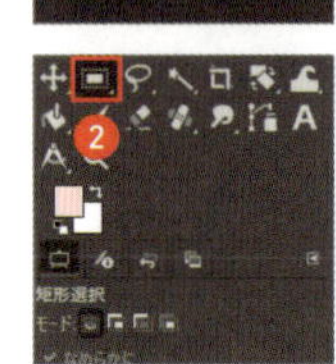

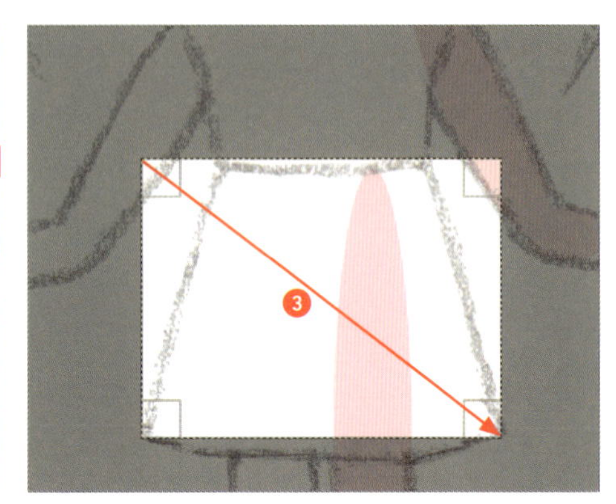

2 <パス>ダイアログをクリックして①、<選択範囲をパスに>をクリックします②。追加された一番上のパスを表示させます③。

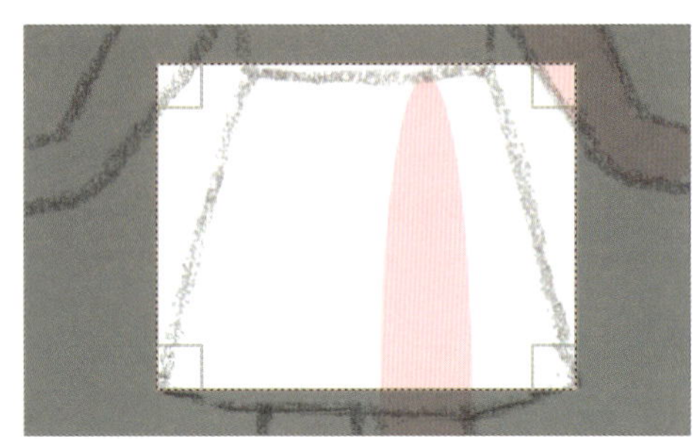

3 <パス>をクリックします①。パスをクリックしてから53ページの手順5と同様の方法で選択範囲を解除し、ハンドルをスカートの角に合わせるようにドラッグしてパスの形を台形にします②。<ツールオプション>の<編集モード>を<編集>に切り替えます③。

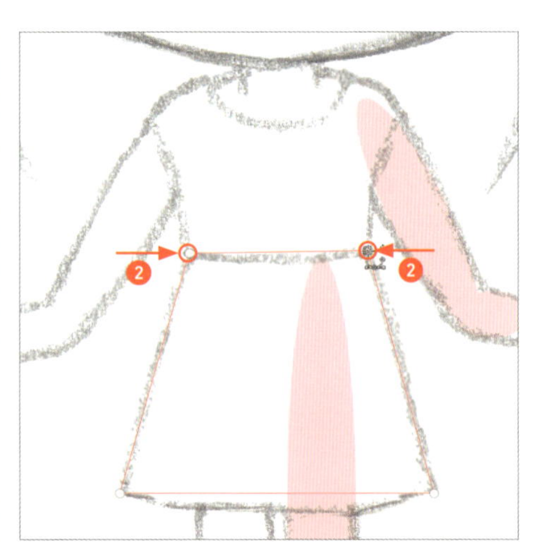

MEMO ハンドルとは

ハンドルはアンカーポイントからドラッグすると自動的に伸びるもので、先端に四角いポイントがついています。先端の四角いポイントをドラッグして、アンカーポイント間を結ぶパスの湾曲の方向や曲線の形を柔軟に調整します。

4 上辺（ウエスト部分）のパスの中央をクリックしそのままホールドします。アンカーポイントが追加されます❶。そのまま下方向にドラッグすると❷、パスが下に湾曲します。同じように下辺(裾部分)のパスの中央をクリックしたまま下部にドラッグして下方に湾曲させます。

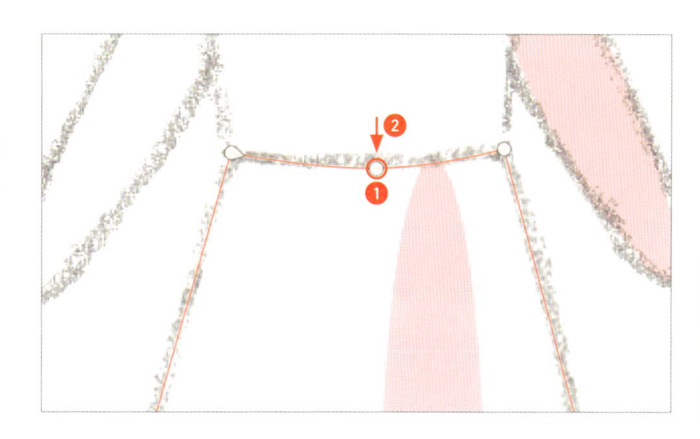

パスで囲った服を着色する

1 <ツールオプション>の<パスを選択範囲に>をクリックして❶、パスを選択範囲に変換します。<描画色>をクリックし、52ページの手順2の方法でHTML表記を「ff5d78」に設定します❷。52～53ページの手順4～5と同様の方法で選択範囲を塗りつぶし、選択範囲を解除します❸。

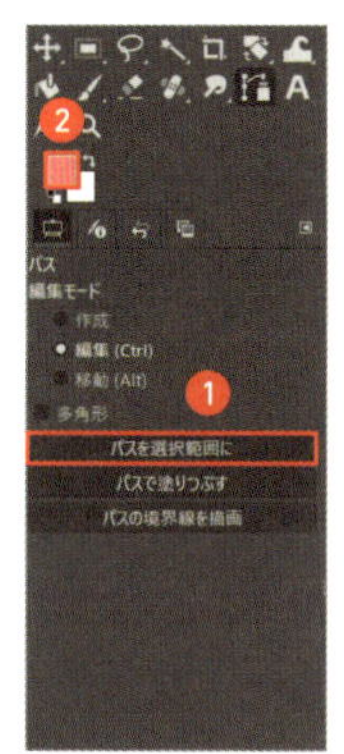

2 50ページの手順1～2と同様の方法で<上着>レイヤーを追加します❶。53～54ページの手順2～5と同様に選択範囲をパスに変換して形を整えたら、再び選択範囲に変換して、<描画色>を「fbaf8e」に設定して塗りつぶします❷。

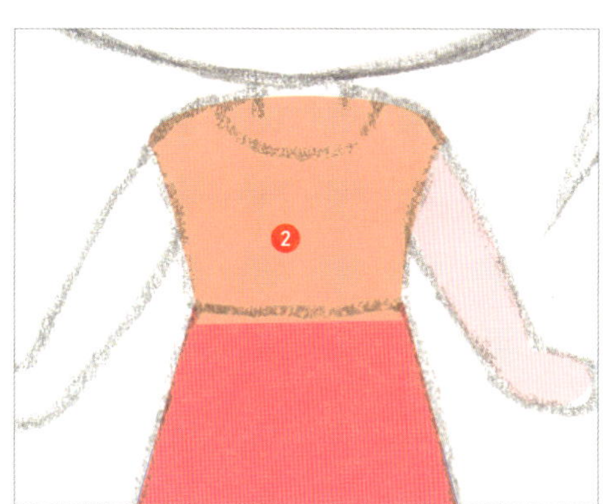

3 選択範囲を解除して、<上着>レイヤーを<スカート>レイヤーの下にドラッグします❶。<上着>レイヤーが<スカート>レイヤーの下に配置されます。<パス>ダイアログのすべてのパスを非表示にします。

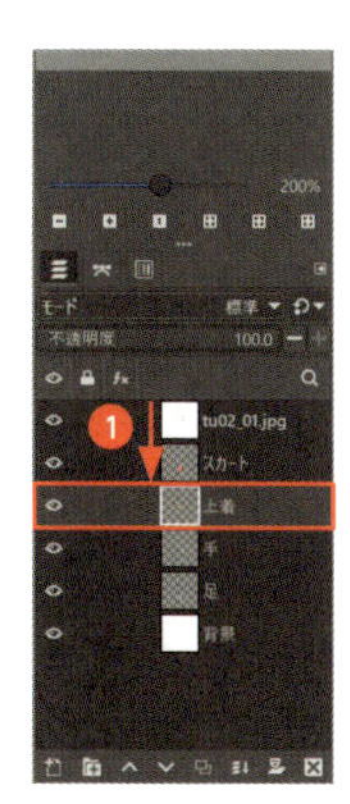

SECTION 04

首と顔のパーツを描く

首・胸元・顔を長方形と楕円形を組み合わせて描き、顔のパーツを描くレイヤーを追加して目と頬を描きます。眉と口は＜ブラシで描画＞で描き重ねます。

SAMPLE tu02_04.xcf

顔を着色する

1 ＜矩形選択＞をクリックして❶、首の幅に合わせてドラッグしてツールボックスの長方形の選択範囲を作ります❷。

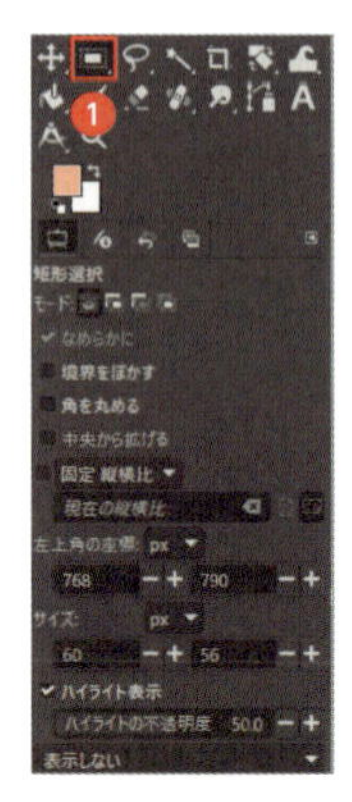

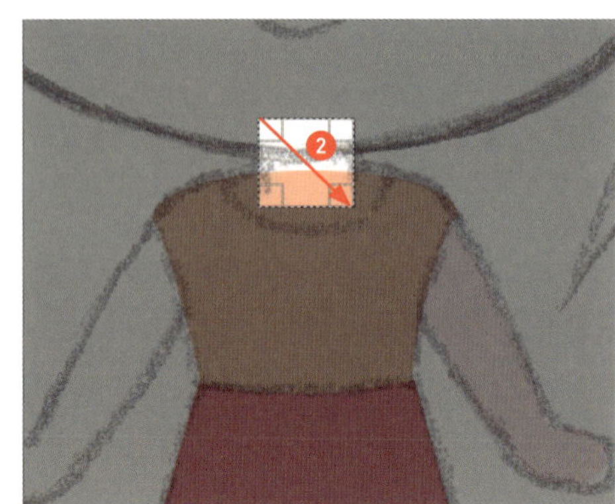

2 ツールボックスの＜矩形・楕円選択＞グループを右クリックして、＜楕円選択＞をクリックしたら❶、＜ツールオプション＞で＜選択範囲に加える＞を有効にして❷、長方形の選択範囲下に胸元の領域を加えます❸。

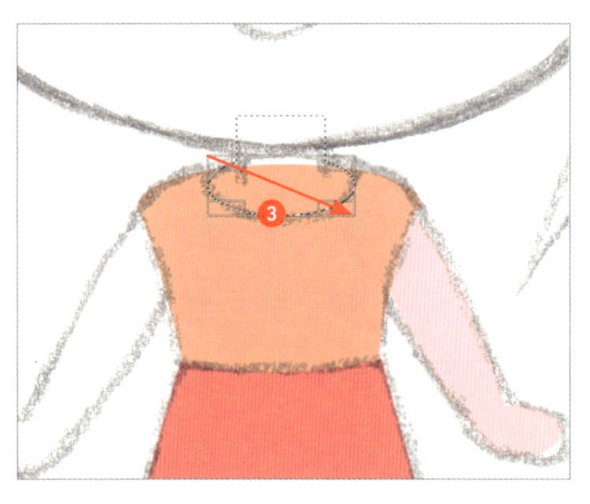

3 50ページの手順1～2と同様の方法で＜首＞レイヤーを追加します❶。さらに、52～53ページの手順4～5と同じ方法で、先ほどの手や足と同じ肌色で選択範囲を塗りつぶし、選択範囲を解除します❷。

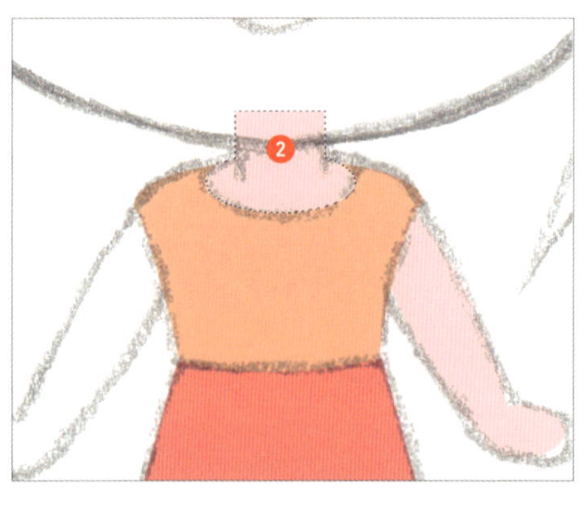

4 手順3と同様に顔を着色します。＜顔＞レイヤーを追加して①、ツールボックスの＜楕円選択＞をクリックして②、顔の下のラインに合わせて選択範囲を作ります③。選択範囲内を塗りつぶしたら、選択範囲を解除します④。

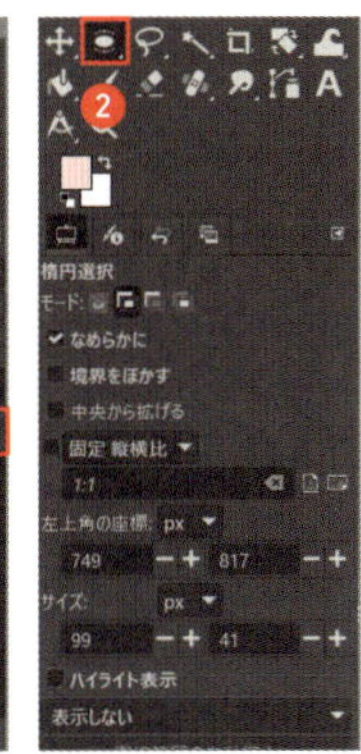
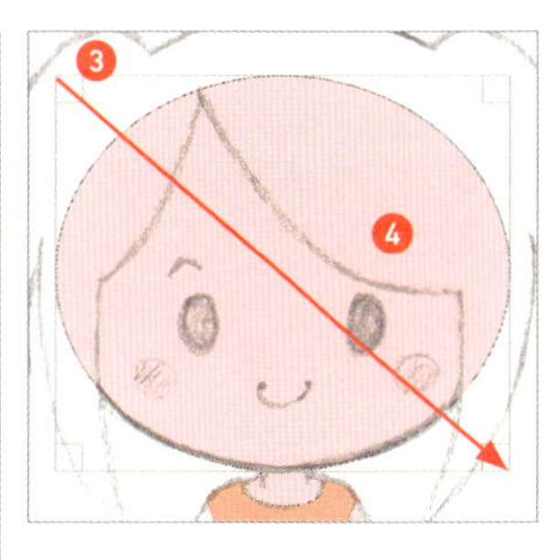

顔のパーツを着色する

1 50ページの手順1～2と同様の方法で、顔の各パーツを描く＜目・眉・口・頬＞レイヤーを追加します①。＜楕円選択＞で目の形に合わせた選択範囲を作ります②。＜描画色と背景色をリセット＞をクリックして＜描画色＞を黒に設定して③、52ページの手順4と同様の方法で目を黒く塗りつぶします④。選択範囲はそのままにしておきます。

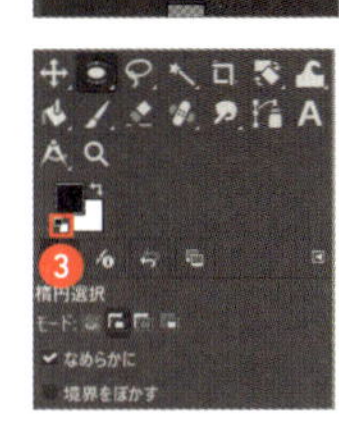
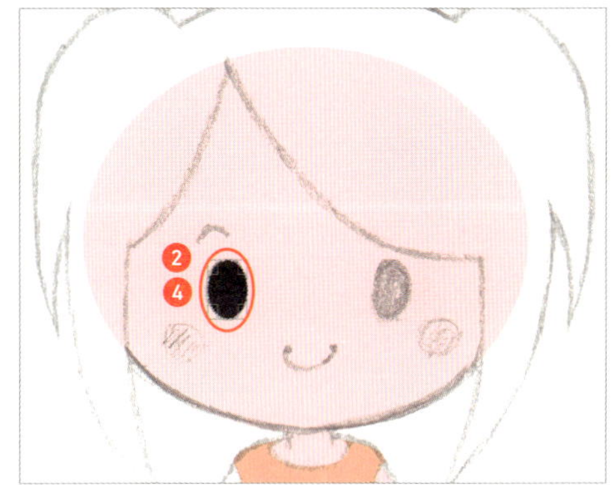

2 ツールボックスの＜移動・整列＞グループを右クリックして＜移動＞に切り替えて①、＜ツールオプション＞で＜移動対象＞を＜選択範囲＞に設定します②。目の選択範囲を右にドラッグしてもう一方の目に重ねたら③、52～53ページの手順4～5と同様の方法で黒で塗りつぶして選択範囲を解除します④。

3 ツールボックスの＜矩形・楕円選択＞グループを右クリックして＜楕円選択＞に切り替え①、楕円選択の＜モード＞を＜新規作成＞に切り替えます②。目の下を斜め下方向にドラッグして、頬にも選択範囲を作ります。＜描画色＞を薄いピンク色（HTML表記で「fbcee0」）に設定します③。52～53ページの手順4～5と同様に塗りつぶして、選択範囲を解除します④。

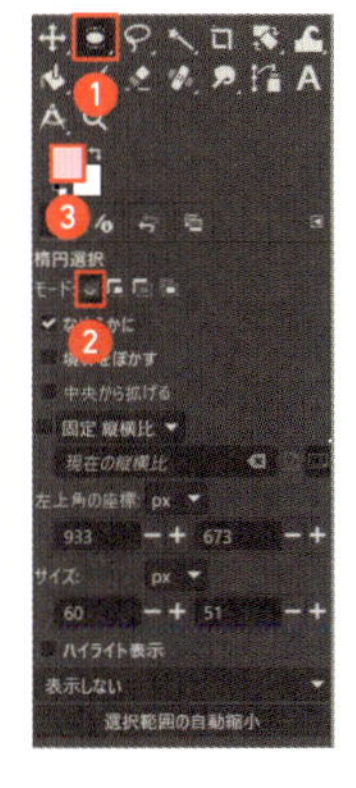

4 ツールボックスの<描画>グループを右クリックして<ブラシで描画>をクリックし❶、<描画色>を茶色（HTML表記で「b06550」）に設定します❷。<ツールオプション>のブラシの種類で「2.Hardness 050」を選択し❸、サイズを「9」に設定します❹。眉の下絵に合わせてドラッグします❺。

5 手順**4**と同様に、<描画色>をピンク（HTML表記で「f791c5」）に設定して❶、下絵に合わせてブラシをドラッグして口を着色します❷。

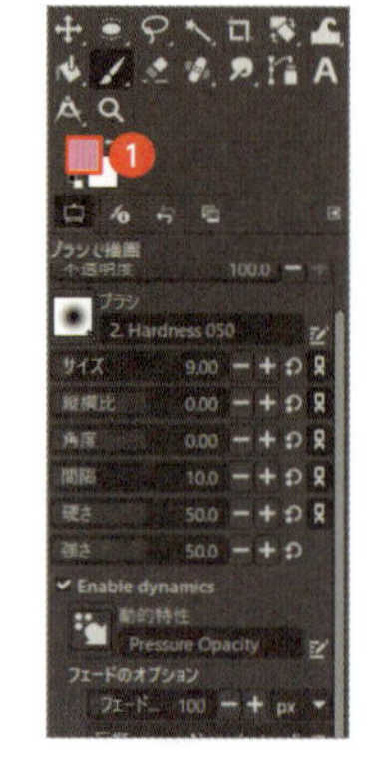

HINT 手ぶれ補正

<ブラシで描画>のツールオプションにある<手ぶれ補正>を有効にすると、描画の微細な手ぶれを補正しながらなめらかな線を描けます。

髪の毛をパスで囲う

1 50ページの手順**1**～**2**と同様の方法で、<髪>レイヤーを追加して❶、ツールボックスの<パス>をクリックします❷。<ツールオプション>で<編集モード>を<作成>に切り替えます❸。

2 髪の毛の下絵の輪郭上をクリックしてアンカーポイントを作成します❶。その後、下絵の髪の毛の曲線上でクリックしてそのまま右下方向にドラッグします❷。パスが湾曲すると同時に、アンカーポイントからハンドルが伸びるので、そのままハンドルの先のポイントをドラッグして、パスの湾曲具合を調整します❸。

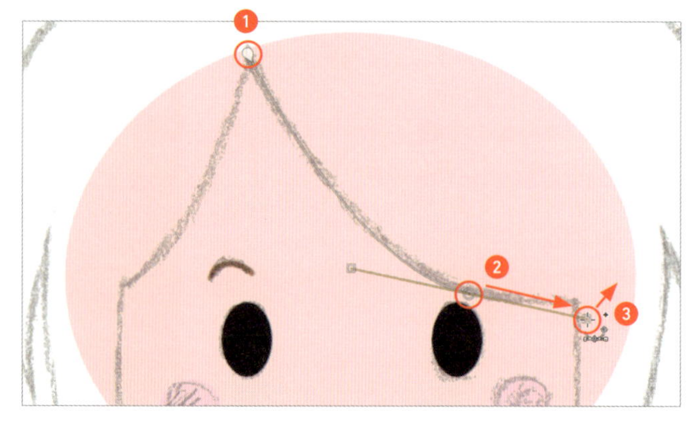

3 髪の毛の輪郭線上でクリックとドラッグを繰り返しながらパスを延長して、髪の毛をぐるっと一周します。最初のアンカーポイントの直前でクリックをしてアンカーポイントを作成したら❶、ポイントをドラッグして最初のアンカーポイントに重ねます❷。

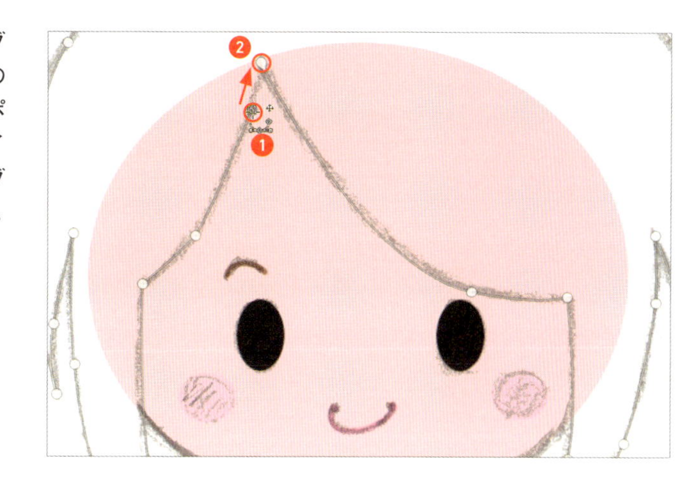

HINT パスで囲むコツ

凹凸の多いパスを作成する場合はこまめにアンカーポイントを作成しましょう。角度の大きく変わる箇所ではクリックしてアンカーポイントを作成し、曲線ではドラッグしてパスを整えると、上手くパスを作成することができます。

パスを調整して塗りつぶす

1 ＜ツールオプション＞で＜編集モード＞を＜編集＞に切り替えます❶。アンカーポイントからドラッグしたり❷、ハンドルを操作したりして❸、曲線の形を整えます。

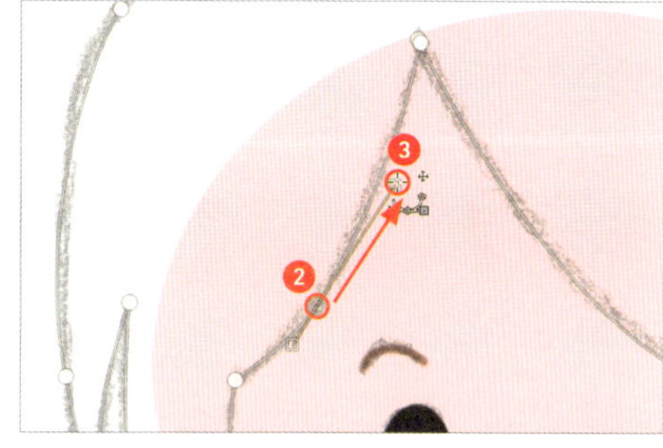

HINT ハンドルが表示されない場合

ハンドルが表示されていない場合は、アンカーポイントをクリックします。アンカーポイントからハンドルが伸びて操作することができます。

2 60ページの手順4で眉を描いたのと同じ描画色を設定し❶、＜パスで塗りつぶす＞をクリックして描画色で塗りつぶします❷。＜Foreground color＞を選択して❸、＜塗りつぶし＞をクリックします❹。

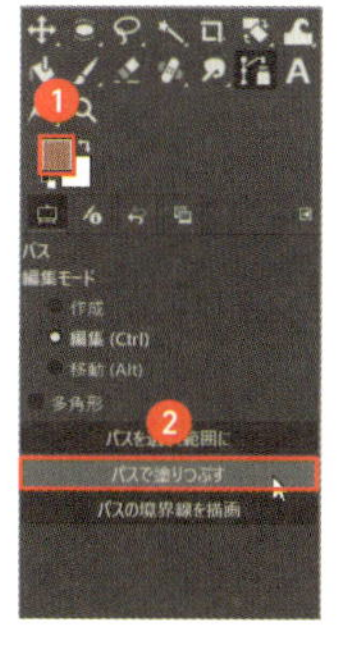

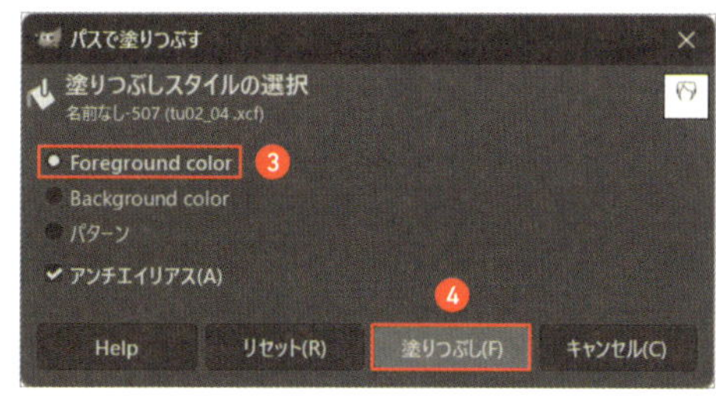

3 パスで囲んだ範囲が塗りつぶされます。

SECTION 05

手足を複製する

片方ずつ描いた手と足をそれぞれ複製して水平方向に反転し、位置を調整して両手、両足を完成させます。最後に下絵のレイヤーを非表示にして保存をします。

SAMPLE tu02_05.xcf

腕のレイヤーを複製する

1 ＜レイヤー＞ダイアログで＜手＞レイヤーを選択して❶、＜レイヤーの複製＞をクリックし❷、＜手 コピー＞レイヤーを追加します。

2 ＜レイヤー＞メニューをクリックし❶、＜変形＞の＜水平反転＞を選択します❷。

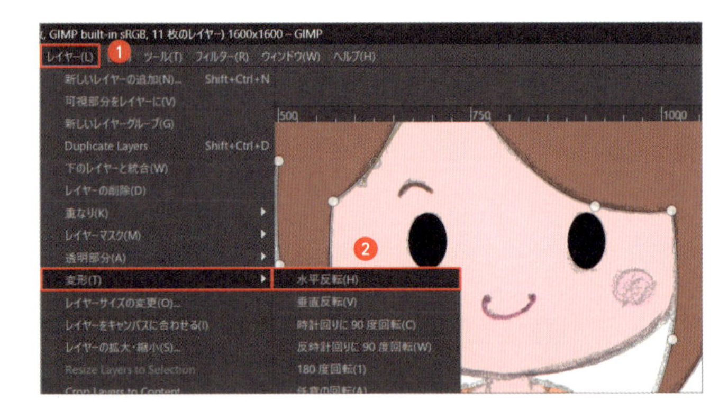

3 複製したレイヤーが左右反転します。ツールボックスの＜移動＞を選択し❶、＜ツールオプション＞の＜移動対象＞を＜レイヤー＞に切り替えます❷。複製した手の部分をドラッグして位置を調整します❸。

足をコピーして下絵を消す

1 <レイヤー>ダイアログで<足>レイヤーを選択し❶、左側の空欄をクリックし❷、ポップアップから<透明部分を保護>をクリックして有効にします❸。

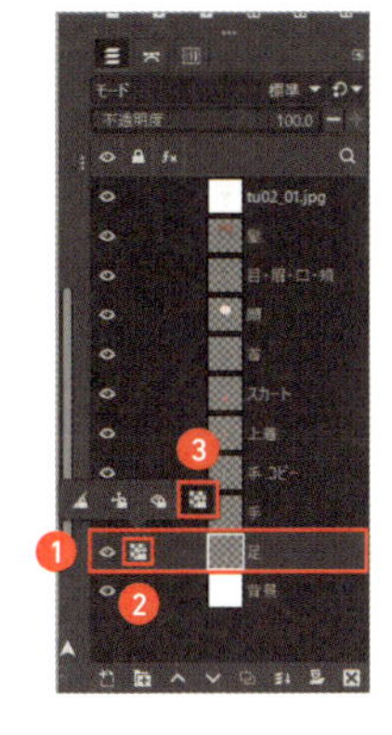

MEMO 透明部分の保護

<透明部分を保護>を有効にすることで透明な領域にロックがかかり、不透明な部分にのみ描画や効果を加えられます。

2 ツールボックスの<ブラシで描画>を選択し❶、57ページの手順**1**でスカートを塗った色と同じ色に<描画色>を設定します❷。ブラシの種類は<2.Hardness 100>を選び❸、ブラシのサイズは「30」に設定します❹。足の先をドラッグして着色します❺。

3 62ページの手順**1**～**3**と同様の方法で、<足>レイヤーを複製し❶、レイヤーを<水平反転>して位置を調整します❷。

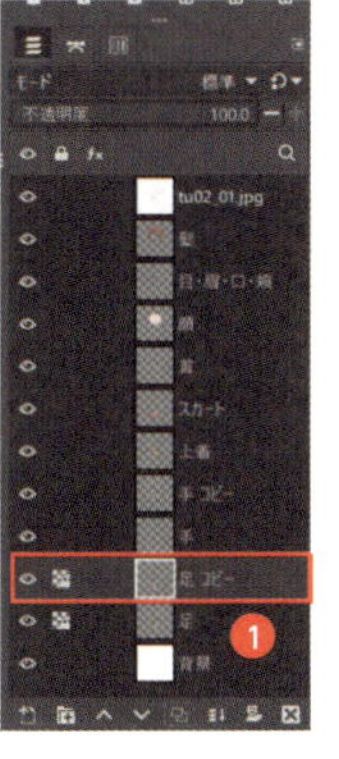

4 <レイヤー>ダイアログで一番上の線画のレイヤー（<tu02_01.jpg>レイヤー）の目の形のアイコンをクリックして非表示にすると❶、下絵のレイヤーが消えます。

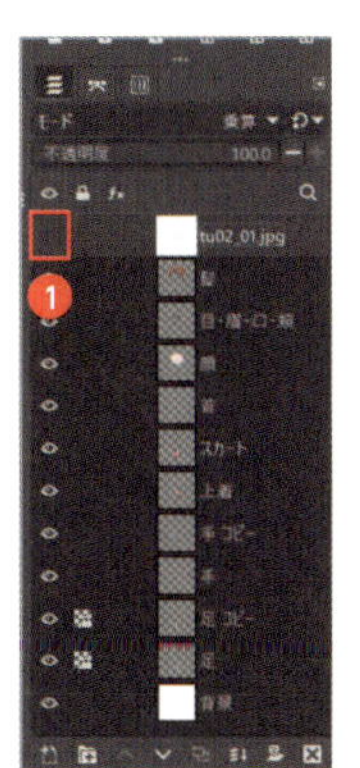

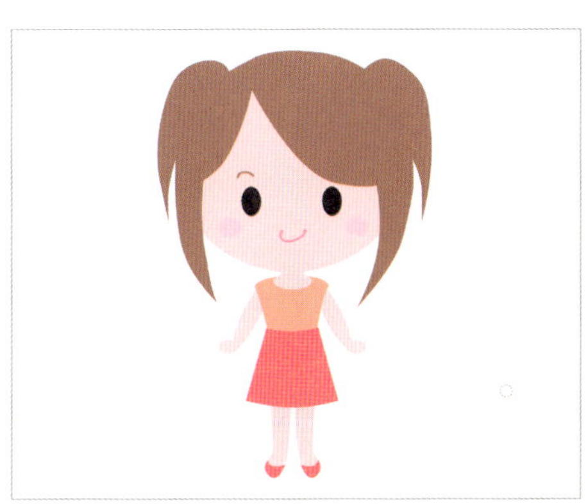

SECTION

06

髪のハイライトと服の柄を加える

髪の毛に光が当たっている部分を描き加えてツヤ感を出します。また、スカートにコミックのスクリーントーンのような白いドットを加えます。

SAMPLE 02_06.xcf

髪にハイライトを描き込む

1 ＜髪＞レイヤーを選択して❶、63ページの手順1と同様に＜透明部分を保護＞を設定します❷。

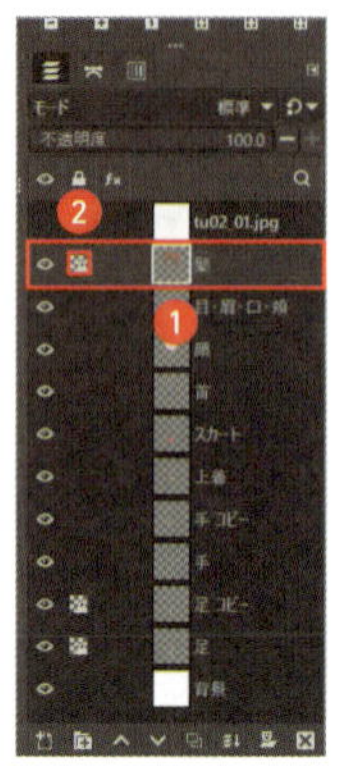

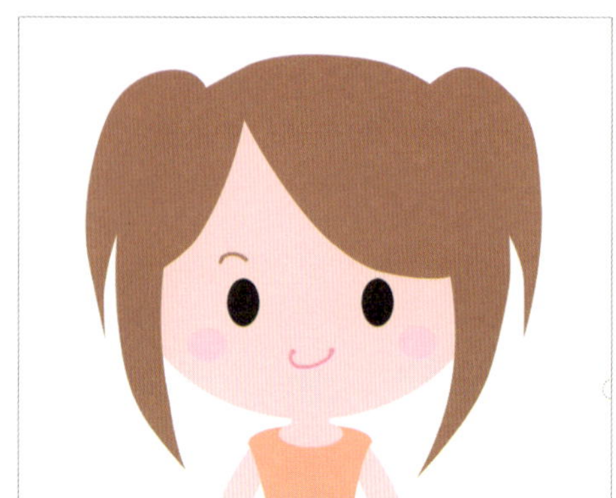

2 ツールボックスの＜ブラシで描画＞をクリックして❶、＜描画色と背景色を交換＞をクリックして＜描画色＞を＜白＞にします❷。＜ツールオプション＞でブラシの種類を＜2.Hardness 050＞に設定し❸、＜サイズ＞を「20」に設定します❹。髪の毛の上をジグザグ上にドラッグして描き重ねます❺。

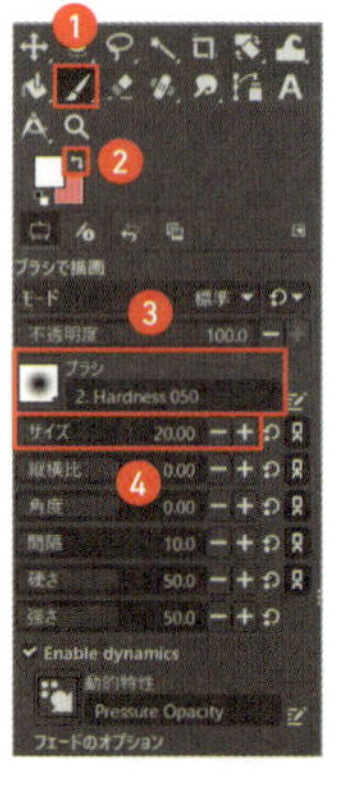

3 ＜フィルター＞メニューをクリックして❶、＜ぼかし＞の＜ガウスぼかし＞を選択します❷。

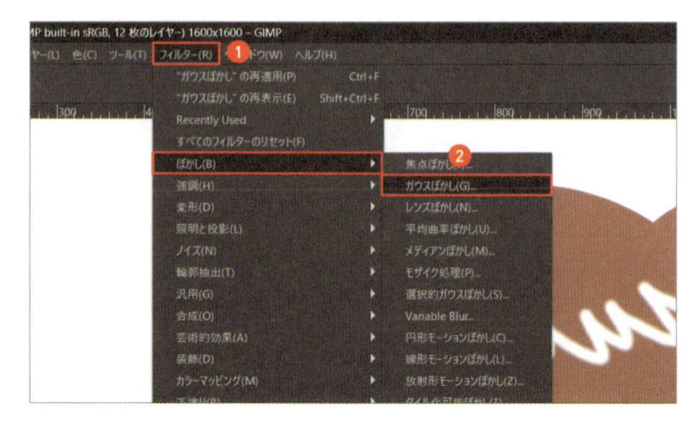

4 ＜ガウスぼかし＞ダイアログで＜Size X＞と＜Size Y＞に「10」と入力して❶、＜OK＞をクリックします❷。

5 髪のハイライトがなめらかにぼやけます。

スカートの柄を変化させる

1 ＜スカート＞レイヤーを選択します。

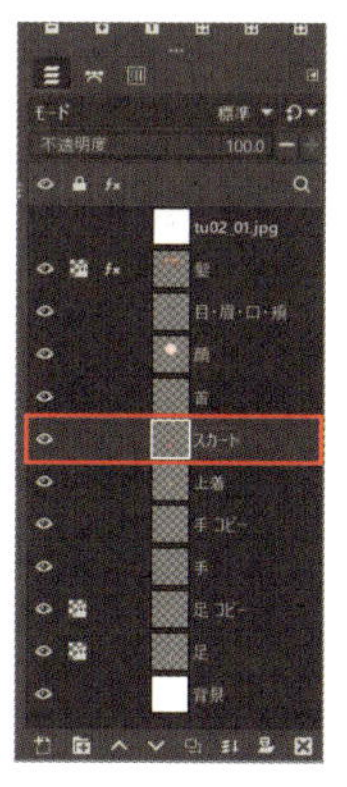

2 ＜フィルター＞メニューをクリックして❶、＜変形＞の＜新聞印刷＞を選択します❷。

3 ＜チャンネル＞の＜Color Model＞で＜RGB＞を選択します❶。＜青＞が選択されているのでその下の＜Blue pattern＞を＜Circle＞に❷、＜Blue period＞を「30」に❸、＜Blue angle＞を「45」に設定します❹。

4 ＜パターンの保護＞、＜Lock periods＞、＜角度の保護＞にそれぞれチェックを入れて有効にします❶。＜OK＞をクリックします❷。

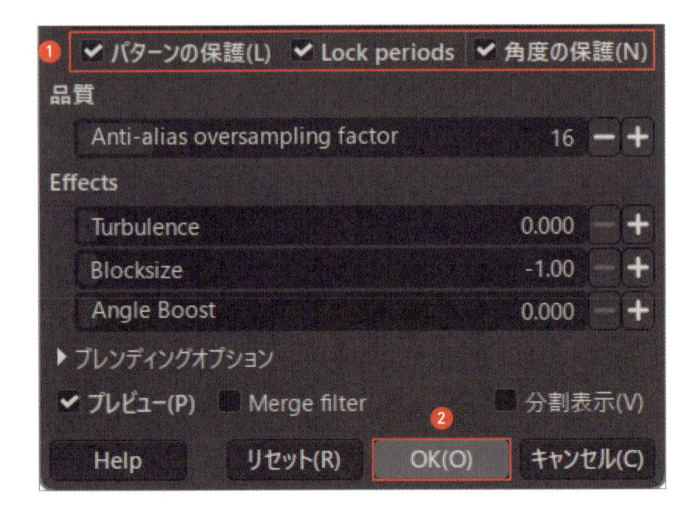

5 スカートの柄が変化して完成です。

MEMO **レイヤーの状態を保ちながら保存する**

レイヤーの状態を保ちながら保存をするには＜ファイル＞メニュー→＜名前を付けて保存＞でXCF形式を選びます。一般的なJPEGなどの形式で保存するには＜ファイル＞メニュー→＜名前を付けてエクスポート＞でファイル形式を選択して保存しましょう。

[チュートリアル編]

CHAPTER

3

Web会議用の背景画像を作成する

SECTION 00

この章の流れ

Web会議用のバーチャル背景画像を作ります。この章で行う操作の流れを確認しましょう。

この章で行うこと

Web会議用のバーチャル背景を作ります。ここでは一般的なモニターサイズを想定して、既定の縦横比で写真を切り取り、分割しながらパステル調に着色します。さらに、花の写真から滑らかに花の輪郭を選択して切り取り、背景になじませながら合成します。最後に、既定のピクセルサイズにリサイズをして、JPEG形式で書き出します。

1 写真の縦横比を指定して切り取ります。使用したい範囲を指定して、切り取る枠を調整します。

2 写真を4段階に分けて領域を指定しながら、モノトーンに着色をして独特のイメージを作ります。それぞれの領域はレイヤーに分けられるので後から色の変更も可能です。

3 グラデーションのレイヤーを追加して、ソフトライトで合成し色と明るさに変化を加えます。さらに、滑らかに明るくなるよう色相と輝度で演出します。

4 合成をする別の写真を開き、電脳はさみツールで形に合わせて滑らかに選択して切り取ります。

5 選択した画像をコピー＆ペーストして合成し、色や明るさを強調して仕上げます。

SECTION

01 画像の土台を作る

写真を指定した縦横比で切り取り、複製したレイヤーに編集をしていきます。写真を分割する際の目安として、ここではガイドの縦の線を使用します。

SAMPLE tu03_01.jpg

必要な箇所を切り取って表示する

1 「tu03_01.jpg」を開き、ツールボックスの＜切り抜き＞を選択します①。＜ツールオプション＞で＜固定＞にチェックを入れて②、＜固定 縦横比＞を選択します③。縦横比の数値は「16:9」と入力します④。

MEMO 縦横比を指定する

ここでは、一般的なWebカメラのアスペクト比である「16:9」と入力して縦横比として数値を設定します。

2 画像をドラッグすると指定した縦横比の切り抜き枠がハイライトで表示されるので、角をドラッグして切り抜き範囲の大きさを①、枠内をドラッグしてカバーで表示させたい領域を調整します②。調整したら Enter キーを押します。

3 ＜ウィンドウ＞メニューをクリックして①、＜ドッキング可能なダイアログ＞の＜ナビゲーション＞をクリックします②。＜ナビゲーション＞ダイアログのスライダーをドラッグして③、作業領域の外側も少し表示されるように画像表示サイズを調整します。

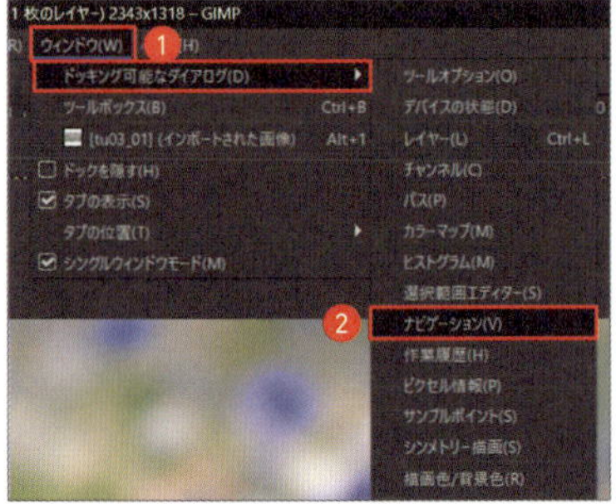

4 ＜レイヤー＞ダイアログの＜レイヤーの複製＞をクリックします❶。複製したレイヤーが追加されます。

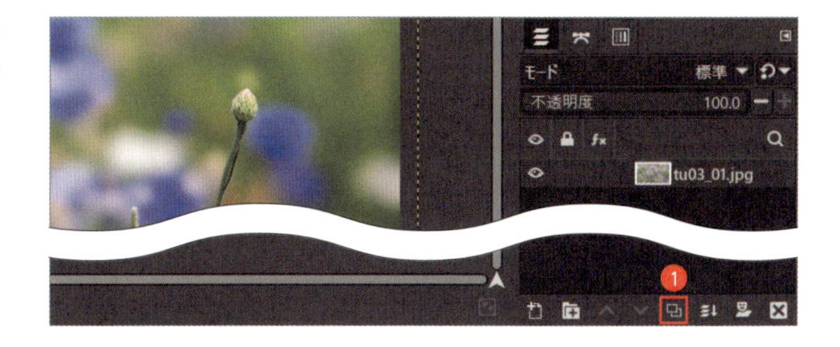

5 画面の左端のルーラーから右にドラッグして、おおよそ中央にガイド線を1本配置します❶。さらに、ほぼ4等分されるように左右に2本の垂直のガイド線を追加します❷。

MEMO ルーラーが表示されない場合

ルーラーが表示されていない場合は、＜表示＞メニューから＜ルーラーの表示＞をクリックして、ルーラーの表示を有効にします。

画像全体に色を着ける

1 ＜色＞メニューをクリックして❶、＜着色＞を選択します❷。

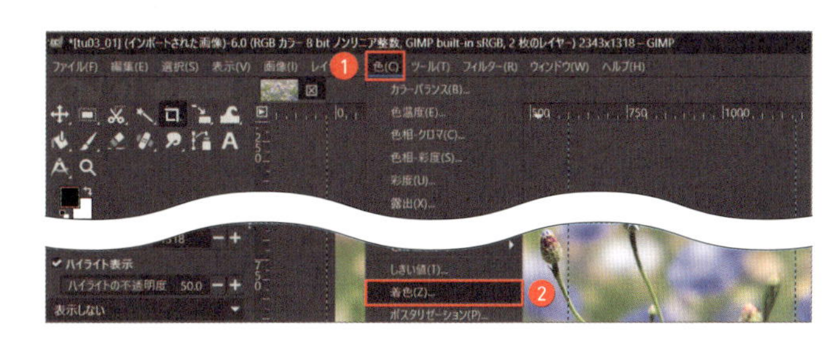

MEMO ＜着色＞とは?

＜着色＞は画像をモノトーン化する機能です。色相、彩度、輝度を指定して着色をします。

2 ＜着色＞ダイアログで＜色相＞のスライダーをドラッグして「0.8000」に❶、＜輝度＞を「0.400」に設定して❷、＜OK＞をクリックします❸。

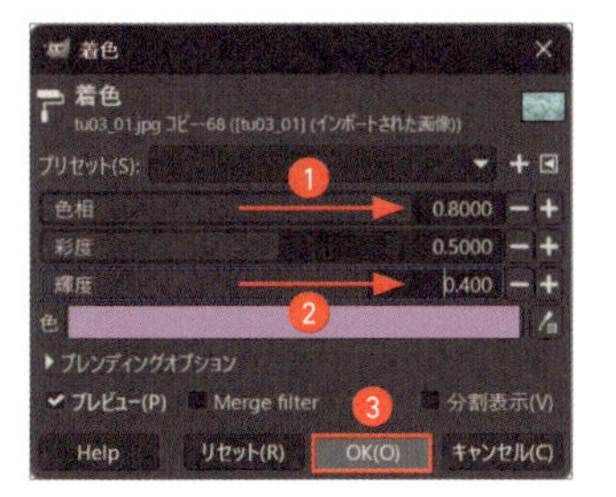

3 画像全体が薄いピンク色に着色されます。

SECTION

02 画像を分割して着色する

ガイドと＜自由選択＞を活用して画像を4つのレイヤーに分割し、それぞれに着色します。色は＜着色＞機能でモノトーンに指定します。

SAMPLE tu03_02.xcf

レイヤーを分割する

1 ツールボックスの＜自由選択＞グループを右クリックして＜自由選択＞に切り替えて❶、左のガイドを斜めに分断するようにガイドの右上❷→左下❸の順で画像の外側をクリックします。さらに画像の外側の右下❹と右上❺をクリックして、最後に開始点にポインターを重ねて Enter キーを押すと❻、選択範囲が作成されます。

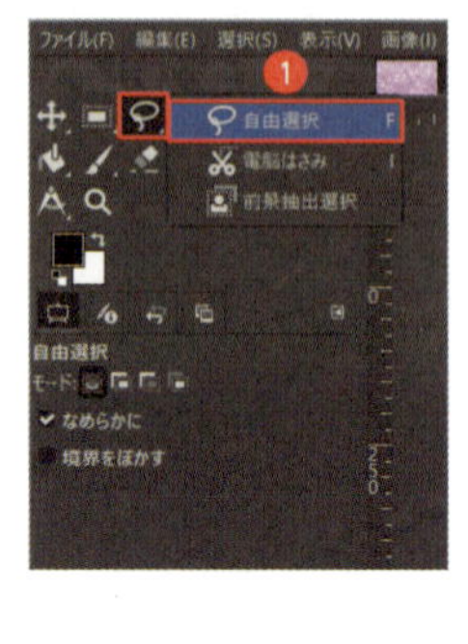

2 ＜編集＞メニューをクリックして❶、＜コピー＞を選択します❷。さらに、もう一度＜編集＞メニューをクリックして❸、＜貼り付け＞を選択します❹。

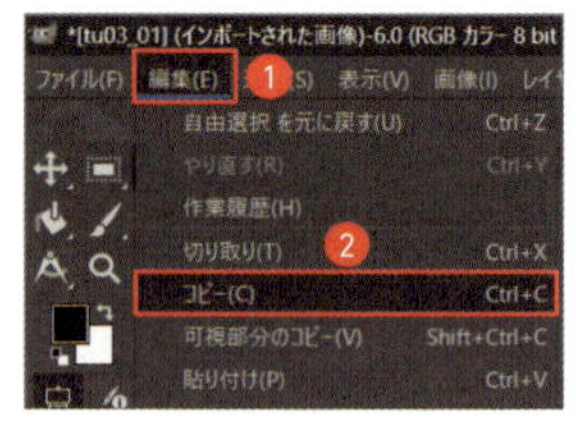

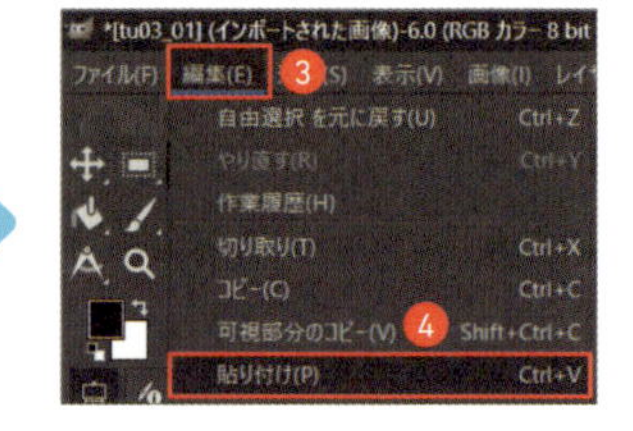

3 ＜レイヤー＞ダイアログに＜tu03_01.jpg コピー #1＞レイヤーが追加されます❶。追加されたレイヤーを右クリックして＜レイヤー名の変更＞を選びます❷。

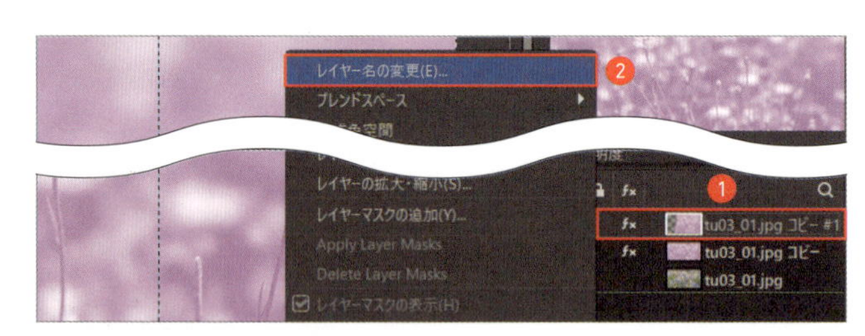

4 ＜レイヤー名の変更＞ダイアログでレイヤー名を＜分割01＞に変更します❶。＜OK＞をクリックします❷。

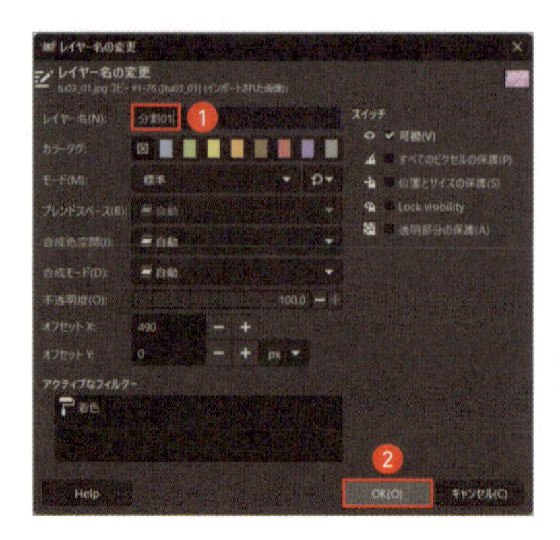

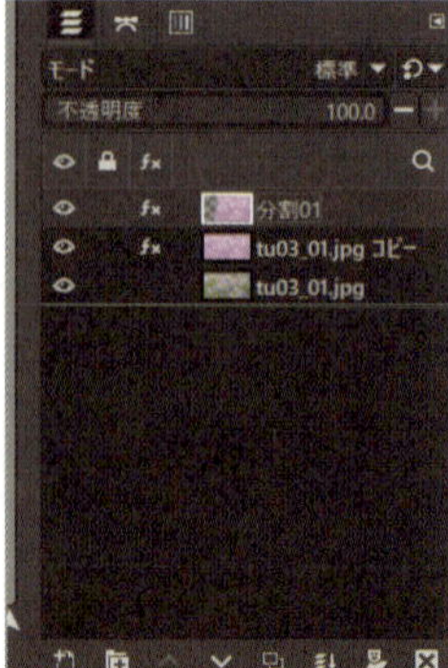

着色と分割を繰り返す

1 71ページの手順**1**～**2**と同様の方法で、＜着色＞ダイアログを開き、＜色相＞を「0.6200」に、＜輝度＞を「0.400」に設定します。選択範囲内が薄い水色に着色されます。

2 72ページの手順**1**～**4**と同様に中央のガイドから右半分に＜分割02＞レイヤーを追加したら**1**、71ページの手順**1**～**2**と同様に＜着色＞ダイアログで＜色相＞を「0.27」に、＜輝度＞を「0.400」に設定し、レイヤーを薄緑色に着色します**2**。さらに同様の操作を繰り返して、＜分割03＞レイヤーを追加したら**3**、＜着色＞ダイアログで＜色相＞を「0.07」に、＜輝度＞は「0.000」に設定します**4**。

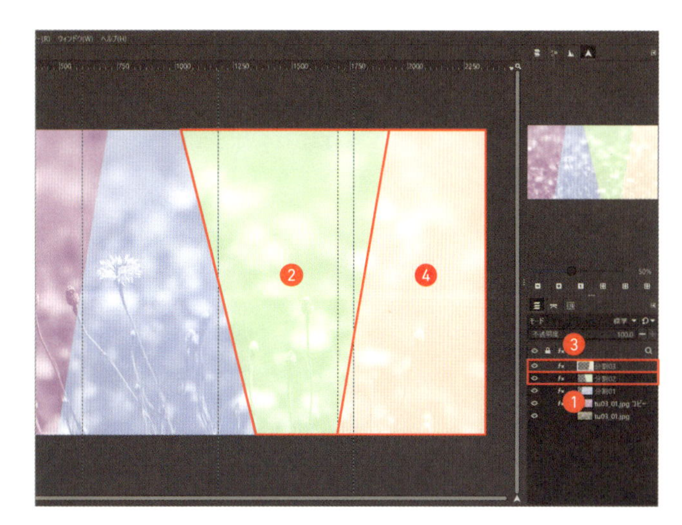

3 ＜選択＞メニューから**1**、＜選択の解除＞をクリックして**2**、選択範囲を解除します。

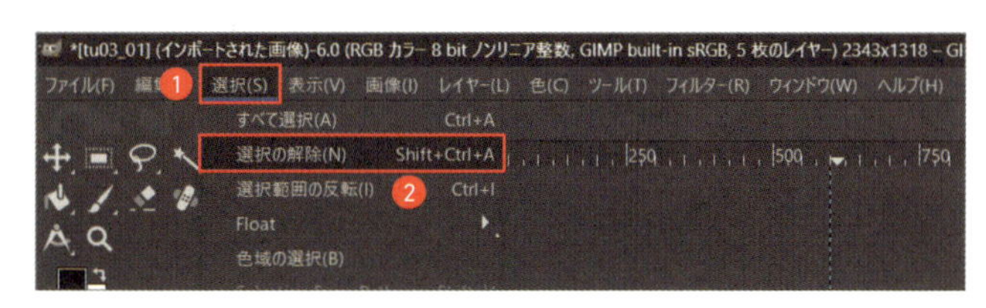

4 ＜画像＞メニューから**1**、＜ガイド＞の＜すべてのガイドを削除＞をクリックします**2**。

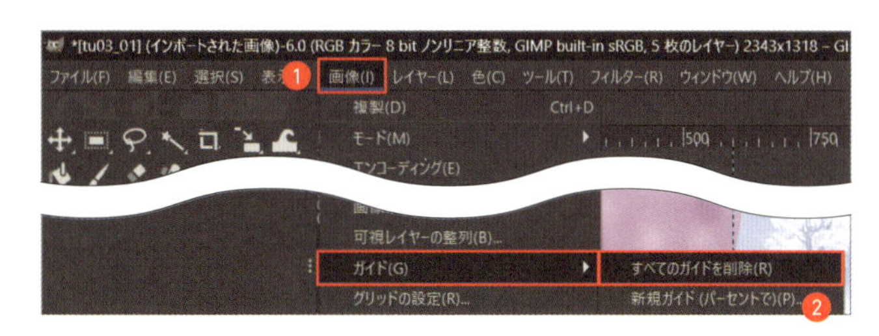

5 ガイド線が画面上に表示されなくなります。

SECTION

03 グラデーションで色と明るさに変化を加える

写真にグラデーションを施します。レイヤーを追加して、指定した描画色から背景色に切り替わるグラデーションでレイヤーを塗りつぶします。

SAMPLE tu03_03.xcf

グラデーション用のレイヤーを追加する

1 ＜レイヤー＞メニューをクリックして❶、＜新しいレイヤーの追加＞をクリックします❷。

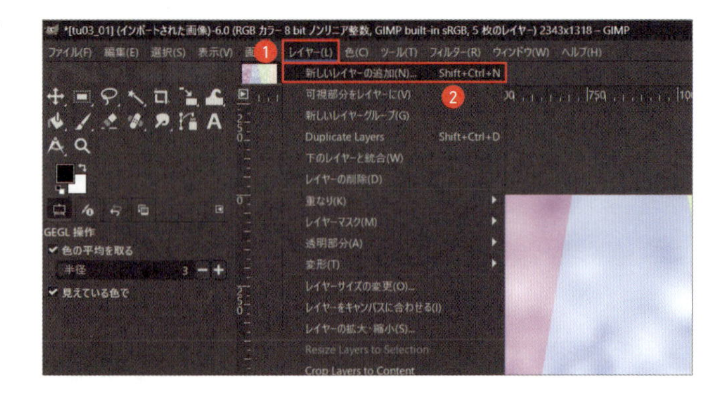

2 ＜新しいレイヤー＞ダイアログが表示されます。＜レイヤー名＞に「グラデーション」と入力します❶。＜モード＞は＜ソフトライト＞を選択し❷、＜塗りつぶし色＞は＜透明＞を選択します❸。＜OK＞をクリックします❹。

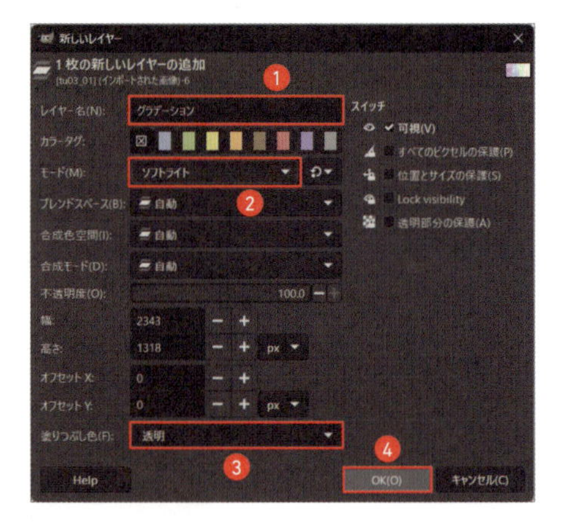

3 ＜モード＞が＜ソフトライト＞の＜グラデーション＞レイヤーが追加されます❶。

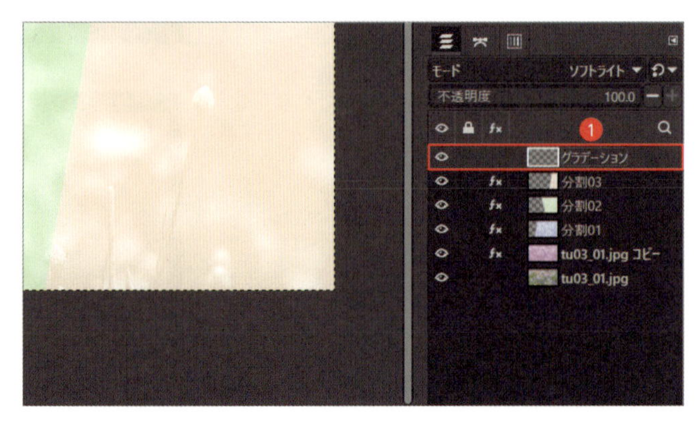

グラデーションをつける

1 ツールボックスの<塗りつぶし・グラデーション>グループを右クリックして、<グラデーション>をクリックし❶、<描画色>をクリックします❷。<HTML表記>に「ff7769」と入力して❸、<OK>をクリックします❹。さらに、<背景色>をクリックして❺、描画色と同様の方法で背景色を白（HTML表記で「ffffff」）に設定しておきます。

2 <ツールオプション>で<グラデーション>をクリックして種類を設定します❶。ここでは<描画色から背景色（RGB）>を選択します❷。

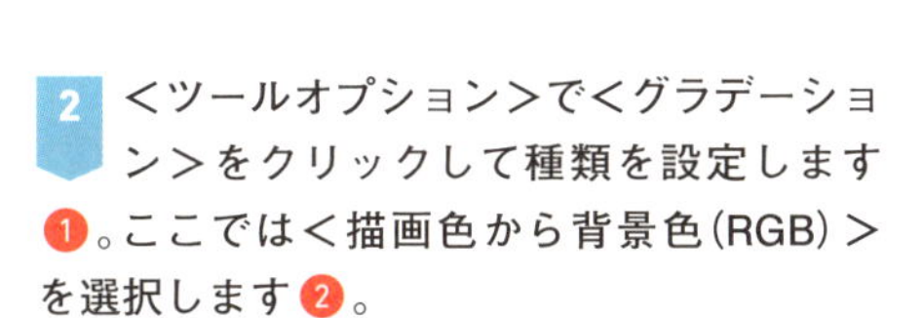

3 <形状>は<線形>を選択します❶。画像の下から3/4まで垂直にドラッグします❷。

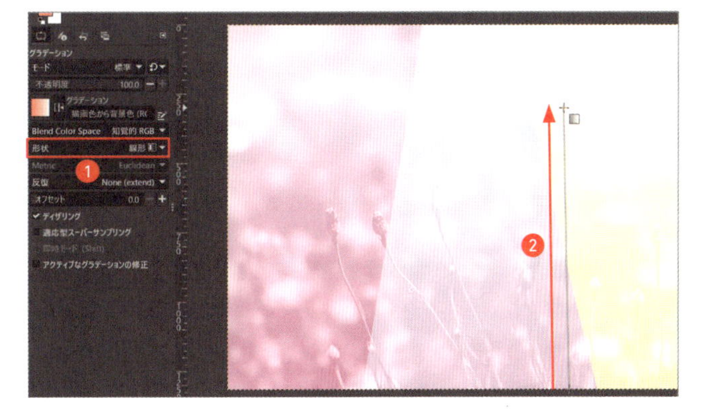

4 Enter キーを押すと下がやや赤味がかっていて、徐々に白味が強くなるグラデーションで塗りつぶされます。

MEMO <ソフトライト>の効果

レイヤーモードの<ソフトライト>により、色の濃い部分と明るい部分が強調されながらも、全体的に明るい発色の効果がかかります。

SECTION

04

合成用の素材を切り取る

合成用の写真を開き、切り取りたい形に添って選択範囲を作ります。電脳はさみを使って曲線を滑らかにきれいに切り取ります。

SAMPLE tu03_04.jpg

花を境界線で囲む

1 合成切り取り用の画像「tu03_04.jpg」を開きます。ツールボックスの＜自由選択＞グループを右クリックして＜電脳はさみ＞を選択し❶、＜ツールオプション＞の編集モードで＜なめらかに＞を選択します❷。＜新規ノード追加時に境界を表示＞も選択して境界を確認しやすくします❸。輪郭上をクリックして開始点を作成します❹。

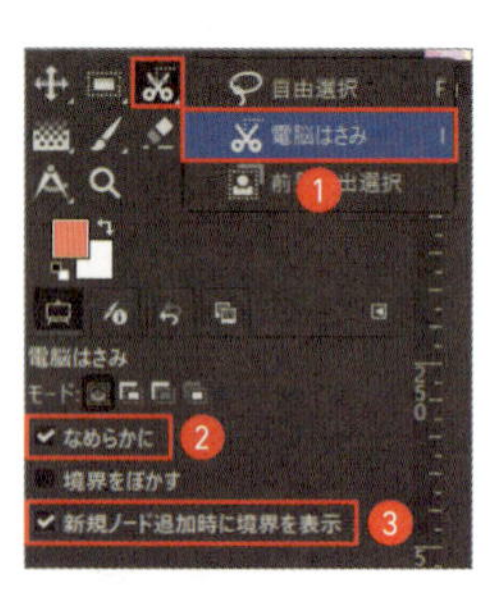

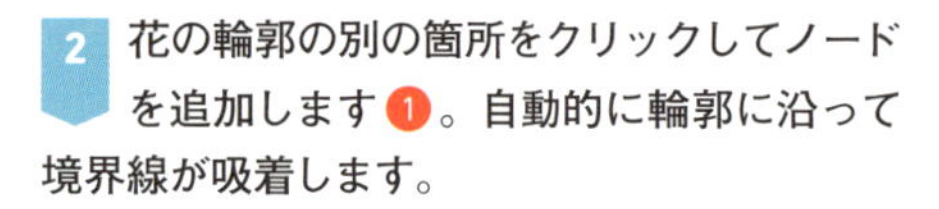

2 花の輪郭の別の箇所をクリックしてノードを追加します❶。自動的に輪郭に沿って境界線が吸着します。

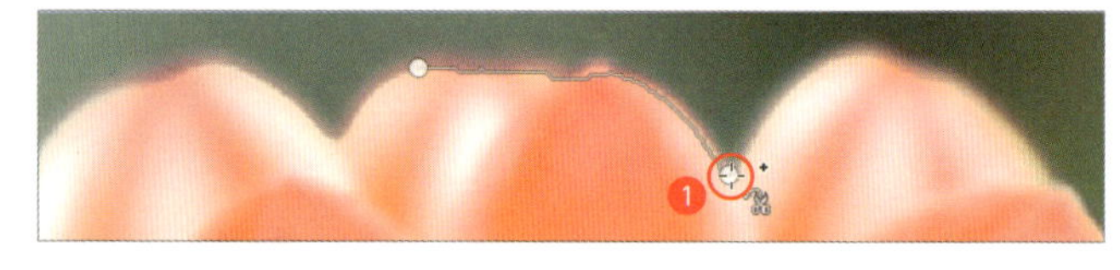

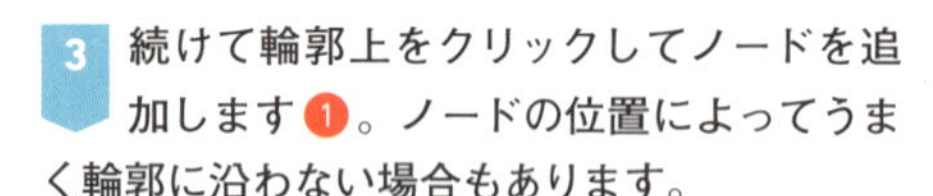

3 続けて輪郭上をクリックしてノードを追加します❶。ノードの位置によってうまく輪郭に沿わない場合もあります。

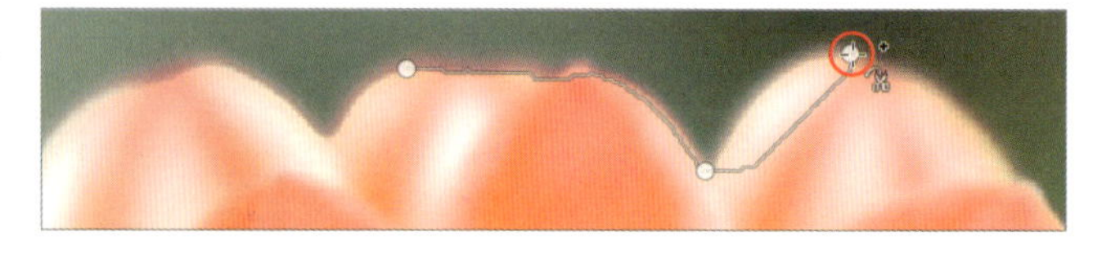

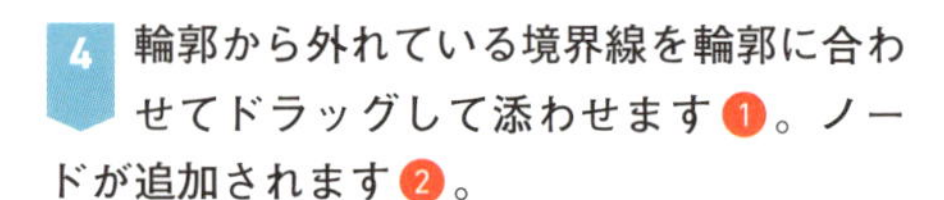

4 輪郭から外れている境界線を輪郭に合わせてドラッグして添わせます❶。ノードが追加されます❷。

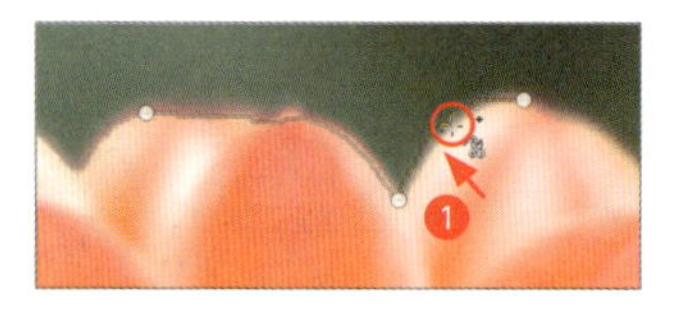

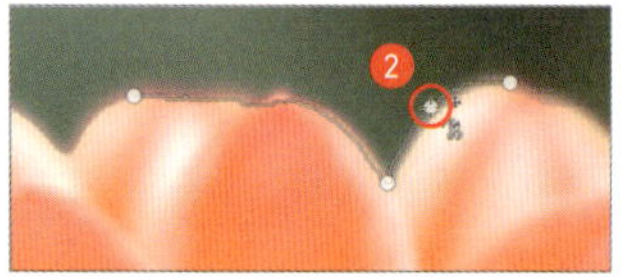

5 各ノードが花の輪郭に重なるように調整しながら境界線を延長していきます❶。

HINT ナビゲーションを活用して細かく選択する

＜ナビゲーション＞ダイアログで表示倍率を調整したり、プレビュー内の枠をドラッグして表示位置を調整したりしながら輪郭を細かく延長すると、境界線を上手に囲みやすくなります。

境界線を閉じて選択範囲にする

1 最初にクリックしたノードの直前まで境界線を延長したら、最初のノードをクリックします❶。

2 花の輪郭を囲んだ境界線が閉じます。Enter キーを押します。

3 境界線が選択範囲に変換されます。

4 ＜編集＞メニューをクリックして❶、＜コピー＞を選択します❷。選択した花の部分がコピーされます。

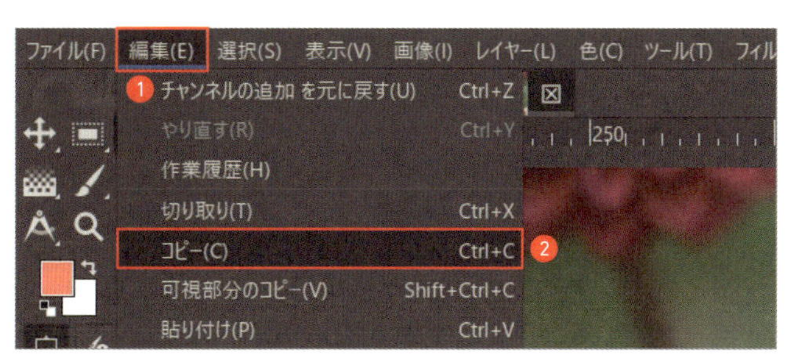

SECTION

05 画像を合成する

選択した画像をコピー＆ペーストして、位置や大きさを調整します。さらにレイヤーを複製して、背景に花の画像を重ねて幻想的な効果を加えます。

SAMPLE tu03_05.xcf

花を合成する

1 背景の画像に切り替えて＜編集＞メニューをクリックして❶、＜貼り付け＞を選択します❷。

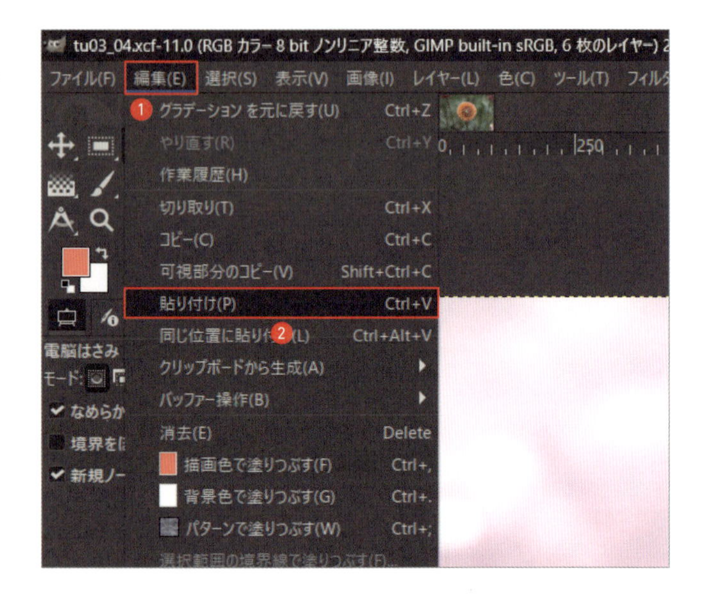

2 ＜レイヤー＞ダイアログの一番上に、貼り付けたレイヤーが追加されます。貼り付けたレイヤー名をダブルクリックして、名前を＜花＞に変更します❶。

3 ツールボックスの<変形・回転>グループを右クリックして<拡大・縮小>ツールを選択し❶、花をクリックします❷。さらに、<縦横比の維持>をクリックして、縦横比のリンクを有効にします❸。

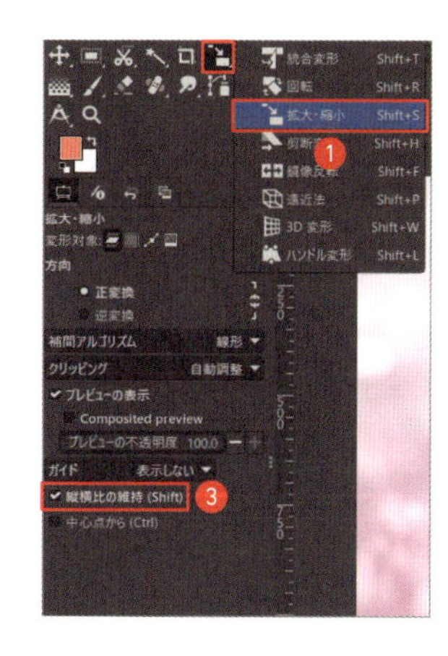

MEMO 縦横の比率を維持する

<縦横比の維持>のチェックが入っていれば、画像の縦横の比率は維持された状態となります。比率を維持することで、幅か高さどちらか一方の数字を変更しても、もう一方の数字も比率に合わせて自動で変更されます。

4 花を囲む枠の角を内側にドラッグして縮小し❶、さらに花の中央の「+」の形のハンドルをドラッグして位置を調整します❷。調整が終わったら、<拡大・縮小>ダイアログの<拡大・縮小>をクリックします❸。

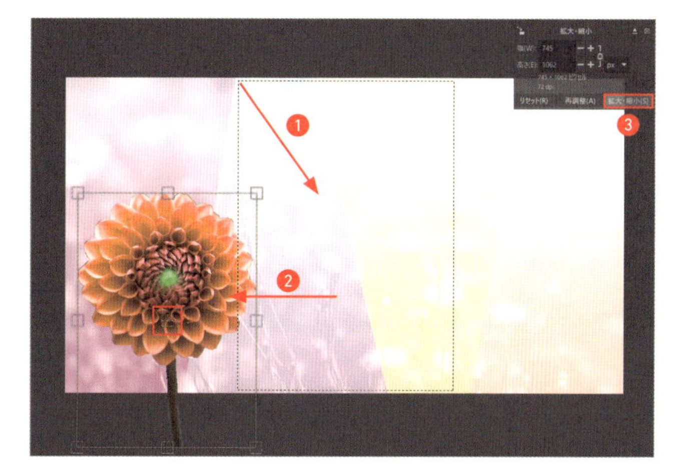

5 <レイヤー>ダイアログで<モード>を<ハードライト>に変更します❶。

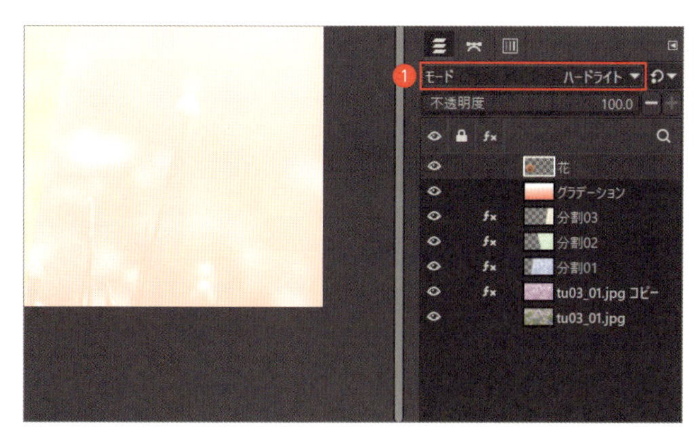

6 花の質感が変化します。

MEMO <ハードライト>の効果

<ハードライト>は透明感が加わり、色鮮やかさとコントラストが強調されます。

SECTION

06

エフェクトを加えて仕上げる

合成してできた画像に仕上げとしてエフェクトをかけます。最後にサイズを縮小して完成です。

SAMPLE tu03_06.xcf

合成した花を仕上げる

1 <レイヤー>ダイアログで<花>レイヤーを選択します①。<レイヤー>メニューをクリックして②、<レイヤーをキャンバスに合わせる>を選択します③。

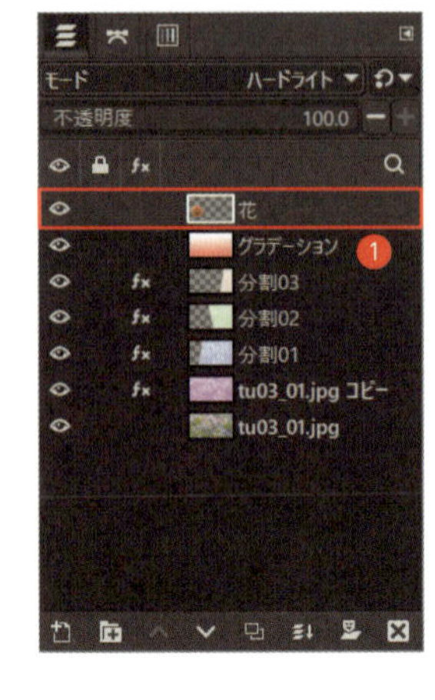

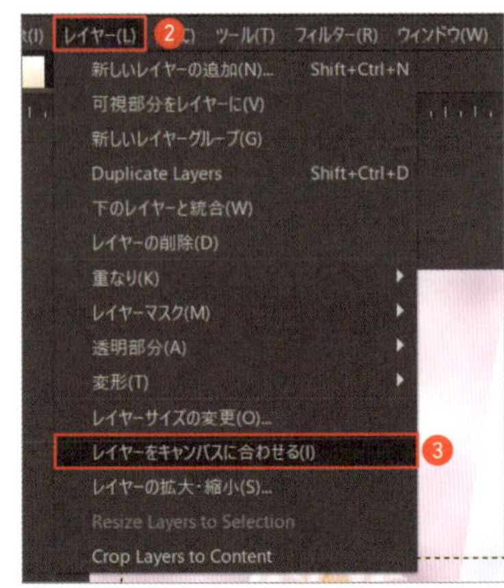

MEMO <レイヤーをキャンバスに合わせる>

<レイヤーをキャンバスに合わせる>はレイヤーの大きさをキャンバスサイズに広げることができます。キャンパスサイズを広げることで、<花>レイヤー全体に編集が加えられるようになります。

2 <フィルター>メニューをクリックして①、<照明と投影>の<レンズフレア>をクリックします②。

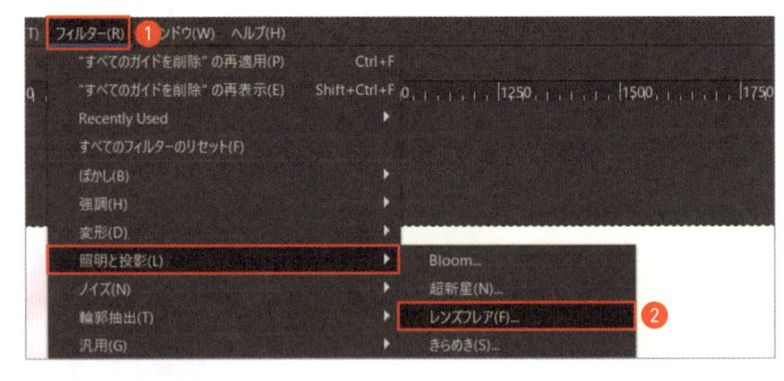

3 <レンズフレア>ダイアログのマウスカーソルのアイコンをクリックして①、画像の花の光を当てたい部分を直接クリックします②。<OK>をクリックします③。

4 縦横の線が交わる部分にフレア効果が加わり写真が完成します。

MEMO GIMP標準の形式で保存しておく

完成してリサイズをする前に、一度<ファイル>メニューから<名前を付けて保存>で、GIMP標準のXCF形式で保存しておきましょう。レイヤーの構成も保った状態で保存することができます。

画像をリサイズしてエクスポートする

1 <画像>メニューをクリックして❶、<画像の拡大・縮小>を選択します❷。

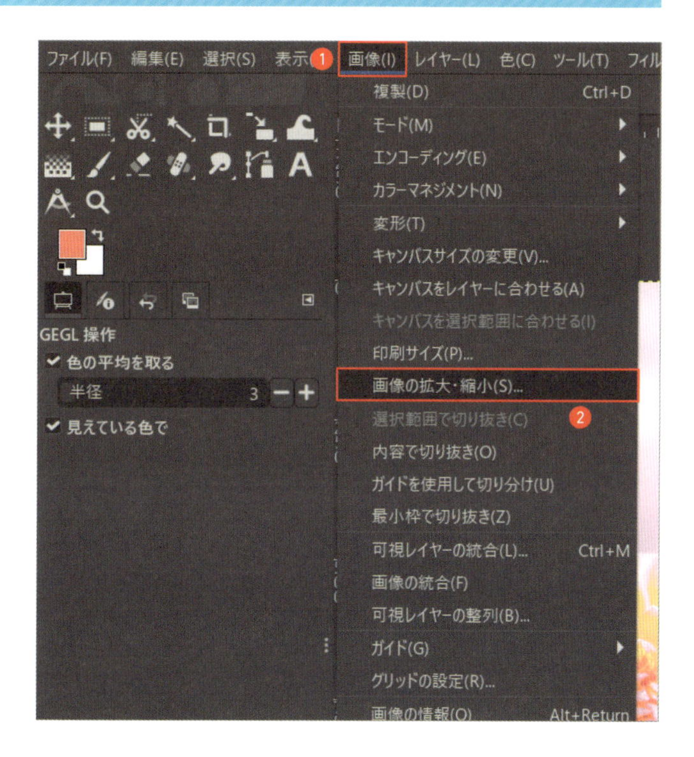

2 <画像の拡大・縮小>ダイアログで<キャンバスサイズ(画像サイズ)>の鎖のアイコンをクリックして、つながった状態にします❶。<幅>に「1920」と入力して❷、<拡大・縮小>をクリックします❸。

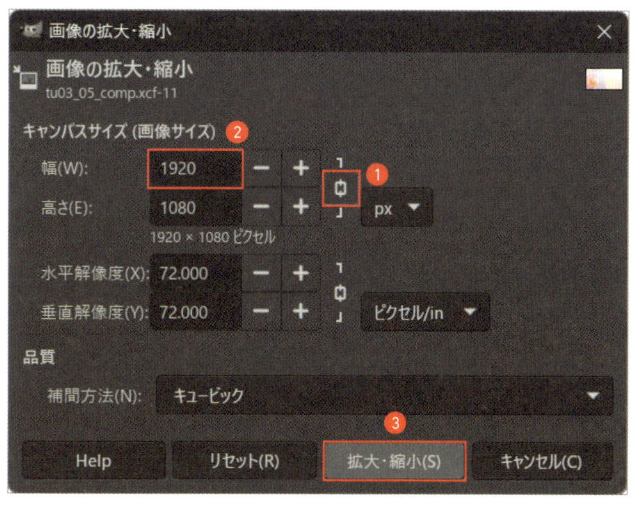

MEMO 高さの数値

手順2では<高さ>の数値を指定する必要はありません。<幅>の数値しか操作していませんが、縦横比がリンクされているため、幅のピクセル数に合わせて高さの数値が自動的に「1080」に変わります。

3 <ファイル>メニューをクリックして①、<名前を付けてエクスポート>を選択します②。

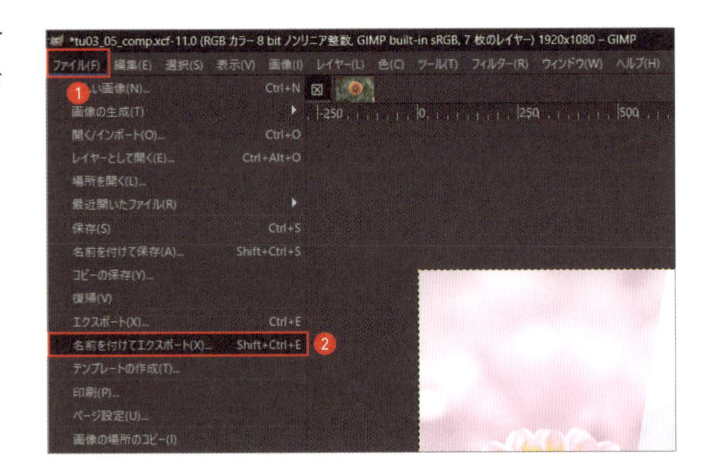

4 ファイルの名前を入力し①、保存する場所を指定します②。<ファイル形式の選択>を開いて③、<JPEG画像>を選択し④、<エクスポート>をクリックします⑤。

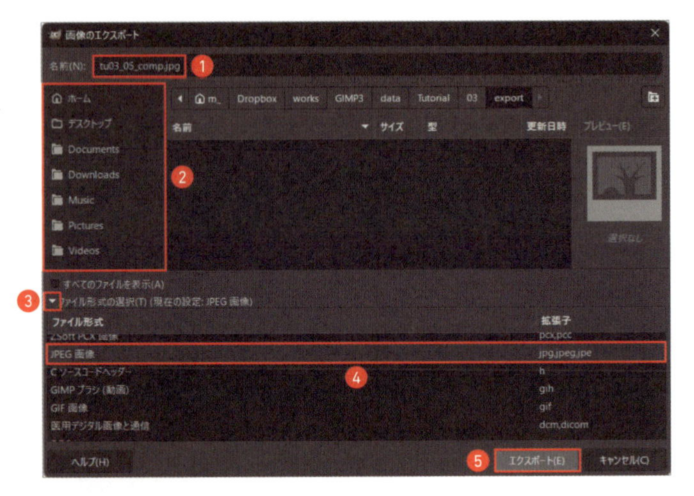

5 最後に<品質>のスライダーをドラッグして①、<エクスポート>をクリックします②。

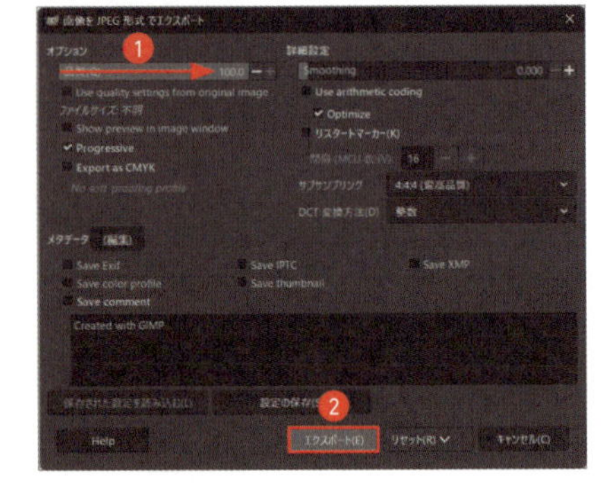

MEMO 品質を設定する

<品質>の数値が大きいほど良い画質で保存できます。ファイルサイズが大きくなりますが、できるだけ100に近い数値を指定して書き出しましょう。

6 画像がJPEG形式で書き出されます。

［チュートリアル編］

CHAPTER

4

ロゴを作成する

SECTION

00

この章の流れ

円形の選択範囲を活用してロゴを作成します。さらにテキストのフォントやスタイルなどを調整してデザインを作り上げます。

この章で行うこと

円形イラストロゴを作ります。円形の選択範囲を使って塗りつぶしたり、境界線で形を作り、選択範囲からパスを作ってテキストをパスに沿わせて円形に湾曲します。フォントやスタイル、サイズなどを調整してロゴを描き、さらに文字の代わりにイラストを入力できるフォントを加えて、デザインを作り上げます。

1 正方形の白いキャンバス上に<楕円選択>で正円の選択範囲を作って複数の円形を描くために利用します。選択範囲を指定したピクセル数だけ縮小して選択範囲を色で塗りつぶし、境界に描画色の線を描き重ねます。

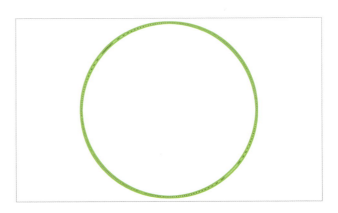

2 選択範囲を縮小し、大きさの異なる円をレイヤーごとに描きます。境界線の幅を変更したり、円形の内側を色で塗りつぶします。

3 円形を作成した選択範囲を利用して、テキスト湾曲用のパスに変換します。ロゴのテキストを入力後、テキストをパスに沿わせて湾曲させます。

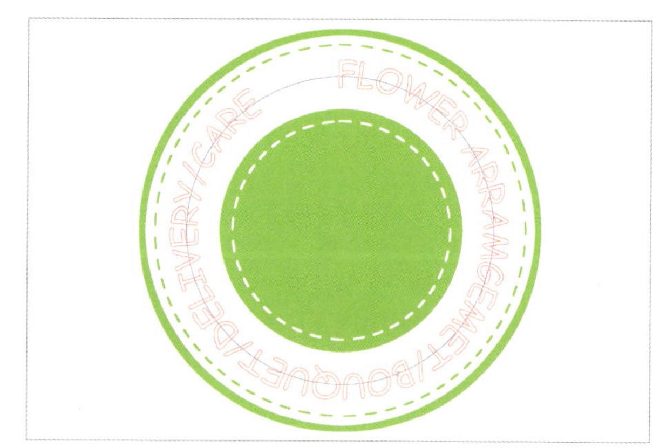

4 湾曲させたロゴのパスを選択範囲に変換して、色で塗りつぶして適した角度に回転します。中央にもロゴを追加して、フォントスタイルや行間を調整します。

5 イラスト風のフォントを追加します。仕上げに垂直のガイドを画像の中央に配置して、パーツの位置を整えて完成です。

SECTION

01 正円を描く

新規の白い背景の正方形の画像を作成して、＜楕円選択＞で正円の選択範囲を作ります。また、選択範囲を縮小して、選択範囲を色で塗りつぶし、境界に線を描きます。

SAMPLE なし

新規画像とレイヤーを作成する

1 ＜ファイル＞メニュー→＜新しい画像＞をクリックして＜新しい画像を作成＞ダイアログを開きます。単位が「px」になっていることを確認して❶、＜幅＞と＜高さ＞にそれぞれ「1600」と入力します❷。＜詳細設定＞をクリックして❸、＜解像度＞は「72」に設定します❹。詳細設定を下にスクロールして❺、＜塗りつぶし色＞を＜白＞に設定をします❻。＜OK＞をクリックします❼。

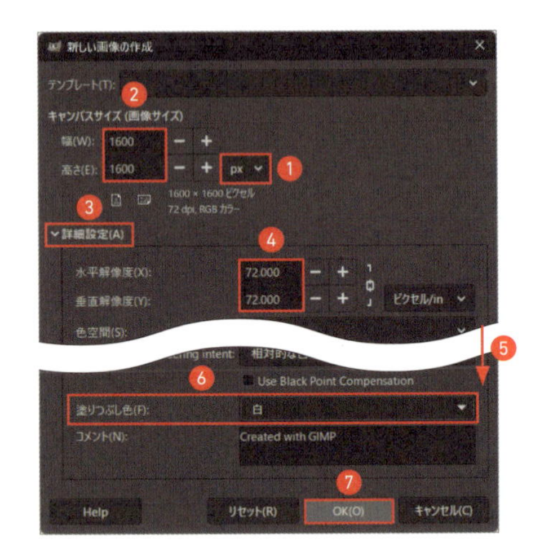

2 背景の新規画像が開きます。＜レイヤー＞メニューをクリックして❶、＜新しいレイヤーの追加＞をクリックします❷。

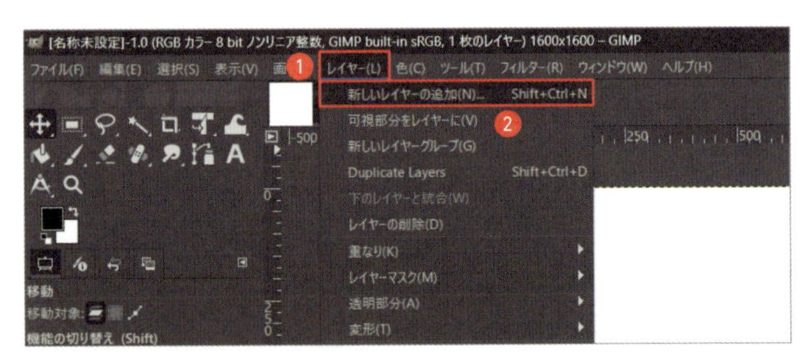

3 レイヤー名に＜大円＞と入力して❶、モードは＜標準＞に設定します❷。＜不透明度＞は「100」にして❸、＜塗りつぶし色＞は＜透明＞を選択します❹。＜OK＞をクリックします❺。

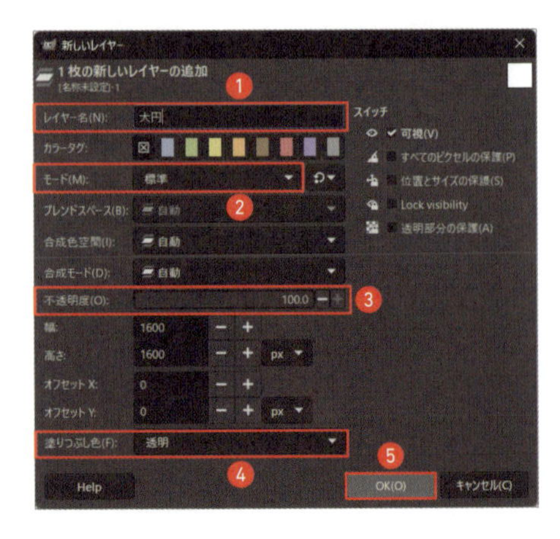

正円の選択範囲を作成する

1 ツールボックスの<矩形・楕円選択>グループを右クリックして<楕円選択>を選択し❶、適当にドラッグして楕円の選択範囲を作ります❷。

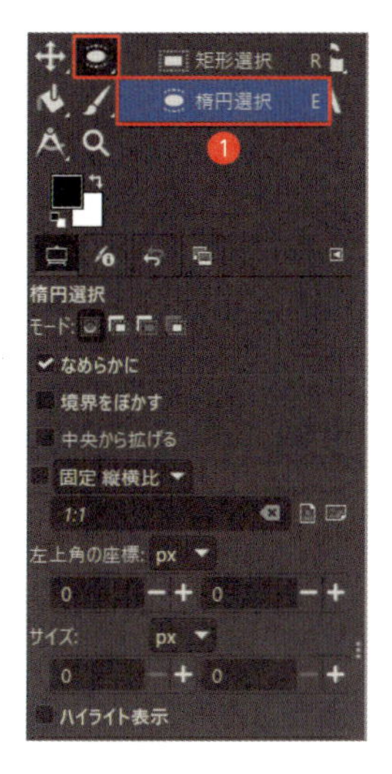

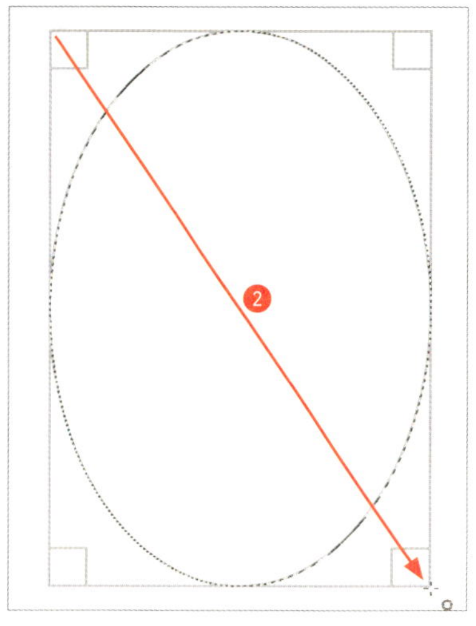

MEMO ここでは楕円形の選択範囲でOK

最終的には正円の選択範囲を作りますが、最初はとりあえず楕円の選択範囲を作ります。大きさや形にはあまりこだわらずに円形の選択範囲を作成しましょう。

2 <ツールオプション>で<サイズ>の数値をいずれも「1600」と入力して❶、確定してから、<左上角の座標>をいずれも「0」と入力します❷。

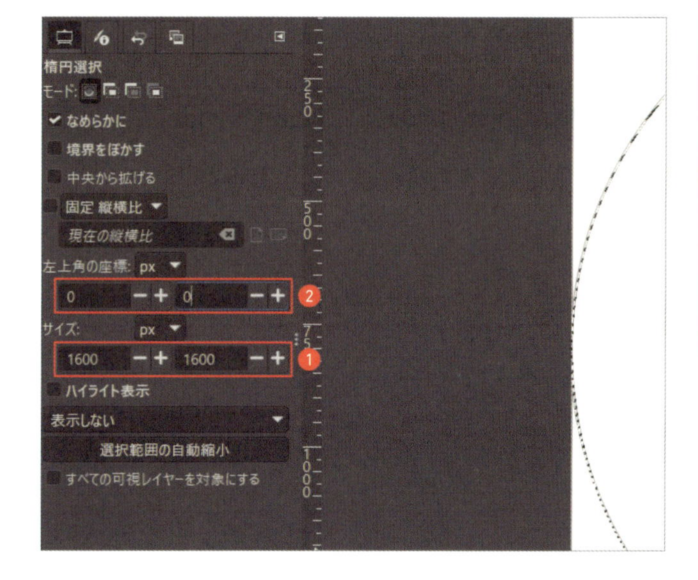

3 正円の選択範囲が作成されます。

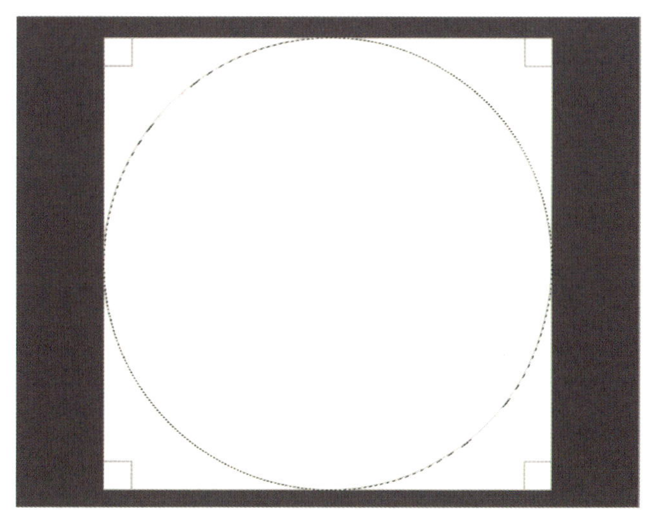

SECTION

02 複数の円を着色する

正円の選択範囲を縮小しながら、複数の円形をレイヤーごとに描いて重ねます。境界線の幅を変更したり、円形の内側を色で塗りつぶします。

SAMPLE tu04_02.xcf

背景を塗りつぶす

1 ＜選択＞メニューをクリックして①、＜選択範囲の縮小＞をクリックします②。

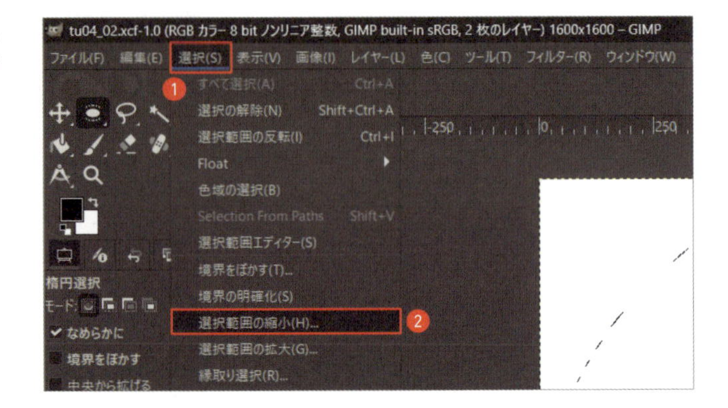

2 ＜選択範囲の縮小量＞ダイアログが表示されます。＜選択範囲の縮小量＞に「20」と入力して①、＜OK＞をクリックします②。選択範囲が20ピクセル内側に縮小します。

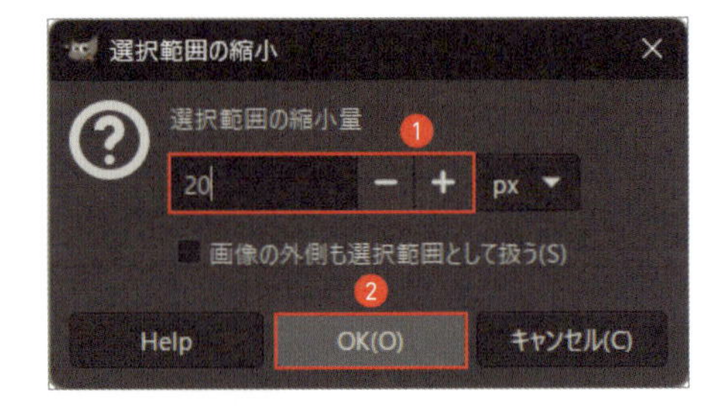

3 この＜大円＞レイヤーは透明なので、円形の選択範囲内を白く塗りつぶします。＜背景色＞をクリックし①、＜HTML表記＞に「ffffff」を入力します②。＜OK＞をクリックして③、背景色を白に設定します。

4 ＜編集＞メニューをクリックして①、＜背景色で塗りつぶす＞をクリックします②。見た目に変化はありませんが、選択範囲が白く塗りつぶされます。

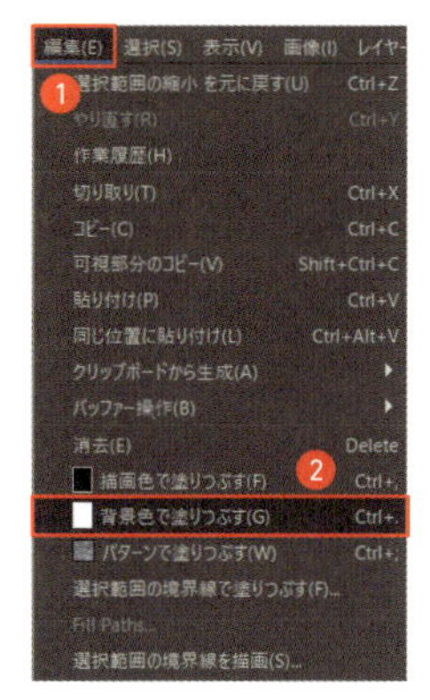

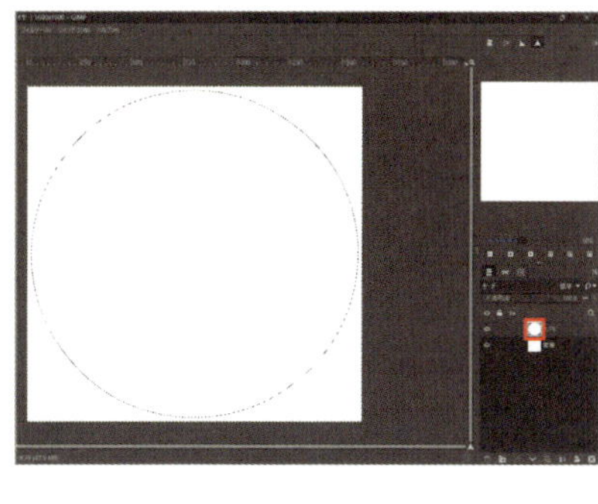

円の輪郭を描く

1 ＜描画色＞をクリックして①、＜HTML表記＞に「76ff2b」と入力し②、＜OK＞をクリックします③。

2 ＜編集＞メニューをクリックして①、＜選択範囲の境界線を描画＞をクリックします②。

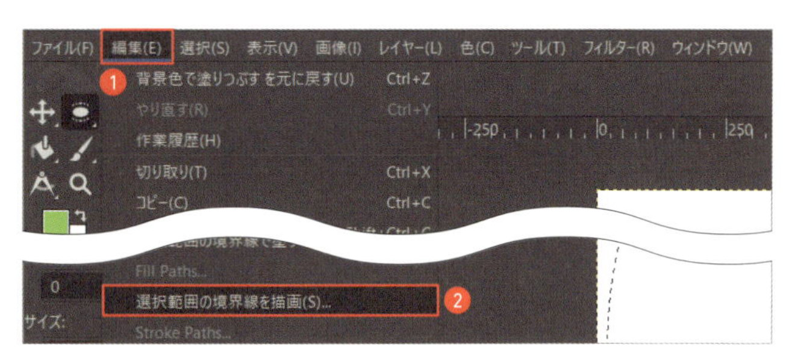

3 ＜Line＞を選択して①、＜Foreground color＞を選択します②。さらに、＜線の幅＞に「25」と入力して③、＜ストローク＞をクリックします④。

4 緑色で円の輪郭が描かれます。

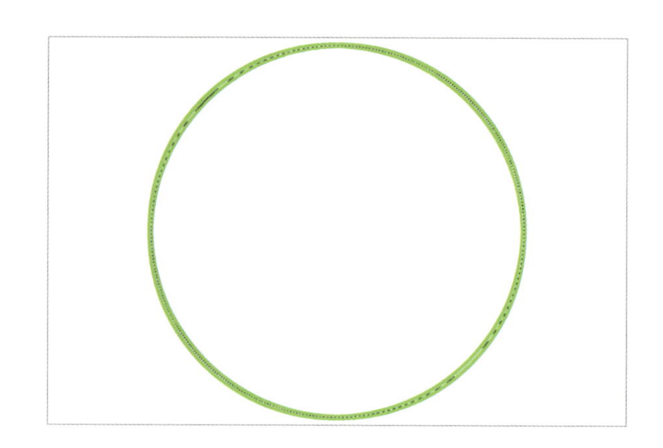

内側に円を追加する

1 ＜レイヤー＞メニュー→＜新しいレイヤーの追加＞をクリックして＜新しいレイヤー＞ダイアログを表示します。＜レイヤー名＞に＜中円＞と入力して❶、＜塗りつぶし色＞は＜透明＞を選択し❷、＜OK＞をクリックします❸。

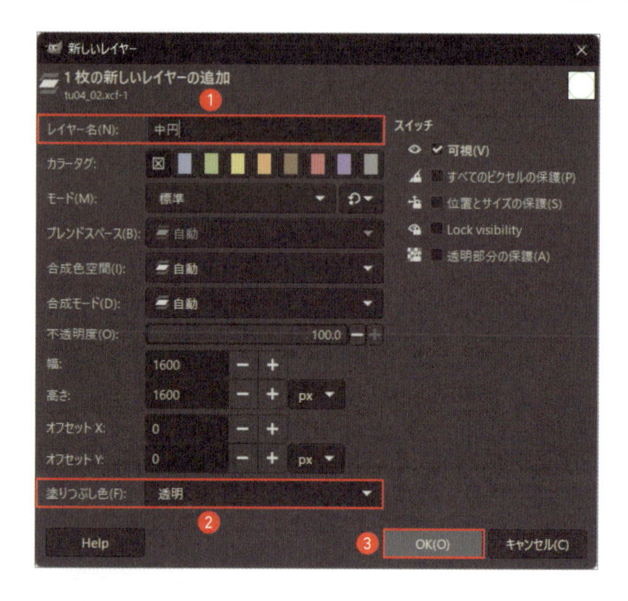

2 88ページの手順1と同様の方法で、＜選択範囲の縮小＞ダイアログを表示します。＜選択範囲の縮小量＞に「50」と入力して❶、＜OK＞をクリックします❷。

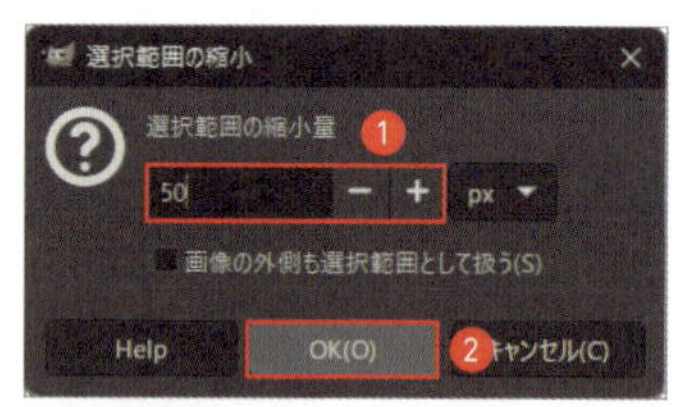

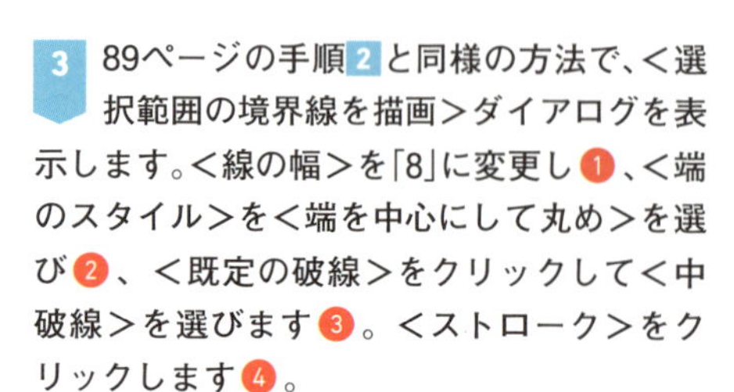

3 89ページの手順2と同様の方法で、＜選択範囲の境界線を描画＞ダイアログを表示します。＜線の幅＞を「8」に変更し❶、＜端のスタイル＞を＜端を中心にして丸める＞を選び❷、＜既定の破線＞をクリックして＜中破線＞を選びます❸。＜ストローク＞をクリックします❹。

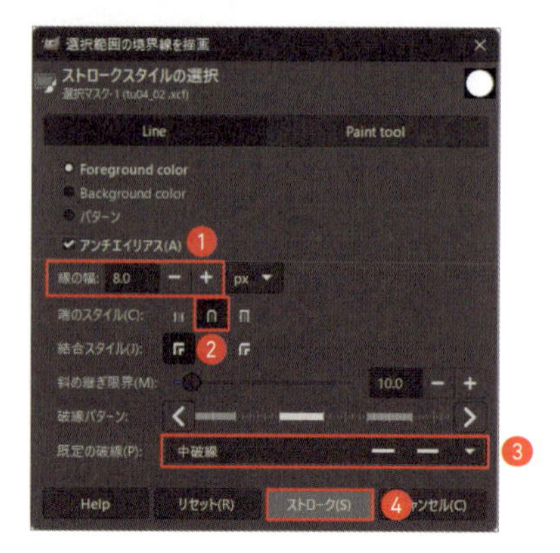

4 破線が描かれます。

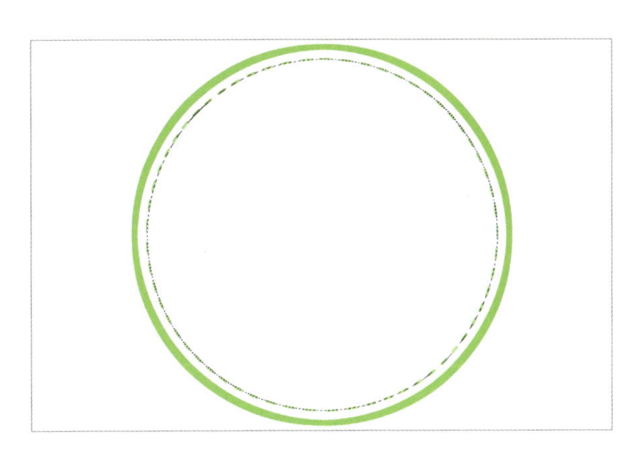

小さな円を追加して塗りつぶす

1 90ページの手順と同様の方法でレイヤーを追加し、選択範囲を縮小します。レイヤー名は＜小円＞に変更し❶、＜選択範囲の縮小量＞は「250」に設定します❷。

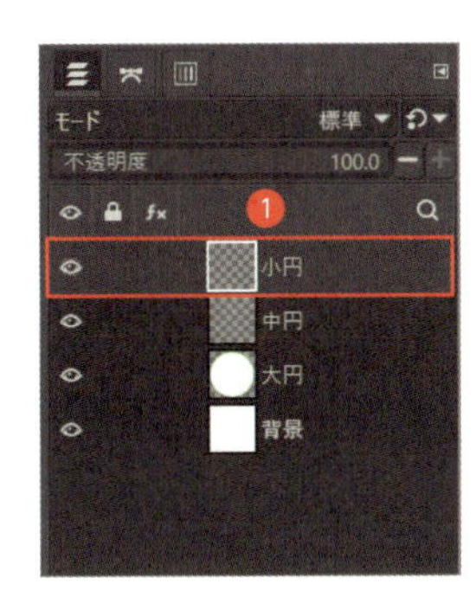

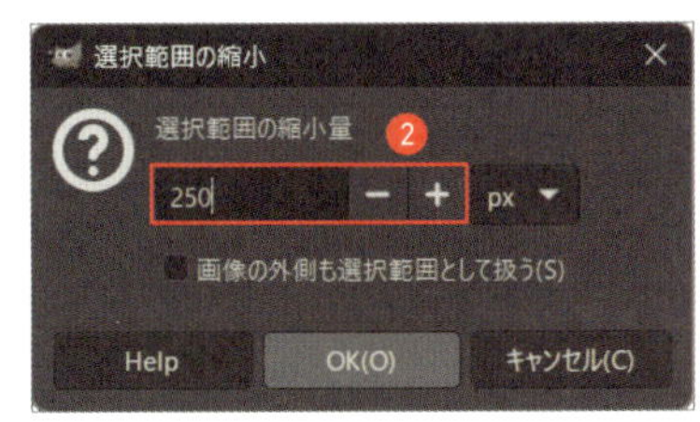

2 ＜編集＞メニュー→＜描画色で塗りつぶす＞の順にクリックして、選択範囲内を塗りつぶします❶。

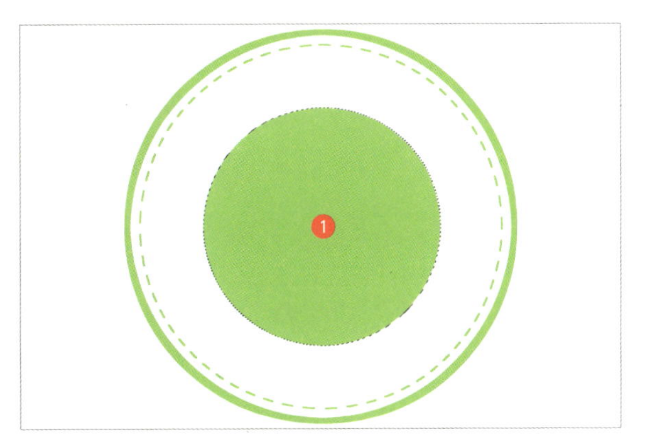

3 88ページの手順1～2と同様の方法で、選択範囲の縮小量を「50」に設定します。89ページの手順2と同様の方法で＜選択範囲の境界線を描画＞ダイアログを表示して＜Background color＞を選び❶、＜ストローク＞をクリックします❷ 。値側に白い破線が追加されます❸。

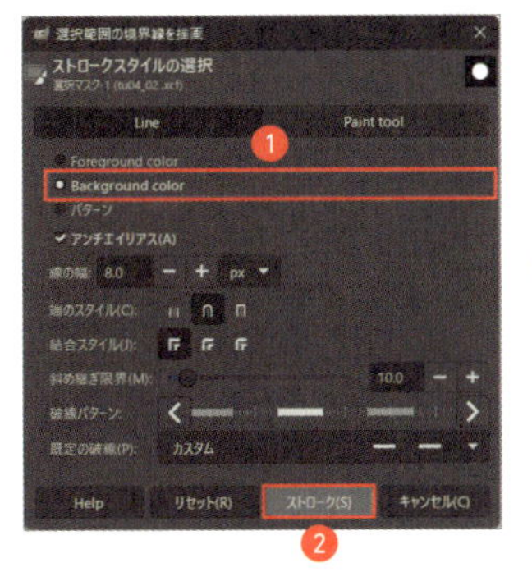

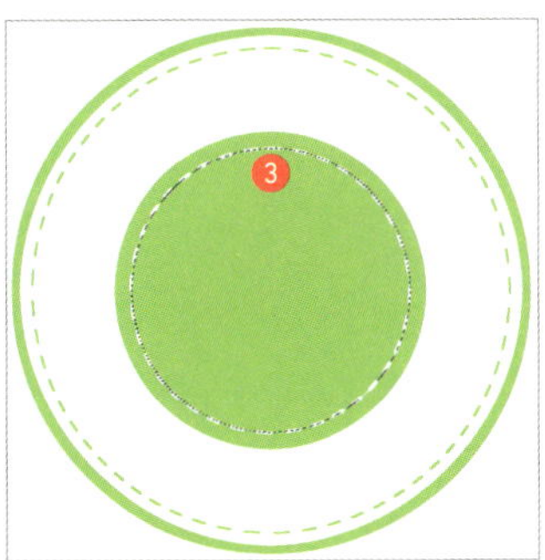

MEMO 選択範囲は解除しない

これで円形を描き終わりましたが、円形の選択範囲は解除しません。選択範囲はそのまま次のパスの作成に利用します。

SECTION

03 テキストを入力する

ロゴのテキストを入力し、円形のパスに沿って湾曲させます。ロゴを選択範囲に変換後、さらにフォントやサイズを変えたロゴを中央に配置します。

SAMPLE tu04_03.xcf

選択範囲をパスに変換する

1 ＜選択＞メニューをクリックして❶、＜選択範囲の拡大＞をクリックします❷。

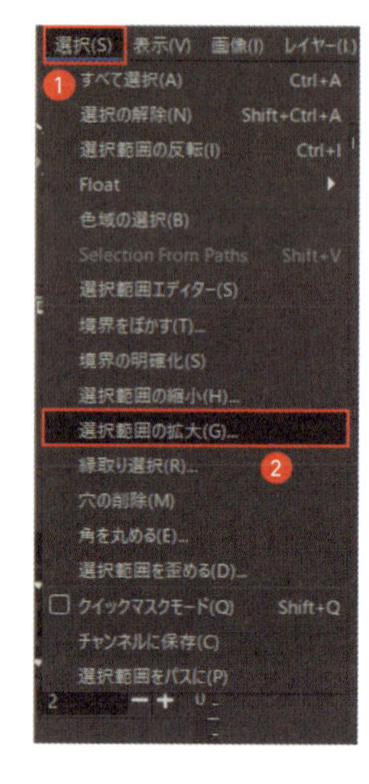

2 ＜選択範囲の拡大量＞を「177」に設定して❶、＜OK＞をクリックします❷。

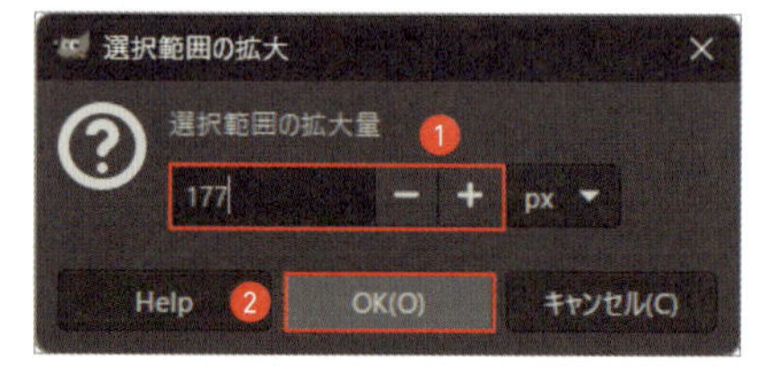

3 ＜パス＞ダイアログを開いて❶、＜選択範囲をパスに＞をクリックします❷。＜選択範囲＞パスが追加されます❸。パスの左側をクリックし、目の形のアイコン表示するとパスが可視化します❹。

MEMO ＜パス＞ダイアログが見当たらないとき

＜パス＞ダイアログが見当たらないときには、＜ウィンドウ＞をクリックして、＜ドッキング可能なダイアログ＞で＜パス＞を選択すると、ダイアログが表示されます。

4 ＜レイヤー＞ダイアログに切り替えて、＜小円＞レイヤーが選択されていることを確認します。＜選択＞メニューをクリックして❶、＜選択の解除＞をクリックします❷。

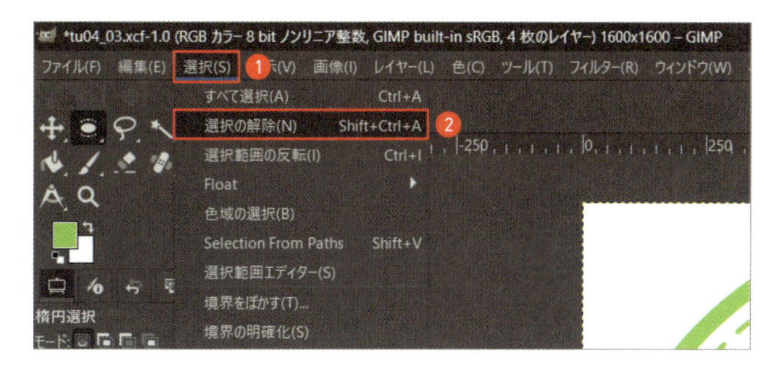

5 選択範囲が解除され、パスのみが表示されます。

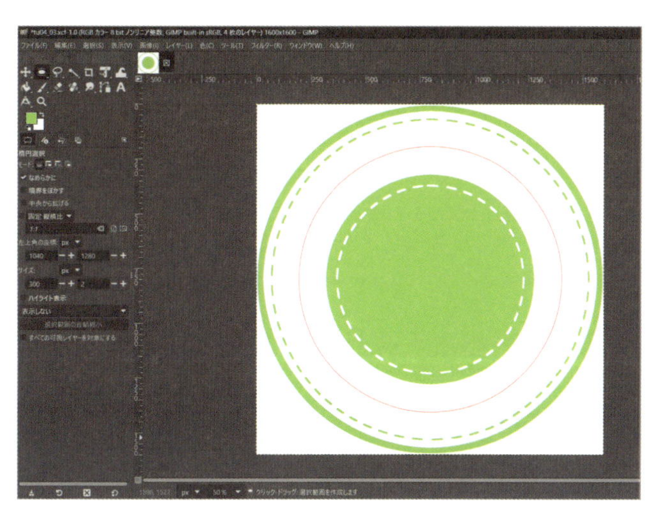

パスに沿ってテキストを配置する

1 ＜小円＞レイヤーが選択されていることを確認します。ツールボックスの＜テキスト＞を選択します❶。＜ツールオプション＞で＜フォント＞をクリックして、ここでは＜Comic Sans MS Regular＞を設定します❷。＜サイズ＞には「135」と入力し❸、＜Style＞は＜Filled＞を選びます❹。＜揃え位置＞は＜左揃え＞を選択します❺。＜テキストボックス＞は＜流動的＞を選択します❻。

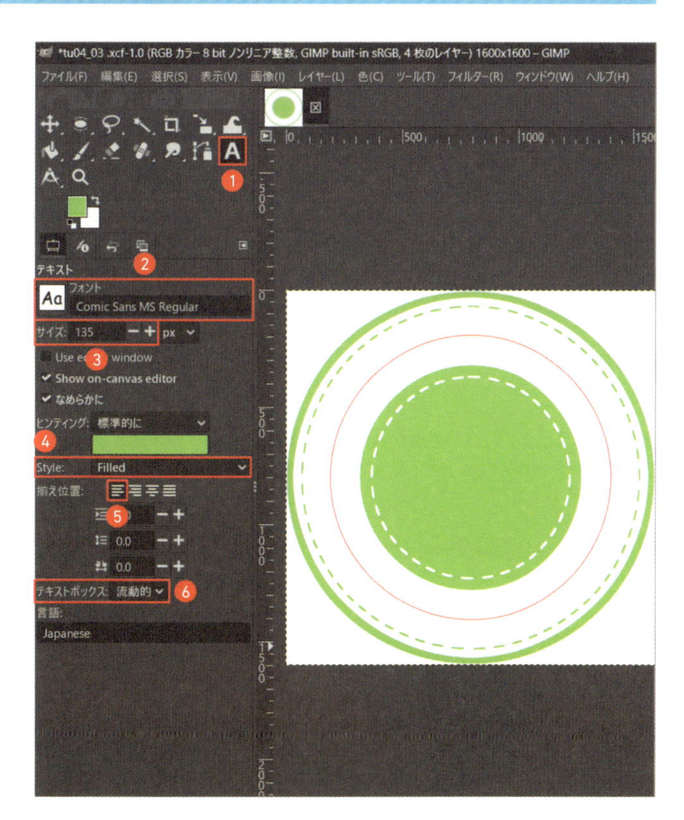

MEMO　描画色は何色でもOK

描画色は白以外の見やすい色であれば何色を設定してもかまいません。ここでは描画色はHtML表記で「8fc31f」に設定してしています。

2 画像の表示倍率をここでは「30%」に縮小します❶。画像表示領域右下の をクリックし、そのまま右にドラッグして画像の右外側まで表示します❷。

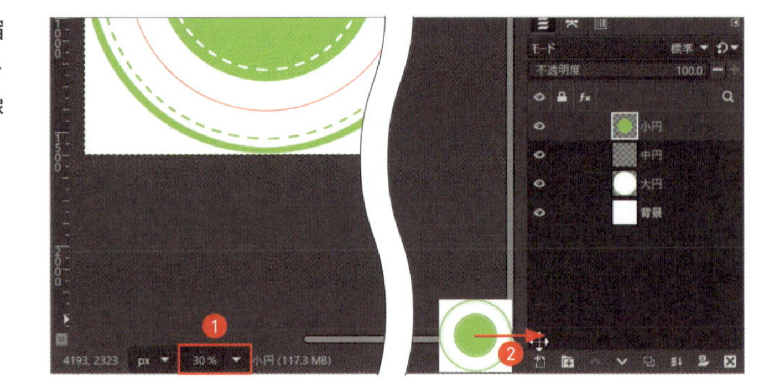

3 パスに重なるように右図と同じ位置から右側に長くドラッグしてテキストボックスを表示させ❶、「FLOWER ARRAMGE MET/BOUQUET/DELIVERY/CARE」と入力します❷。テキストはこの段階で画像のキャンバスからはみ出してもかまいませんが、1行に収まるように入力します。

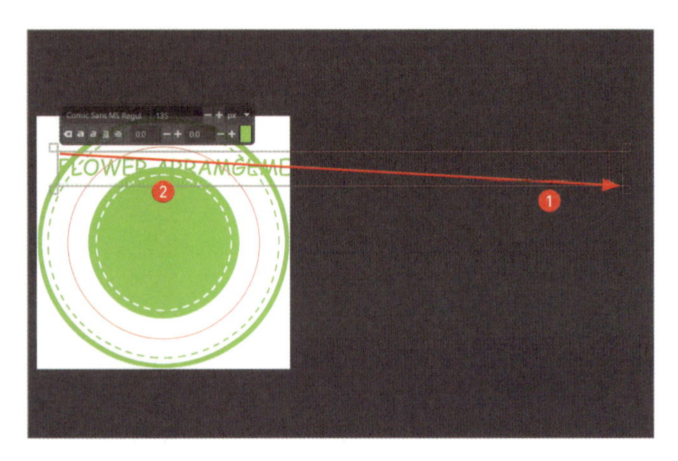

MEMO テキストはレイヤーになる

入力するするとテキストはレイヤーダイアログにレイヤーとして追加されます。入力した文字がレイヤー名になります。

4 テキストレイヤーを右クリックして❶、<パスに沿ってテキストを変形>を選択します❷。

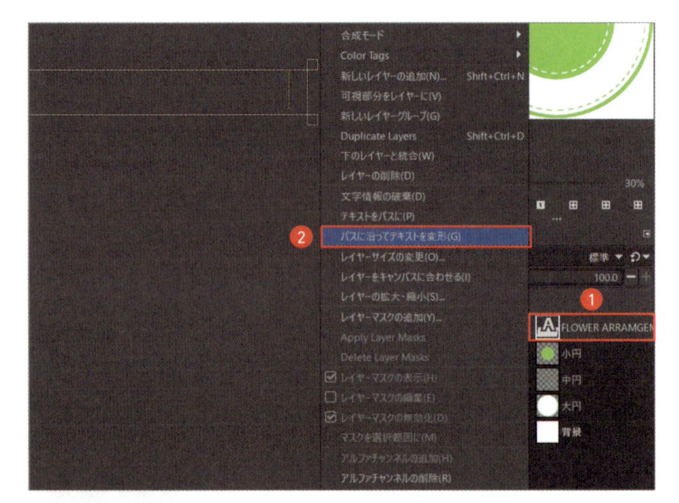

5 テキストのパスが追加されて、円形のパスに沿ってテキストのパスが湾曲します❶。

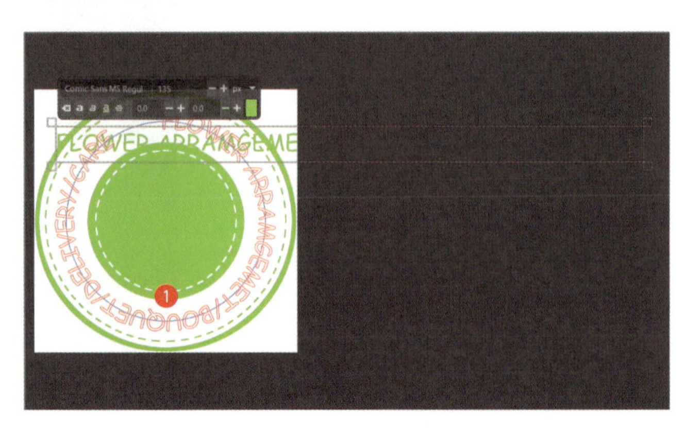

MEMO 全体を表示させる

画像の表示倍率を変更した後、画像全体を表示させるには<表示>メニュー→<表示倍率>→<ウィンドウ内に全体を表示>を選びます。

パスから選択範囲を作成する

1 ＜レイヤー＞ダイアログで目の形のアイコンをクリックしてテキストレイヤーを非表示にします❶。86ページの手順**2**～**3**と同様の方法で、湾曲させたロゴを描くレイヤーを追加します❷。ここでは、＜レイヤー名＞は「湾曲ロゴ」としています。

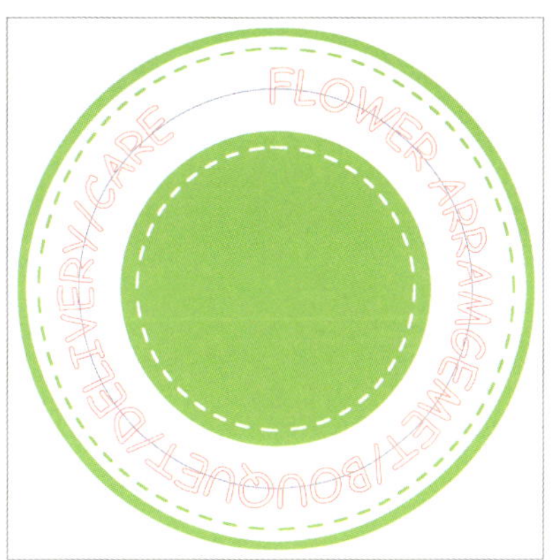

2 ＜パス＞ダイアログを開きます❶。湾曲したロゴのパスを選択して❷、文字のパスを表示します❸。＜パスを選択範囲に＞をクリックします❹。

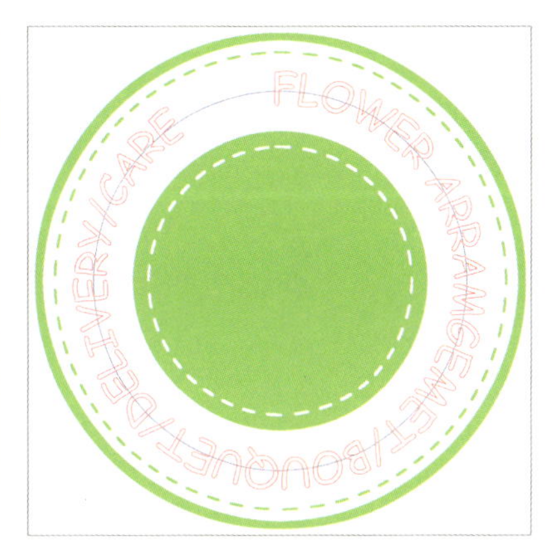

3 ロゴと選択範囲のパスを非表示にします❶。パスから作成された選択範囲だけが表示されます❷。

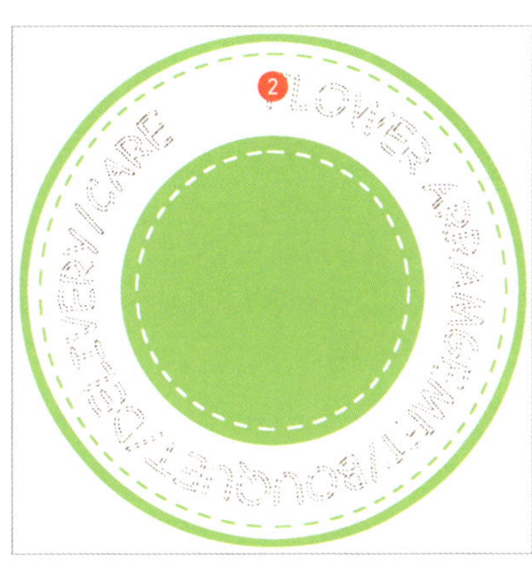

選択範囲を着色して位置を調整する

1 ＜レイヤー＞ダイアログに切り替えて＜湾曲ロゴ＞レイヤーを選択します。＜描画色＞をクリックします❶。＜描画色＞を薄い緑色（HTML表記で「86bf4e」）に設定して❷、＜OK＞をクリックします❸。

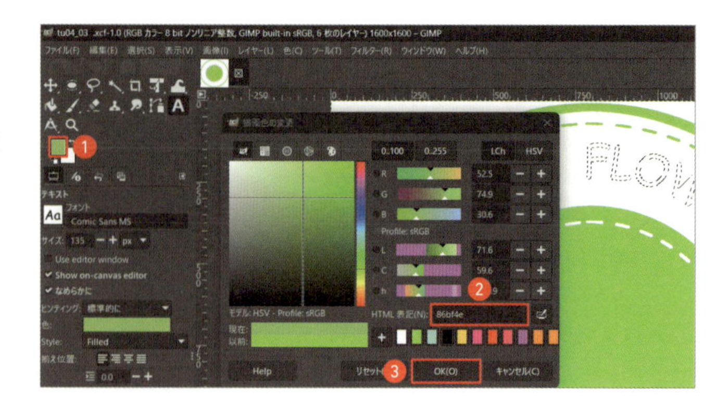

2 91ページの手順2を参考に選択範囲内を描画色で塗りつぶします❶。＜選択＞メニューをクリックして❷、＜選択の解除＞をクリックします❸。

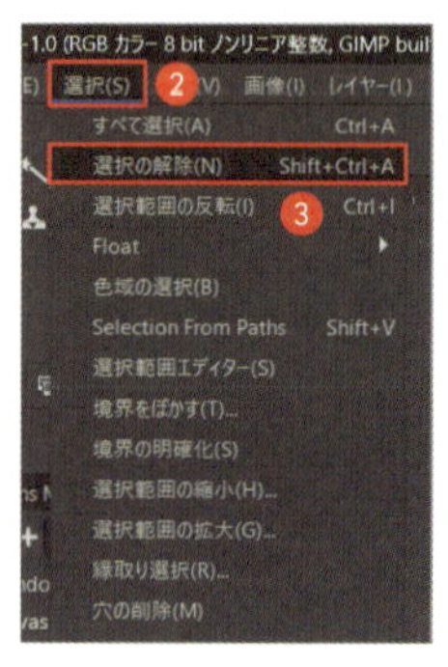

3 ツールボックスの＜変形・回転＞グループを右クリックして＜回転＞を選択し❶、画像をクリックします❷。レイヤーが枠で囲まれるので、＜回転＞ダイアログの角度のスライダーをドラッグして、ロゴの開始と終了の文字が左側になるように回転します❸（ここでは＜角度＞を「-71.88」に設定しています）。ロゴを回転させたら＜回転＞をクリックします❹。

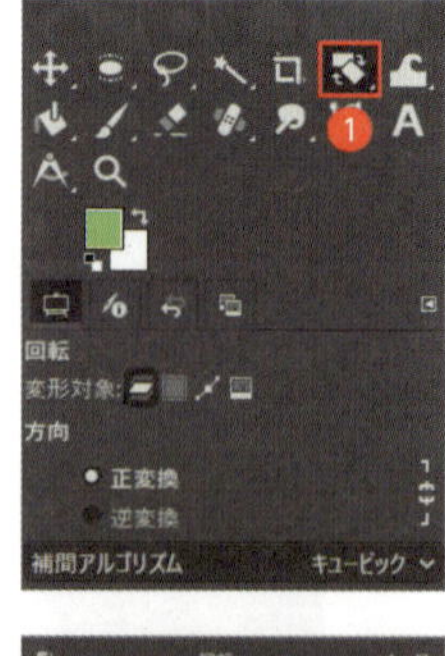

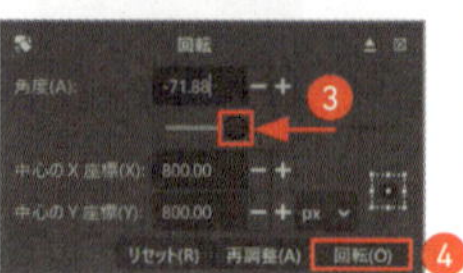

MEMO ＜回転＞の数値は画像によって異なる

＜回転＞での角度の設定値は画像によって異なります。プレビューで確認しながらスライダーで微調整しましょう。

4 テキストが回転して位置が調整されます。

円の中央にテキストを追加する

1 ＜テキスト＞を選択し❶、＜ツールオプション＞で＜フォント＞を＜Lucida Sans Unicode Regular＞に設定します❷。＜サイズ＞を「187」に❸、＜色＞を白（HTML表記で「ffffff」）に❹、＜揃え位置＞を「中央揃え」に設定します❺。

2 円の内側をドラッグしてテキストボックスを作成して❶、文字（ここでは「FLOWER FACTORY」）を入力します❷。

MEMO テキストボックスの大きさを調整する

テキストを入力したあとで、テキストボックスが大きすぎた場合は、角にある「□」をドラッグします。テキストボックスの大きさをテキストに合わせておくと、後からテキストを重ねたときの編集がしやすくなります。

3 テキストをドラッグして選択し❶、＜太字＞をクリックします❷。＜行間隔＞は「-62」に変更して行間を狭めます❸。

4 ツールボックスの＜移動・整列＞グループを右クリックして＜移動＞を選択し❶、＜ツールオプション＞で＜つかんだレイヤーまたはガイドの移動＞を選択します❷。テキストをドラッグすると位置を調整できます❸。このとき間違えて背景を動かさないように、テキストの上にポインターが重なっていることを確認してからドラッグしましょう。
ここでは右図のようにロゴの下を少し開けて配置しておきます。

SECTION 04

イラスト文字を入力する

イラスト風のフォントを入力してロゴにアクセントを加えます。ここでは＜Wingdings＞と＜Wingdings 2＞という特殊なフォントを利用します。

SAMPLE tu04_04.xcf

イラスト文字を追加する

1 ＜テキスト＞を選択します❶。＜描画色＞をクリックして❷、＜HTML表記＞に「ff178d」を入力し❸、＜OK＞をクリックします❹。

2 ＜ツールオプション＞の＜フォント＞で＜Wingdings Regular＞を選択して❶、＜サイズ＞を「187」に設定します❷。揃え位置は＜中央揃え＞をクリックします❸。＜テキストボックス＞で＜流動的＞を選びます❹。

MEMO WingdingsとWingdings 2

＜Wingdings＞＜Wingdings 2＞は記号を入力できるユニークなフォントです。あらかじめキーに記号が割り当てられているので、該当するキーを押して入力します。

3 ロゴの左側をドラッグしてテキストボックスを作成します❶。半角英数字で「|」(パーティカルバー)を入力すると、図のようなイラストが描かれます❷。

MEMO 「|」(パーティカルバー)の入力方法

「|」(パーティカルバー)は「Shift」キーを押しながらキーボード右上の方にある「|、¥、ー」と印されているキーを押します。

4 先に入力したテキストボックスに重ならないように外側をクリックしてから、<描画色>を「ffd200」に変更します❶。小円の下中央をドラッグして❷、テキストボックスに半角で「vvv」と入力します❸。

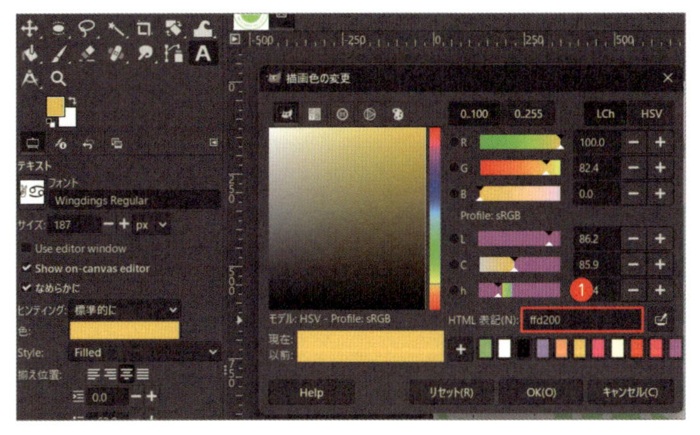

5 イラストがロゴに追加されます。

イラスト文字の位置を調整する

1 <画像>メニューをクリックして❶、<ガイド>の<新規ガイド(パーセントで)>をクリックします❷。

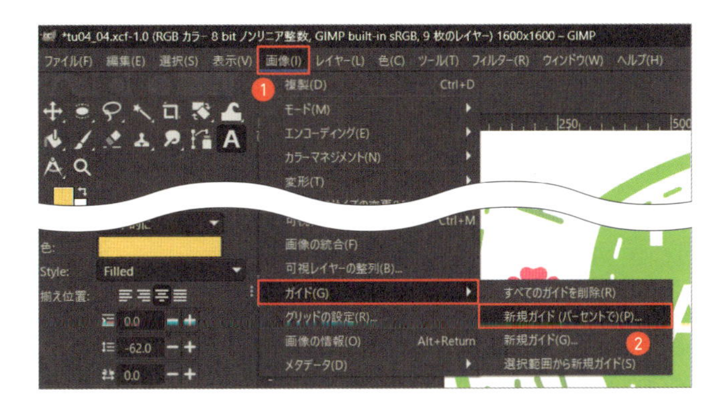

2 ＜方向＞を＜垂直＞に設定し①、＜位置＞に「50」と入力して②、＜OK＞をクリックします③。

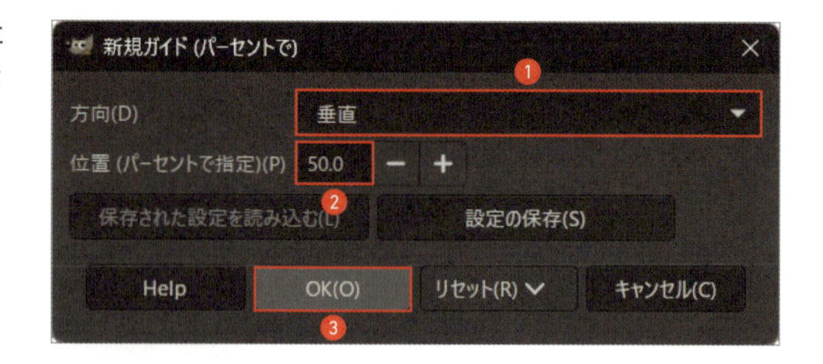

3 ＜表示＞メニューをクリックして①、＜ガイドの表示＞にチェックを入れて②、さらに＜ガイドにスナップ＞にチェックを入れます③。

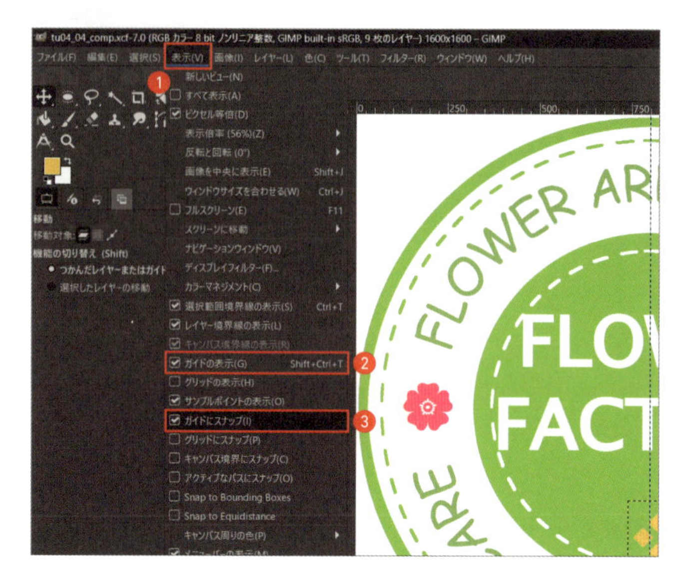

MEMO ガイドにスナップさせる

＜ガイドにスナップ＞が有効になっていると、レイヤーのオブジェクトをガイドの線にぴったり合わせることができます。ガイドは任意の位置に、垂直方向にも水平方向にも設定することができます。あらかじめ定めた位置にオブジェクトを配置したいときに便利な機能です。

4 ＜移動＞を選択して①、イラスト風フォントのレイヤーをガイドに合わせてドラッグして位置を調整します②。全体のバランスを見ながら、他のレイヤーのオブジェクトも必要に応じてドラッグして位置を微調整します。

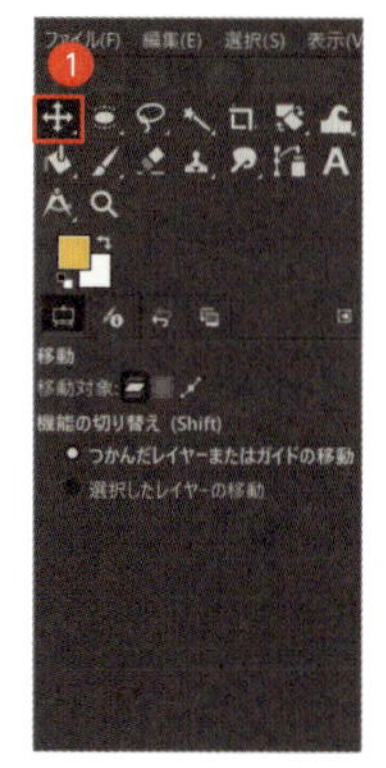

5 レイヤーの中心をそれぞれガイドにピッタリ吸着させて完成です。

MEMO ガイドを削除する

ガイドを削除するには＜画像＞メニューから＜ガイド＞の＜すべてのガイドを削除＞を選びます。

[チュートリアル編]

CHAPTER 5

チラシを作成する

SECTION

00 この章の流れ

この章の流れを確認しましょう。A4サイズのチラシを作ります。写真、図形、テキスト、イラストと様々な要素を重ねて演出します。

この章で行うこと

A4用紙サイズの画像に写真、図形、テキスト、イラストを重ねてチラシを作ります。写真の縁やラインをラフに形成したり、ペイントを加えることで手作り感を出します。テキストのサイズ、色に変化を加えたりポイントに目立つ色を配置しながらも、縦中央にそれぞれのパーツを揃えて全体のバランスを整えます。

1 背景用の新規キャンバスを作り、編集しやすいように縦中央のガイド線を表示させます。

2 写真を開き、周りや枠線にラフな効果を加えます。写真の形の選択範囲を作り、選択範囲を縮小して歪ませます。レイヤーマスクに指定してラフなフレームを作り、歪ませた選択範囲を縮小してラフな枠線を描き重ねます。

3 背景用の画像に修飾した写真を貼り付けて、チラシのタイトルロゴを作ります。テキスト入力後、テキスト全体の幅や位置を調整し、ロゴを選択範囲に変換してグラデーションで変化のある着色をします。

4 テキストのサイズ、色、スタイルを変更しながらタイトル、サブタイトル、名前、情報を入力して、それぞれのテキストを縦中央に配置します。

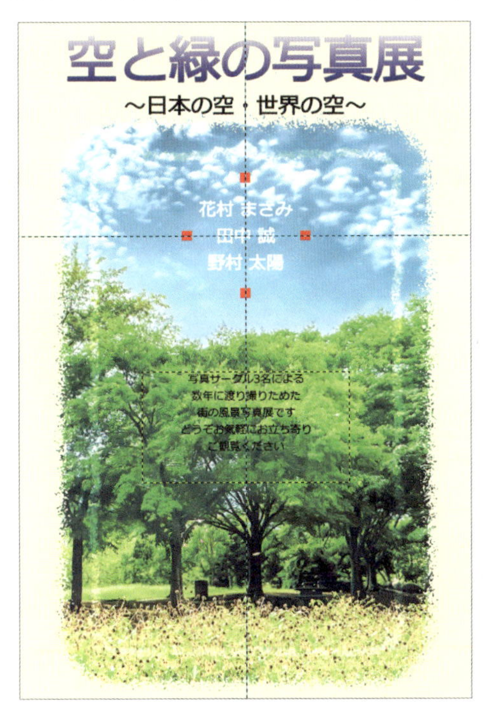

5 文字を目立たせるために、テキストの下にレイヤーを追加してペイントして仕上げます。

SECTION 01

背景画像を作り ガイドにスナップさせる

A4サイズの新しい画像を作成して、背景を薄いクリーム色で塗りつぶします。あとからレイヤーごとに調整しやすいようにガイド線を設定しておきます。

SAMPLE なし

背景となる画像を用意する

1 ＜ファイル＞メニュー→＜新しい画像＞をクリックして＜新しい画像を作成＞ダイアログを開きます。＜テンプレート＞で＜A4（300ppi）＞を選択して❶、＜縦に長く＞を選択します❷。＜OK＞をクリックします❸。

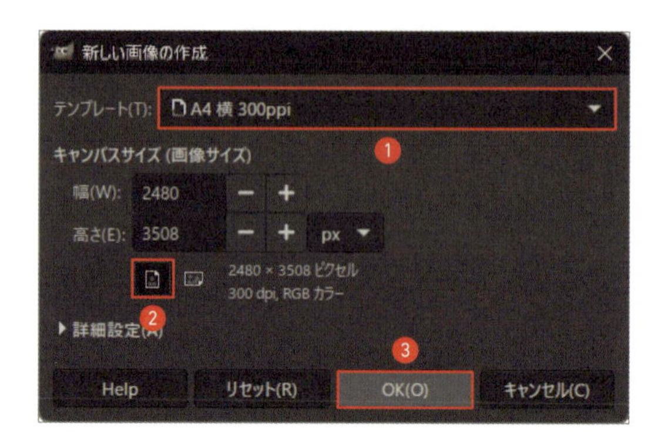

MEMO ppiとは

ppiとはpixel per inch（ピクセル・パー・インチ）の略で、解像度の単位です。1インチに含まれるピクセル数を表します。

2 縦向きで画像が開きます。＜描画色＞をクリックして❶、＜HTML表記＞に「fffce7」と入力します❷。＜OK＞をクリックします❸。

3 ＜編集＞をクリックして❶、＜描画色で塗りつぶす＞をクリックします❷。

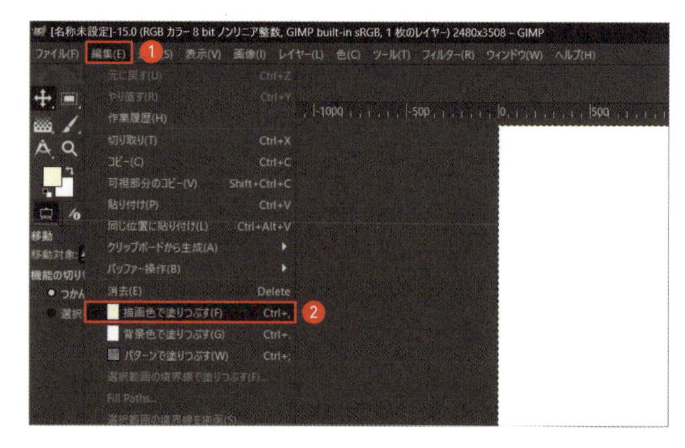

4 キャンバスが薄いクリーム色で塗りつぶされます。

ガイド線を表示してスナップさせる

1 ＜画像＞メニューをクリックして❶、＜ガイド＞の＜新規ガイド（パーセントで）＞をクリックします❷。

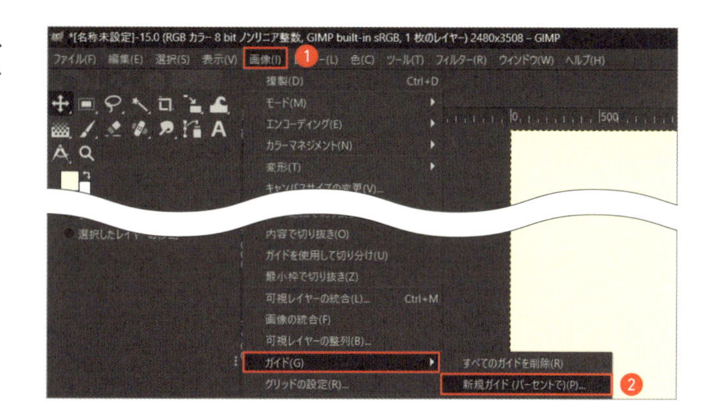

2 ＜方向＞は「垂直」を選択します❶。＜位置＞に「50」と入力したら❷、＜OK＞をクリックします❸。

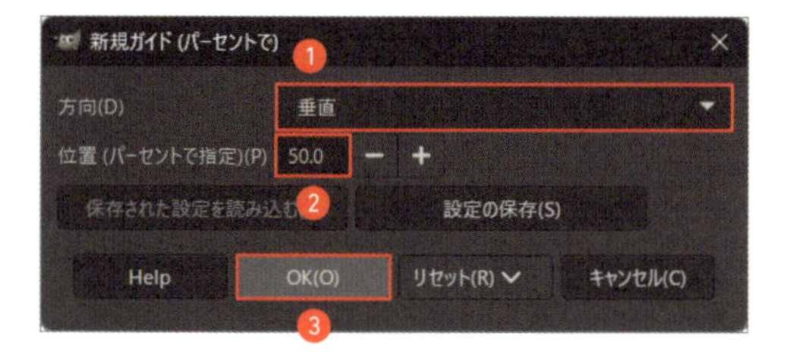

3 ＜表示＞をクリックして❶、＜ガイドにスナップ＞にチェックが入っていることを確認します❷。

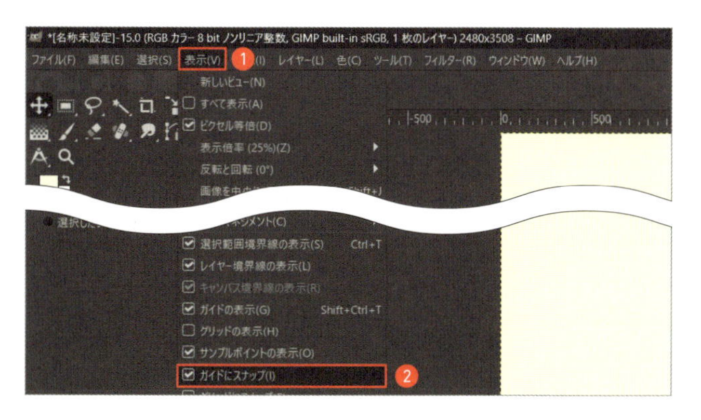

SECTION

02 写真を修飾する

背景にあとから貼り付けるための写真を開きます。レイヤーマスクを使って写真に縁取りをしてから範囲を縮小して枠線に手書き効果を加えます。

SAMPLE tu05_02.xcf

写真を開く

1 ＜ファイル＞メニューをクリックして❶、＜開く/インポート＞をクリックします❷。

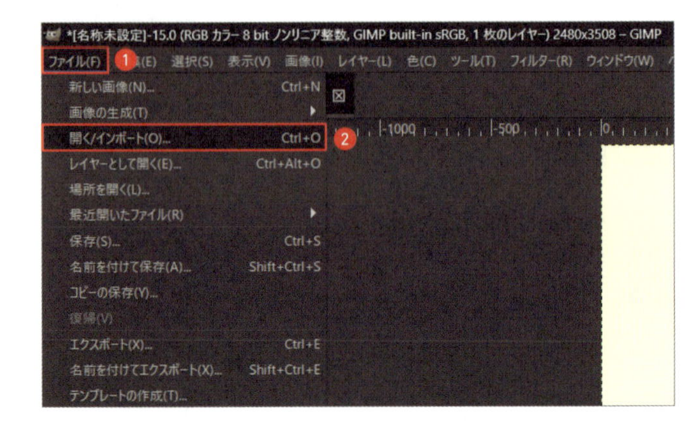

2 「tu05_02.jpg」を選択して❶、＜開く＞をクリックします❷。

HINT プレビューに画像が表示されていない場合

＜画像ファイルを開く＞ダイアログでは選択した画像のプレビューを確認できます。プレビューが表示されない場合は、プレビューの画像ファイルのアイコンをクリックすると表示されます。

3 写真が開きます。

角丸の選択範囲を作成する

1 ＜tu05_02.jpg＞レイヤーを右クリックして❶、＜不透明部分を選択範囲に＞をクリックします❷。

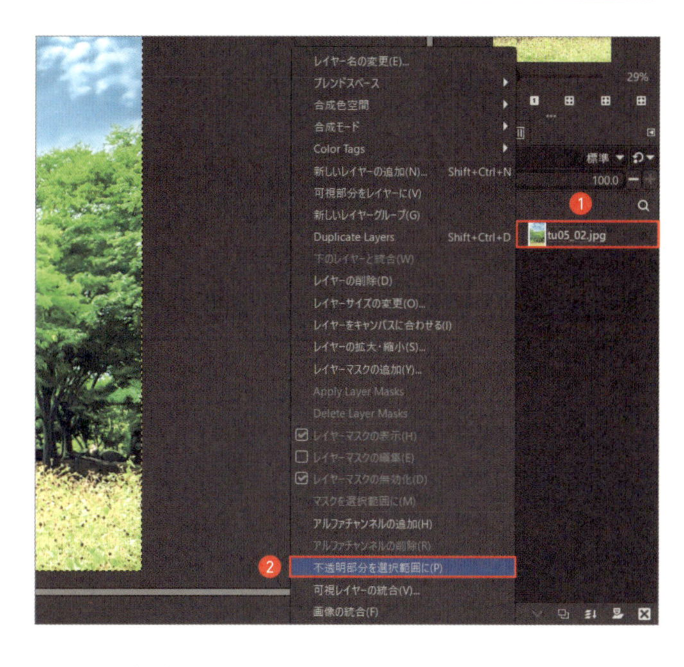

2 ＜選択＞メニューをクリックして❶、＜選択範囲の縮小＞を選択します❷。

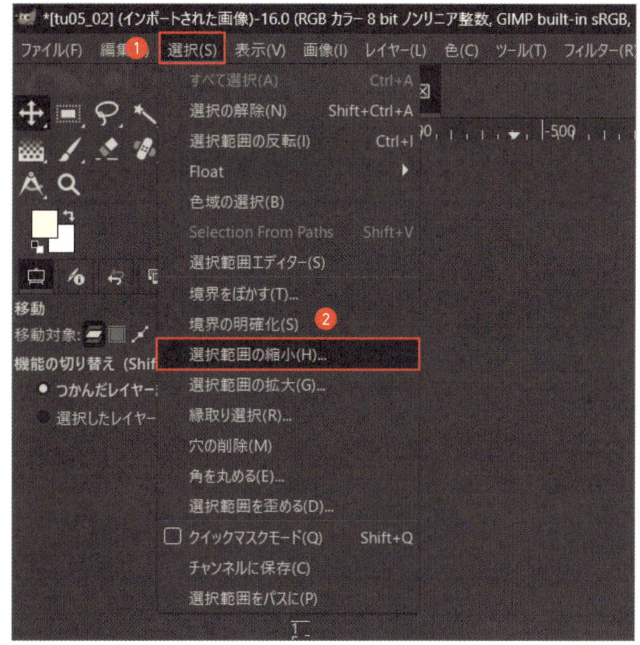

3 ＜選択範囲の縮小＞ダイアログで＜選択範囲の縮小量＞を「50」ピクセルに設定して❶、＜OK＞をクリックします❷。

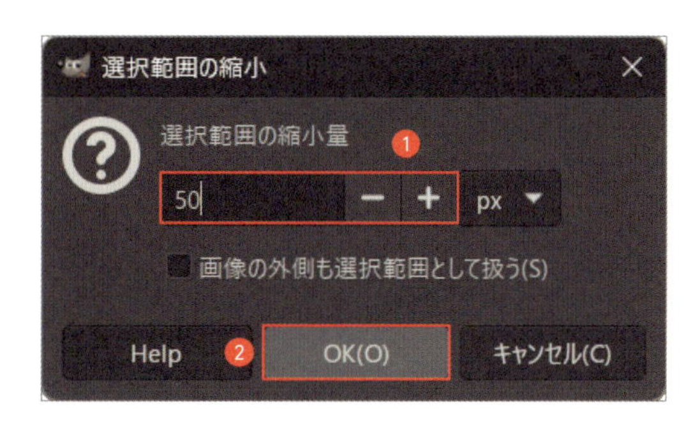

4 縮小された選択範囲が作成されます。<選択>メニューをクリックして❶、<角を丸める>をクリックします❷。

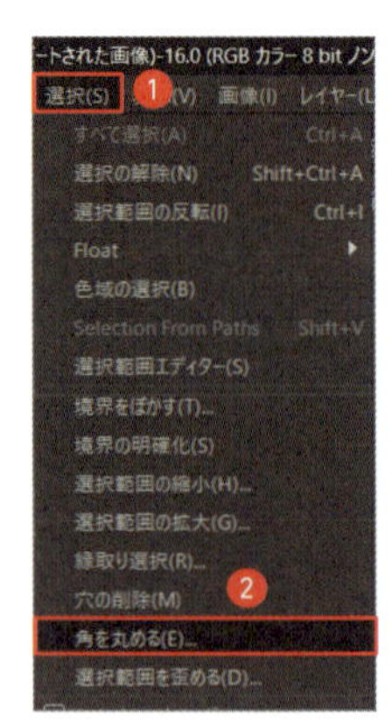

5 <角を丸める>ダイアログで<半径>のスライダーをドラッグして数値を「30」に設定し❶、<OK>をクリックします❷。

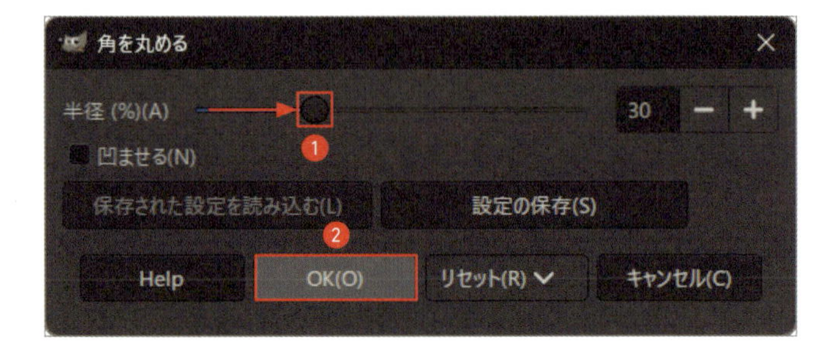

6 角丸の選択範囲が作成されます。

≫ 選択範囲を利用して写真を編集する

1 ＜選択＞メニューをクリックして❶、＜選択範囲を歪める＞をクリックします❷。

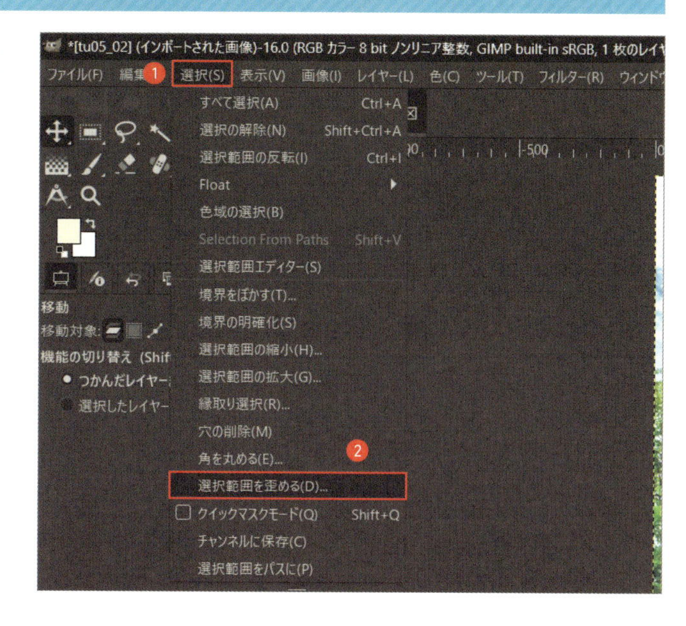

2 ＜選択範囲を歪める＞ダイアログで＜Threshold＞を「50」に設定します❶。＜拡散度＞を「20」、＜粒状度＞を「6」、＜滑らかさ＞を「1」に設定して❷、＜OK＞をクリックします❸。

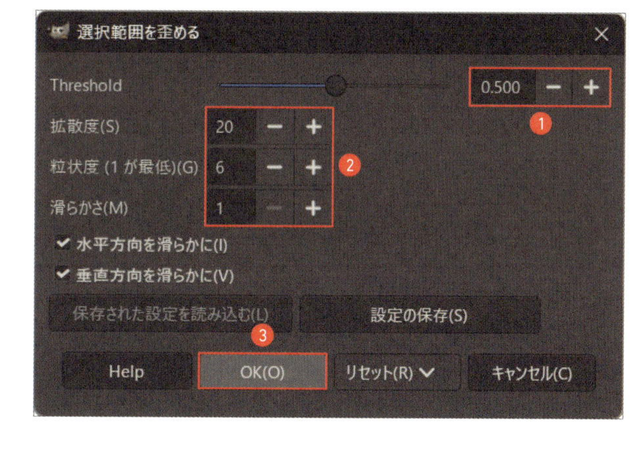

MEMO 選択範囲を歪める際の設定項目

＜選択範囲を歪める＞ダイアログでは＜Threshold＞、＜拡散度＞、＜粒状度＞、＜滑らかさ＞のパラメータを設定することができます。＜Threshold＞は選択範囲、＜拡散度＞は歪みの穏やかさ、＜粒状度＞は粒状感(ざらつき)の粗さ、＜滑らかさ＞は歪みの滑らかさを設定できます。

3 ＜レイヤー＞ダイアログの＜tu05_02.jpg＞レイヤーを右クリックして❶、＜レイヤーマスクの追加＞をクリックします❷。

4 ＜レイヤーマスクの追加＞ダイアログで＜選択範囲＞を選択して❶、＜追加＞をクリックします❷。

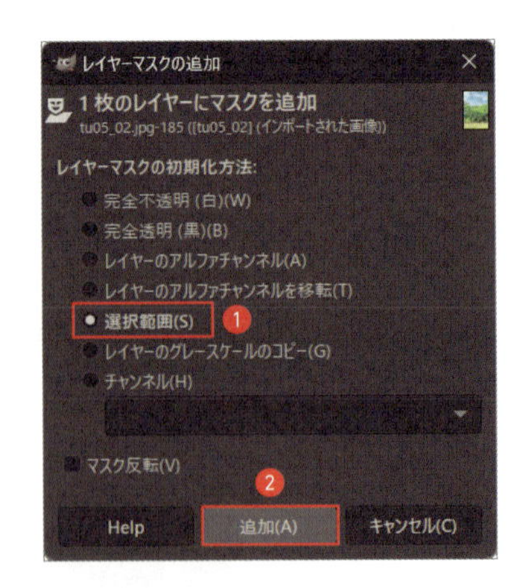

5 写真が選択範囲内のみ表示されます。選択範囲外の部分は透明になります。さらに107ページの手順2と同様に、＜選択＞メニューの＜選択範囲の縮小＞をクリックして、写真の内側に選択範囲を作成します❶。＜選択範囲の縮小＞ダイアログの＜縮小量＞には「110」と入力します。

枠線を描くレイヤーを追加する

1 ＜レイヤー＞メニューをクリックして❶、＜新しいレイヤーの追加＞をクリックします❷。

2 <レイヤー名>に「枠線」と入力して❶、<塗りつぶし色>は<透明>を選択します❷。<OK>をクリックします❸。

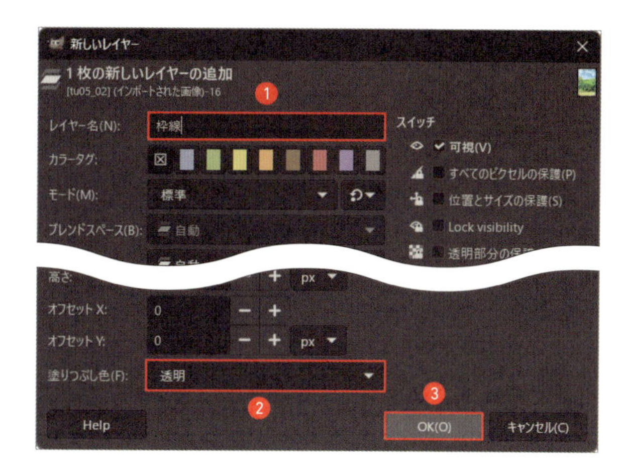

写真の内側に枠線を描く

1 ツールボックスの<描画>グループを右クリックして、<ブラシで描画>をクリックします❶。さらに、<ツールオプション>でブラシの種類を<Texture Hose 01>に設定し❷、<サイズ>を「60」に設定をします❸。

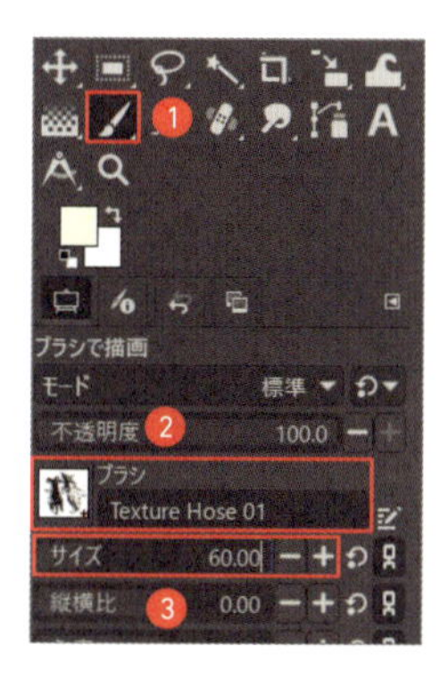

2 <編集>メニューをクリックして❶、<選択範囲の境界線を描画>をクリックします❷。

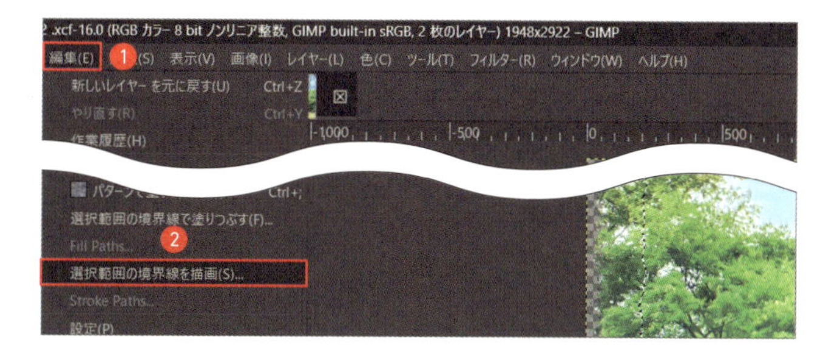

3 <選択範囲の境界線を描画>ダイアログで<Paint tool>を選択して❶、<描画ツール>を<ブラシで描画>に設定します❷。設定が完了したら<ストローク>をクリックします❸。

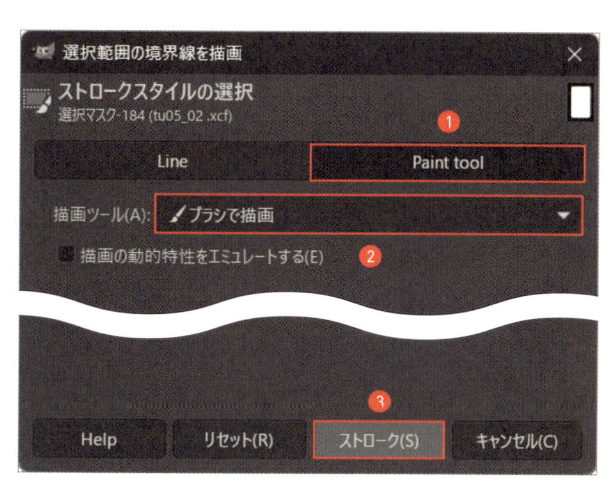

4 選択範囲の境界線上にブラシで線が描かれます。＜レイヤー＞ダイアログで＜モード＞をクリックして、＜オーバーレイ＞を選択します①。

5 ＜選択＞メニューをクリックして①、＜選択の解除＞をクリックします②。

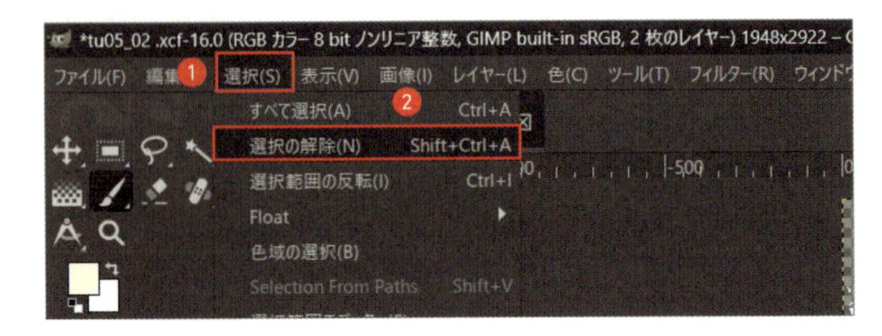

写真と背景を合成する

1 ＜編集＞メニューをクリックして①、＜可視部分のコピー＞をクリックします②。

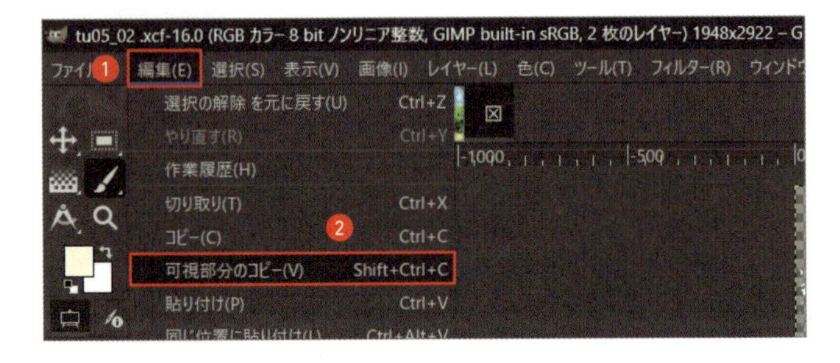

2 背景の画像を開き①、＜編集＞メニューをクリックして②、＜貼り付け＞を選びます③。

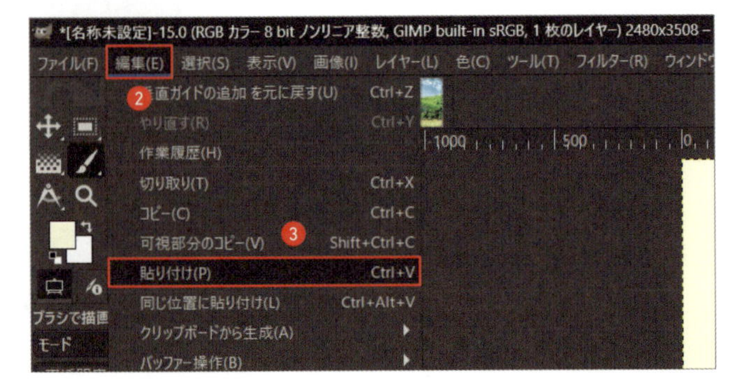

3 ツールボックスの＜移動・整列＞グループを右クリックして、＜移動＞をクリックします❶。貼り付けた写真をドラッグして、表示される中央の小さい十字のポイントをガイドに合わせながら位置を少し下に移動させて上部の余白を作っておきます❷。

4 ＜レイヤー＞ダイアログの＜貼り付けられたレイヤー＞を右クリックして❶、＜レイヤー名の変更＞をクリックします❷。

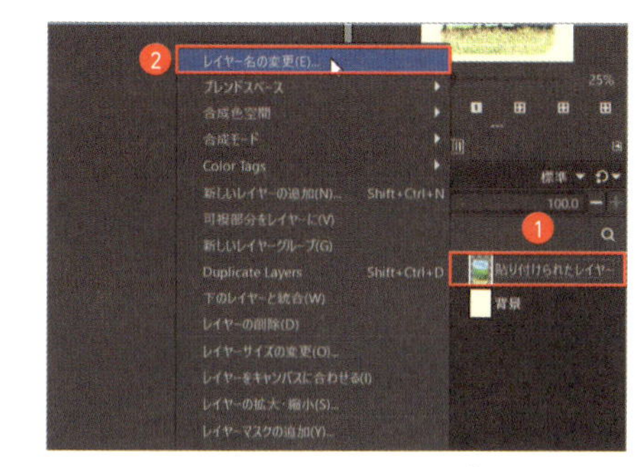

5 ＜レイヤー名＞を＜写真＞に変更して❶、＜OK＞をクリックします❷。

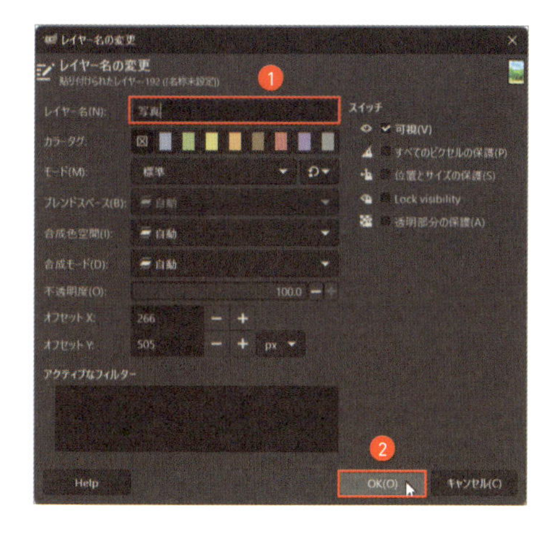

SECTION

03 タイトルを追加する

<テキスト>でタイトルを入力します。全体の幅や位置を調整をしてから選択範囲に変換し、テキストの内側をグラデーションで塗りつぶします。

SAMPLE tu05_03.xcf

タイトルを入力する

1 描画色と背景色をリセットするボタンをクリックして<描画色>を黒、<背景色>を白にします❶。ツールボックスの<テキスト>をクリックし❷、フォントの種類を<Meiryo UI Regular>に設定します❸。<サイズ>に「182」と入力し❹、<揃え位置>は<中央揃え>に設定します❺。<テキストボックス>は<固定>にします❻。<Use editor window>にチェックを入れて有効にしておきます❼。

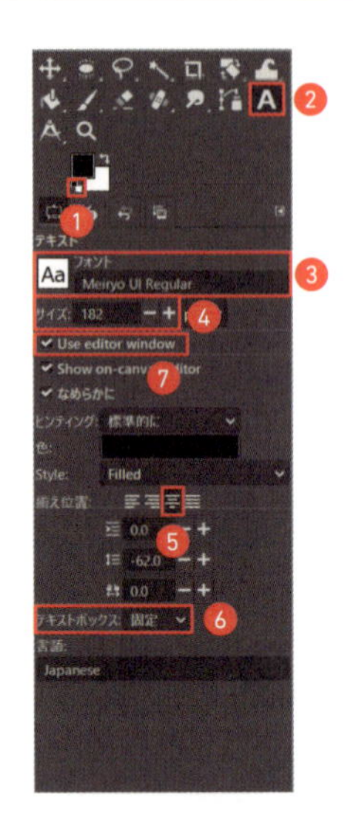

MEMO GIMPで日本語を入力する

日本語のテキストを入力したいときは<Use editor window>を有効にして<GIMP テキストエディター>を開いて入力します。

2 タイトルのテキストを入力する領域をドラッグして囲みます❶。<GIMP テキストエディター>が開くのでテキストボックスに、「空と緑の写真展」と入力します❷。

3 テキストをドラッグして❶、<太字>をクリックして有効にします❷。

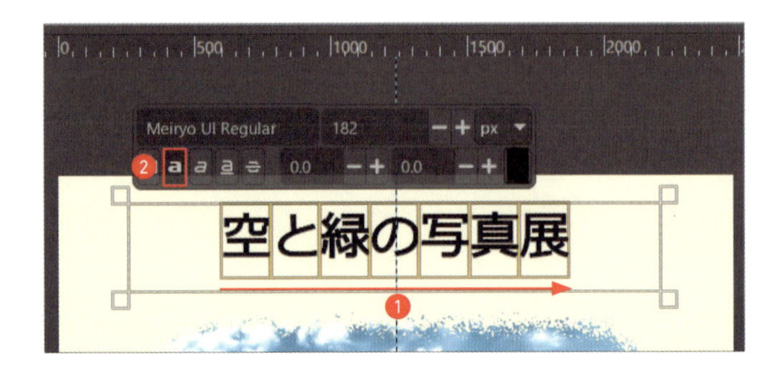

4 ツールボックスの＜変形・回転＞グループを右クリックして、＜拡大・縮小＞をクリックし❶、テキストをクリックします❷。写真の幅に合わせて枠の角を左右にドラッグして❸、＜拡大・縮小＞をクリックします❹。

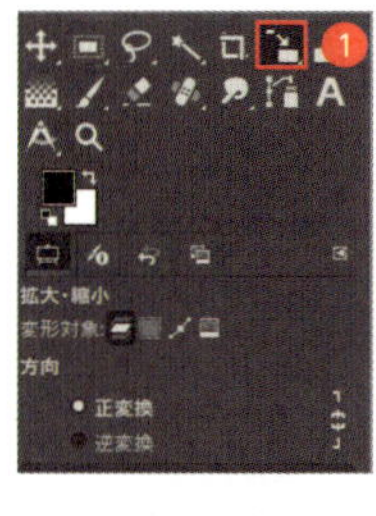

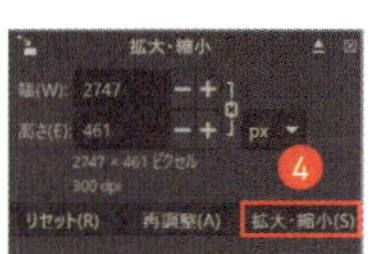

5 タイトルロゴが写真の幅に合った大きさに拡大されます。

タイトルの位置と色合いを調整する

1 ツールボックスの＜移動＞をクリックします❶。テキストの中央の十字のポイントをガイドに合わせながら、テキストをドラッグします❷。タイトルと写真の間に後から文字を加えるスペースを作ります。

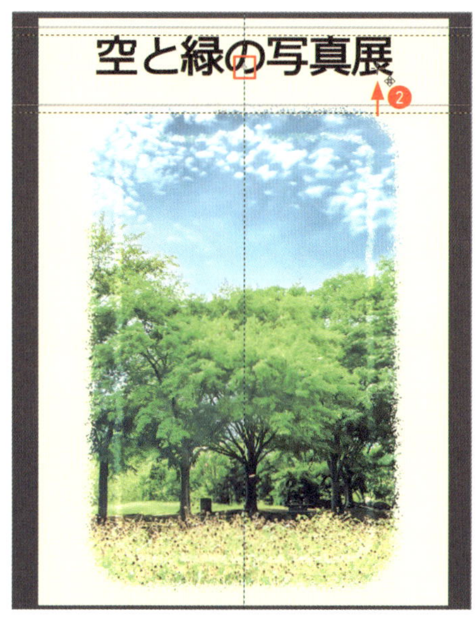

2 ＜レイヤー＞ダイアログで＜空と緑の写真展＞レイヤーを右クリックして①、＜不透明部分を選択範囲に＞をクリックします②。

3 タイトルのテキストの形に沿った選択範囲が作成されます。ツールボックスの＜塗りつぶし・グラデーション＞グループを右クリックして、＜グラデーション＞をクリックし①、＜描画色＞をクリックします②。＜HTML表記＞に「1d0685」と入力して③、＜OK＞をクリックします④。

MEMO 背景色を変更したいとき

描画色と同様の手順で背景色を好きな色に変更することができます。＜背景色＞をクリックして背景色の変更ダイアログで色を選択します。

4 ＜ツールオプション＞でグラデーションの種類をクリックして①、＜描画色から背景色（RGB）＞に設定します②。

5 テキストを下から上に向けてドラッグをして、 Enter キーを押して確定します❶。

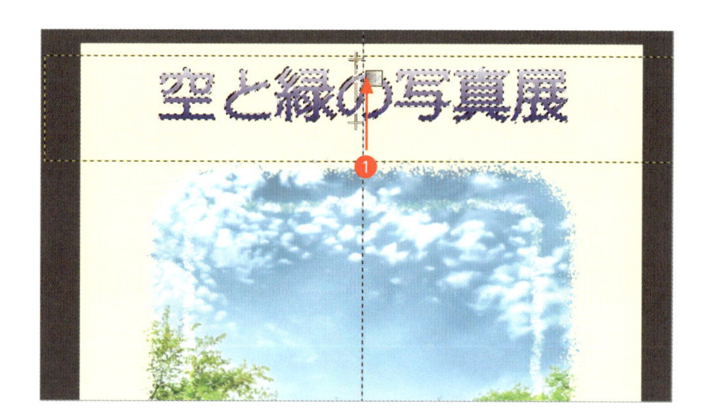

6 ＜選択＞メニューをクリックして❶、＜選択の解除＞をクリックして選択範囲を解除します❷。

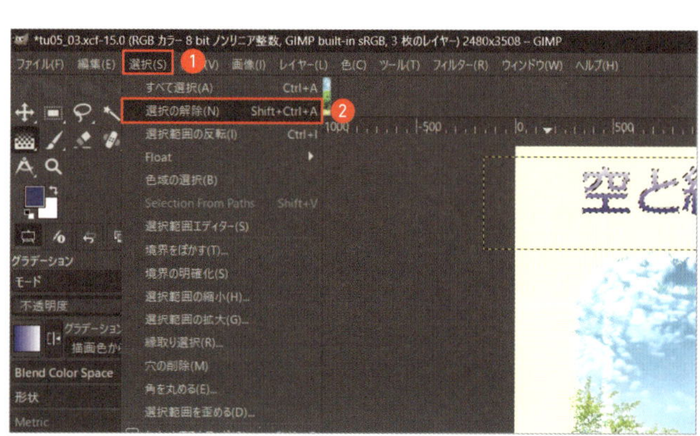

7 描画色から背景色に徐々に変化するグラデーションで塗られます。

SECTION 04

テキストを追加して装飾する

チラシで告知したい内容をテキストで入力します。テキストのサイズ、色、スタイルにそれぞれ変化を加えて、中心を合わせて配置します。

SAMPLE tu05_04.xcf

サブタイトルを追加する

1 ＜テキスト＞をクリックし❶、116ページの手順**1**の方法で＜描画色＞を黒に設定します❷。さらに＜ツールオプション＞で＜サイズ＞を「112」に設定します❸。

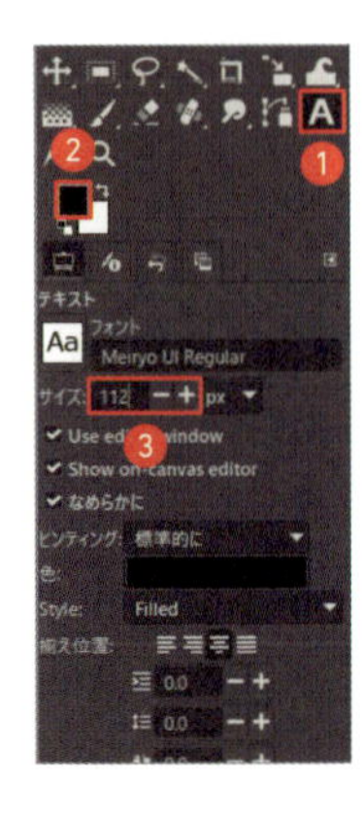

2 画像をクリックして❶、＜GIMP テキストエディター＞のテキストボックスにサブタイトルを入力します❷。テキストを選択して太字に変更します❸。

3 ツールボックスの＜移動＞をクリックします❶。ツールオプションで＜選択したレイヤーの移動＞を選択します❷。テキストの上にカーソルを重ねて、垂直のガイドを目安に、中央に配置するようにテキストをドラッグして調整します❸。

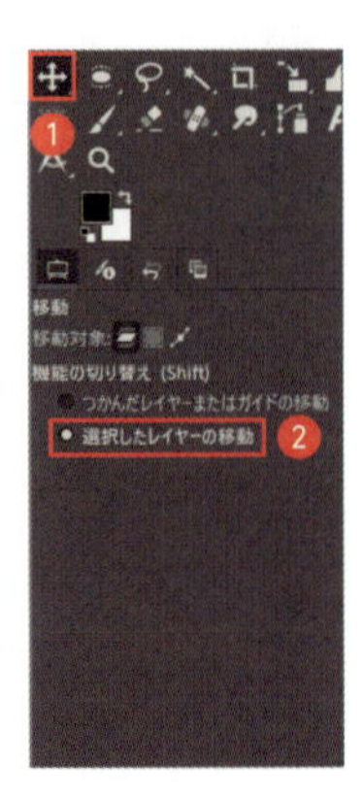

4 ツールボックスの<テキスト>をクリックして①、描画色/背景色右上の をクリックします②。

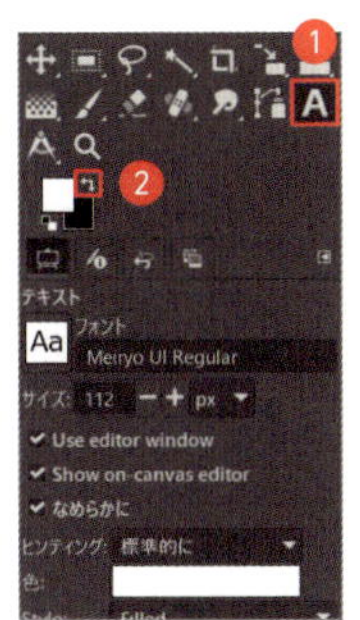

MEMO 描画色と背景色を入れ替える

 をクリックすると、描画色と背景色を入れ替えることができます。片方で使われている色をもう片方ですばやく設定したいときに利用します。ここでは描画色を白にしています。

5 垂直のガイドを目安に、中央に配置するようにテキストボックスを作成し、名前を入力します。入力した名前のテキストを選択して①、太字に変更します②。手順3と同様に<移動>に切り替えて、中央に配置するようにテキストをドラッグして調整します。

MEMO 行間隔・文字間隔を変更するには?

行間隔や文字間隔を調整したい場合は、変更したいテキストを選択した状態で、<テキスト>の<ツールオプション>にある<行間隔>または<文字間隔>の数値を変更します。

飾りの図形を追加する

1 <テキスト>を選択し、描画色は赤(HTML表記で「ff0000」)に設定します①。また、<ツールオプション>で<サイズ>を「90」に変更します②。

2 名前の上をクリックして①、<GIMPテキストエディター>のテキストボックスに「■」と入力します②。

MEMO テキストボックスの大きさ

テキストボックスは入力する「■」と比較して大きすぎないようにしましょう。<移動>でテキストの位置を調整する際、テキストボックスに表示される十字のアイコンと「■」の位置がずれていると、うまくガイドに合わせるのが難しくなります。テキストボックスのサイズを調整したい場合は、<テキスト>を選択して、テキストボックスをクリックしてから、四隅をドラッグします。

3 ＜レイヤー＞ダイアログで＜レイヤーの複製＞をクリックして①、＜移動＞をクリックします②。「■」を下にドラッグすると、複製された「■」が移動します③。

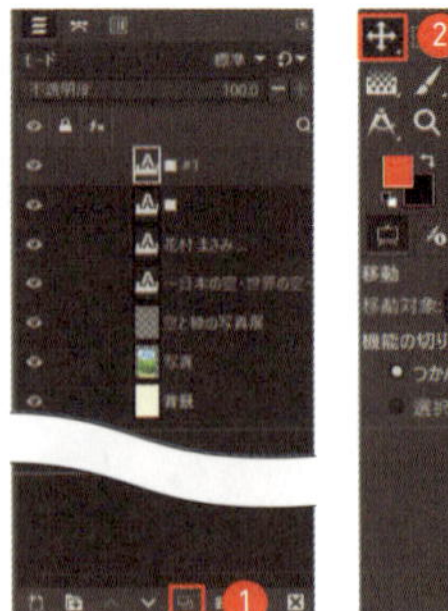

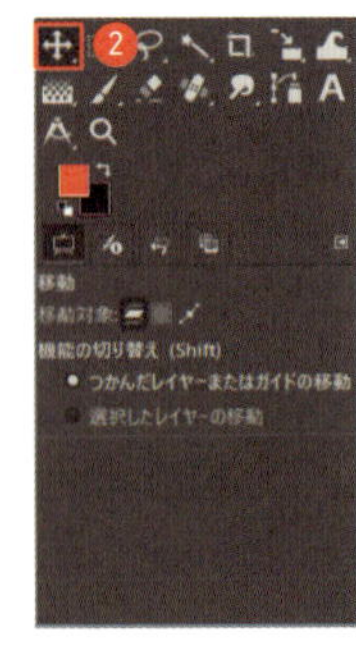

4 水平方向のルーラーから名前の中央までドラッグして、ガイドを追加します①。

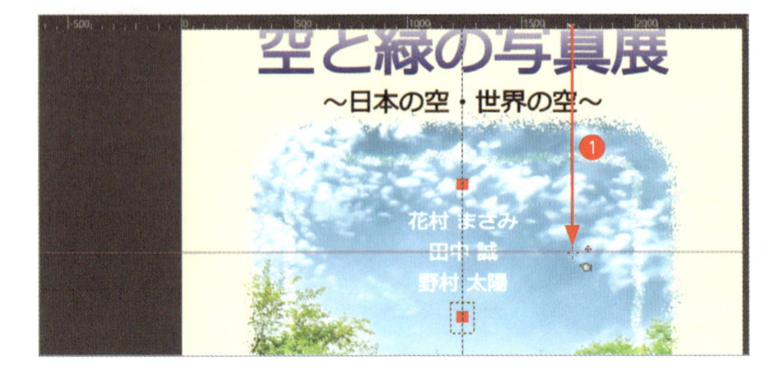

MEMO ルーラーを表示する

ルーラーが表示されていない場合は＜表示＞メニューの＜ルーラーの表示＞をクリックして有効にします。

5 手順**3**と同様の方法で、さらに2つの「■」のレイヤーを複製します①。複製した「■」は、水平方向のガイドに合わせて、名前の左右に配置します。

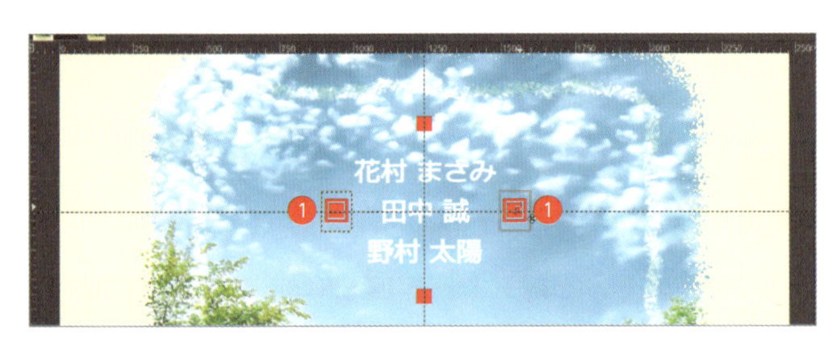

説明文を追加する

1 ＜テキスト＞を選択して、104ページの手順**2**の方法で＜描画色＞を黒（HTML表記で「000000」）に変更します①。＜ツールオプション＞の＜サイズ＞は「56」に設定します②。入力する範囲をドラッグして、＜GIMP テキストエディター＞のテキストボックスに紹介文を入力します③。

2 テキスト全体を選択して①、＜太字＞をクリックして太字に変更します②。

2 ＜移動＞をクリックして❶、テキストの位置を調整します❷。

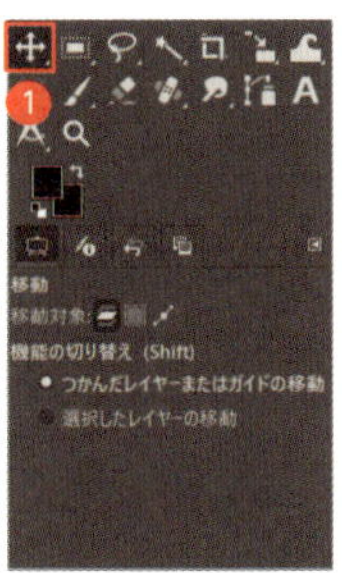

3 さらに手順**1**～**2**と同様の方法で、＜描画色＞を白（HTML表記で「ffffff」）に変更してから、日時や場所、入場料に関するテキストを追加し、位置を調整します❶。追加したテキストは太字に変更します❷。

HINT テキストの色を設定する

テキストの色は入力後に変更することもできます。＜テキスト＞をクリックしてからテキストボックス内のテキストをドラッグし、＜ツールオプション＞内の＜色＞をクリックします。＜文字色＞ダイアログが表示されるので、変更したい色を選択して、＜OK＞をクリックします。

ペイント用のレイヤーを追加してテキストを装飾する

1 ＜レイヤー＞ダイアログのレイヤー一覧から、＜写真＞レイヤーを選択します❶。さらに、＜レイヤー＞メニューをクリックし❷、＜新しいレイヤーの追加＞をクリックします❸。

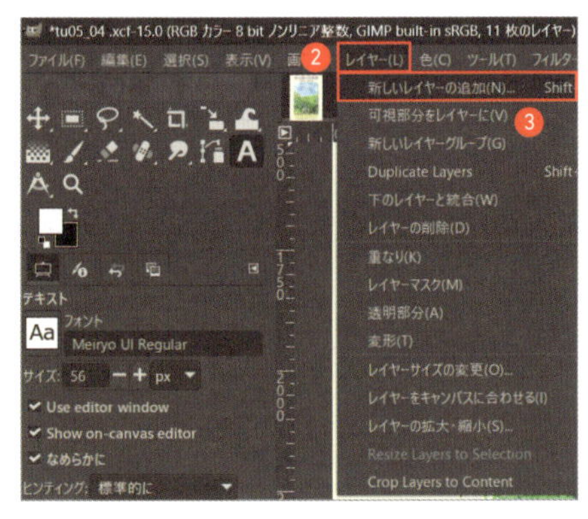

MEMO ペイント用のレイヤーを追加する

ここでは、テキストを修飾するためのレイヤーを追加します。手順では＜写真＞レイヤーをクリックしていますが、テキストのレイヤーよりも下のレイヤーであれば構いません。

2 レイヤー名を＜雲＞に変更して❶、＜OK＞をクリックします❷。

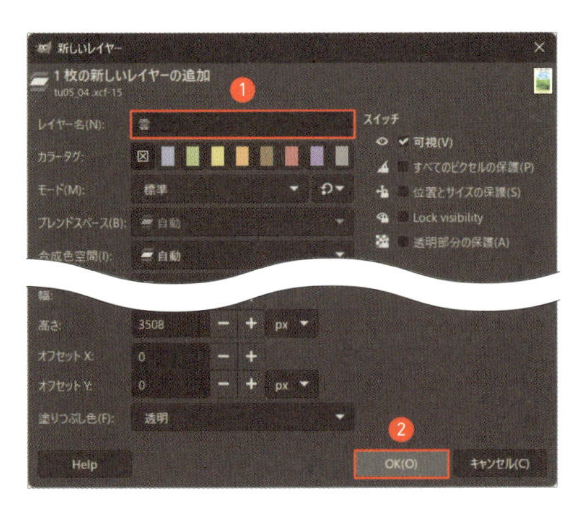

3 ツールボックスの<ブラシで描画>をクリックし❶、<描画色>を120ページの手順2で背景を塗りつぶしたものと同じ色を設定します❷。ブラシの種類は<Acrylic 04>に設定し❸、<サイズ>は「196」に設定します❹。

4 目立せたい文字の下をサッとドラッグして雲の形を描きます❶。

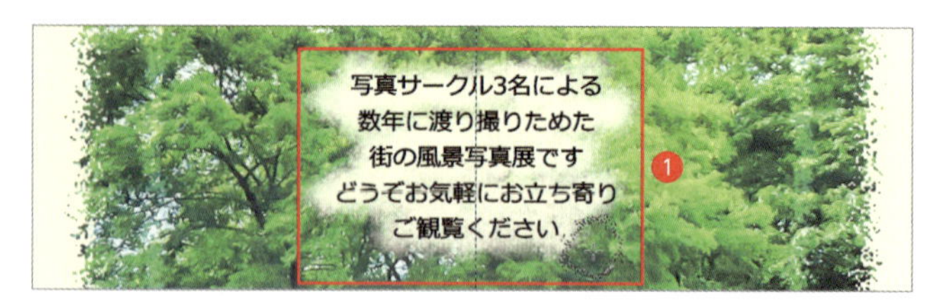

5 <画像>メニューをクリックし❶、<ガイド>の<すべてのガイドを削除>を選択します❷。

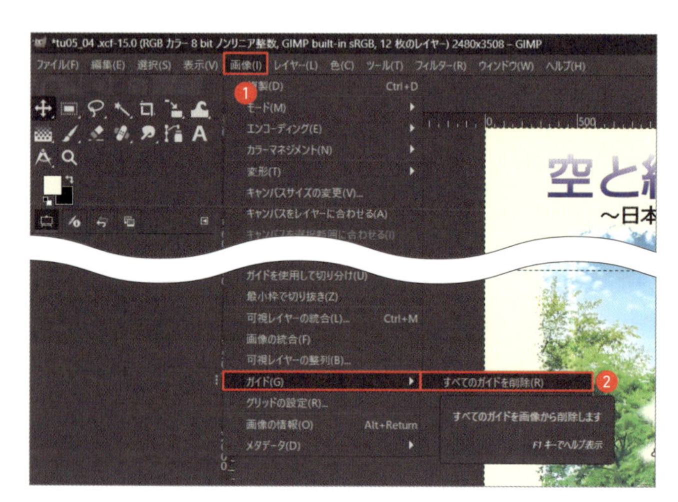

6 目安にしていたガイドを消去して完成です。

MEMO 完成したポスターをプリントする

GIMPには印刷機能がついていますが、GIMPの印刷機能ではプリンターのドライバーでの設定が反映されず、印刷位置がずれたりフチ無し印刷ができないなどの不具合が生じてしまいます。完成したポスターをプリントをする際には、<ファイル>メニューをクリックして、<名前を付けてエクスポート>でJPEGなどの一般的な画像形式で保存してから、OS標準の画像ビューアでプリントをしましょう。

[チュートリアル編]

CHAPTER 6

ポストカードを作成する

SECTION

00 この章の流れ

この章の作例の制作手順を確認しましょう。写真の合成を行い、さらにハガキにその写真を配置します。

この章で行うこと

お店のオープンをお知らせするポストカードを作ります。コーヒーと猫の写真を合成したラテアート風のイメージを、図形を使った簡易マップと一緒にハガキ印刷サイズの画像に重ねて配置します。お店の名前や情報をテキストで入力し、それぞれのパーツの位置を調整して仕上げます。

1 猫の形に合わせて選択してラフな境界線で切り取り、コーヒーの写真に貼り付けます。

2 合成させた猫をラテアート風に着色します。

3 新規のハガキサイズの画像を作ります。あらかじめ着色する色や、印刷用の解像度を設定してから作成します。また、作成した画像をハガキ用の画像にレイヤーとして貼り付けます。

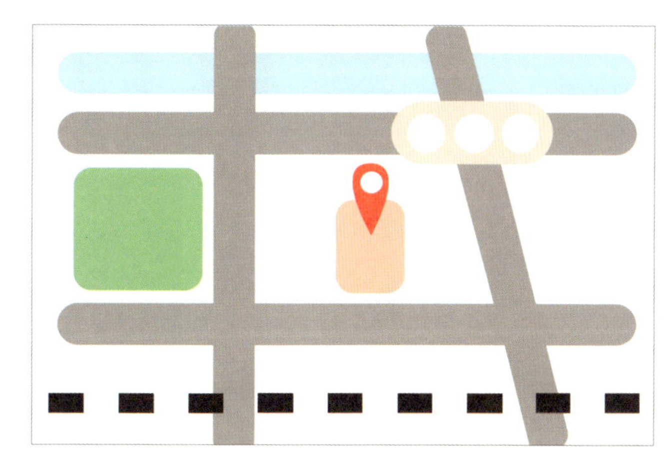

4 貼り付けたそれぞれの画像を回転させたり、サイズ、位置を調整します。

5 お店の名前やメッセージなどをフォントを変えて入力します。テキストを回転させてレイヤーモードを変更することで透明感のある文字にして、それぞれのパーツの位置を調整して完成です。

SECTION

01

2つの画像を合成する

<電脳はさみ>で猫の輪郭に合わせて半自動で選択して、ラフな境界線に変換して切り取ります。

SAMPLE tu06_01_01.jpg、tu06_01_02.jpg

<電脳はさみ>で選択範囲を作る

1 切り取る画像の「tu06_01_01.jpg」と、貼り付け先の画像「tu06_01_02.jpg」を開きます。ツールボックスの<切り抜き>グループを右クリックして、<電脳はさみ>をクリックし❶、猫の輪郭上をクリックします❷。ポイントが作成されるので、輪郭上の別の箇所をクリックをします❸。自動的に輪郭の凹凸に合わせて境界線が伸びていきます。

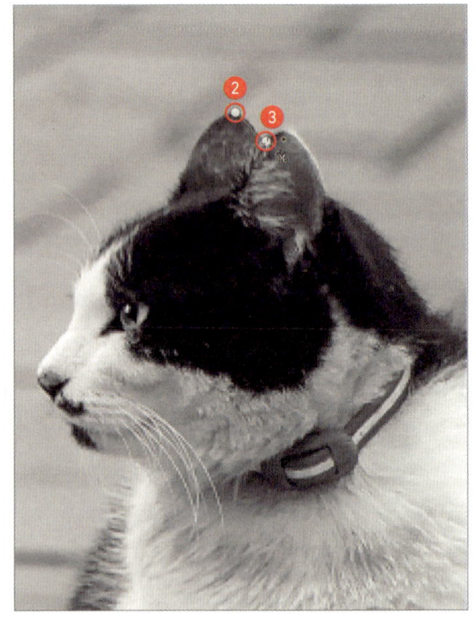

MEMO <電脳はさみ>とは

<電脳はさみ>は、範囲選択機能の一種で、指定した2点間で色の差の大きい輪郭を自動的に抽出しながら、輪郭に沿った境界線を作ります。範囲選択したいポイントをクリックで作成し、最初に作成したポイントと結ぶことで選択範囲を作成します。色の差がはっきりしていて、凹凸がある形に沿って選択したいときに適しています。

2 手順1の❷～❸を繰り返して、猫を囲んでいきます。猫を完全に囲んだら、最初のポイントにカーソルを重ねてクリックし❶、Enterキーを押します。

MEMO 境界線を調整する

境界線が対象の輪郭からはみ出した場合は、境界線上をクリックします。ポイントが追加されるので、ポイントをドラッグして輪郭に合わせます。

3 境界線が選択範囲に変わります。

選択範囲を調整する

1 ＜選択＞メニューをクリックして❶、＜選択範囲を歪める＞を選択します❷。

2 ＜選択範囲を歪める＞ダイアログで＜拡散度＞を「3」に設定して❶、＜OK＞をクリックします❷。

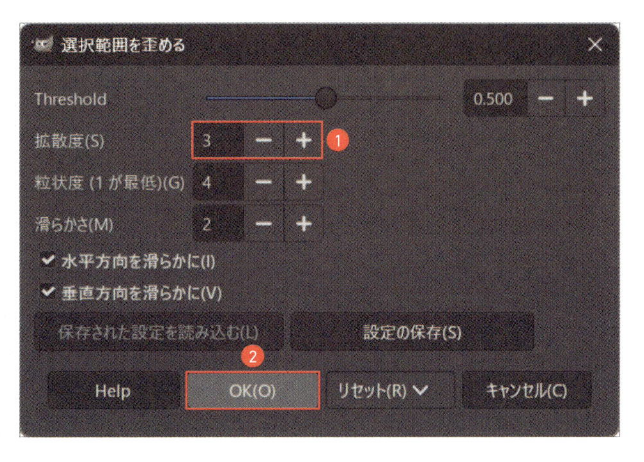

MEMO 選択範囲を歪める際の設定項目

＜選択範囲を歪める＞ダイアログでの＜Threshold＞は選択範囲、＜拡散度＞は歪みの穏やかさ、＜粒状度＞は粒状感（ざらつき）の粗さ、＜滑らかさ＞は歪みの滑らかさを設定できます。

3 選択範囲が歪められます。さらに、＜選択＞メニューをクリックして❶、＜境界をぼかす＞を選択します❷。

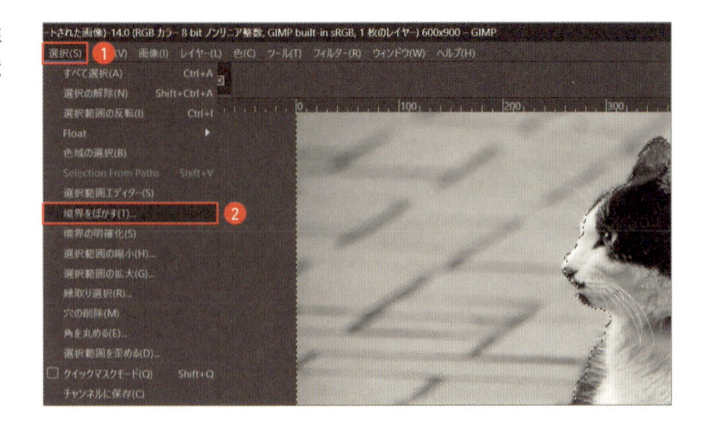

4 ＜選択範囲の境界をぼかす＞ダイアログで＜縁をぼかす量＞に「10」と入力して❶、＜OK＞をクリックします❷。

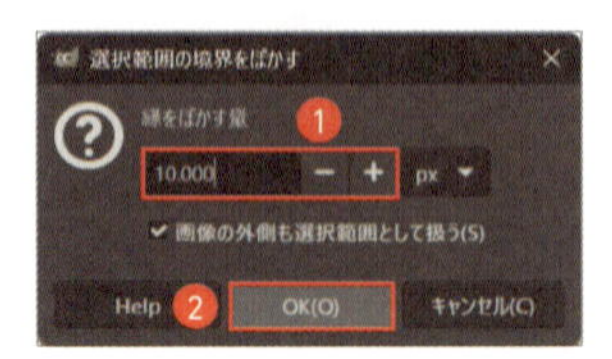

5 選択範囲の境界がぼやけます。

選択範囲をコピーしてレイヤーに変換する

1 ＜編集＞メニューをクリックして❶、＜コピー＞をクリックします❷。

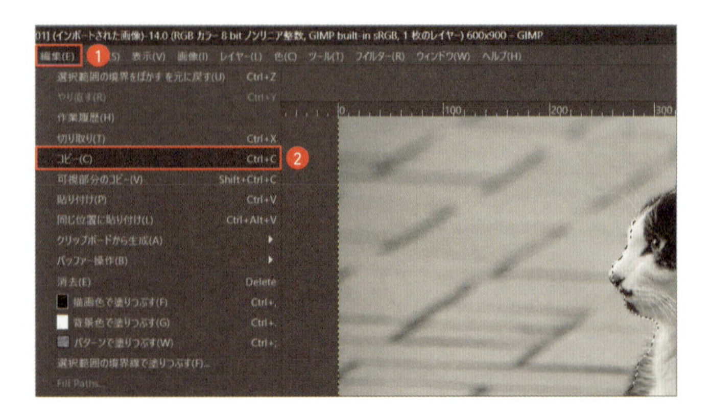

2 貼り付け先の画面のタブを選択します①。画面を切り替えたら、<編集>メニューをクリックして②、<貼り付け>を選択します③。

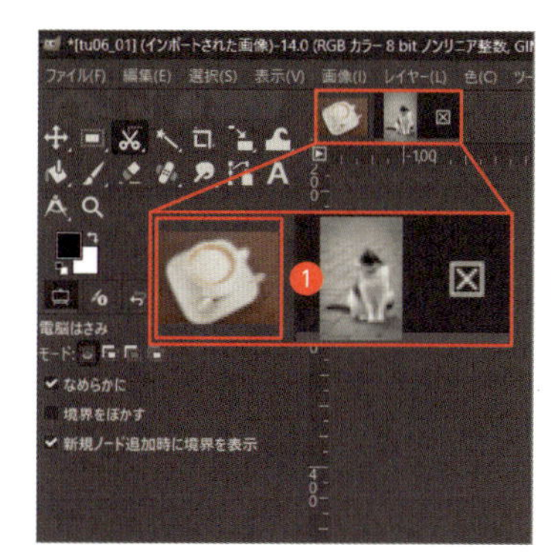

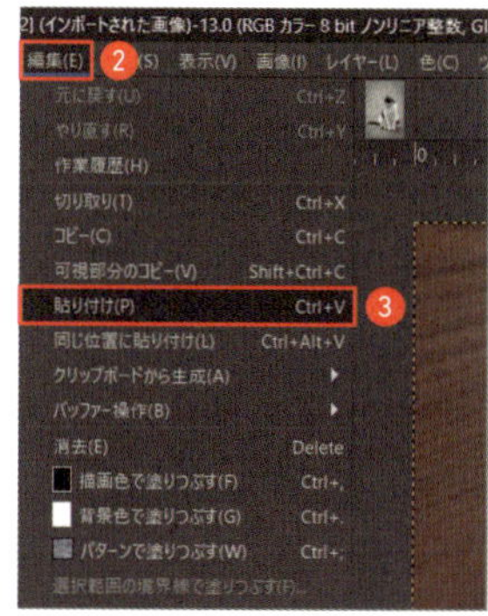

3 範囲選択されていた猫が貼り付けられます。

4 <レイヤー>ダイアログで貼り付けたレイヤーのプレビューをダブルクリックして①、<レイヤー名の変更>ダイアログで<レイヤー名>を<猫>に変更して②、<OK>をクリックします③。

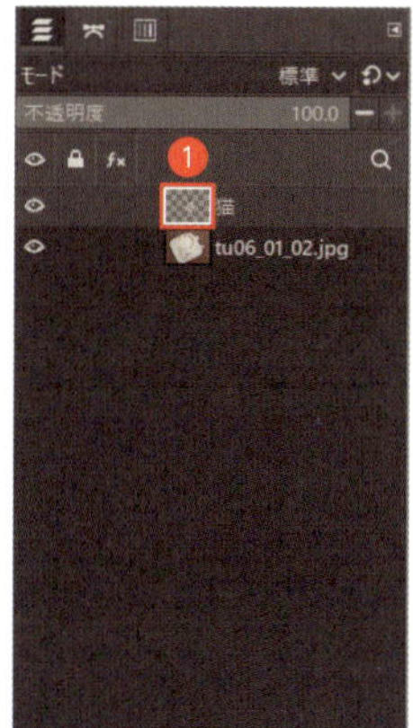

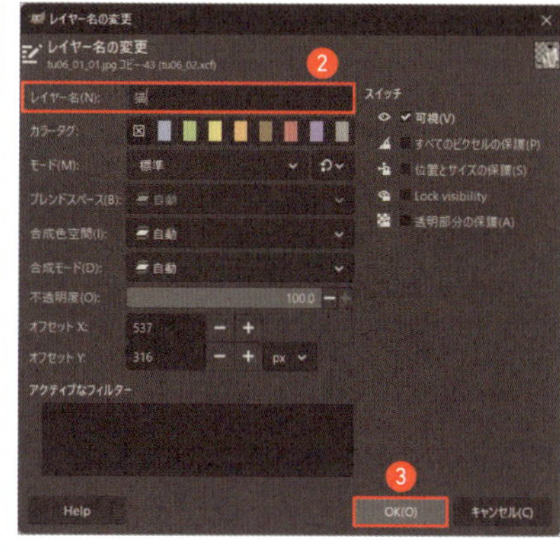

5 <猫>レイヤーが追加されます。

SECTION

02 猫の質感を変化させる

コーヒーの写真に貼り付けた猫を、ココアパウダーのような着色と質感にして、不自然さを和らげます。

SAMPLE tu06_02.xcf

猫の色と質感を調整する

1 ＜色＞メニューから＜着色＞を選択します❶。

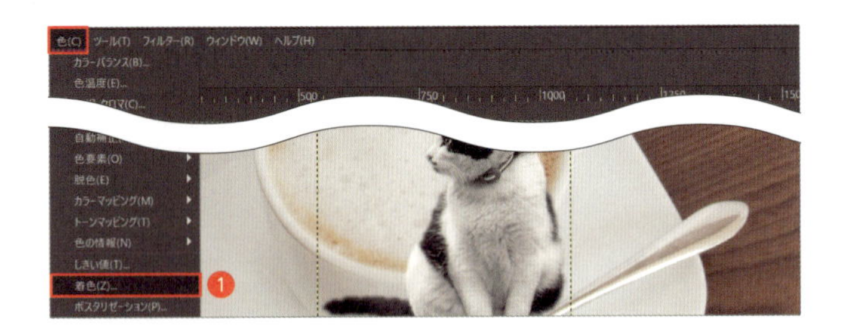

2 ＜色相＞を「0.0809」、＜彩度＞を「0.5337」、＜輝度＞を「0.243」に変更して❶、＜OK＞をクリックします❷。

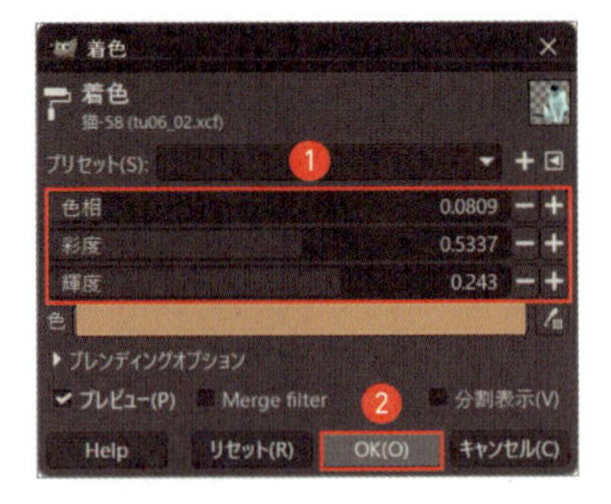

3 猫がカフェラテに合った色味になります。＜フィルター＞メニューをクリックして❶、＜ノイズ＞の＜拡散＞を選択します❷。

MEMO フィルターの＜ノイズ＞とは

フィルターの1つである＜ノイズ＞とは、不均等な細かい斑点状に画像を塗りつぶしたりする効果です。＜ノイズ＞の中でも様々な効果がありますが、＜拡散＞は画像の元の色を細かく散らしながら描画する効果で、拡散量が大きいほど色が散る度合いが強くなります。

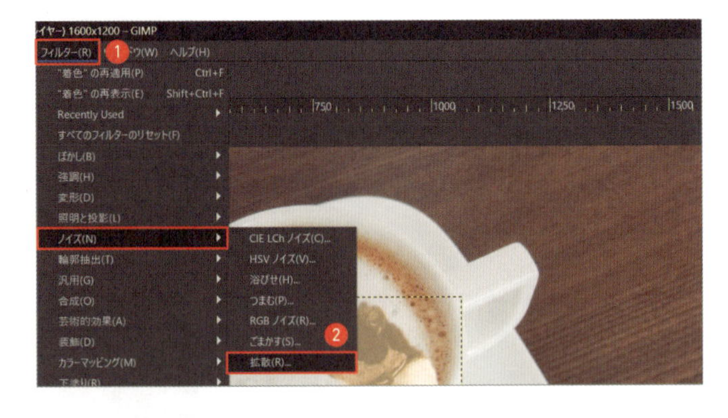

4 ＜拡散＞ダイアログで＜拡散＞の数値を＜Horizontal＞＜Vertical＞の両方とも「17」に設定して❶、＜OK＞をクリックします❷。猫の質感が変化します。

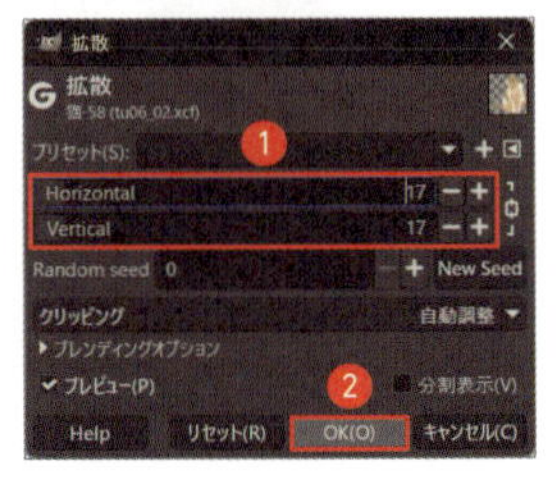

カップの中に猫をおさめる

1 ツールボックスの＜変形・回転＞グループを右クリックして、＜拡大･縮小＞ツールをクリックし❶、猫をクリックします❷。

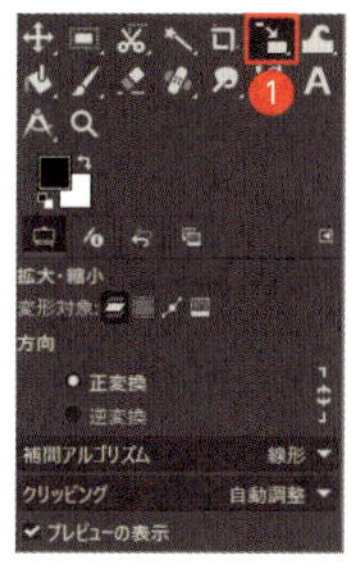

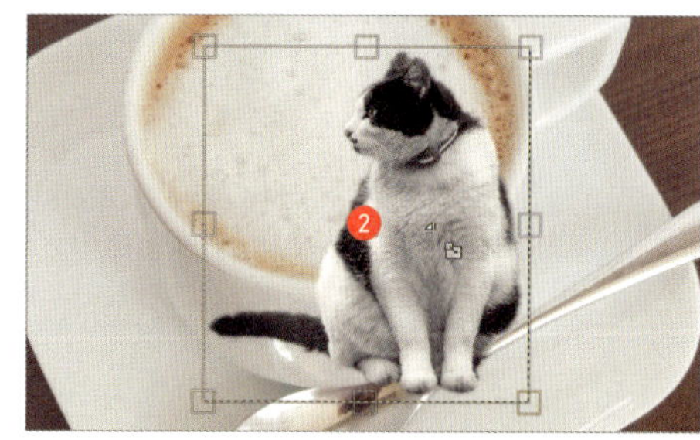

2 鎖のアインコンをつなげた状態にして❶、枠の角をドラッグしてカップの中におさまるサイズまで縮小します❷。また、中央の十字のポイントをドラッグして、位置を調整します❸。調整できたら＜拡大・縮小＞をクリックします❹。

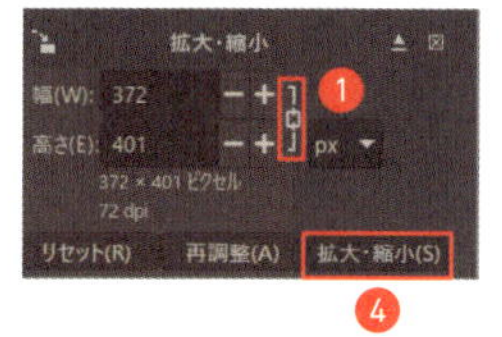

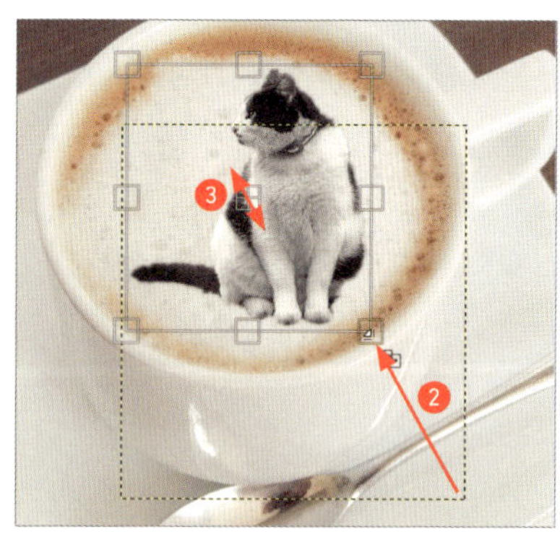

3 ツールボックスの＜変形・回転＞グループを右クリックして＜回転＞に切り替えて❶、＜角度＞を「-25」に設定して❷、＜回転＞をクリックします❸。

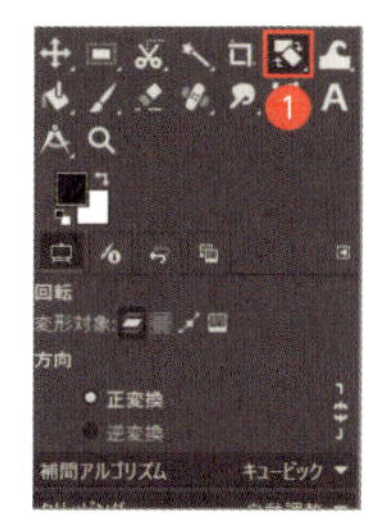

4 ＜レイヤー＞ダイアログで、＜猫＞レイヤーの＜モード＞を＜Luma/Luminance darken only＞に変更して❶、猫の明暗を下のミルクフォームの色になじませます。

5 猫とコーヒーの合成画像ができあがります。＜ファイル＞メニューをクリックして❶、＜名前を付けてエクスポート＞をクリックし画像を保存します❷。ここでは、「tu06_02_comp」の名前で保存します。＜画像のエクスポート＞ダイアログでは、＜ファイル形式の選択＞で＜PNG画像＞を選択して＜エクスポート＞をクリックします。＜画像をPNGでエクスポート＞ダイアログが表示されたら＜エクスポート＞をクリックします。

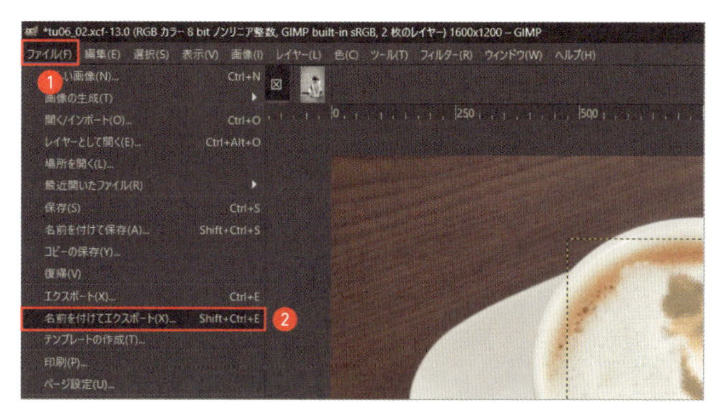

SECTION 03

ハガキ印刷用の画像を作る

ハガキサイズの画像を作ります。あらかじめハガキの下地の色を描画色に設定をしておきます。また印刷に適した解像度を設定してから作成します。

SAMPLE なし

ベースとなる画像を作成する

1 <描画色>をクリックします❶。<HTML表記>に「ddbe8c」と入力して❷、<OK>をクリックします❸。

2 <ファイル>メニューをクリックして❶、<新しい画像>をクリックします❷。

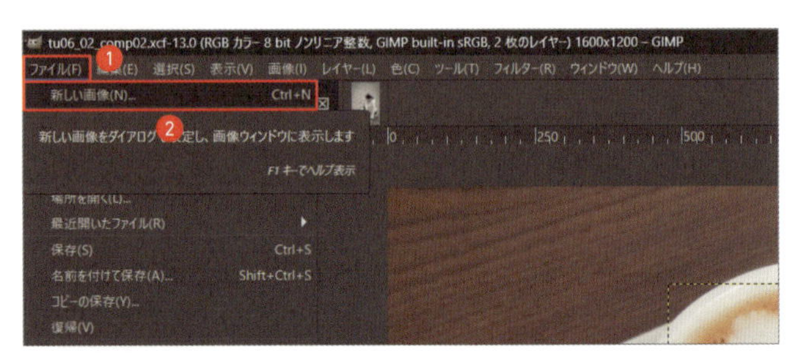

3 キャンバスサイズの単位を<millimeters>に設定します❶。<幅>に「148」、<高さ>に「100」と入力して❷、<横に長く>を選択します❸。<詳細設定>をクリックし❹、<水平解像度>と<垂直解像度>に「300」と入力します❺。下にスクロールし❻、<塗りつぶし色>を<描画色>に設定して❼、<OK>をクリックします❽。

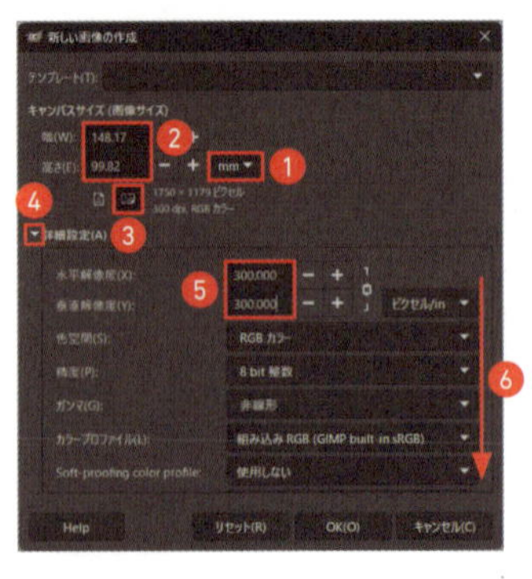

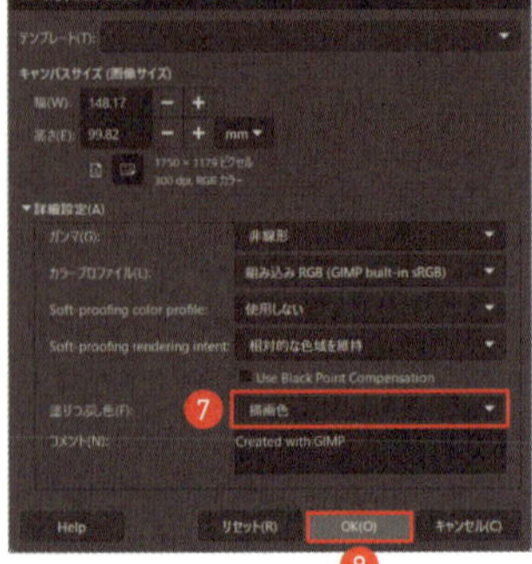

HINT <幅>と<高さ>はピッタリにならない

<幅>と<高さ>にそれぞれ「148」と「100」という数値を入力しても、ピッタリの数値には設定されません。自動的に近い値に修正されます。

4 描画色で塗りつぶされた横長の画像が作成されます。

素材となる2つの画像をレイヤーとして読み込む

1 <ファイル>メニュー→<レイヤーとして開く>をクリックして、<レイヤーとして画像ファイルを開く>ダイアログを開きます。130～131ページで作成してエクスポートした画像「tu06_02_comp.png」を選択して❶、<開く>をクリックします❷。同様に「tu06_03.png」も開きます❸。

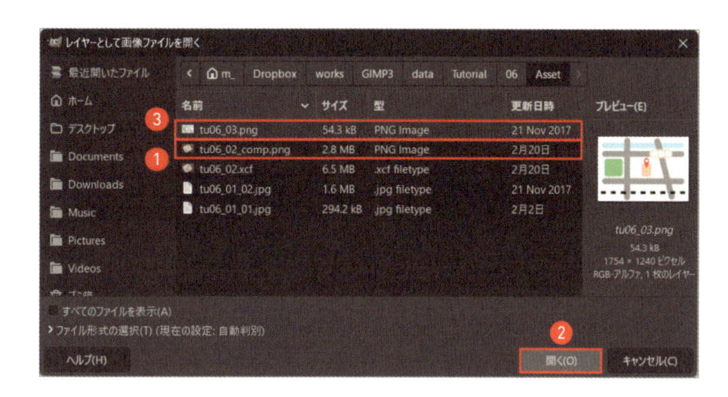

HINT 複数の画像を同時に読み込む

<レイヤーとして画像ファイルを開く>ダイアログでCtrlキーを押しながら開きたい画像をクリックすることで、複数の画像を同時に読み込むことができます。複数の画像を同時に読み込んだ場合でも、それぞれ別のレイヤーとして重なって読み込まれます。

2 背景の上に2つの画像が読み込まれます。どちらか片方の画像のみが表示されているように見えますが、<レイヤー>ダイアログで3つのレイヤーが確認できます。

SECTION

04 貼り付けた画像を調整する

作成した2つの画像をハガキ用の画像に、レイヤーとして貼り付けます。それぞれの画像を回転したりサイズを変更したりしながら、位置を調整します。

SAMPLE 06_04.xcf

猫とコーヒーの写真を傾けて移動させる

1 ＜レイヤー＞ダイアログで＜tu06_03.png＞レイヤーの目のアイコンをクリックしてレイヤーを非表示にします❶。さらに、＜tu06_02_comp.png＞レイヤーをクリックして編集できる状態にします❷。

2 ＜回転＞をクリックして❶、画像をクリックします❷。

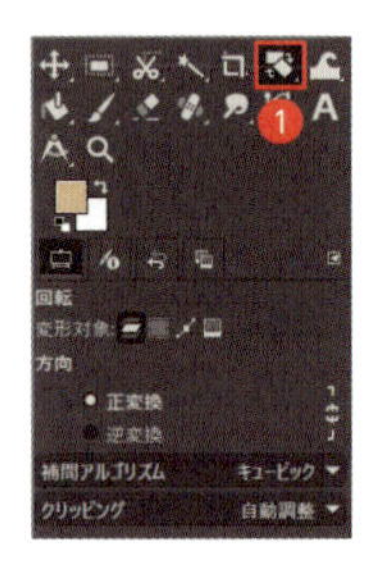

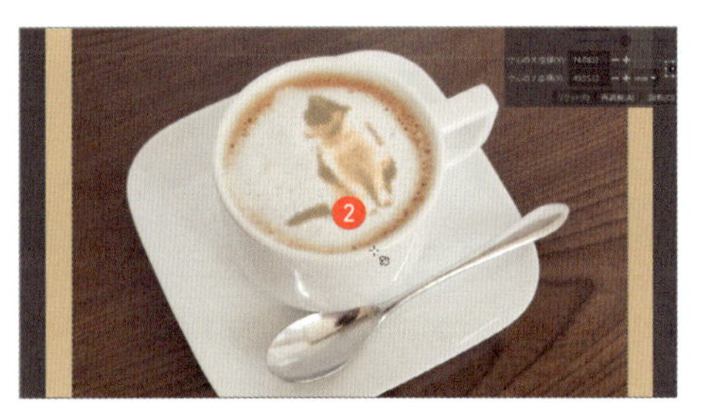

3 ＜回転＞ダイアログで＜角度＞に「-14」と入力して❶、＜回転＞をクリックします❷。猫とカフェラテの写真が左側へ傾くように回転します。

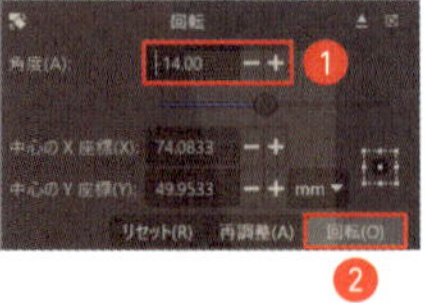

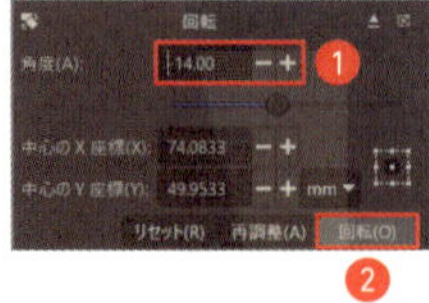

MEMO 回転の角度を調整する

画像をドラッグするか、角度の数値のスライダーをドラッグしても回転させることができます。

4 ツールボックスの＜移動・整列＞グループの＜移動＞をクリックして❶、左下にドラッグします❷。

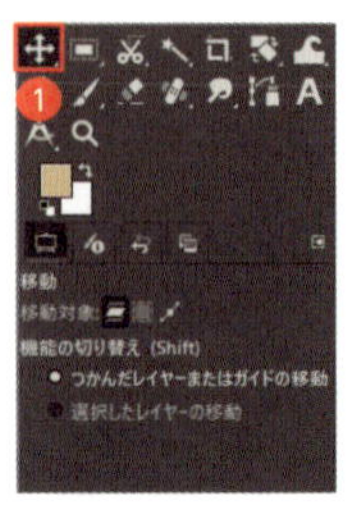

地図を縮小して配置する

1 <レイヤー>ダイアログで<tu06_03.png>レイヤーを選択します❶。さらに、レイヤー名の左側をクリックしてレイヤーを表示させます❷。レイヤーを上にドラッグして一番上に配置します❸。

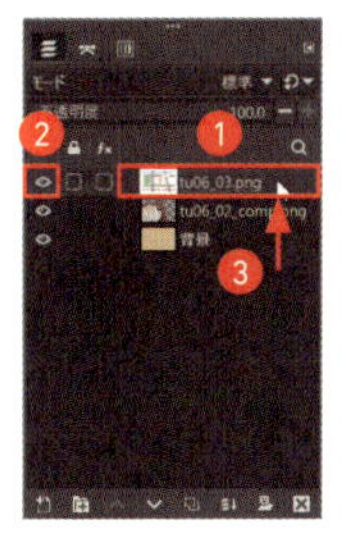

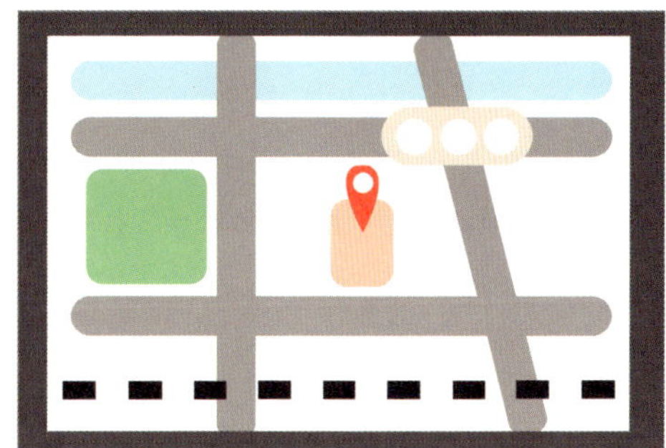

2 ツールボックスの<変形・回転>グループを右クリックして<拡大・縮小>ツールをクリックして❶、画像をクリックします❷。

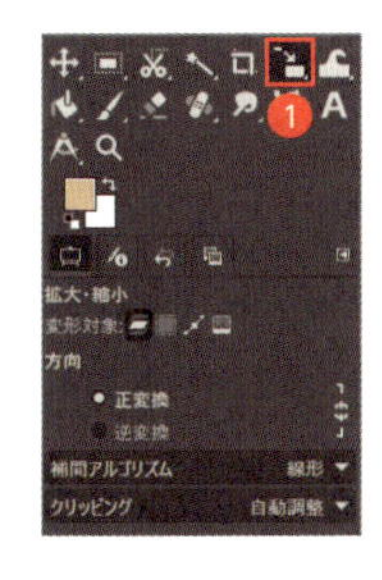

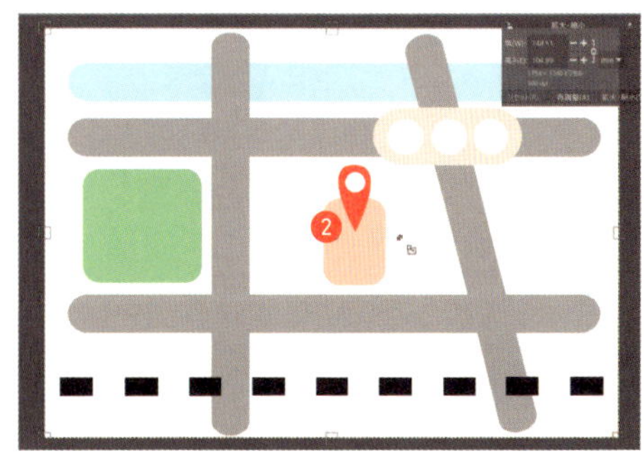

3 131ページの手順1～2と同様の方法で、地図の画像の大きさと位置を調整します❶。

4 地図が全体の右下におさまりました。さらに、<レイヤー>ダイアログで<不透明度>を「50」に設定すると地図が薄く目立たなくなります❶。

SECTION

05

テキストを入力する

ロゴやメッセージをテキスト入力します。テキストの向きやレイヤーモードを変更することでインパクトを加えます。

SAMPLE 06_05.xcf

お店の名前を入力する

1 ツールボックスの<テキスト>をクリックし❶、132ページの手順1の方法で、<描画色>を白（HTML表記で「ffffff」）に設定します❷。

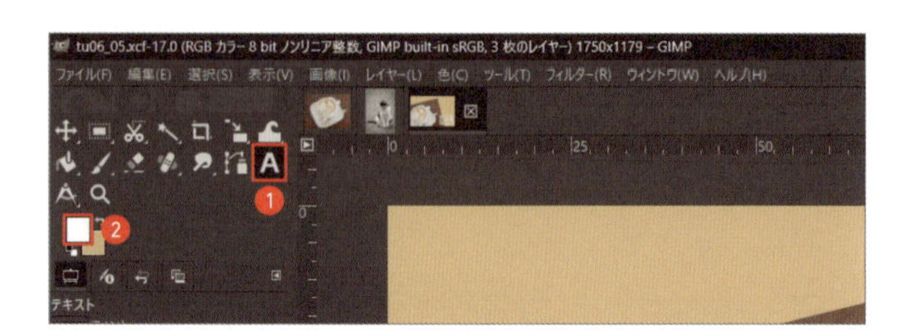

2 <ツールオプション>でフォントの種類は<Papyrus Regular>に設定し❶、<サイズ>を「130」に設定します❷。<揃え位置>は<左揃え>を選択します❸。<テキストボックス>は<固定>を選択します❹。

3 入力したい領域をドラッグで指定して❶、テキストを入力します❷。

4 テキストをドラッグして❶、<太字>と❷、<斜体>をクリックします❸。

5 お店の名前が入力されます。テキストボックスの外側をクリックしてテキストの選択を解除します。

メッセージを入力する

1 引き続き<テキスト>を選択したまま、フォントを<Meiryo UI Regular>に設定します❶。<サイズ>を「41」に設定して❷、<揃え位置>を<中央揃え>に変更します❸。

2 ＜色＞をクリックします①。＜HTML表記＞に「0e0a05」と入力して②、＜OK＞をクリックします③。＜Use editor window＞をクリックして有効にします④。

3 テキストボックスの領域をドラッグで指定して①、＜GIMP テキストエディター＞ダイアログのテキスト入力ボックスにテキスト入力します②。

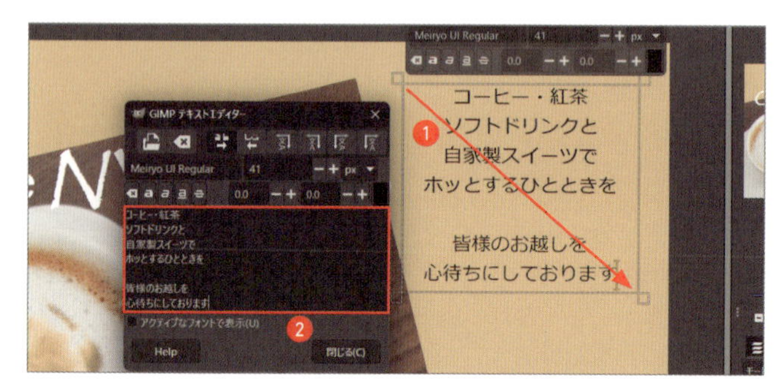

4 手順1～2と同様の方法を繰り返します。フォントの種類は＜Impact Regular＞に、色は白（HTML表記で「ffffff」）に設定します①。その後、手順3と同様の方法で電話番号と営業時間を入力します②。

5 情報が記載されました。

「OPEN」のロゴを加える

1 引き続き＜テキスト＞を選択します❶。＜ツールオプション＞で＜サイズ＞を「340」に変更して❷、＜色＞をクリックしてテキストの色をダークブラウン（HTML表記で「0e0a05」）に変更します❸。また、＜揃え位置＞を＜左揃え＞に変更します❹。

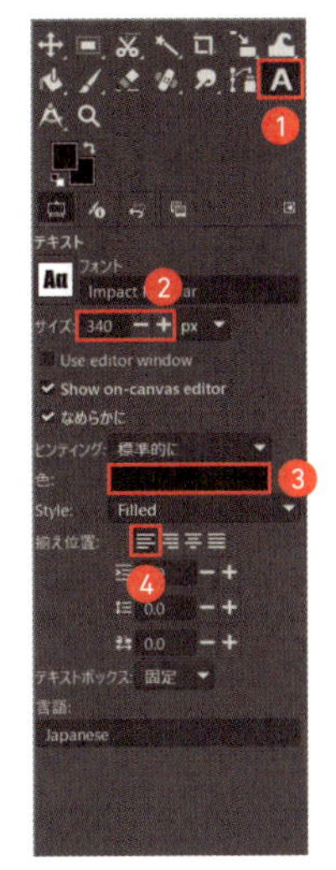

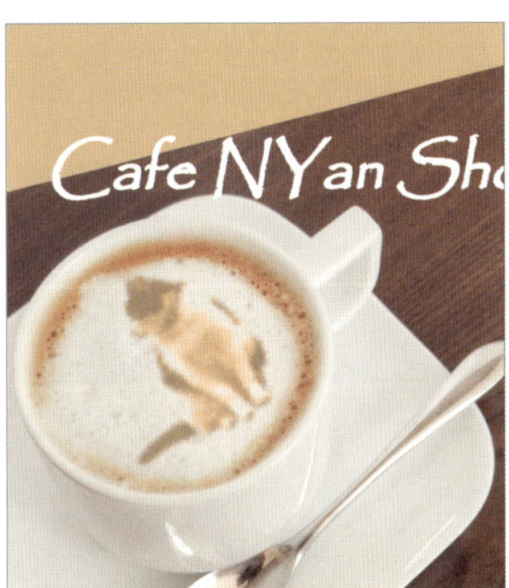

2 適当な箇所をドラッグしてテキストボックスを作成し❶、「OPEN!」と入力します❷。

3 ツールボックスの＜変形・回転＞グループを右クリックして、＜回転＞をクリックします❶。134ページの手順2〜3と同様の方法で、＜回転＞ダイアログの＜角度＞に「90」と入力して❷、テキストを90度回転させせます。

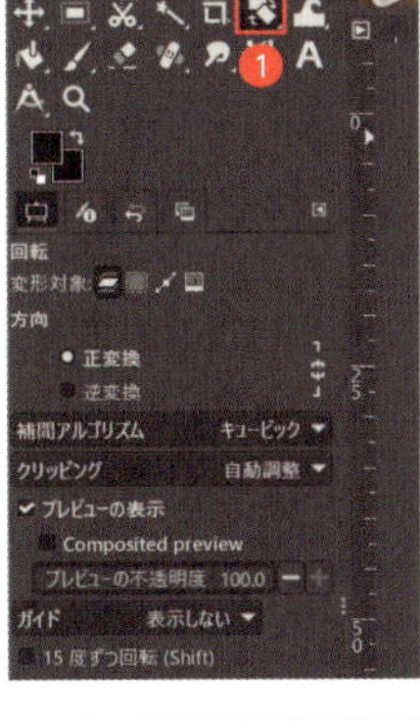

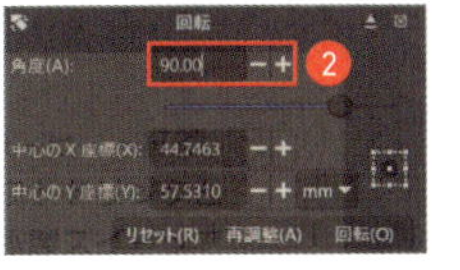

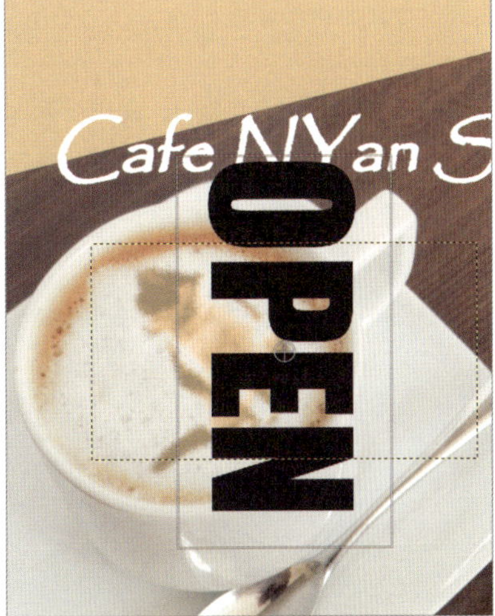

HINT レイヤーの種類が変化する

手順3でテキストを回転させた時点で、テキストレイヤーから通常のレイヤーに変換されます。通常のレイヤーになるとテキストの編集ができなくなるので注意しましょう。

4 ツールボックスの＜変形・回転＞グループを右クリックして、＜拡大・縮小＞をクリックします❶。幅と高さの比率が連動している場合は連動を解除します❷。131ページの手順1～2と同様の方法で、全体のレイアウトのバランスを見ながら大きさと位置を調整して❸、＜拡大・縮小＞をクリックします❹。

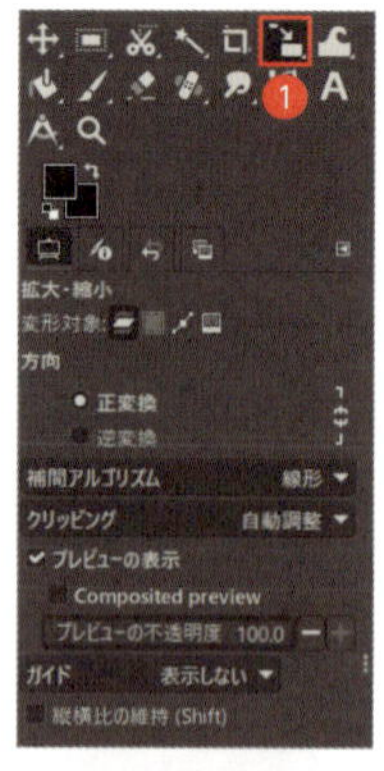

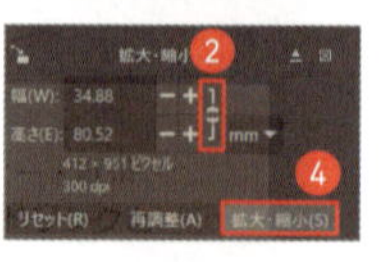

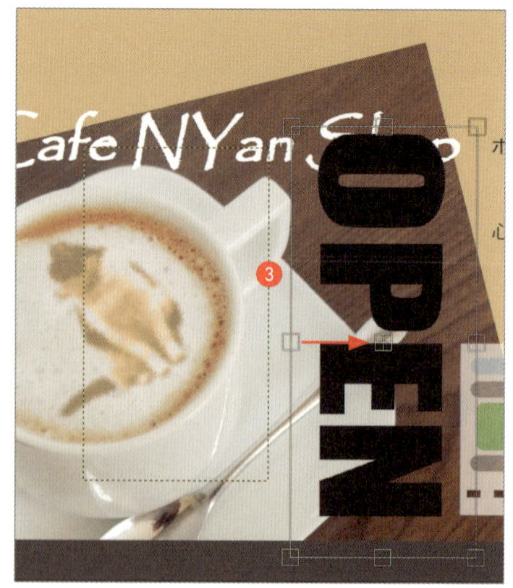

5 ＜レイヤー＞ダイアログで、＜モード＞を＜オーバーレイ＞に変更します❶。文字に透明感を出しながら、元の色の濃さが強調されます。

6 仕上げに、ツールボックスの＜移動＞をクリックして❶、各レイヤーのパーツをドラッグして位置を調整します❷。

7 全体のバランスが整い、完成です。

[リファレンス編]

CHAPTER

1

色と明るさを調整する

SECTION

01 色の編集に使う用語を知る

デジタル画像を編集するための基本的な用語を覚えておくと、GIMPの扱いが容易になります。ここでは主に<色>メニューの機能で共通する用語を確認しましょう。

明るさとコントラスト

●明るさ

画像の明るさを増したり減らしたりします。数値が高いと全体が白っぽくなり、数値が小さいほど黒っぽくなります。

●コントラスト

明るさおよび暗さの差を高めたり減らしたりします。数値が高いほど明暗の差が強調され、数値が小さいほどぼんやりとした印象になります。

明るさとコントラストを調整することによって、画像を明るくしたり、明暗の差をはっきりさせることができる。

色相・輝度・彩度

●色相（Hue）

色の様式を表します。赤、青、緑など、いわゆる虹色の範囲から色を識別したり割り当てたりします。

●輝度（Brightness）

色の明るさを表すもので、数値が高いほど白っぽくなり、数値が低いほど暗くなります。

●彩度（Saturation）

色の鮮やかさを表し、数値が高いほどより鮮やかさが増し、数値が小さいほど色が薄れてグレーに近づきます。

シャドウ・中間点・ハイライト

●シャドウ（黒点）

画像の最も暗い部分を指します。画像を構成する色の暗いピクセルが相当します。

●中間調（グレー点・ガンマ）

画像の中間の明るさ部分を指します。シャドウとハイライトの中間に当たります。

●ハイライト（白点）

画像の最も明るい部分を指します。画像を構成する色の明るいピクセルが相当します。

シャドウ・中間調・ハイライトで画像の明暗を調整できる。

RGBとCMYK

●RGB

「光の三原色」のカラーモードです。赤、緑、青の3つのカラーで画像を構成します。主にディスプレイ表示する画像はRGBカラーモードを使用します。

●CMYK

シアン、マゼンタ、イエロー、ブラックからなるカラーモードです。印刷をする際のインクの色を割り当てるために使用します。

SECTION 02

自動補正を活用する

画像を自動的に調整するには、＜色＞メニューの＜自動補正＞にある＜ホワイトバランス＞か、＜レベル＞ダイアログにある＜自動入力レベル＞を選択します。

SAMPLE re01_02.jpg

＜色＞メニューから適用する

1 ＜色＞メニューをクリックして❶、＜自動補正＞をクリックし❷、＜ホワイトバランス＞をクリックします❸。

2 自動的に色と明るさとコントラストが整います。

HINT 自動補正が思うようにいかない場合

画像によっては思ったような色や明るさに調整されないこともあります。その際には元の状態に戻して手動調整に切り替えましょう。元に戻すには＜編集＞メニューをクリックして、＜○○を元に戻す＞をクリックします。

＜レベル＞ダイアログから適用する

1 ＜色＞メニューをクリックして❶、＜レベル＞をクリックします❷。

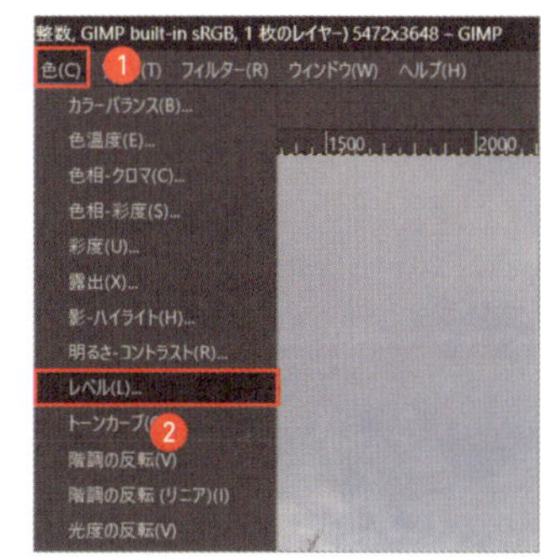

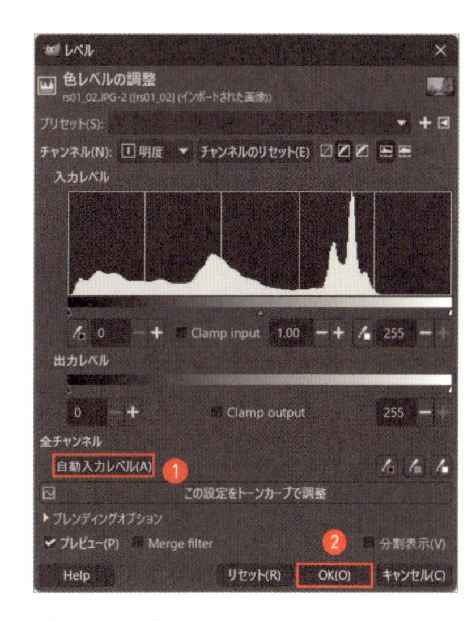

2 ＜レベル＞ダイアログが開きます。＜全チャンネル＞の＜自動入力レベル＞をクリックして❶、＜OK＞をクリックします❷。

3 自動的に色と明るさとコントラストが整います。

SECTION

03 明るさを調整する

写真を見たときに「暗い」「ぼんやりしている」と感じた時には、<明るさ-コントラスト>を使うと直感的に明るくはっきり調整することができます。

SAMPLE re01_03.jpg

明るさを強める

1 <色>メニューをクリックして❶、<明るさ-コントラスト>をクリックします❷。

2 <明るさ-コントラスト>ダイアログが開きます。<明るさ>のスライダーを右にドラッグします❶。<OK>をクリックすると結果が適用されます❷。

3 <明るさ>の数値が大きくなるほど画像が明るくなります。

コントラストを高める

1 <明るさ-コントラスト>ダイアログで<コントラスト>のスライダーを右にドラッグします❶。<OK>をクリックします❷。

2 数値が大きくなるほど明暗の差が大きくなりはっきり見えます。

MEMO <レベル>ダイアログに切り替える

<明るさ-コントラスト>ダイアログの<この設定をレベルで調整>をクリックすると、調整値を引き継いだ状態で<レベル>ダイアログに切り替わります。<レベル>ダイアログの操作の仕方は147ページを参照してください。

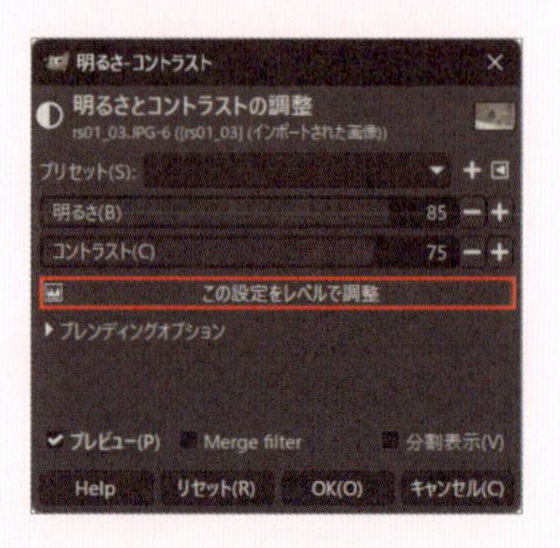

SECTION 04

明るさとコントラストの設定を保存して再利用する

<明るさ-コントラスト>ダイアログで調整した結果を、プリセットに保存しておくことで、ほかの画像にも同じ調整結果をいつでも適用することができます。

SAMPLE re01_04.jpg

調整値をプリセットに保存する

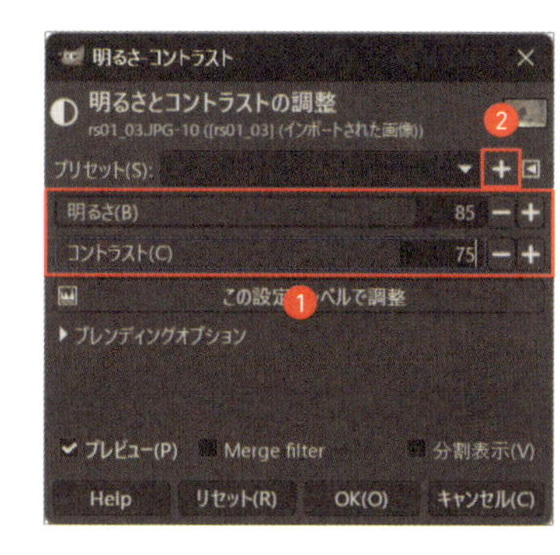

1 <明るさ-コントラスト>ダイアログで、<明るさ>と<コントラスト>の調整をしてから1、<プリセット>の右側にある十字ボタンをクリックします2。

2 名前を入力して1、<OK>をクリックします2。

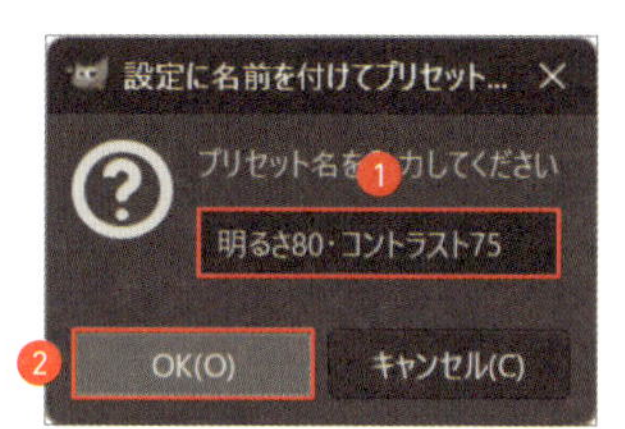

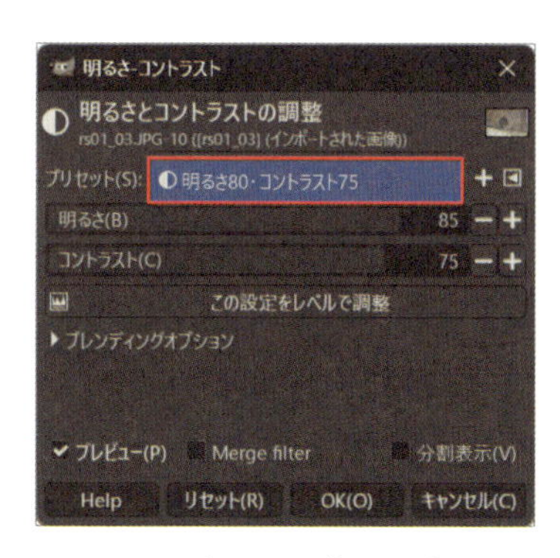

3 <明るさ-コントラスト>ダイアログで<プリセット>をクリックして開くと、登録した設定が追加されています。

ほかの画像に登録した調整値を適用する

1 調整値を適用したい写真を開き、<色>メニューをクリックして1、<明るさ-コントラスト>をクリックします2。

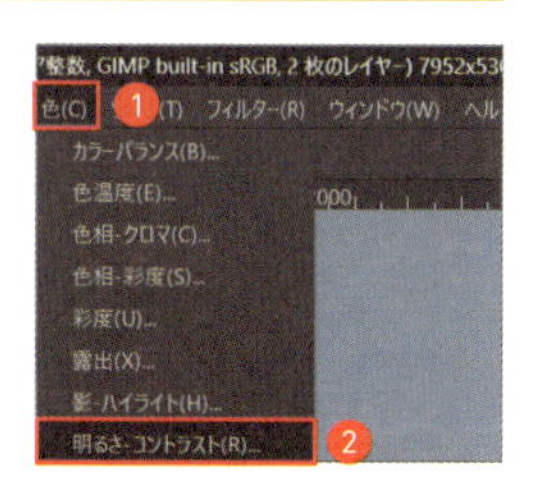

2 <プリセット>をクリックして、一覧から登録した調整値名をクリックします1。

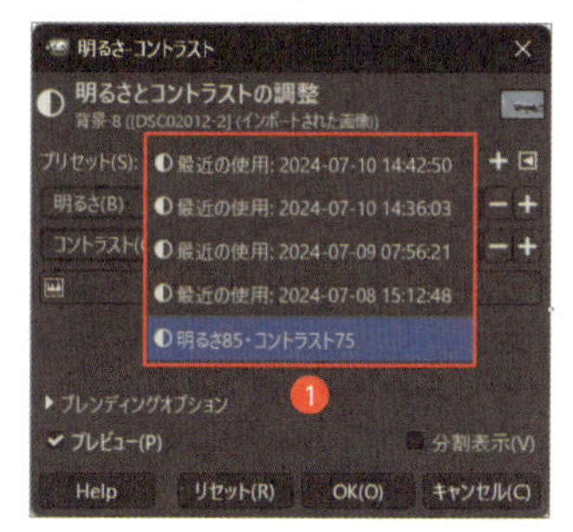

3 <明るさ-コントラスト>ダイアログの<明るさ>と<コントラスト>の値が、登録した調整値に変わります1。<OK>をクリックします2。

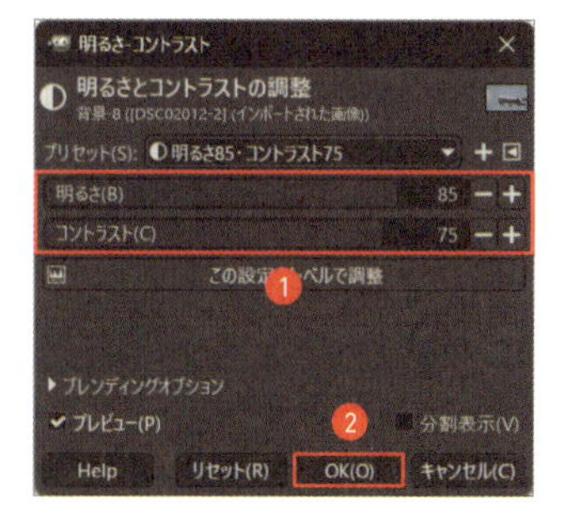

4 登録したプリセットの調整値が適用されました。

SECTION 05

ヒストグラムの見方を知る

画像の色や明るさの傾向を確認したり、これらを細かく調整する上で目安にするために重要な<ヒストグラム>の構成と使い方を覚えましょう。

SAMPLE re01_05.jpg

<ヒストグラム>ダイアログを開く

1 <ウインドウ>メニューをクリックして❶、<ドッキング可能なダイアログ>をクリックし❷、<ヒストグラム>をクリックします❸。

2 <ヒストグラム>ダイアログが開きます。

チャンネルを切り替える

<ヒストグラム>ダイアログの<Histogram Channel>をクリックすると、チャンネルのリストが表示されます。<明度>はレイヤー全体の明るさをグラフで表します。グラフの左側が画像を構成する色の暗い領域で、中間が中間調、右側が明るい領域です。山型の密度の高い部分は階調の明るさ/暗さが強調されます。

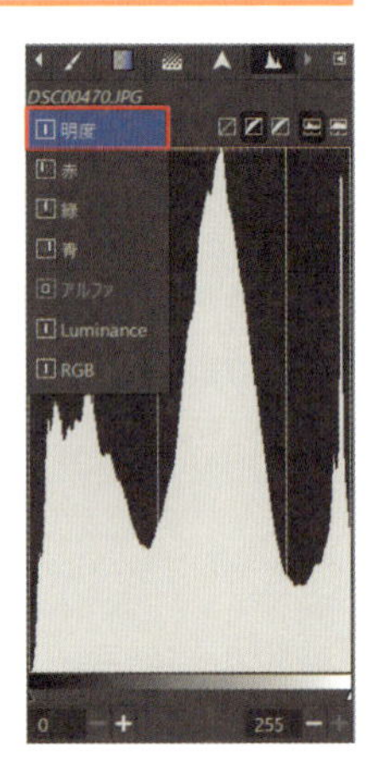

<Histogram Channel>の一覧で<赤>、<緑>、<青>を選択すると、それぞれの色のチャンネルごとに明るさをグラフで表示します。<アルファ>はレイヤーに透明な部分がある場合に、透明度を表します。<RGB>は赤、緑、青のチャンネルが重なり合い、すべてのチャンネルが重なる部分が黒く表示されます。<Luminance>は輝度（色が持つ明るさ）をグラフで表します。

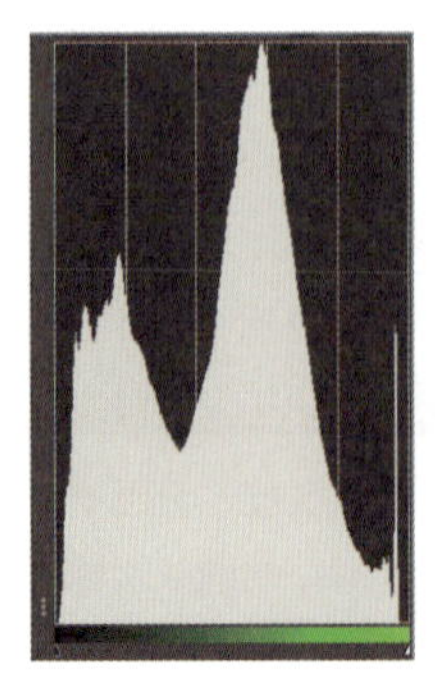

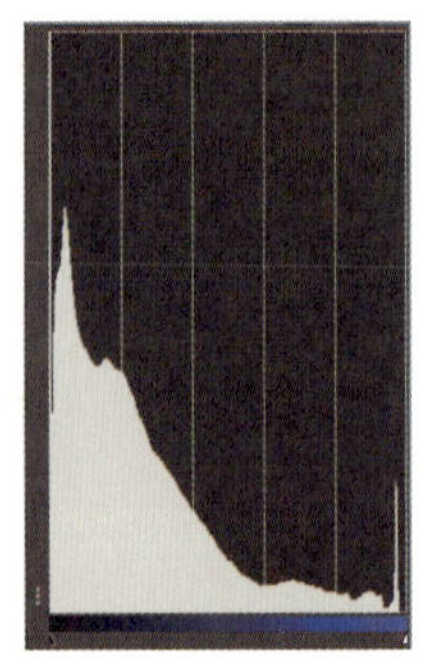

SECTION 06

色レベルを調整する

＜レベル＞はヒストグラムを参考にしながら、画像の明るさやコントラストを細かく調整するのに便利な機能です。

SAMPLE re01_06.jpg

＜レベル＞とは

＜レベル＞は、＜トーンカーブ＞と同様にヒストグラムを参考に画像全体の明暗やコントラストを調整する機能です。＜トーンカーブ＞にはない自動調整ボタンを利用してから微調整を加え、さらに＜トーンカーブ＞へも切り替えられます。

画像全体を明るくする

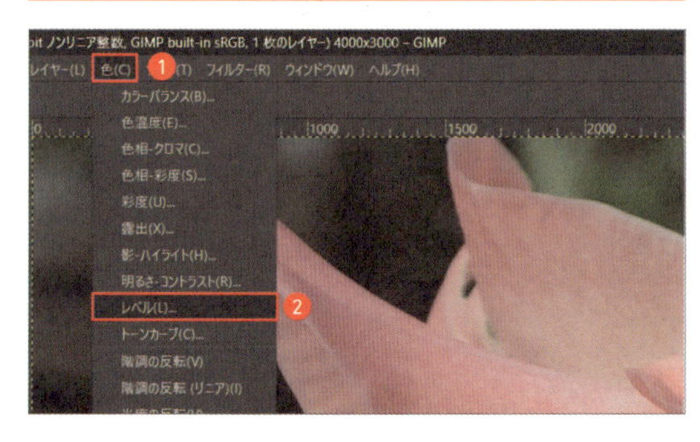

1 ＜色＞メニューをクリックして❶、＜レベル＞をクリックします❷。

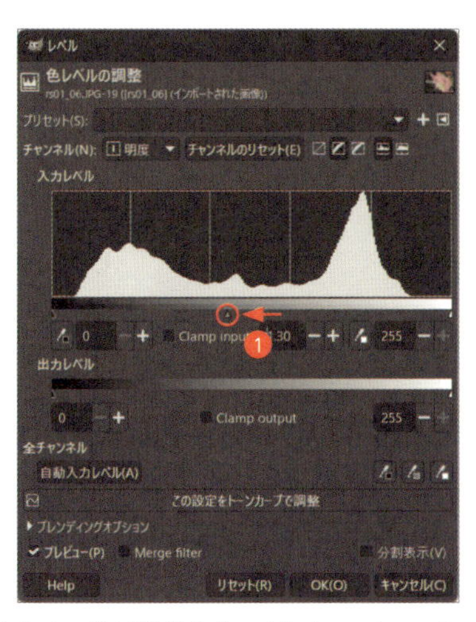

2 ＜レベル＞ダイアログが開きます。＜入力レベル＞の中間色（ガンマ）のスライダーを左にドラッグします❶。

3 画像全体が明るくなります。

コントラストを強める

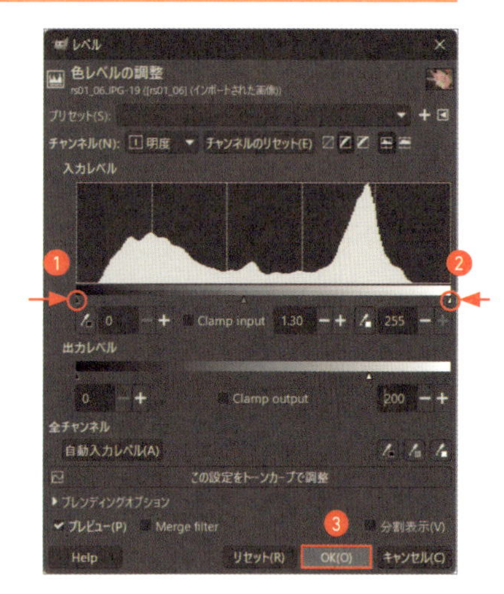

1 ＜レベル＞ダイアログを開きます。＜入力レベル＞で、黒のスライダーをヒストグラムの山型の左端までドラッグして、画像の暗い部分を適度に明るくします❶。また、白のスライダーを画像が白くなりすぎない程度に左にドラッグして、画像の明るい部分をより明るくします❷。＜OK＞をクリックします❸。

2 画像全体のコントラストが強調されます。

SECTION

07 トーンカーブを調整する

<トーンカーブ>では左下から右上に伸びる線を変化させることによって、画像の明るい部分といった階調の明るさを強調したり弱めたりします。

SAMPLE re01_07.jpg

<トーンカーブ>とは

<トーンカーブ>とは、ヒストグラムを参考にして画像の暗い部分、中間の明るさ、明るい部分といった階調の明るさの強弱を調整できます。ヒストグラムとトーンカーブの関係を確認しながら、明るさとコントラストを調整してみましょう。

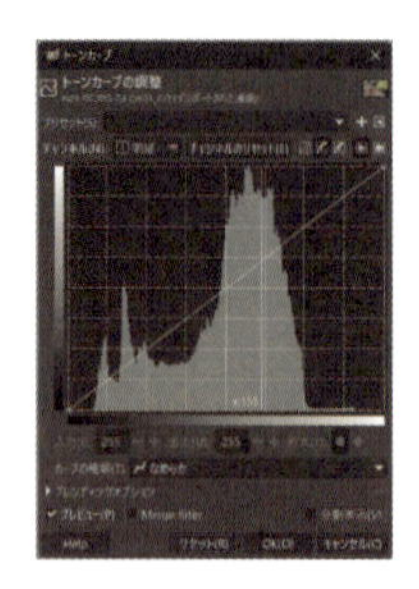

中間調を明るくする

1 <色>メニューをクリックして❶、<トーンカーブ>をクリックします❷。

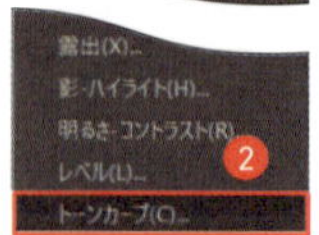

2 <トーンカーブ>ダイアログが開きます。カーブの中央を上にドラッグします❶。カーブ上にポイントが追加され、カーブが上に湾曲します。<OK>をクリックします❷。

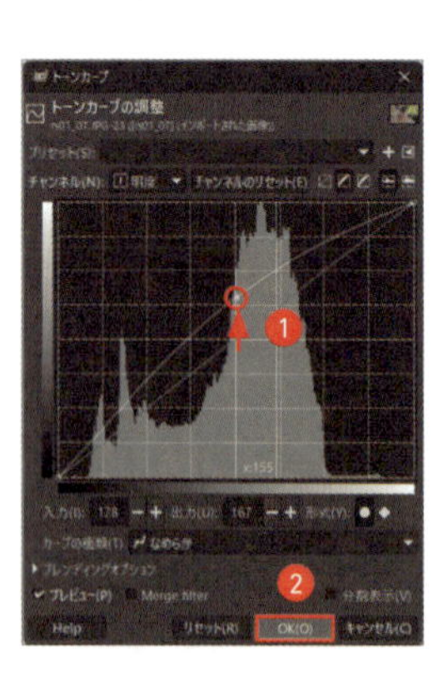

3 画像の中間調を中心に全体が明るくなります。

コントラストを強調する

1 カーブの右上の部分を上にドラッグします❶。

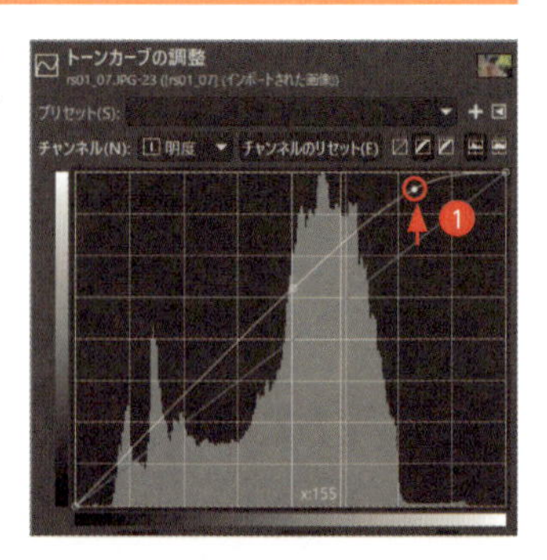

2 カーブの左下の部分を下にドラッグします❶。<OK>をクリックします❷。

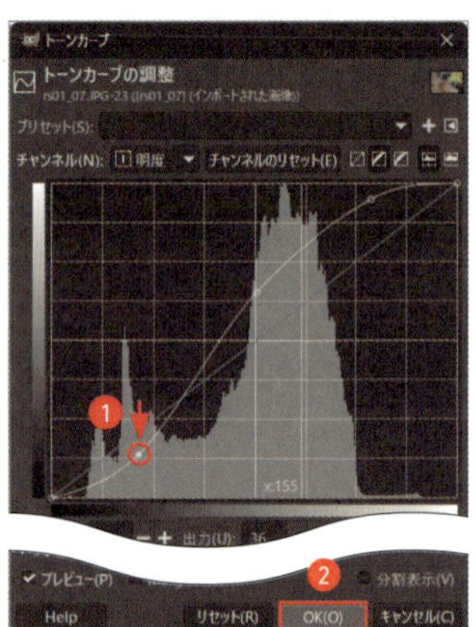

3 画像の明暗がより強調され、コントラストが強まりました。

MEMO トーンカーブの編集をやり直したい場合

トーンカーブを操作しているうちに画像の編集に失敗してしまった場合は<リセット>をクリックします。<OK>をクリックして編集結果を反映させる前であれば、操作がリセットされます。

SECTION

08

カラーバランスを調整する

写真の色味が本来のものとは異なって見える場合など、RGBの赤、緑、青の強弱を調整することで、ホワイトバランスを整えます。

SAMPLE re01_08_01.jpg、re01_08_02.jpg

≫ <トーンカーブ>ダイアログを操作する

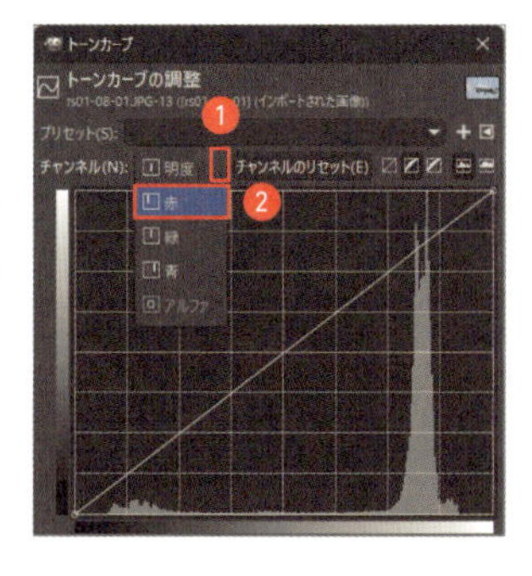

1 148ページの方法で<トーンカーブ>ダイアログを開きます。<チャンネル>をクリックして❶、一覧からチャンネル（ここでは<赤>）を選択します❷。

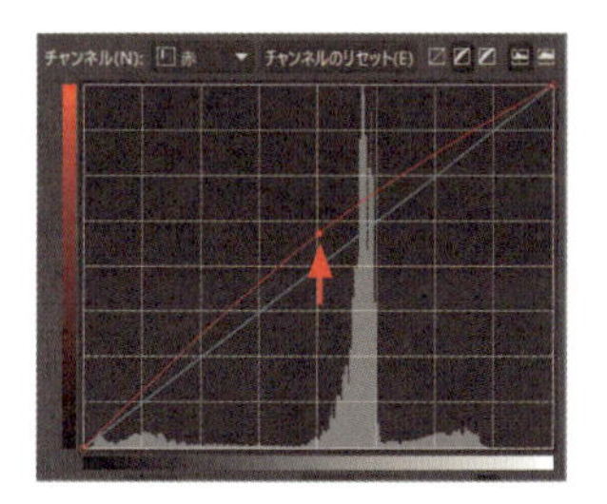

2 <赤>チャンネルのトーンカーブに切り替わります。カーブの中央を上にドラッグします。

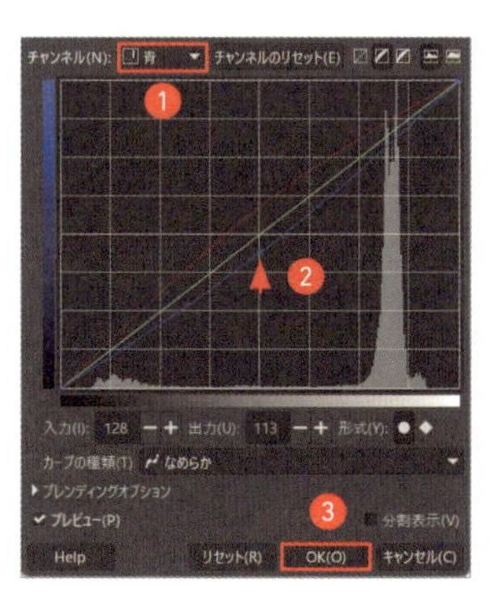

3 写真の中間の明るさ部分の赤が強調されます。次に<チャンネル>を<青>に変更し❶、カーブの中央を少しだけ下にドラッグします❷。<OK>をクリックします❸。

4 赤みが追加されて、青みが押さえられました。

≫ 中間調で特定の色を強める

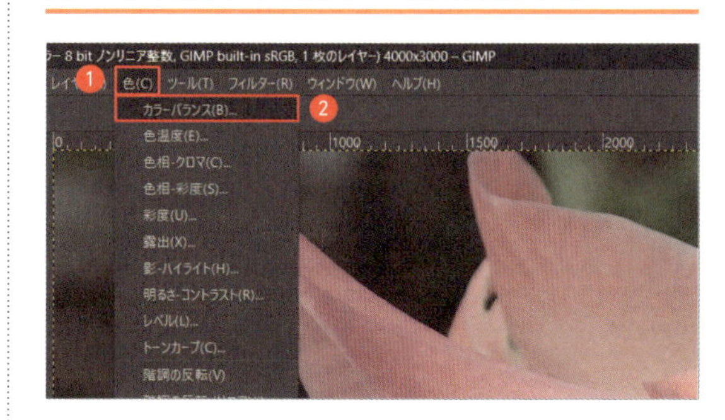

1 <色>メニューをクリックして❶、<カラーバランス>をクリックします❷。

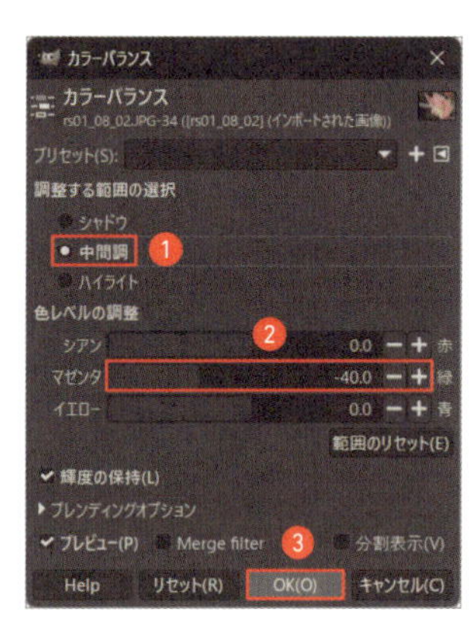

2 <カラーバランス>ダイアログが開きます。<調整する範囲の選択>で明暗の領域を選択し（ここでは<中間色>）❶、<色レベルの調整>を編集します。ここでは<マゼンタ-緑>のスライダーを左にドラッグします❷。<OK>をクリックします❸。

3 中間の明るさの色味のマゼンタが強調されます。

SECTION

09

色合い・明るさ・彩度を調整する

＜色相-彩度＞ダイアログで、画像全体の色味や明るさ、鮮やかさを調整できます。特定の色に絞って変えることもできます。

SAMPLE re01_09.jpg

＜色相-彩度＞ダイアログを開く

1 ＜色＞メニューをクリックして❶、＜色相-彩度＞をクリックします❷。

2 ＜色相-彩度＞ダイアログが開きます。

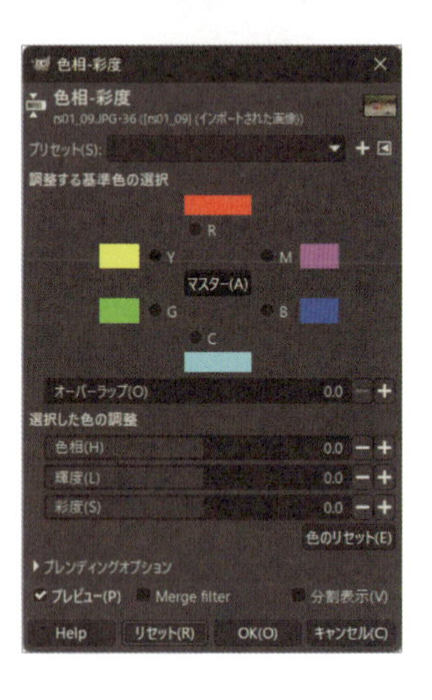

画像全体の色味を変える

1 ＜色相＞のスライダーをドラッグします。ここでは左にドラッグして「-100」に設定します。

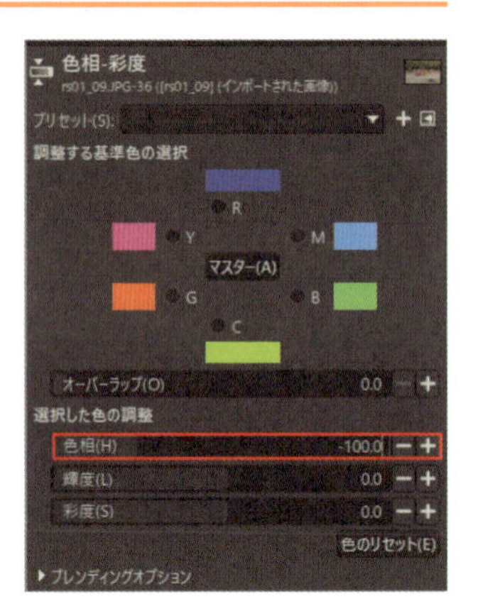

2 画像全体の色味が変化しました。

特定の色のみ色相を変化させる

1 ＜調整する基準色を選択＞で、変化させたい色を選択します。ここではレッドの＜R＞をクリックして❶、＜色相＞のスライダーをドラッグして調整します（ここでは「100」）❷。＜調整する基準色を選択＞の＜R＞の色味が黄緑に変化します。＜OK＞をクリックします❸。

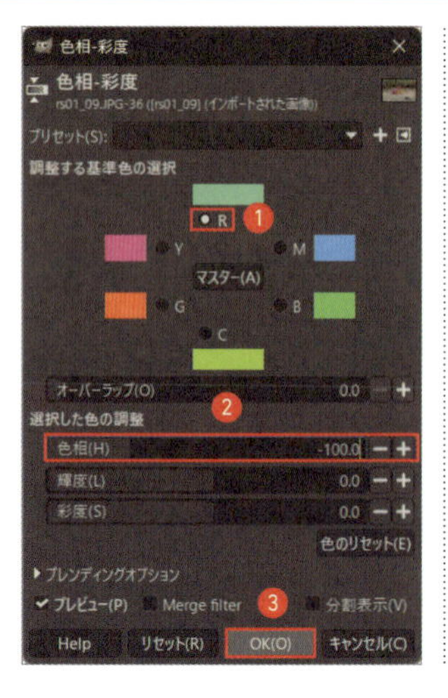

2 画像の元が赤い部分の色相が変化しました。

MEMO ＜オーバーラップ＞で調整する

色や明るさがまだらになる場合は「オーバーラップ」の数値を徐々に高めて調整します。

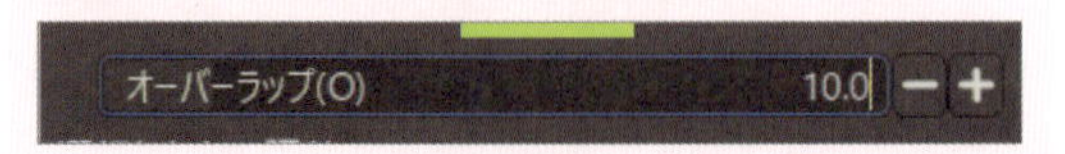

画像全体の色を明るくする

1 ＜輝度＞のスライダーをドラッグして、ここでは「50」に設定します❶。＜OK＞をクリックします❷。

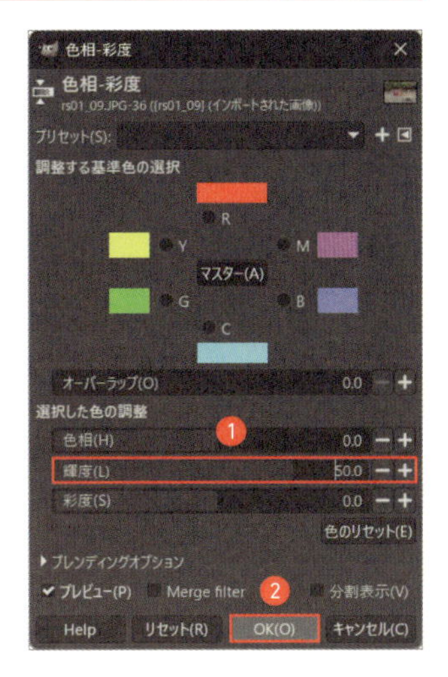

2 画像全体が明るく白っぽくなります。

画像全体を鮮やかにする

1 150ページと同様の方法で＜色相-彩度＞ダイアログを表示します。＜彩度＞のスライダーをここでは右にドラッグして「50」に設定します❶。＜OK＞をクリックします❷。

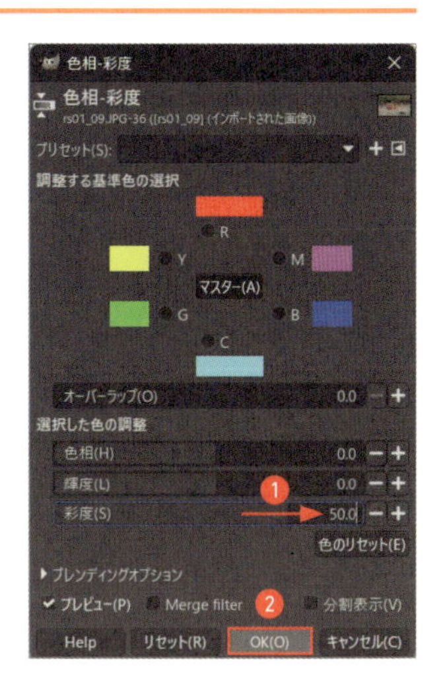

2 画像全体の色が鮮やかになります。

特定の色のみ明るさを変化させる

1 ＜調整する基準色を選択＞で、変化させたい色を選択します。ここではイエローの＜Y＞をクリックして❶、＜輝度＞のスライダーをドラッグして調整します（ここでは「-50」）❷。＜調整する基準色を選択＞の＜Y＞の色味が薄暗くなります。＜OK＞をクリックします❸。

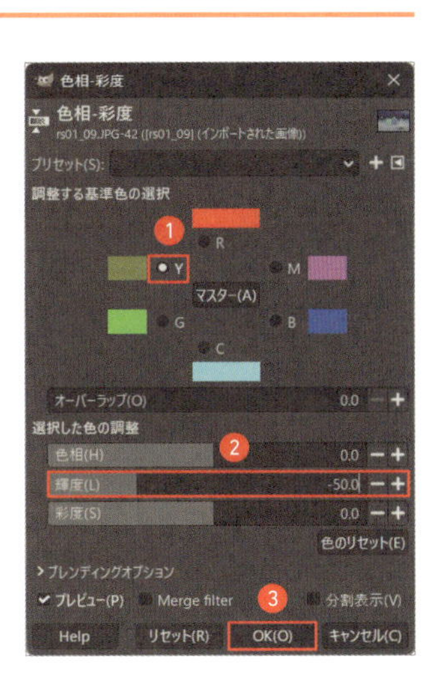

2 画像の元がイエロー部分の色が薄暗くなりました。

特定の色のみ彩度を変える

1 ＜調整する基準色を選択＞で、変化させたい色を選択します。ここではブルーの＜B＞をクリックして❶、＜彩度＞のスライダーを右いっぱいにドラッグします❷。＜OK＞をクリックします❸。

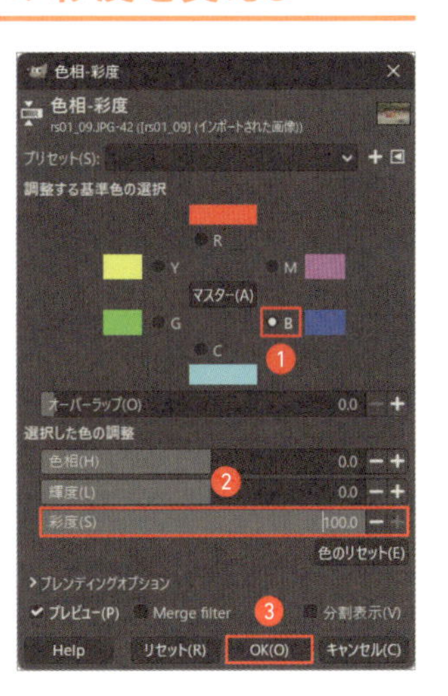

2 画像の元がブルーの部分が鮮やかになりました。

SECTION 10

画像全体の色味や鮮やかさを調整する

画像全体または選択範囲の色相、彩度、明度を簡単に変化させるには、直感的にこれらを調整することができる＜色相-クロマ＞が便利です。

SAMPLE re01_10.jpg

＜色相-クロマ＞とは

＜色相-クロマ＞は＜色相-彩度＞と同様に色相、彩度、明度を調整する機能です。ただし＜色相-彩度＞のように特定の色のみを変化させることはできません。画像全体の色相や彩度を調整したいときに利用しましょう。

画像全体の色相を変化させる

1 ＜色＞メニューをクリックして❶、＜色相-クロマ＞をクリックします❷。

2 ＜Hue＞のスライダーを左右にドラッグすると、色相環の順に色相が変化します❶。ここでは右にドラッグして「30」に設定します。＜OK＞をクリックします❷。

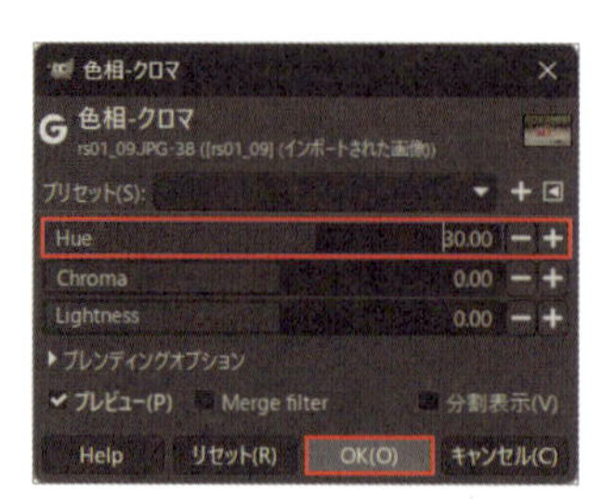

3 画像全体の色相が変化しました。

MEMO 彩度と明度を変化させる

彩度（Chroma）を「30」に強めた場合

明度（Lightness）を「30」に強めた場合

SECTION 11

露出を調整する

＜露出＞では画像全体の最も暗い部分や明るい部分への影響を抑えながら、明暗やコントラストを調整できます。

SAMPLE re01_11.jpg

＜露出＞とは

＜露出＞では画像の暗い領域である黒レベルと、画像全体の露光量を調整することにより、画像の最も暗い部分や明るい部分への影響を抑えながら、コントラストの強弱を制御します。

暗い部分を強調する

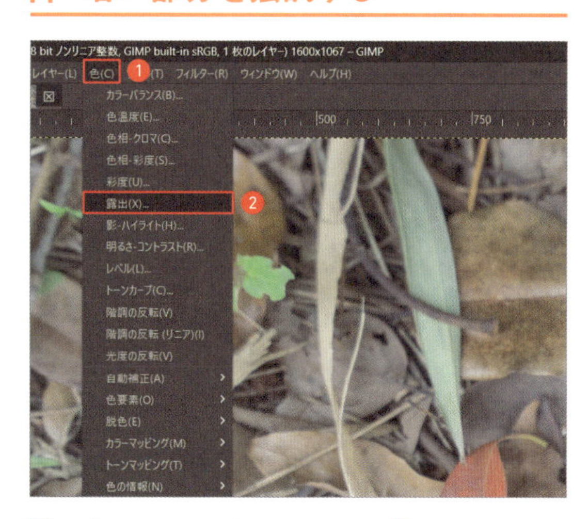

1 ＜色＞メニューをクリックして1、＜露出＞をクリックします2。

2 ＜露出＞ダイアログが開きます。＜Black level＞のスライダーを右にドラッグします1。＜OK＞をクリックします2。

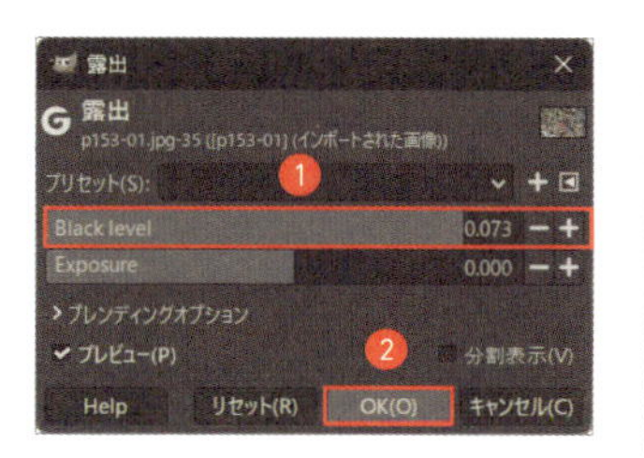

3 画像の暗い部分が強調されてコントラストが強まります。

露光量を強める

1 ＜露出＞ダイアログで、＜Exposure＞のスライダーを右にドラッグします1。＜OK＞をクリックします2。

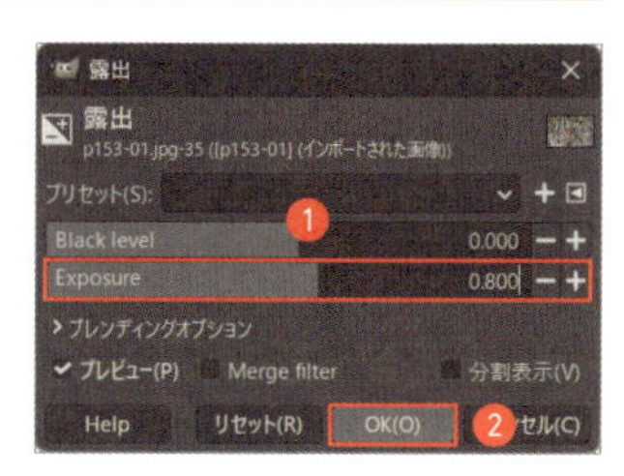

2 明るい部分が白く飛ばない程度に明るさを強めて、画像全体の明るさのバランスを整えます。

SECTION

12 白黒の画像にする

<脱色>を利用すると画像を白黒のモノトーン化できます。また、<しきい値>で白黒のはっきりした画像にすることができます。

SAMPLE re01_12.jpg

白黒モノトーンにする

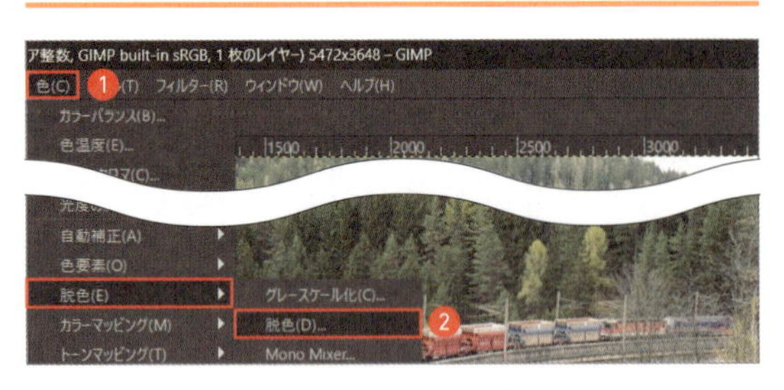

1 <色>メニューをクリックして1、<脱色>の<脱色>をクリックします2。

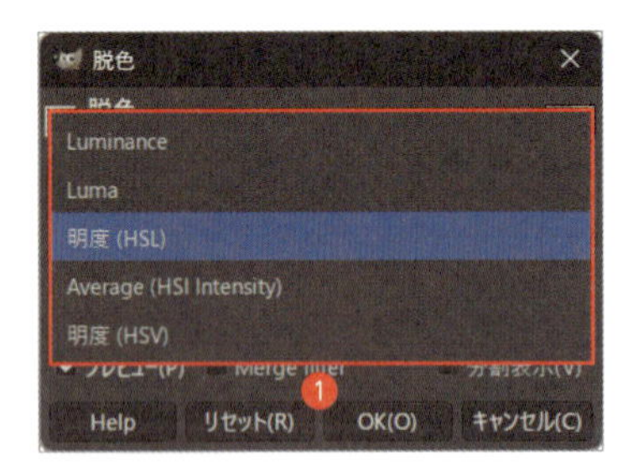

2 <脱色>ダイアログが開きます。<モード>をクリックして、<Luminance>、<Luma>、<明度(HSL)>、<Average (HSLIntensIty)>、<明度(HSV)>のいずれかを選択します1。

3 <OK>をクリックすると、画像にグレースケールが適用されます。

白黒2色にする

1 <色>メニューをクリックして1、<しきい値>をクリックします2。

2 <しきい値>ダイアログが開きます。

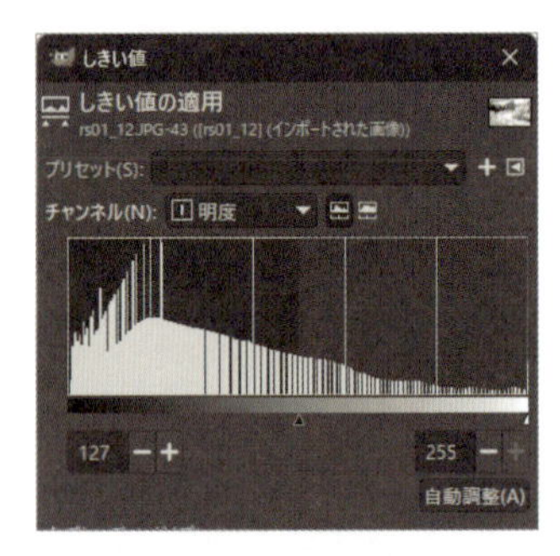

3 黒のスライダーをドラッグして、黒で表現する範囲を設定します(ここでは「127」)1。さらに、白のスライダー調整して、白で表現する範囲を調整します(ここでは「200」)2。<OK>をクリックします3。

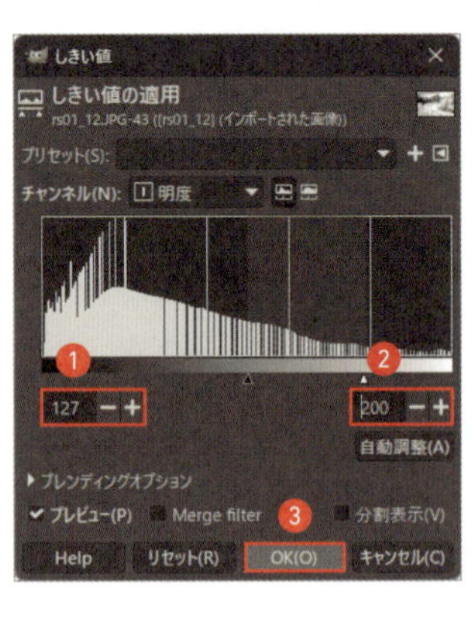

4 黒と白でバランス良く風景を表現できました。

SECTION 13

セピア調に着色する

＜グラデーションマップ＞を利用してモノトーン画像に変換します。暗い部分を＜描画色＞で、明るい部分を＜背景色＞で色を設定しておきます。

SAMPLE re01_13.jpg

描画色と背景色を設定する

1 ＜塗りつぶし・グラデーション＞グループを右クリックして、＜グラデーション＞をクリックします❶。＜ツールオプション＞でグラデーションをクリックして❷、一覧から＜描画色から背景色(RGB)＞を選びます❸。＜描画色＞をクリックします❹。

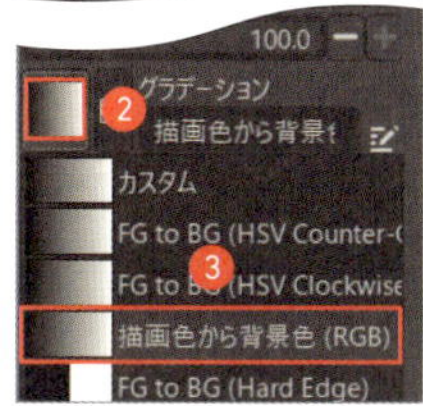

2 ＜描画色の変更＞ダイアログで、画像の暗い部分の色を指定します。ここでは＜HTML表記＞に「230202」と入力します❶。＜OK＞をクリックします❷。

3 ＜背景色＞をクリックします❶。

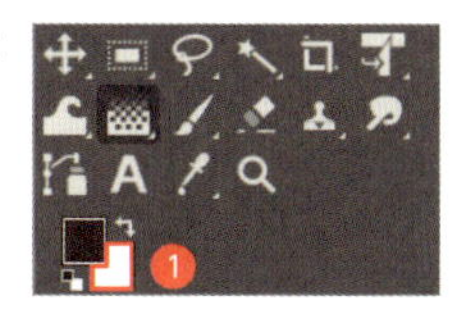

4 ＜背景色の変更＞ダイアログで、画像の明るい部分の色を指定します。ここでは＜HTML表記＞に「e5d8c5」と入力します❶。＜OK＞をクリックします❷。

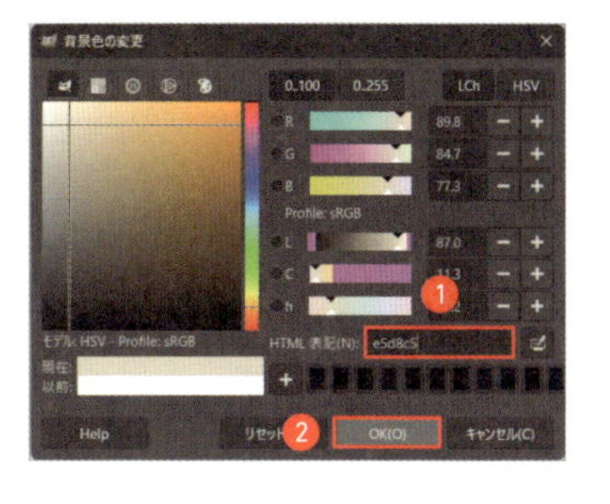

＜グラデーションマップ＞を適用する

1 ＜色＞メニューをクリックして❶、＜カラーマッピング＞の＜グラデーションマップ＞をクリックします❷。

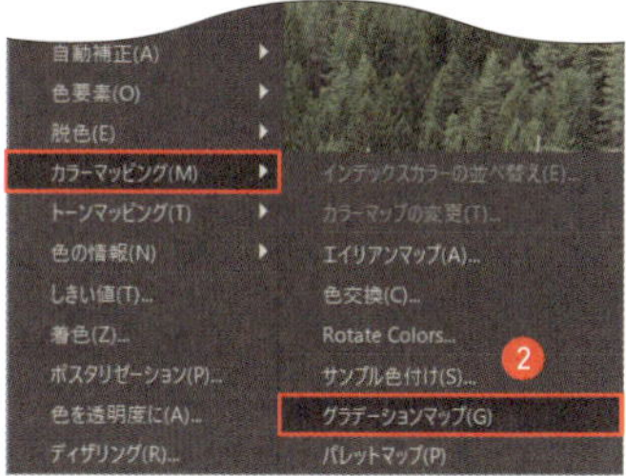

2 描画色と背景色によるモノトーン画像に変わります。

MEMO ＜Sepia＞を利用する

＜Sepia＞を利用してもセピア風の画像にできます。＜Sepia＞は＜色＞メニュー→＜脱色＞の順にクリック・選択して、表示されるメニューの一覧から選択します。＜Sepia＞ダイアログの＜Effect Strength＞を調整して、＜OK＞をクリックするとセピア調の画像になります。

SECTION

14

ネガポジや色温度を編集する

画像の色相を反転させたり、明度を反転さることができます。また、色温度を調整して画像全体の雰囲気を変えることもできます。

SAMPLE re01_14.jpg

色相を反転させる

1 <色>メニューをクリックし❶、<階調の反転>をクリックします❷。

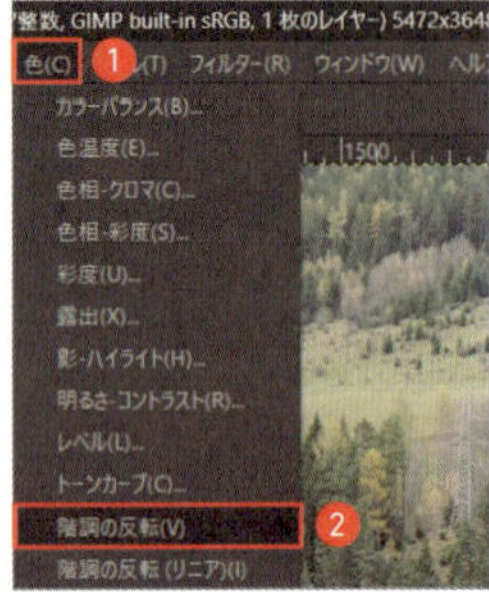

2 色相が反転しました。

明度を反転させる

1 <色>メニューをクリックし❶、<光度の反転>をクリックします❷。

2 明度が反転しました。

色温度を調整する

1 <色>メニューをクリックして❶、<色温度>をクリックします❷。

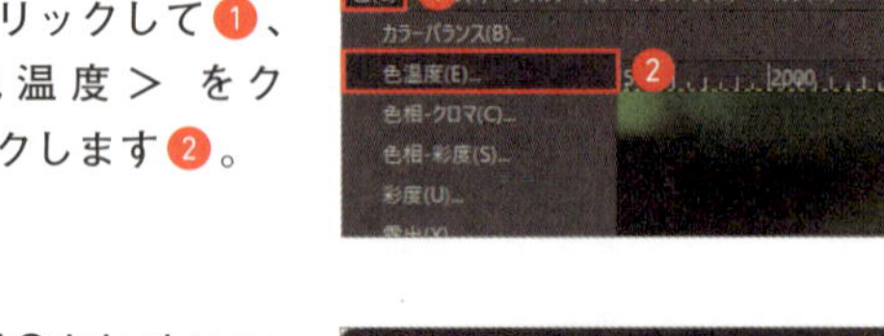

2 <Original temperature>のスライダーをドラッグして❶、画像の元の色温度をケルビン単位で調整します(ここでは「3800」)。

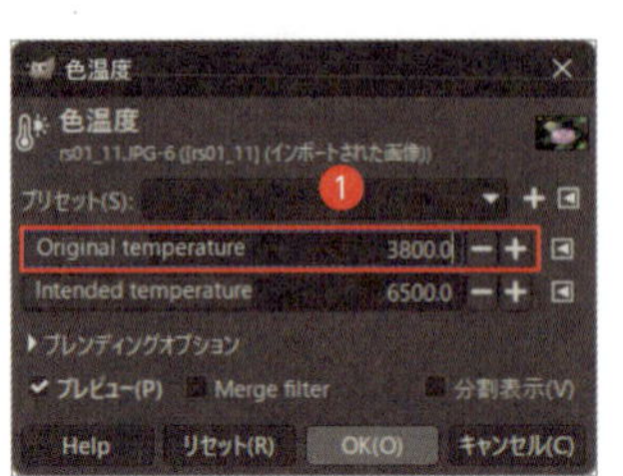

3 画像の色が赤みを帯びます。

SECTION

15 チャンネルミキサーを活用する

＜Mono Mixer＞は、画像をモノクロ化してRGBのチャンネルごとに明るさや暗さの微調整ができます。

SAMPLE re01_15.jpg

チャンネルとは

チャンネルとは、画像を構成する＜明度＞や＜赤＞、＜緑＞、＜青＞、＜アルファ＞などの色や明るさの区分けを指します。チャンネルは分解したり、合成したりしながら、調整することができます（157〜158ページ参照）。

＜Mono Mixer＞を操作する

1 ＜色＞メニューをクリックし❶、＜色要素＞をクリックして❷、＜Mono Mixer＞をクリックします❸。

2 ＜Mono Mixer＞ダイアログが開き、自動的にモノクロ化します。

3 ＜Preserve Luminosity＞にチェックを入れて❶、＜Red Channel Multiplier＞、＜Green Channel Multiplier＞、＜Blue Channel Multiplier＞のスライダーをドラッグします❷。＜OK＞をクリックします❸。

4 陰影のバランスがとれたモノクロ画像になります。

SECTION

16 チャンネルを分解・合成する

チャンネル分解は、主に印刷を目的とした場合などに利用します。CMYKの4色に分解し、それぞれをグレースケール化します。

SAMPLE re01_16.jpg

チャンネル分解する

1 ＜色＞メニューをクリックして❶、＜色要素＞の＜チャンネル分解＞をクリックします❷。

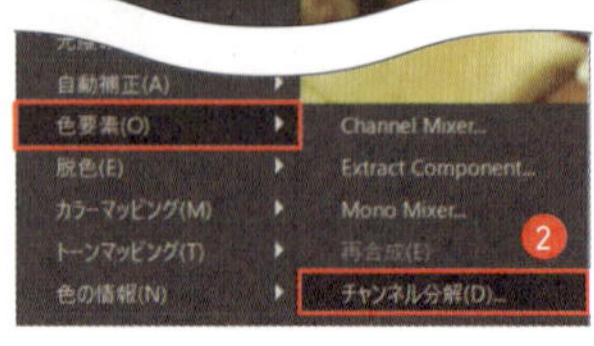

2 ＜チャンネル分解＞ダイアログが開きます。＜取り出すチャンネル＞の＜色モデル＞をクリックして、一覧から色モデルを選択します（ここでは＜RGB＞）❶。

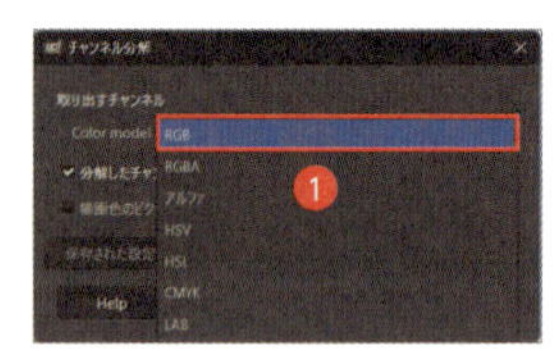

3 ＜分解したチャンネルをレイヤーに展開する＞にチェックを入れます❶。＜OK＞をクリックします❷。

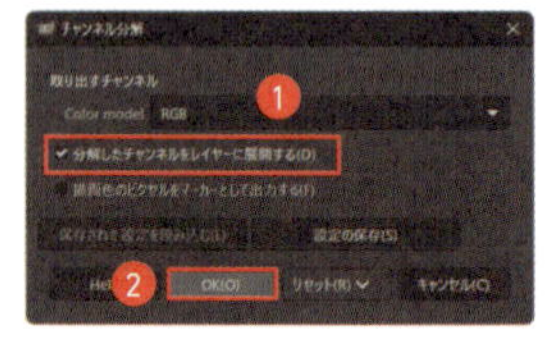

4 画像がグレースケール化します。＜レイヤー＞ダイアログ（213ページ参照）には赤・緑・青のチャンネルを表す3つのレイヤーが表示されます。

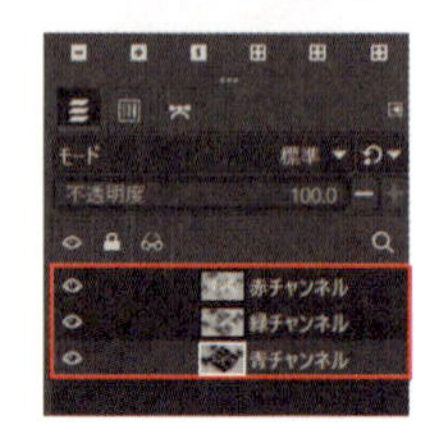

チャンネル合成する

1 チャンネル分解した画像を開いた状態で、＜色＞メニューをクリックして❶、＜色要素＞の＜チャンネル合成＞をクリックします❷。

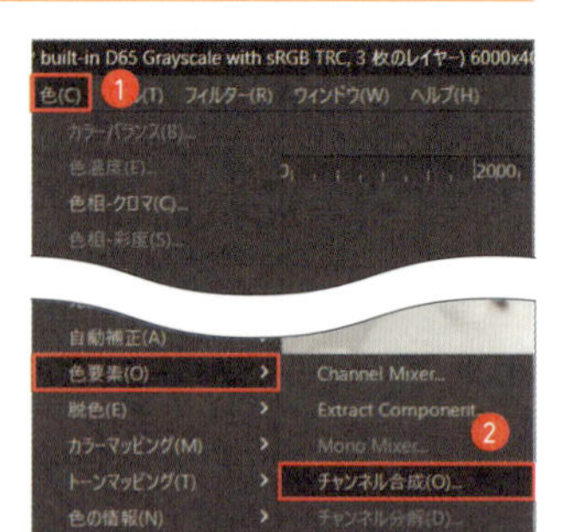

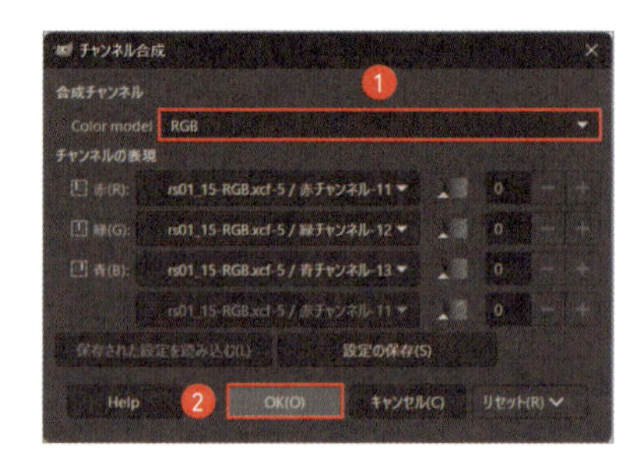

2 ＜チャンネル合成＞ダイアログが開きます。＜合成チャンネル＞の＜Color model＞でチャンネル分解したモデルを選択します❶。＜OK＞をクリックします❷。

3 分解したチャンネルのレイヤーが1つに合成されて、カラー画像になりました。

MEMO 色モデルの種類

分解できるモードには、RGBのほかに印刷で用いられるCMYKやLABなどがあります。CMYKについては142ページを参照してください。

SECTION

17 全体の色合いをガラッと変える

<パレット>ダイアログから変換したいパレット名を選択したり、<エイリアンマップ>を利用することで全体のカラーイメージを簡単にガラリと変えることができます。

SAMPLE re01_17.jpg

<パレット>を利用する

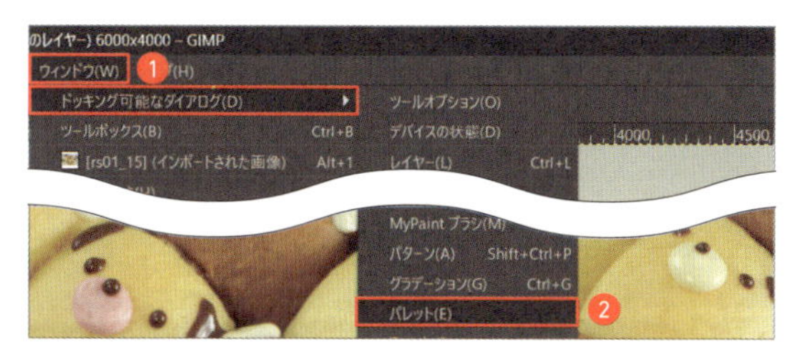

1 <ウィンドウ>メニューをクリックして❶、<ドッキング可能なダイアログ>の<パレット>をクリックします❷。

2 <パレット>ダイアログの一覧から、変換したいパレット名（ここでは<Brownes And Yellows(22)>）をクリックします。

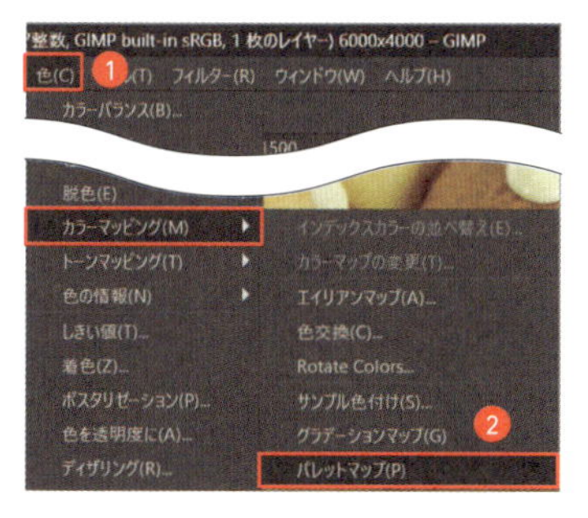

3 <色>メニューをクリックして❶、<カラーマッピング>の<パレットマップ>をクリックします❷。

4 配色のイメージがガラリと変わりました。

<エイリアンマップ>を適用する

1 <色>メニューをクリックして❶、<カラーマッピング>の<エイリアンマップ>をクリックします❷。

2 <エイリアンマップ>ダイアログが開きます。<Color model>を選択し❶、<Keep ○○ component>のチェックは外します❷。各スライダーをドラッグして色を変化させます❸。<OK>をクリックします❹。

3 画像にエイリアンマップでの調整結果が適用されます。

SECTION 18

特定の色を透過させる

レイヤー（6章参照）にアルファチャンネルという透過の特性を持たせることで、特定の色のみを透過することができます。

SAMPLE re01_18.jpg

≫ レイヤーにアルファチャンネルを追加する

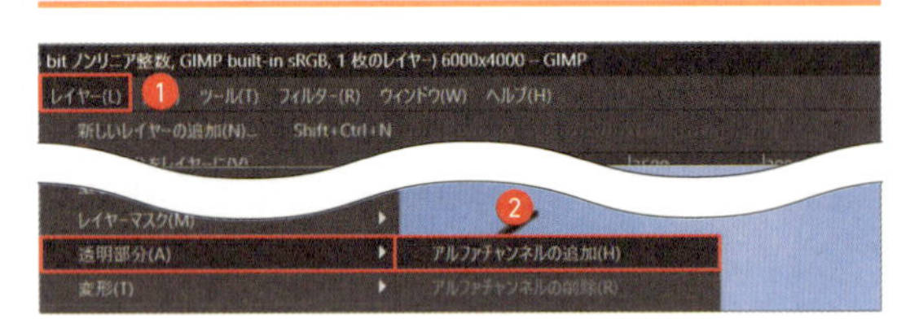

1 透過させたいレイヤーを選択します。＜レイヤー＞メニューをクリックして❶、＜透明部分＞の＜アルファチャンネルの追加＞をクリックします❷。

2 ＜色＞メニューをクリックして❶、＜色を透明度に＞をクリックします❷。

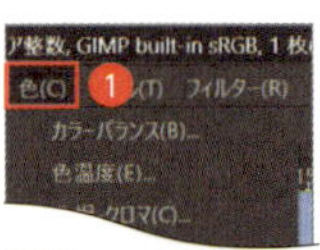

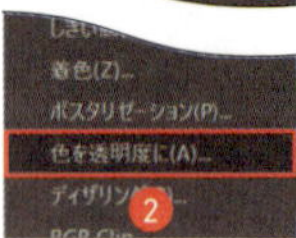

3 ＜色を透明度に＞ダイアログが開きます。＜Color＞の右側のボックスをクリックします❶。

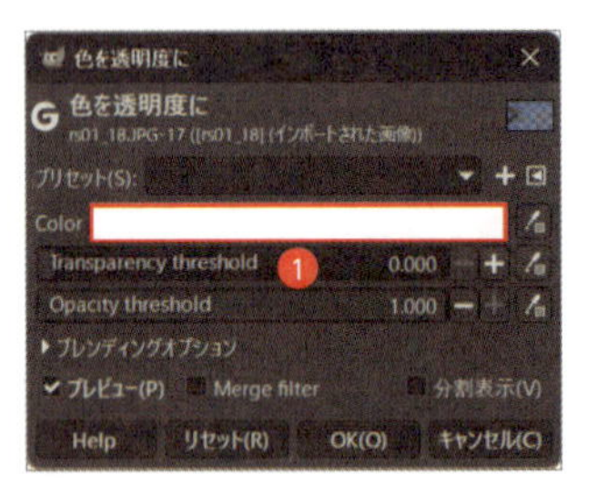

≫ 透過する色の領域を指定する

1 をクリックして有効にします❶。

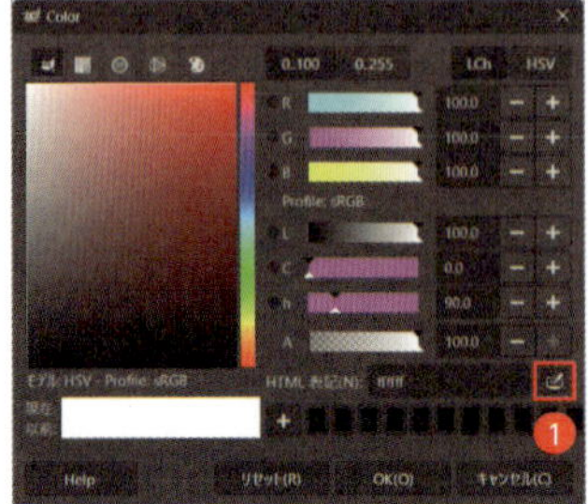

2 プレビュー上で透過したい色の部分をクリックして❶、＜OK＞をクリックします❷。

3 クリックした色と同じ色の領域が完全に透明になり、近い色の領域は不透明度を残しながら透過します。

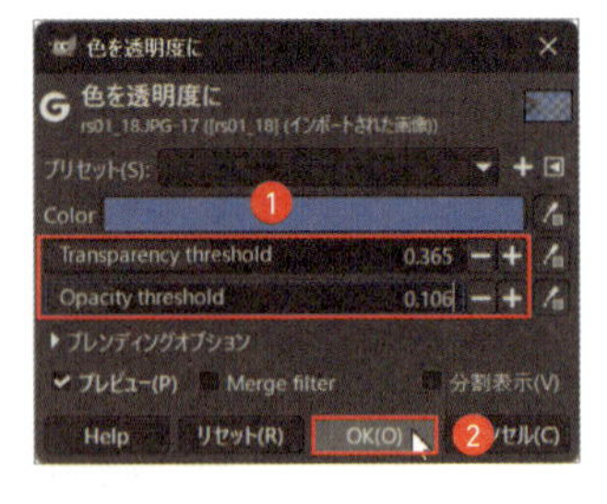

4 ＜Transparency threshold＞と＜Opacity threshold＞のスライダーをドラッグして、透過する範囲を調整します❶。＜OK＞をクリックします❷。

5 画像に透過の結果が適用されます。

[リファレンス編]

CHAPTER 2

画像を修正する

SECTION

01 スタンプで特定の被写体を増やす

画像の一部分をソースに指定して、ほかの箇所にコピーをしながら描く＜スタンプで描画＞で、画像のオブジェクトを増やせます。

SAMPLE re02_01.jpg

＜スタンプで描画＞を選択する

1 ツールボックスの＜スタンプで描画・修復＞グループを右クリックして、＜スタンプで描画＞をクリックします1。

2 ＜ツールオプション＞の＜ブラシ＞をクリックして1、ブラシの種類を選択します2。

3 ＜サイズ＞をコピー元（ソース）のオブジェクトよりも少し大きめに設定します1。

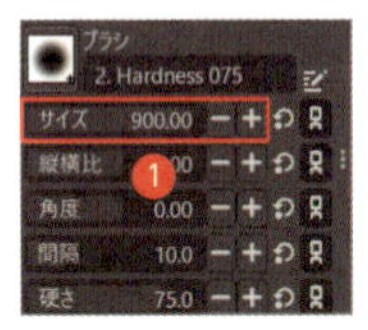

ソースを指定してスタンプする

1 Ctrl キーを押しながら、コピーしたいオブジェクトをブラシの輪郭で囲んでクリックします1。

2 ブラシをコピー先に移動して、クリックまたはドラッグします1。

3 コピー元のオブジェクトがコピー先に描かれます。

4 さらにブラシを移動して同じようにクリックまたはドラッグをすると、コピー元の画像をスタンプのように繰り返し描けます。

SECTION

02 不要な被写体を消す

写真の不要な部分を自然に目立たなく消すには<Healing>（修復ブラシ）が適しています。消しきれなかった部分は<スタンプで描画>に切り替えて消しましょう。

SAMPLE re02_02.jpg

≫ <Healing>で消す

1 ツールボックスの<スタンプで描画・修復>グループを右クリックして、<Healing>（修復ブラシ）をクリックします❶。<ツールオプション>でブラシの種類を選択し❷、消したい部分に合わせて<サイズ>を設定します❸。

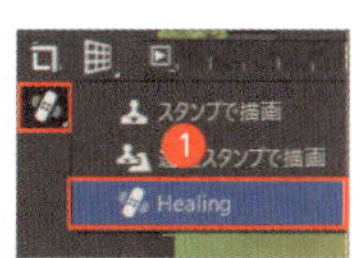

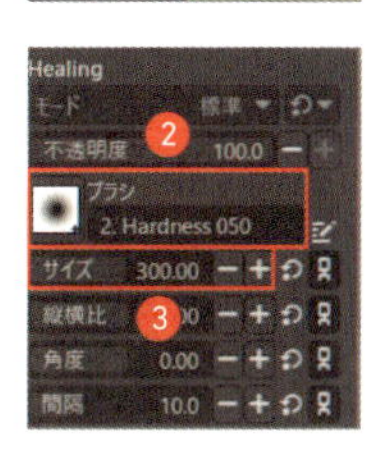

2 Ctrl キーを押しながら、消したいオブジェクトの周囲で何もない部分をクリックします❶。

3 消したい部分にブラシを重ねてドラッグします❶。もう一方の円形で囲まれたコピー元（ソース）の色や陰影をなじませながら塗り重なります。

≫ <スタンプで描画>でしっかり消す

1 上手く消しきれない部分が残った場合は<スタンプで描画>に切り替えます❶。<サイズ>を消したい部分の大きさに合わせて設定します❷。

2 消したい部分の周囲を、Ctrl キーを押しながら、クリックします❶。

3 消したい部分をドラッグします❶。

4 コピー元の画像で塗られます。

SECTION

03 遠近感に合わせて不要な被写体を消す

写真の不要な部分を、遠近感に合わせて周囲の色や陰影に合わせて消します。ブラシでドラッグすることでパースに合わせて不要な箇所を塗り消します。

SAMPLE re02_03.jpg

パースを合わせる

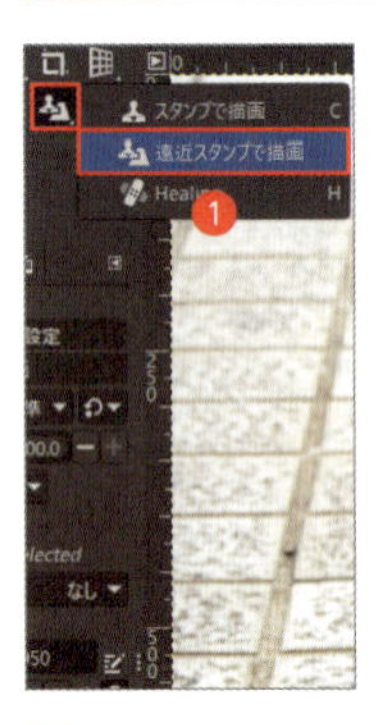

1 ツールボックスで<スタンプで描画・修復>グループを右クリックし、<遠近スタンプで描画>を選択して❶、画像をクリックします❷。

2 画像が選択されます。画像を囲む枠の4つの角をそれぞれドラッグして❶、写真の遠近感に合わせます。

3 上の左右のハンドルを画像の奥パースに合わせます。下の左右のハンドルは手前のパースに合わせます❶。

<遠近スタンプ>で描画する

1 <ツールオプション>の<遠近スタンプで描画>をクリックします❶。ブラシの種類を選択して❷、<サイズ>を消したい部分に合わせて設定します❸。

2 Ctrl キーを押しながら、消したい部分の周りをクリックしてコピー元(ソース)に指定します❶。

3 ブラシを消したい部分に重ねてドラッグします❶。

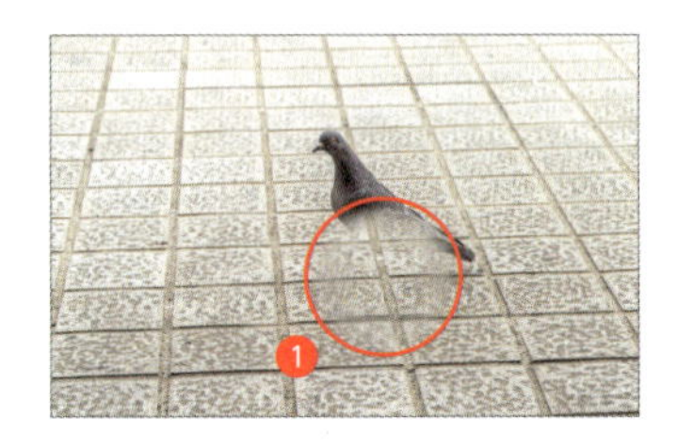

4 一度塗り消した部分をソースに指定し直して、少しずつほかの部分も消していきます❶。

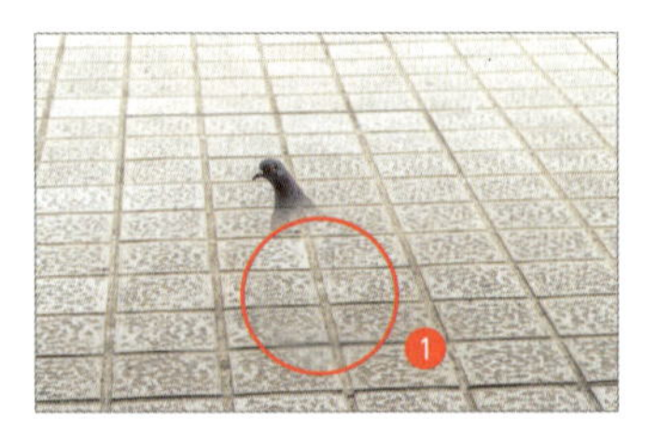

5 ドラッグした部分が遠近感をつけながら塗り重ねられます。

SECTION 04

輪郭をぼかす・シャープにする

<ぼかし/シャープ>は、1つのツールで写真をピンポイントでぼかしたり、シャープにしたり切り替えたりできるブラシです。

SAMPLE re02_04.jpg

シャープにする

1 <ツールボックスの<レタッチ>グループを右クリックして、<ぼかし/シャープ>をクリックします❶。

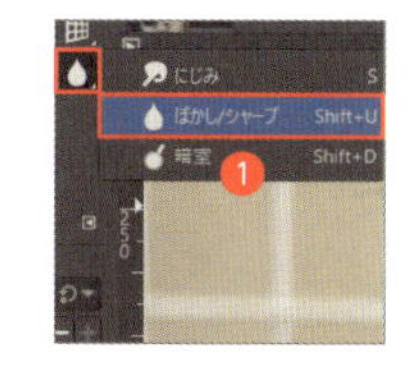

2 <ツールオプション>でブラシの種類を選択し❶、<サイズ>をオブジェクトに合わせて設定します❷。また、<色混ぜの種類>で<シャープ>を選択し❸、<割合>で変化の割合を設定します❹。

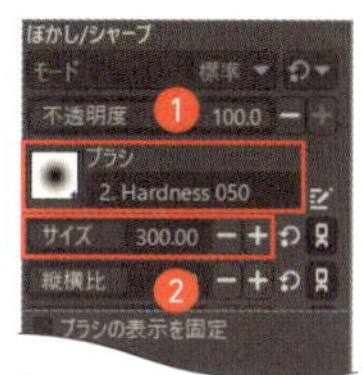

3 シャープにしたい箇所をドラッグします❶。

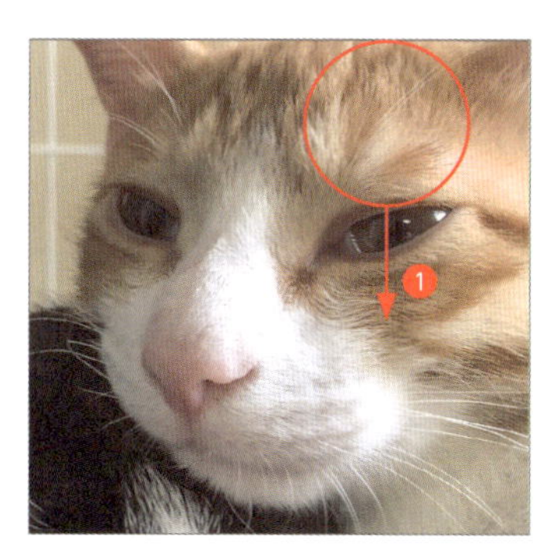

4 ドラッグした箇所がくっきりします。

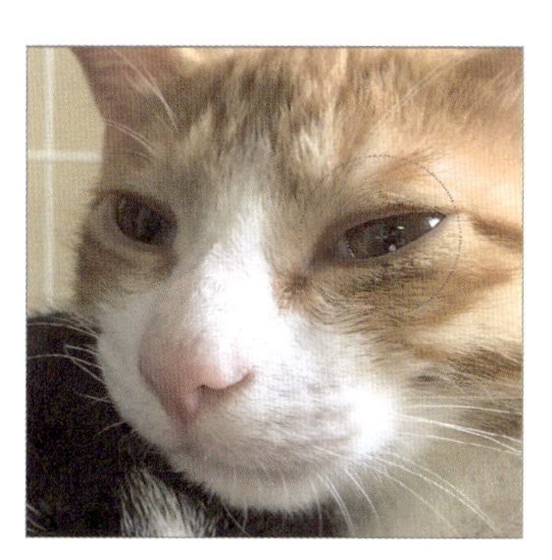

ソフトにぼかす

1 <ツールオプション>の<色混ぜの種類>を<ぼかし>に切り替え❶、<割合>を設定します❷。

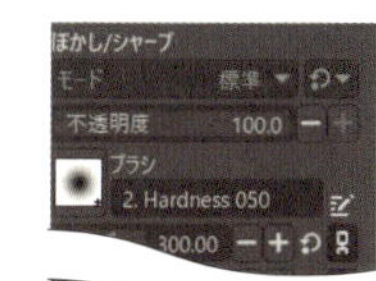

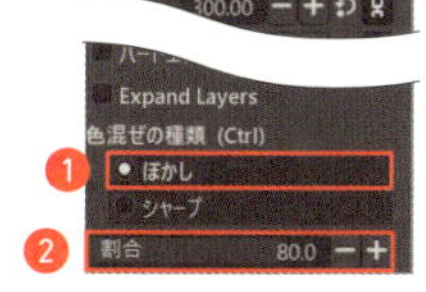

2 ぼかしたい部分をドラッグするとぼやけます❶。

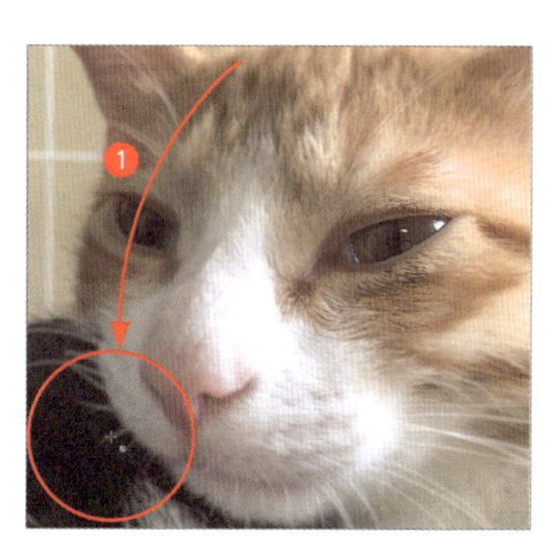

HINT 適度にドラッグする

ドラッグしすぎると色が粗くなります。適度にくっきりする程度でおさめておきましょう。

HINT 細かく修正を加える

オブジェクトの輪郭に接しているなど、細かい部分を修正したい場合は、ブラシのサイズを小さく設定してドラッグします。

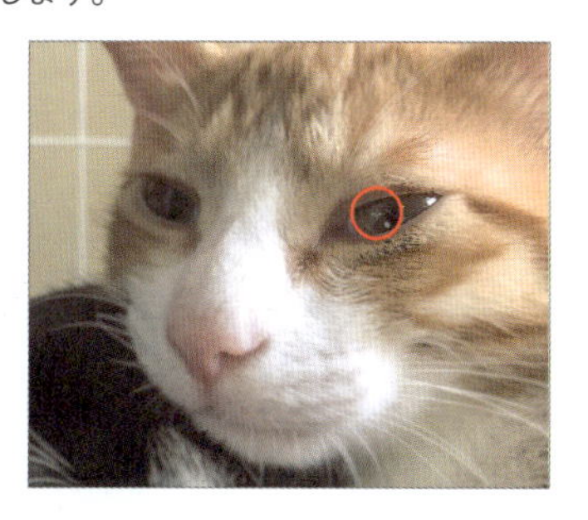

SECTION

05 部分的に明るくする

<暗室>は画像の一部分をドラッグすることで明るくするブラシです。目的の領域の明るさによって、3つの階調から選んでより明るくします。

SAMPLE re02_05.jpg

中間の明るさ部分をより明るくする

1 ツールボックスの<レタッチ>グループを右クリックして、<暗室>をクリックします❶。

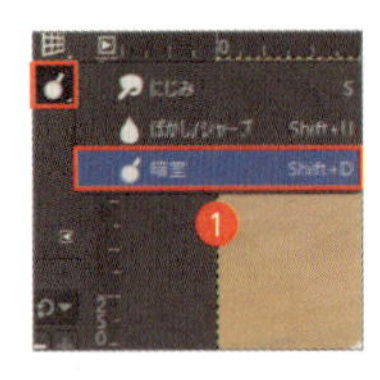

2 <ツールオプション>でブラシの種類を選択し❶、<サイズ>を明るくしたいオブジェクトに合わせて設定します❷。<種類>は<覆い焼き>を選択し❸、<範囲>を選択します（ここでは<中間調>）❹。

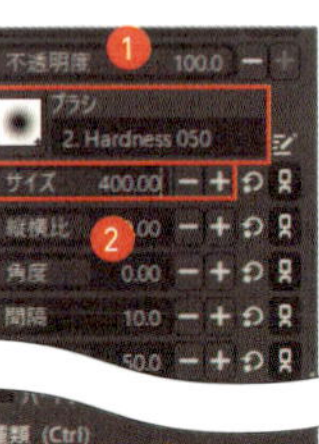

3 ドラッグした箇所が明るくなります❶。

明るい部分をより明るくする

1 <範囲>を<ハイライト>に切り替えます❶。<露出>の量を「70」に高めて明るくする度合いを高めます。

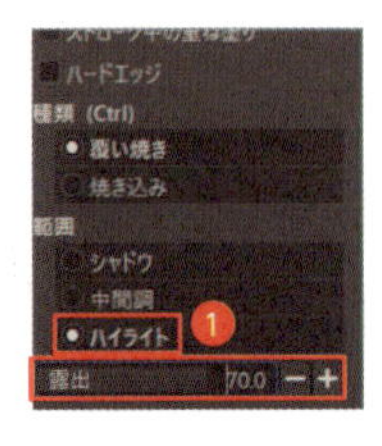

2 写真の見せたい部分をドラッグします❶。

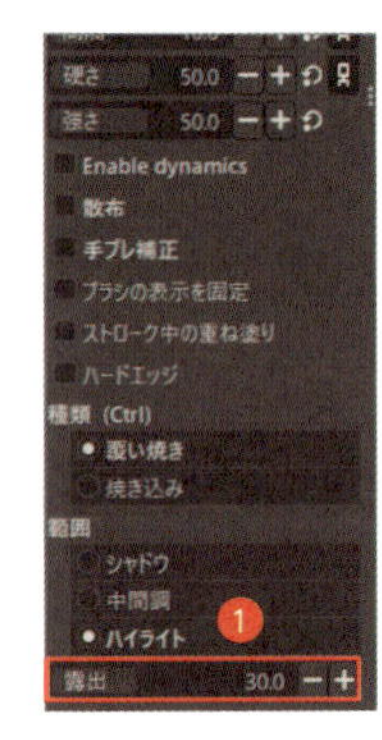

3 より明るくなります。<露出>の数値を「30」に下げて❶、光が当たって明るい部分をドラッグします❷。

4 ツヤや明るさがより強調されます。

SECTION

06 部分的に暗くする

＜暗室＞は部分的に暗くすることもできます。画像の暗くしたい階調を選んで、目的の箇所をクリックやドラッグをして暗くします。

SAMPLE re02_06.jpg

暗い部分をより暗くする

1 ツールボックスの＜レタッチ＞グループを右クリックして、＜暗室＞をクリックします❶。

2 ＜ツールオプション＞でブラシの種類を選択し❶、＜サイズ＞を明るくしたいオブジェクトに合わせて設定します❷。＜種類＞は＜焼き込み＞を選択し❸、＜範囲＞を選択します（ここでは＜シャドウ＞）❹。

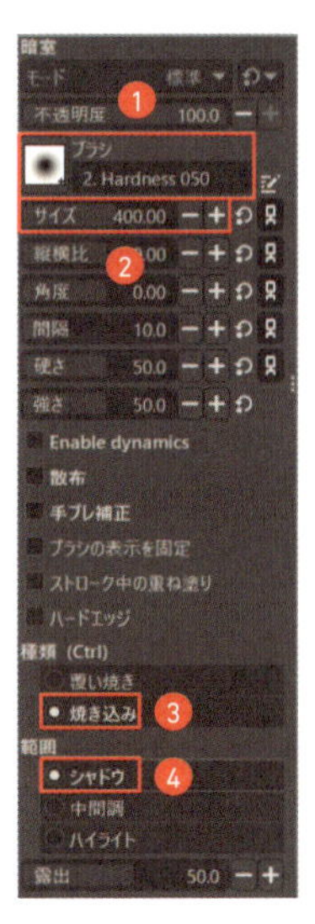

3 暗くしたい箇所をドラッグします❶。

4 暗さがより強調されます。一度のドラッグで一定量暗くなりますが、さらに暗くしたい場合は重ねてドラッグします。

コントラストを強調する

1 ＜種類＞を＜覆い焼き＞に❶、＜範囲＞を＜ハイライト＞に切り替えます❷。

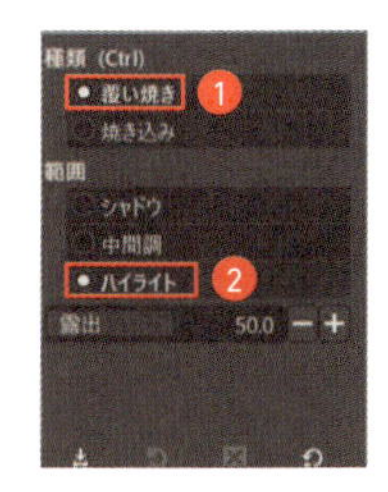

2 画像の明るい部分をドラッグすると、コントラストが強調されます❶。

SECTION

07

部分的ににじませる

<にじみ>は画像の一部分の色を指先で引きずったり色を混ぜたりするような感覚で操作します。<間隔>を短くすることで、滑らかに色を引きずります。

SAMPLE re02_07.jpg

色をなめらかに伸ばす

1 ツールボックスの<レタッチ>グループを右クリックして、<にじみ>をクリックします❶。ツールオプションでブラシの種類を選択し❷、色をにじませたい箇所の大きさに合わせて<サイズ>を設定します❸。色を引きずる量を調整する<割合>を高めに設定します❹。

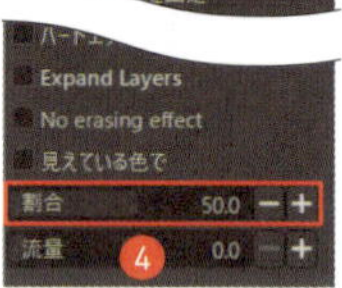

HINT <割合>を設定する

<割合>の数値が大きいほど、長く色が伸びます。延ばしたい距離によって<割合>の数値を調整しましょう。

2 ツールオプションの<ブラシ>の下にある<間隔>の数値を最小の「1.0」に設定します❶。

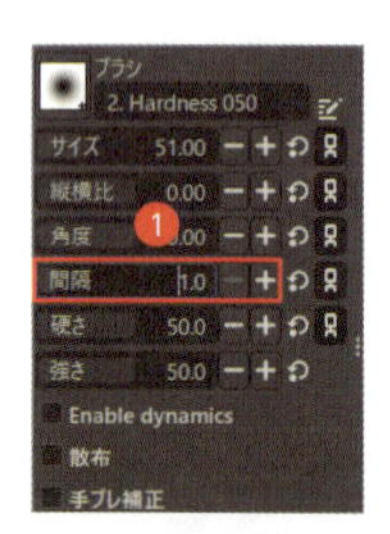

3 色を引きずりたい箇所をドラッグします❶。

描画色を塗り重ねながら伸ばす

1 <にじみ>をクリックし、<ツールオプション>で設定をします。<描画色>をクリックし❶、塗り重ねる色を設定します(描画色の設定は265ページ参照)。

2 <割合>のスライダーをドラッグして、色を伸ばす距離を設定します❶。また、<流量>のスライダーをドラッグして、描画色を塗り重ねる量を設定します❷。

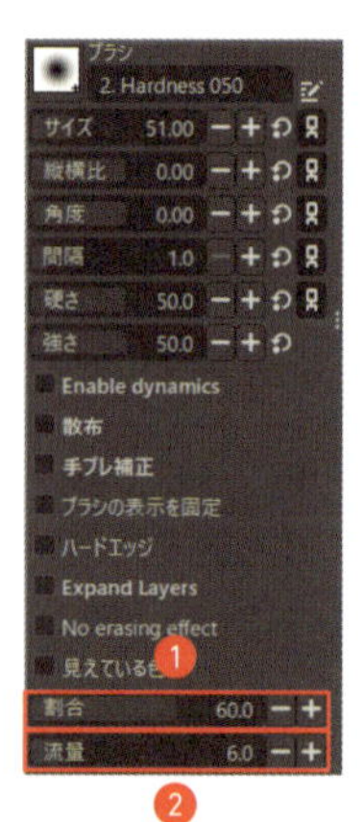

3 画像をドラッグすると、元の色を引きずりながら描画色で着色されます。

SECTION 08

フィルターで全体的にぼやけさせる

画像全体をソフトにぼかすには、<ガウスぼかし>フィルターが一般的です。ぼかし半径で水平および垂直方向にどの程度ぼかすのかを設定します。

SAMPLE re02_08.jpg

画像全体にぼかしを加える

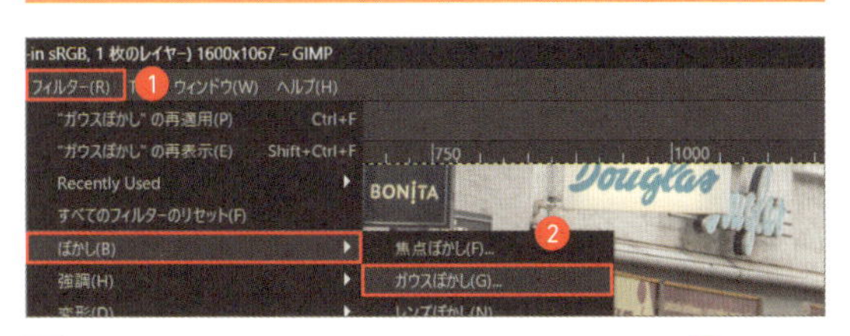

1 <フィルター>メニューをクリックして1、<ぼかし>の<ガウスぼかし>をクリックします2。

2 <ガウスぼかし>ダイアログが開きます。<Clip to the input extent>と<プレビュー>にチェックを入れて1、画像に直接調整結果を反映させます。

3 ぼかし半径の<Size X>（水平値）と<Size Y>（垂直値）にぼかしの半径の量を入力します1。<OK>をクリックします2。

4 指定した半径でぼかしが加わります。

ぼかす方向を指定する

1 <フィルター>→<ぼかし>→<ガウスぼかし>をクリックして<ガウスぼかし>ダイアログを開きます。鎖のアイコンをクリックします1。

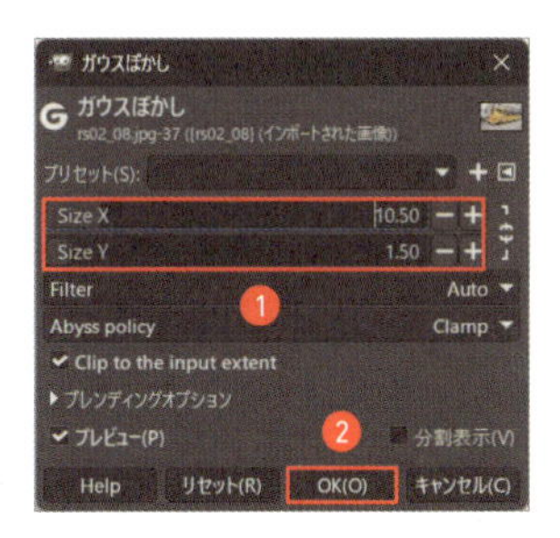

2 アイコンの鎖が割れると<Size X>と<Size Y>の連動が解除されます（Memo参照）。<Size X>と<Size Y>にぼかしの半径の量を入力します1。<OK>をクリックします2。

3 指定した方向にぼかしが加わります。

MEMO <Size X>と<Size Y>の連動

<Size X>と<Size Y>の鎖型のアイコンが有効になっていると、いずれかの数値を変更するともう一方の数値も連動して変化します。アイコンをクリックすると<Size X>と<Size Y>の連動が解除され、それぞれ自由に数値を設定できます。

CHAPTER 2 画像を修正する

SECTION 09

フィルターでモザイクやノイズをかける

<モザイク処理>フィルターを使用するとモザイクがかかります。また、<HSVノイズ>フィルターを使うとフィルム写真のような効果も出せます。

SAMPLE re02_09_01.jpg、re02_09_02.jpg

モザイク処理を加える

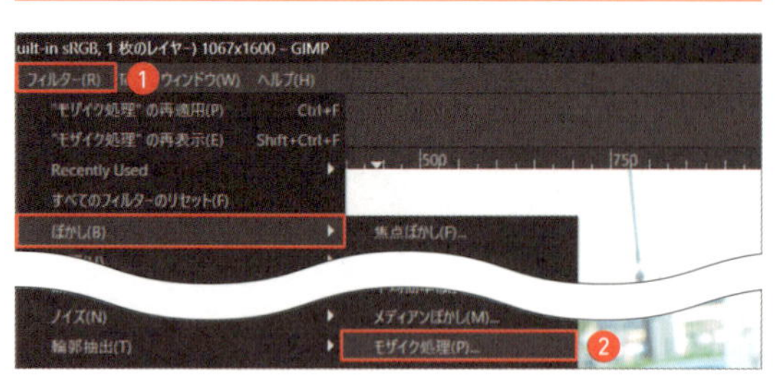

1 <フィルター>メニューをクリックして❶、<ぼかし>の<モザイク処理>をクリックします❷。

2 <モザイク処理>ダイアログが開きます。<プレビュー>にチェックが入っていることを確認します❶。

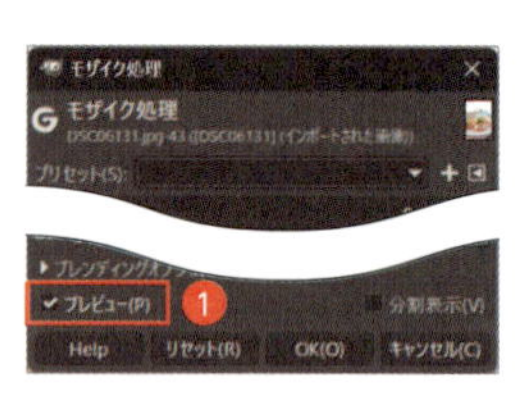

3 鎖のアイコンがつながっている状態にします❶。<Block wideth>(ブロック幅)または<Block Height>(ブロック高さ)の数値を入力します❷。数値が大きいほどブロックサイズが大きくなります。<OK>をクリックします❸。

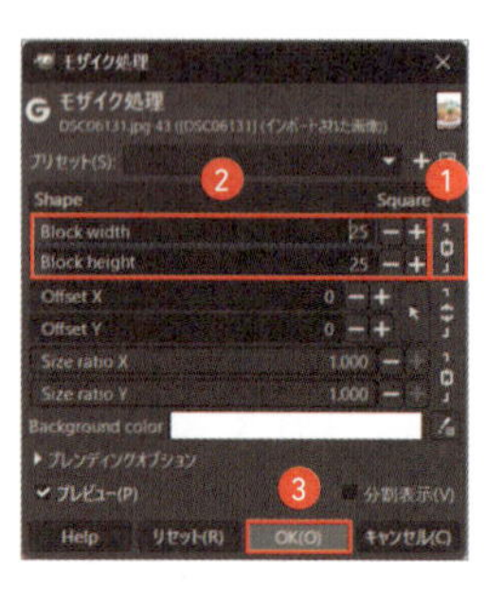

4 画像にモザイク処理が適用されます。

HINT 一部にだけモザイクをかける

選択範囲を設定することで画像の一部にモザイクをかけることができます。モザイクをかけたい部分を範囲選択し、手順に沿って<モザイク処理>フィルターを設定します。

ノイズをかける

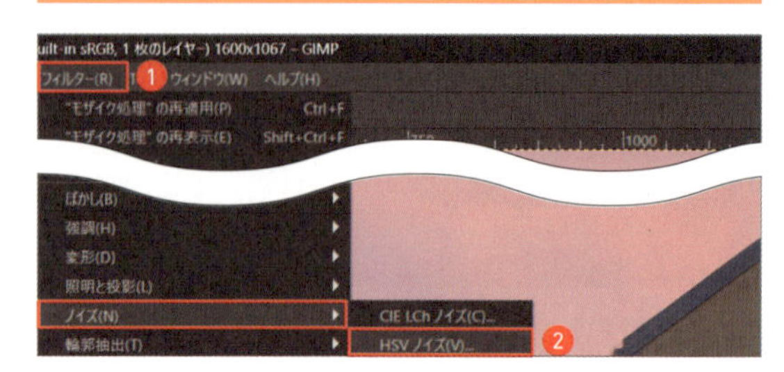

1 <フィルター>メニューをクリックして❶、<ノイズ>の<HSV ノイズ>をクリックします❷。

2 <HSV ノイズ>ダイアログが開きます。プレビューにチェックが入っていることを確認します❶。

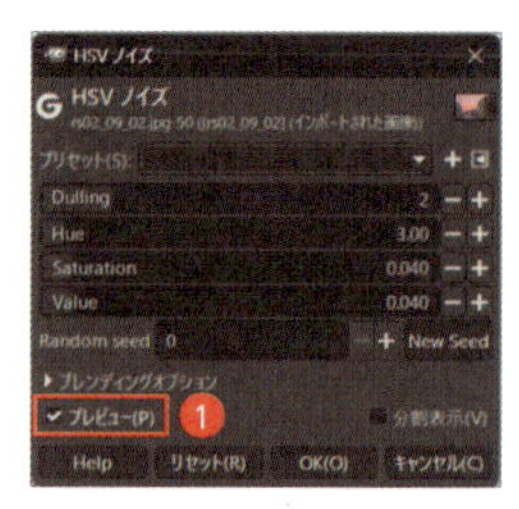

3 <Dulling>(保存度)の数値を小さめに設定します❶。<Hue>(色相)の数値も小さめに設定します❷。<Saturation>(彩度)の数値も小さめに設定し❸、<Value>の数値を設定します❹。<OK>をクリックします❺。

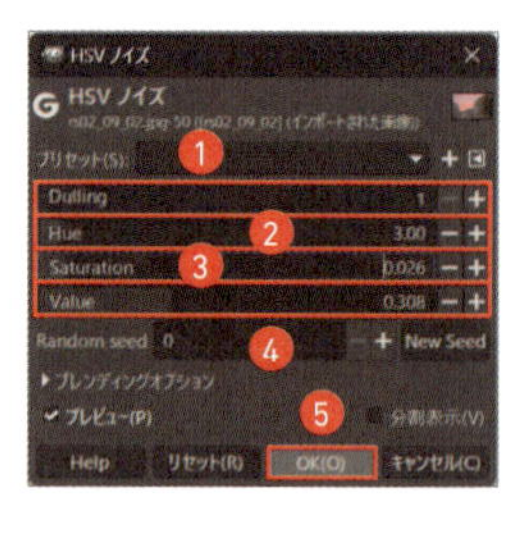

4 ノイズが写真に適用されて完成です。

SECTION 10

フィルターで光のきらめきを強調する

写真の最も明るい部分に、<きらめき>フィルターを使ってクロスフィルターのようなとがりのついた光のきらめき効果を加えます。

SAMPLE re02_10.jpg

きらめきの色を設定する

1 <背景色>をクリックします①。

2 <HTML表記>を入力して、きらめきの色を指定します①。<OK>をクリックします②。

効果を設定する

1 <フィルター>メニューをクリックして①、<照明と投影>の<きらめき>をクリックします②。

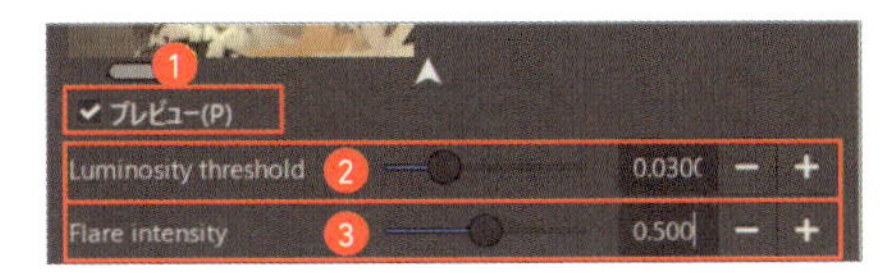

2 <きらめき>ダイアログが開きます。<プレビュー>にチェックが入っていることを確認します①。<Luminosity threshold>のスライダーをドラッグして、きらめきを起こす度合いを設定します②。また、<Flare intensity>で光の強度を設定します③。

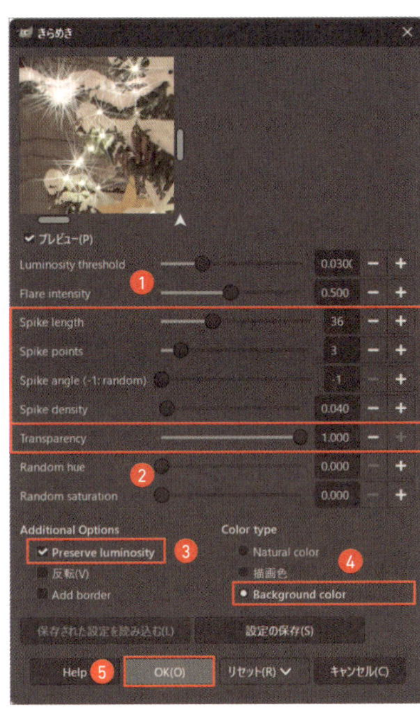

3 とがりの長さや数を設定し①、<Transparency>できらめきの透明度を設定します②。<Presetve luminosity>にチェックを入れて③、<Background color>を選択します④。<OK>をクリックします⑤。

4 写真の明るい部分にとがりの付いたきらめき効果が適用されました。

CHAPTER 2 画像を修正する

SECTION

11 フィルターで全体的に輪郭をシャープにする

写真全体の輪郭をくっきりと見せたいときには<シャープ（アンシャープマスク）>を使います。輪郭の色の差や、シャープにする輪郭の幅を調整できます。

SAMPLE re02_11.jpg

輪郭をシャープにする

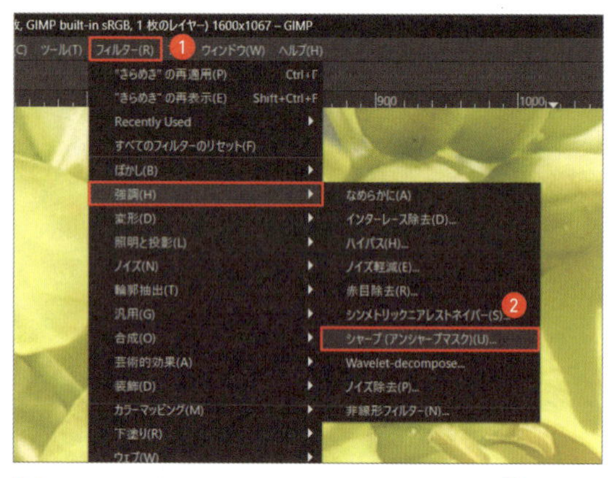

1 <フィルター>メニューをクリックして❶、<強調>の<シャープ（アンシャープマスク）>をクリックします❷。

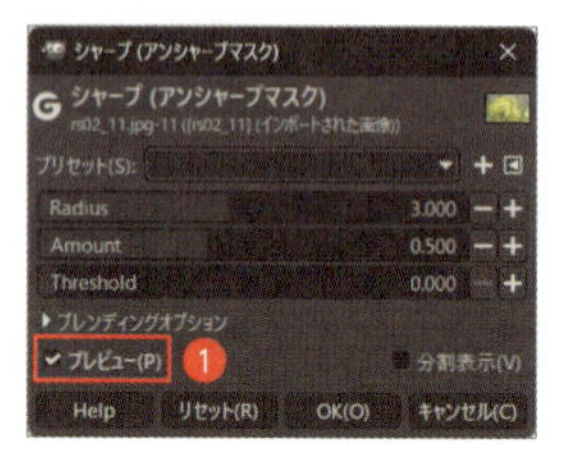

2 <シャープ（アンシャープマスク）>ダイアログが開きます。プレビューにチェックが入っていることを確認します❶。

MEMO プレビューを確認する

プレビューで編集内容を見ることができます。確認しながら画質が粗くならない程度に< Amount >の微調整を行いましょう。

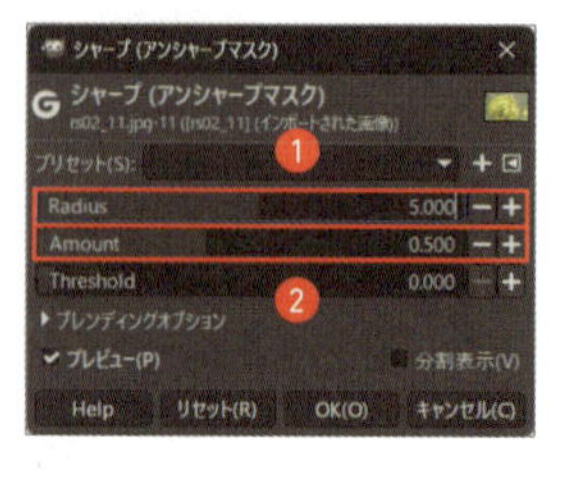

3 <Radius>のスライダーをドラッグしてシャープ化する輪郭の幅を設定します❶。また、< Amount >のスライダーをドラッグしてシャープの量を設定します❷。

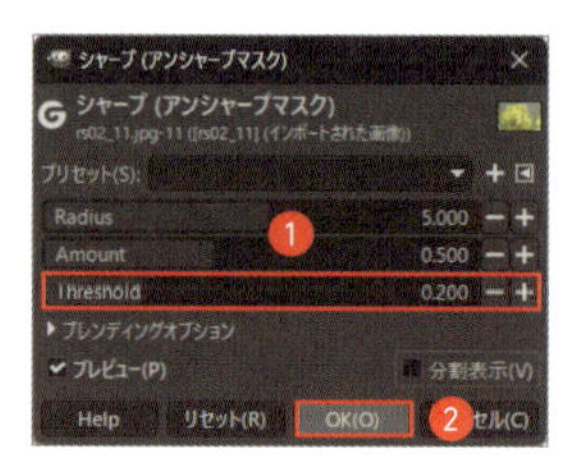

4 < Threshold >を設定して❶、< OK >をクリックします❷。

HINT <Threshold>（しきい値）を設定する

< Threshold >の数値は画質が粗すぎず適度に輪郭がくっきりするくらいに設定します。「0.1」～「0.2」の間くらいがいいでしょう。

5 画像全体の輪郭がくっきりと処理されます。

[リファレンス編]

CHAPTER

3

画像を変形させる

SECTION

01 変形・移動ツールについて知る

画像を変形したり移動したりするためのツールの種類について理解しましょう。ツールボックスから選択して利用します。

変形ツールの種類を知る

ツールボックスの赤で囲まれているアイコンに変形に関するツールが含まれています。変形に関するツールには主に以下のようなものがあります。

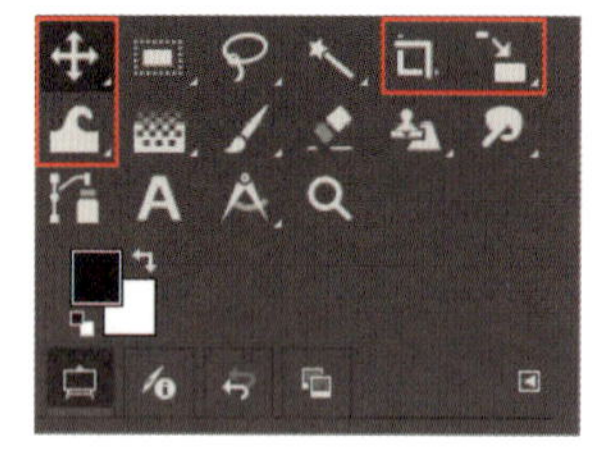

●画像の大きさや形を変える

画像をトリミングして一部を抜き出したり（175ページ参照）、画像そのものの大きさや形を変えたりできます（176、178ページ参照）。

●画像を回転させる

画像を上下左右に回転させたり、裏表を反転させたりすることができます（179ページ参照）。

●画像を移動させる

画像を自由に移動させたり、きれいに整列させたりできます（182ページ参照）。

変形・移動ツールを使う手順を知る

1 使いたいツールのグループのアイコンを右クリックします❶。関連するツールの一覧から使いたいツールのアイコン（ここでは<回転>）をクリックします❷。<ツールオプション>の内容が回転に関わる設定に変わります❸。

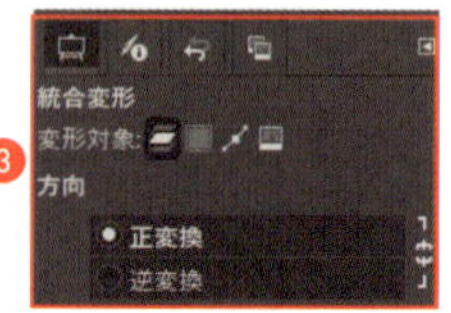

2 <移動>と<変形・回転>グループのツールを選択したときは、変形させる対象を指定します。変形させる対象は<レイヤー>、<選択範囲>、<パス>、<画像>（<移動>以外）から選択して、いずれかのアイコンをクリックします❶。

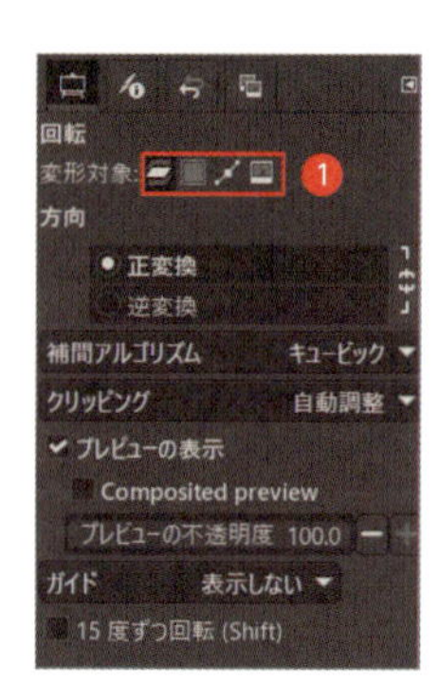

HINT メニューをクリックして変形ツールを利用する

<ツール>メニューをクリックして❶、<変形>をクリックして、一覧から目的のツールを選択できます。画像を右クリックして❷表示されるメニューをクリックして、<ツール>の<変形ツール>を選択しても、同じ変形ツールを利用できます。

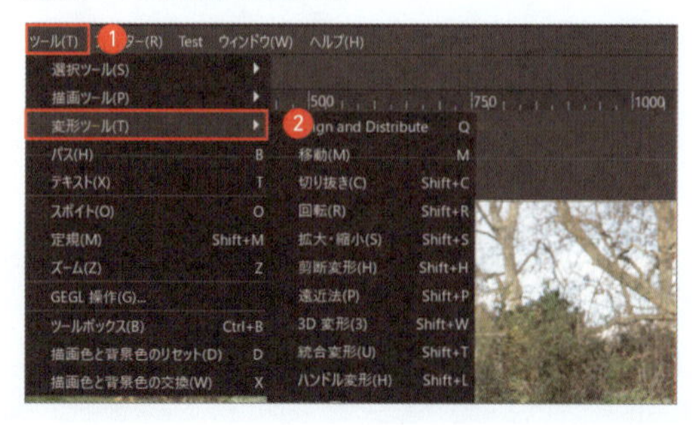

SECTION

02 画像をトリミングする

<切り抜き>を使って画像をトリミングします。自由な縦横比で切り取ったり、ピクセルサイズや縦横比を指定して切り取ることもできます。

SAMPLE re03_02.jpg

自由な縦横比で切り抜く

1 ツールボックスの<切り抜き>をクリックします 1 。

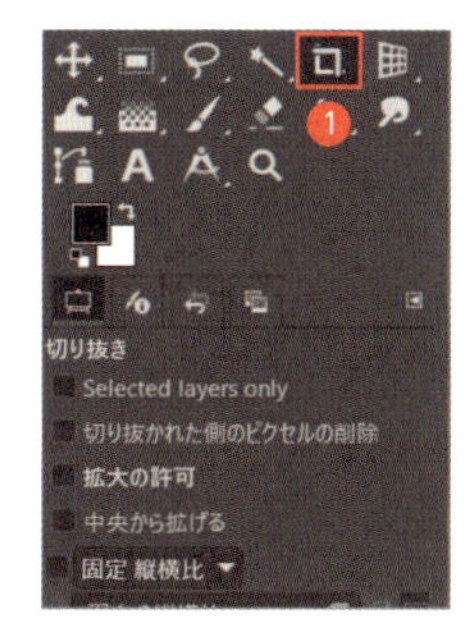

HINT 自由に切り取る範囲を設定する

<ツールオプション>の<固定 縦横比>にチェックが入っていないと、縦横比を自由に設定しての領域を囲めます。

2 切り抜きたい領域をドラッグして長方形で囲みます 1 。

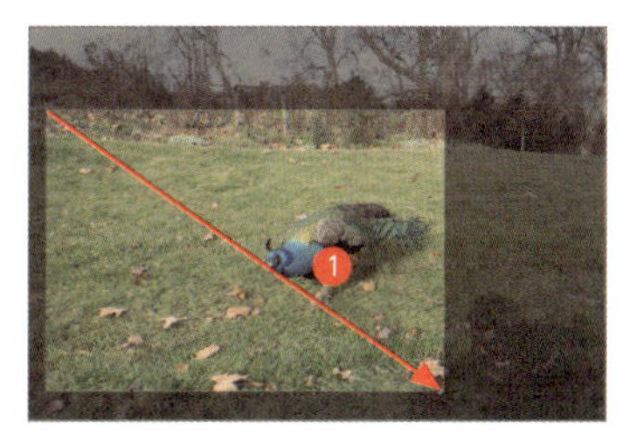

3 角や辺のハンドルをドラッグして、領域の調整をします 1 。

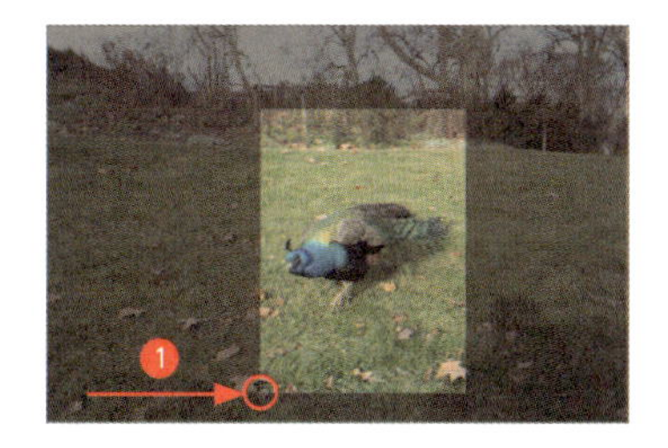

4 Enter キーを押すか、枠の内側をクリックをすると写真が切り取られます。

指定した縦横比で切り抜く

1 左の手順 1 同様に<切り抜き>をクリックします。<中央から広げる>にチェックを入れ 1 、<固定 縦横比>にもチェックを入れます 2 。<固定 縦横比>の種類は<縦横比>を選択して 3 、切り取る幅と高さの比率を入力します（ここでは「1:1」）4 。

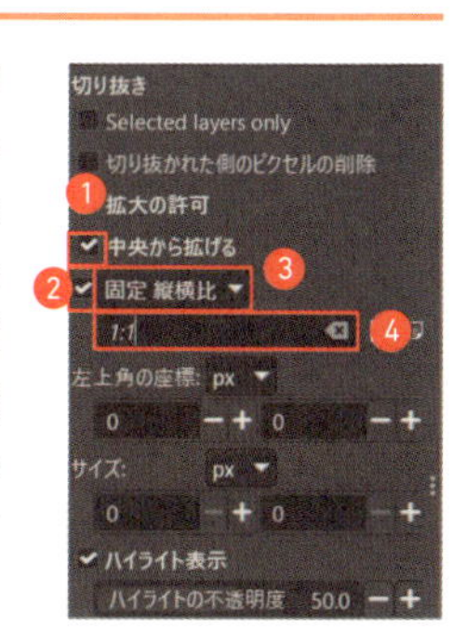

MEMO <サイズ>を選択する

<固定 縦横比>を<サイズ>に変更すると、切り抜きたいピクセルサイズを「600×400」というように入力して切り取れます。

2 画像の中央から外側にドラッグすると指定した縦横比（ここでは正方形）の枠が追加されます 1 。

3 枠の角をドラッグしたり、枠の内側をドラッグをして 1 、切り取る領域を調整します。

4 領域の内側をクリックするか、Enter キーを押して切り取ります。

CHAPTER 3 画像を変形させる

SECTION 03

画像を拡大・縮小させる

<拡大・縮小>で、レイヤーのピクセルサイズを拡大または縮小する方法です。なおこのツールでの操作では、画像のキャンバスサイズは変わりません。

SAMPLE re03_03.jpg

拡大・縮小させる

1 ツールボックスの<変形・回転>グループを右クリックして、<拡大・縮小>をクリックします❶。

2 画像をクリックします❶。ハンドルがついた枠で囲まれ、<拡大・縮小>ダイアログが開きます❷。

3 枠の角や辺にあるハンドルや枠内をドラッグして❶、自由な縦横比で画像を伸縮します。ダイアログの<拡大・縮小>をクリックします❷。

4 修正が確定します。

キャンバスに合わせて拡大させる

1 左の手順1同様に<拡大・縮小>を選択し、画像をクリックします。<拡大・縮小>ダイアログの、鎖型のアイコンをクリックして、鎖をつなげた形にします❶。<ツールオプション>の<方向>で<逆変換>をクリックします❷。

2 枠の角や辺にあるハンドルや枠内をドラッグして、キャンバスに合わせて表示させたい領域を枠で囲みます❶。<拡大・縮小>をクリックします❷。

3 枠で囲んだ領域がキャンバスサイズに合わせて拡大した状態で切り取られます。

SECTION 04

画像に遠近感をつける

建物などを下からまたは左右から撮影すると、遠近法によって生じるパースの歪みを＜遠近法＞を使って、真正面から見たように補正します。

SAMPLE re03_04.jpg

＜遠近法＞を選択する

1 ツールボックスで＜変形・回転＞グループを右クリックして、＜遠近法＞をクリックします1。

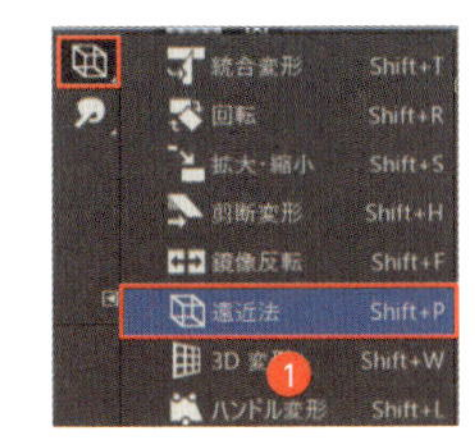

2 画像をクリックします1。＜遠近法＞ダイアログが表示され2、レイヤーが枠で囲まれます。

3 ＜ツールオプション＞の＜ガイド＞で＜グリッド線の数を指定＞を選択し1、数値を設定します2。

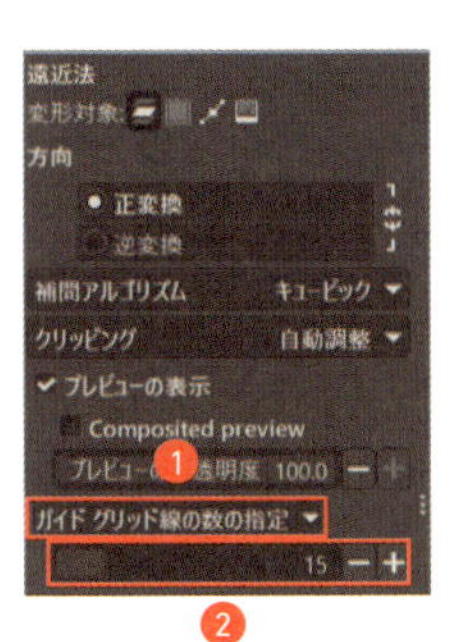

角のハンドルで調整する

1 画像に縦横のガイドが表示されます。レイヤーを囲むグリッド枠の角をドラッグして伸縮します1。

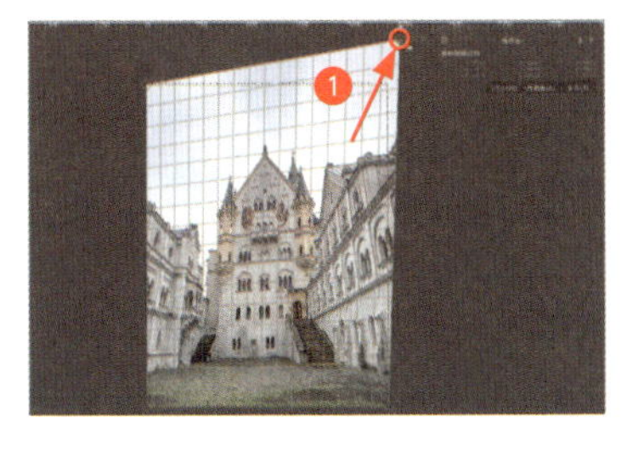

2 もう一方のハンドルもドラッグします1。遠近感よってすぼんだり広がったりしているラインが、点線で表示されている画像の元の領域のラインと平行になるように調整します。

HINT ハンドルがはみ出る場合

拡大時にハンドルが外側にはみ出す場合は、表示倍率を下げて画像表示領域の外側を広く表示させます。

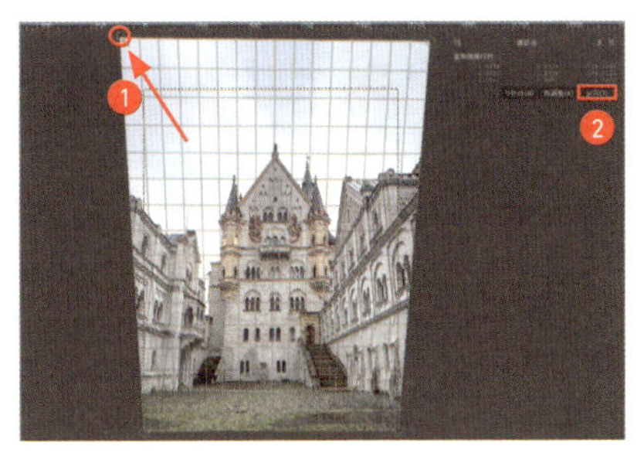

3 パースを直すことによって縦横比が変わってくる場合は、さらにハンドルをドラッグしてバランスがとれるように調整します1。＜変形＞をクリックします2。

4 修正が確定します。

SECTION

05

画像を斜めにする

レイヤーを平行方向に変形させる<剪断変形>を使って、画像を斜めにしたり、斜め方向に歪んでいるオブジェクトを補正したりします。

SAMPLE re03_05_01.jpg、re03_05_02.jpg

画像を斜めにする

1 ツールボックスの<変形・回転>グループを右クリックして、<剪断変形>を選択し❶、<ツールオプション>の<クリッピング>で<結果で切り抜き>を選択します❷。<ガイド>は<表示しない>を選択します❸。

2 画像をクリックし、レイヤー枠で囲まれたら画像の一辺をドラッグして画像を平行四辺形にします❶。<剪断変形>をクリックします❷。

3 剪断変形の結果が収まるように長方形で切り取られます。切り落とされた部分は透明な状態になります。

MEMO 透明な部分を切り落とす

<剪断変形>で生まれた透明な部分は切り落とすことができます。<画像>メニューから<内容で切り抜き>を選択すると、透明な部分が切り落とされます。

斜めの歪みを修正する

1 左の手順1同様に<剪断変形>をクリックします❶。<ツールオプション>の<クリッピング>で<結果で切り抜き>を選択します❷。<ガイド>は<表示しない>を選択します❸。

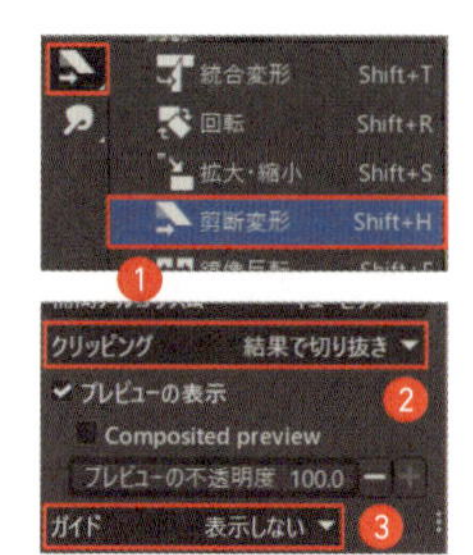

2 画像をクリックします❶。<剪断変形>ダイアログが開き、レイヤー枠で囲まれます。

3 画像の一辺をドラッグします❶。反対側のもう一辺が逆向きに移動して、画像が平行四辺形になります。<剪断変形>をクリックします❷。

4 斜めになっていた画像の歪みが修正されます。左右に透明な部分が残ります。

SECTION 06

画像を回転・反転させる

＜回転＞を使うとレイヤーを回転させられます。また、上下左右に反転させるには＜鏡像反転＞を使用します。

SAMPLE re03_06_01.jpg、re03_06_02.jpg

画像を回転させる

1 ツールボックスを右クリックして、＜変形･回転＞グループの＜回転＞をクリックします①。

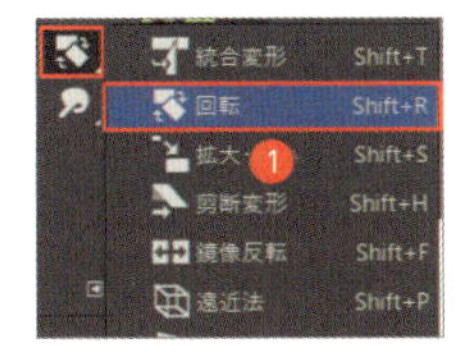

2 画像をクリックすると枠で囲まれて①、＜回転＞ダイアログが開きます②。

3 画像をドラッグします①。画像の中止点を軸にして、ドラッグした方向に傾きます。＜回転＞をクリックします②。

4 回転させた状態が確定します。

MEMO 傾きを指定する

＜回転＞ダイアログの＜角度＞に傾ける角度を入力またはスライダーをドラッグして回転もできます。

左右反転させる

1 ツールボックスを右クリックして、＜変形･回転＞グループの＜鏡像反転＞をクリックします①。＜ツールオプション＞で＜変形対象＞を＜レイヤー＞に設定し②、＜反転の向き＞を＜水平＞に設定します③。

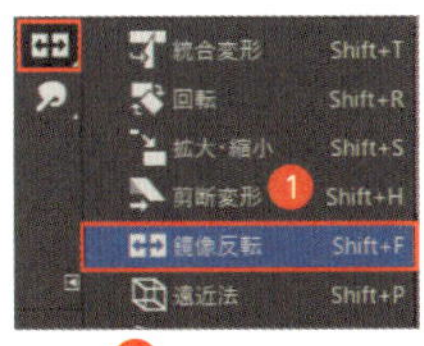

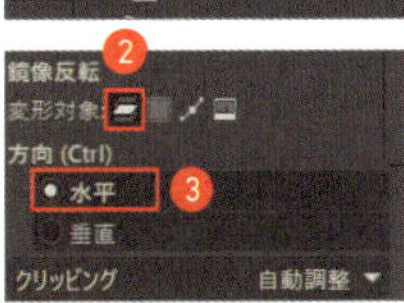

2 画像をクリックします①。

3 レイヤーが左右反転します。

MEMO 画像全体を反転させる

ここではレイヤーの反転方法を解説しています。画像全体を反転させるには、＜画像＞メニューをクリックして、＜変形＞の＜水平反転＞または＜垂直反転＞を選択します。

MEMO 反転の向き

＜反転の向き＞を＜垂直＞に設定すると、上下に反転します。

SECTION

07

任意の箇所を軸にして傾ける

＜回転＞では任意の箇所を軸にして回転させることもできます。回転した後に画像全体を表示させるには、レイヤーにあわせてキャンバスサイズを拡大します。

SAMPLE re03_07.jpg

任意の箇所を軸にして傾ける

1 ツールボックスの＜変形・回転＞グループを右クリックして、＜回転＞を選択します❶。

2 画像をクリックし❶、中心点を軸にしたい位置にドラッグします❷。

3 回転させたい方向にドラッグします❶。＜回転＞をクリックします❷。

4 回転させた状態が確定します。

傾けた画像全体を表示させる

1 画像を回転させると一部がはみ出してしまいます。

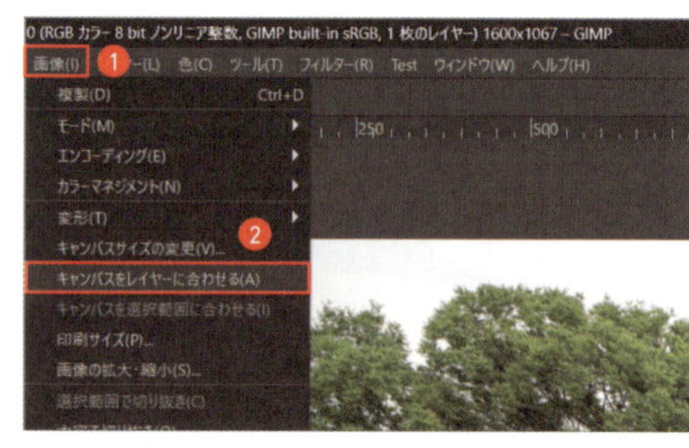

2 ＜画像＞メニューをクリックし❶、＜キャンバスをレイヤーに合わせる＞を選択します❷。

3 回転した画像に合わせてキャンバスが広がります。

SECTION

08 画像の特定の箇所を変形させる

<ケージ変形>では、任意の領域を境界線で囲んで変形します。形をなめらかに変形するのに適しています。

SAMPLE re03_08.jpg

変形したいものを境界線で囲む

1 ツールボックスの<ワープ・ケージ変形>グループを右クリックして、<ケージ変形>をクリックします1。

2 変形するオブジェクトの外側をクリックし1、ポインターを移動してクリックします2。

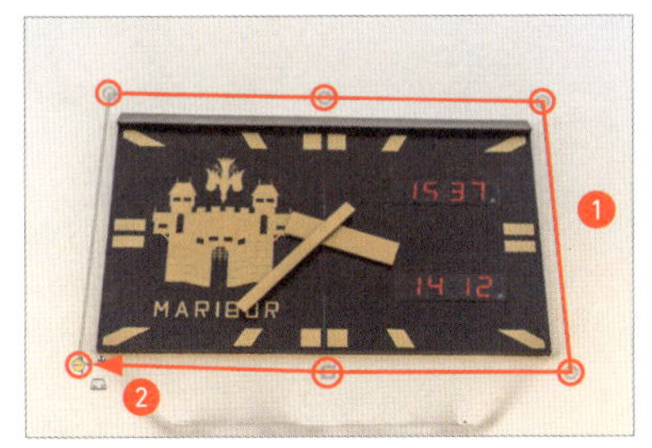

3 ポイント間を境界線で結び、変形したい形の周りを境界線で囲みます1。開始点にポインターを重ねて Enter キーを押します2。

4 境界線で囲まれます。

ハンドルをドラッグして変形をする

1 <ツールオプション>の<ケージ変形>が<ケージを移動してオブジェクトを変形>に切り替わります1。

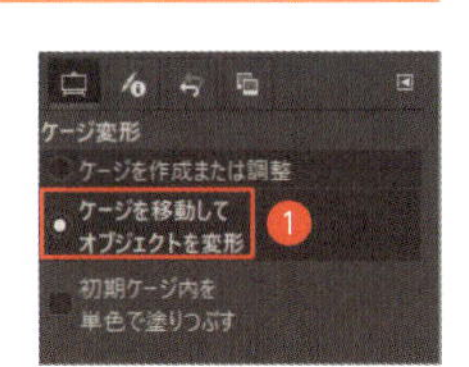

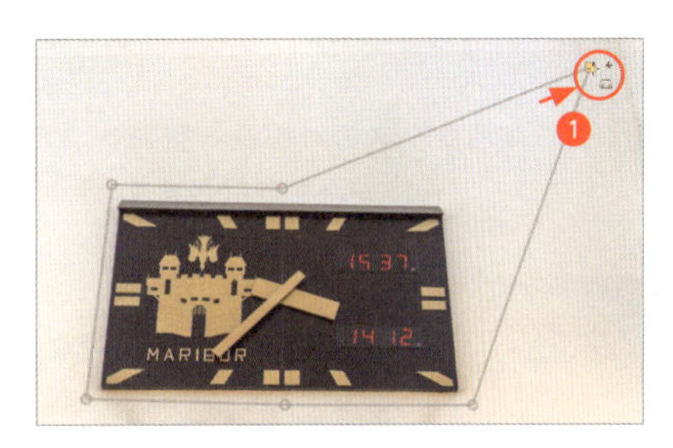

2 境界線上にあるハンドルを、形を変えたい方向にドラッグします1。

3 ドラッグした方向に画像が変形します。

4 Enter キーを押すと、調整の結果を確定します。

SECTION

09

画像を移動させる

＜移動＞を使うと、選択したレイヤーのオブジェクトを移動させることができます。

SAMPLE re03_09.xcf

ポインターでつかんだレイヤーを移動する

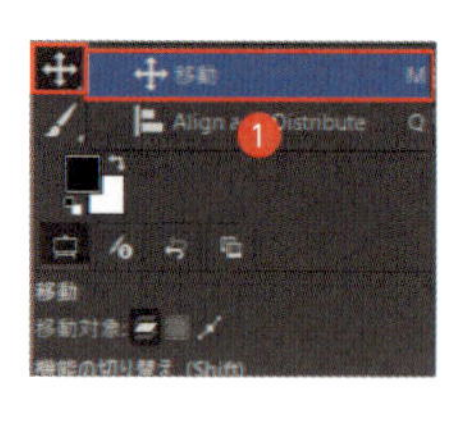

1 ツールボックスの＜移動・整列＞グループを右クリックして、＜移動＞を選択します①。

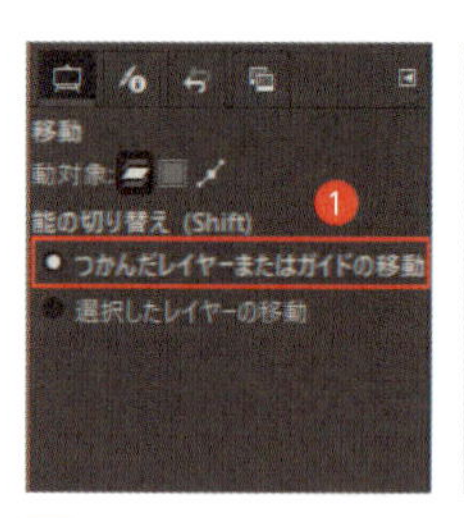

2 ＜機能の切り替え＞で＜つかんだレイヤーまたはガイドの移動＞をクリックします①。移動したい方向にオブジェクトをドラッグします②。

アクティブなレイヤーを移動する

1 ＜レイヤー＞ダイアログで、移動したいオブジェクトのレイヤーをクリックします①。

2 ツールボックスの＜移動・整列＞グループを右クリックして、＜移動＞をクリックします①。

3 ＜ツールオプション＞で＜選択したレイヤー＞をクリックします①。

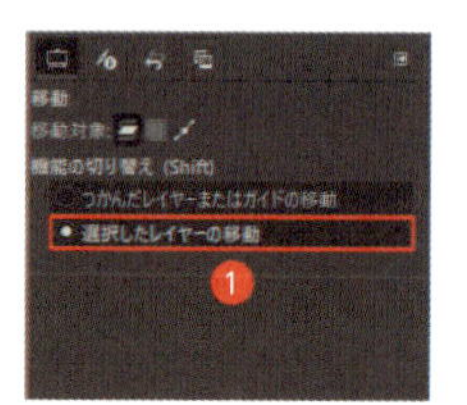

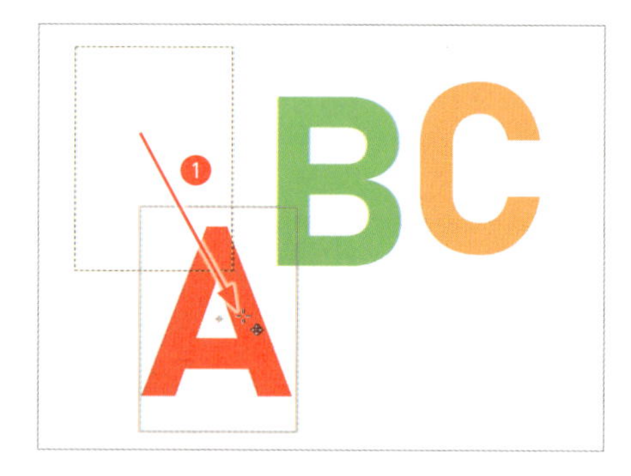

4 ドラッグします。

5 選択しているレイヤーのオブジェクトが移動します。

SECTION 10

画像を整列させる

＜Align and Distrbute＞(整列)を使うと、複数の重なり合うレイヤーのオブジェクトを、指定した基準に合わせて整列させることができます。

SAMPLE re03_10.xcf

指定したオブジェクトを基準に整列する

1 ツールボックスの＜移動・整列＞グループを右クリックして、＜Align and Distrbute＞(整列)をクリックします❶。

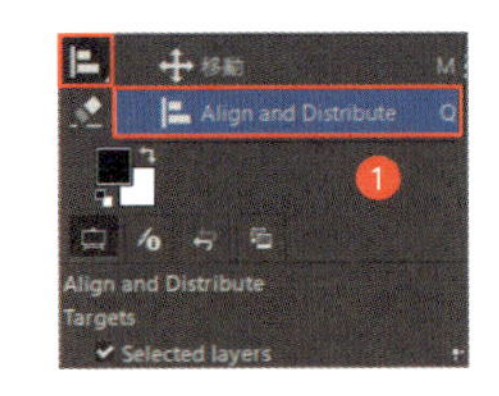

2 ＜ツールオプション＞の＜Targets＞で＜Selected layers＞にチェックを入れます❶。＜Use extents of layer contents＞にチェックを入れ❷、基準となる中央のポイントを選択します❸。＜整列＞の＜基準＞で＜Picked reference object＞を選びます❹。

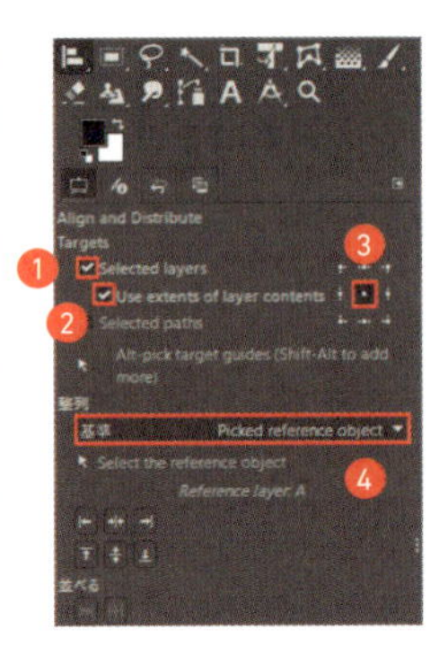

3 基準にしたいオブジェクトをクリックします❶。オブジェクトの四隅に小さい四角のマークが付きます。

4 ＜レイヤー＞ダイアログで基準のオブジェクト合わせて整列させたい複数オブジェクトを Shift キーを押しながらクリックして同時に選択します❶。

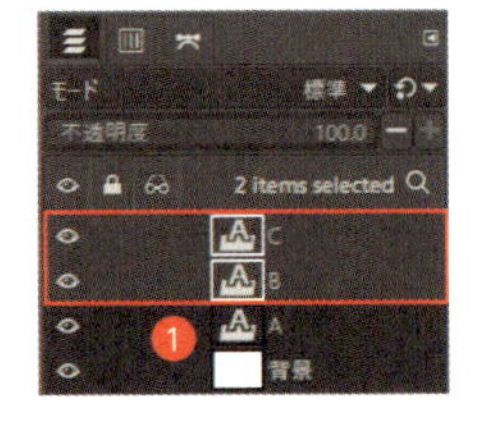

5 ＜ツールオプション＞の＜整列＞で＜Align anchor points of on vertical middle of reference＞をクリックします❶。

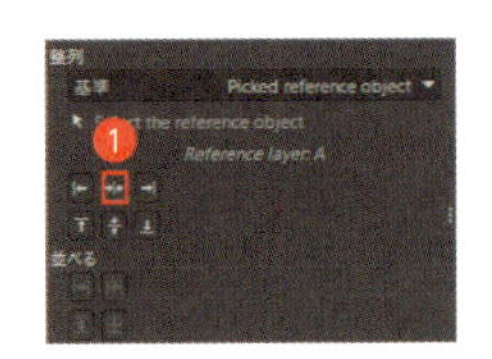

6 最初に選択したオブジェクトに合わせて、ほかのレイヤーのオブジェクトが中央揃えに整列しました。

MEMO 整列の種類

整列の種類には＜中央揃え＞以外にも＜左揃え＞や＜右揃え＞などもあります。

水平方向の間隔を均等に並び変える

1 ツールボックスの＜移動・整列＞グループを右クリックして、＜Align and Distrbute＞(整列)をクリックし❶、＜ツールオプション＞の＜整列＞で＜画像＞を選択します❷。

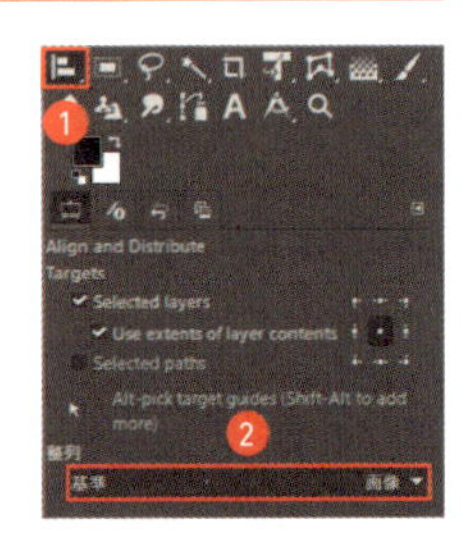

2 ＜レイヤー＞ダイアログで Shift キーを押しながら並べたい複数オブジェクトをクリックして選択します❶。

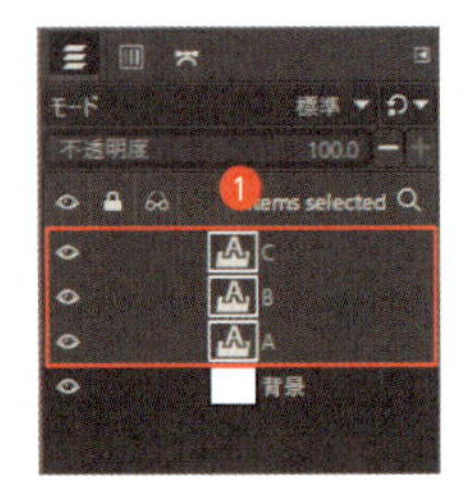

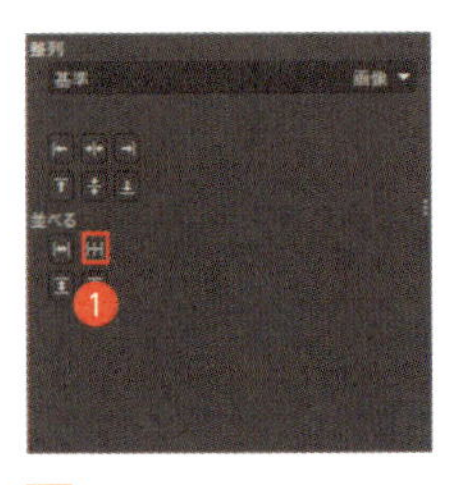

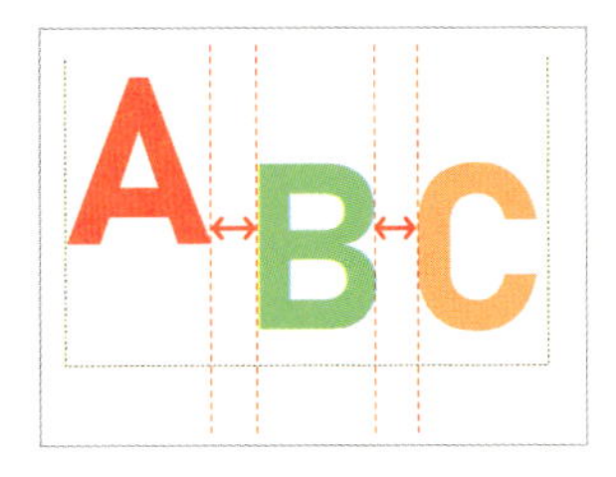

3 ＜並べる＞の＜Distribute horizontal with even horizontal gaps＞をクリックします❶。オブジェクの横方向の間隔が均等な状態で並びます。

SECTION

11

多目的な変形ツールを活用する

<統合変形>は移動、回転、拡大・縮小、剪断変形、遠近法の各機能を併せ持つ便利なツールです。複数種類のハンドルで編集操作を行います。

SAMPLE re03_11.jpg

調整枠とハンドルを表示する

1 ツールボックスの<変形・回転>グループを右クリックして、<統合変形>を選択します❶。

2 画像が枠で囲まれ、枠上複数のハンドルが表示されます❶。ハンドルを操作したら<変形>をクリックして、変形を適用します❷。

様々な変形をする

●移動

画像をドラッグします❶。画像が移動します。

●拡大・縮小

画像の角にある四角のハンドルをドラッグします❶。ドラッグした方向に画像が縮小します。

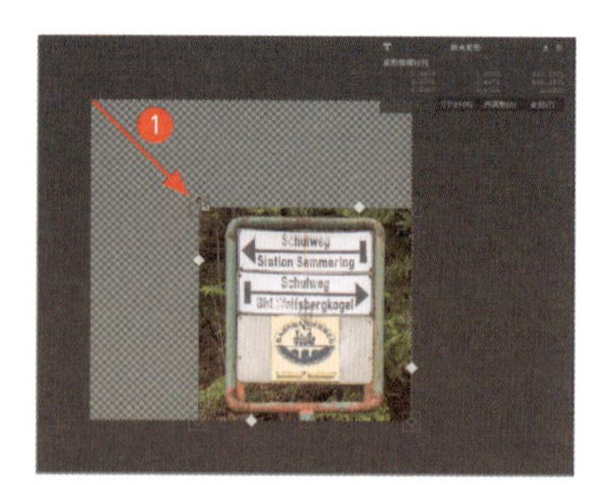

●剪断変形

枠の辺上にあるひし形のハンドルをドラッグします❶。ドラッグした方向に画像が剪断変形します。

●遠近法

角のハンドルの中にある小さいひし形のハンドルをドラッグします❶。ドラッグした方向に画像が<遠近法>を使ったように変形します。

●回転

枠の中央にある十字のハンドルをドラッグして移動します❶。枠の外側をドラッグすると❷、ハンドルを中心に画像が回転します。

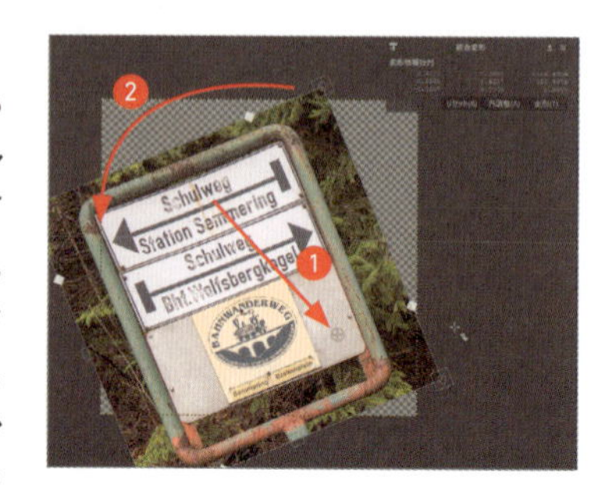

SECTION 12

一部を固定して変形する

<ハンドル変形>は複数の機能を1つのツールで操作できます。あらかじめ画像を固定する位置にハンドルを設置してから変形を行います。

SAMPLE re03_12.jpg

1点を固定して変形する

1 ツールボックスの<変形・回転>グループを右クリックして、<ハンドル変形>を選択します❶。

2 画像の固定する位置をクリックして、丸いハンドルを追加します❶。画像の外側をドラッグすると❷、ハンドルを中心に回転しながら、拡大・縮小します。<変形>をクリックします❸。

3 変形が適用されます。

2点を固定して変形する

1 左の手順1同様に<ハンドル変形>を選択します。画像をクリックして2つのハンドルを追加します❶。

2 画像の外側をドラッグします❶。ドラッグした方向に画像が剪断変形しながら、拡大縮小します。<変形>をクリックすると変形が適用されます。

4点とも移動して変形する

1 左の手順1同様に<ハンドル変形>を選択します。画像に4つのハンドルを追加して❶、ドラッグします❷。<遠近法>のように変形します。<変形>をクリックすると変形が適用されます。

SECTION

13

ブラシでなぞって歪める

＜ワープ変形＞は写真を選択することなく、部分的に歪めることができます。部分的に太らせたり痩せさせたりするときなどに便利です。

SAMPLE re03_13.jpg

画像を歪める

1 ツールボックスの＜ワープ・ケージ変形＞グループを右クリックして、＜ワープ変形＞を選択します❶。

2 ＜ツールオプション＞の＜処理方法＞は＜ピクセルの移動＞を選択します❶。＜サイズ＞で一度のクリックやドラッグで歪められる範囲を調整します❷。また、＜強さ＞で一度のクリックやドラッグで歪める強さを設定します❸。

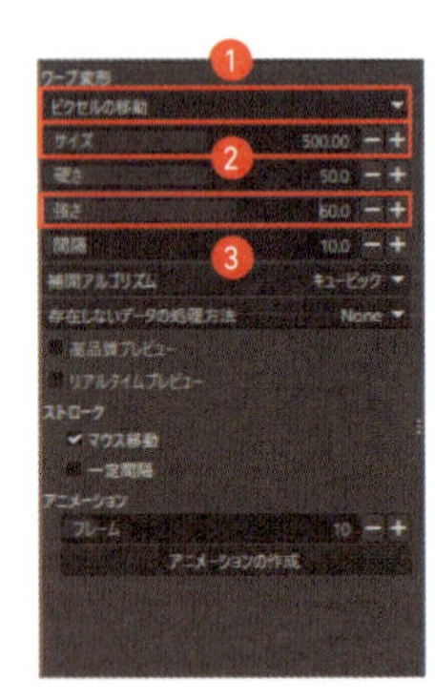

3 プレビューの画像の歪めたい部分をドラッグします❶。ドラッグした方向に画像の色が伸びます。

歪みを直す

1 ＜処理方法＞で＜歪みを消す＞を選択します❶。

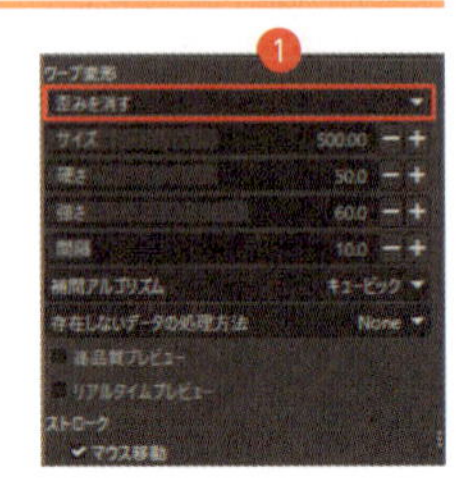

2 何らかの歪みの効果を加えた部分をクリックまたはドラッグします❶。歪めた部分が少しずつ元の状態に戻ります。

MEMO ＜歪める半径＞と＜歪める量＞

歪みを直す範囲と量は＜サイズ＞と＜硬さ＞および＜強さ＞で調整します。

そのほかの歪め方

●膨らます
＜処理方法＞を＜領域を広げる＞にすると、画像を膨らますことができます。

●すぼめる
＜処理方法＞を＜領域をすぼめる＞にすると、画像をすぼめることができます。

●渦巻き状にする
＜処理方法＞を＜左回りの渦巻き＞または＜右回りの渦巻き＞にすると、渦巻き状に変形できます。

SECTION 14

3D空間で遠近感をつけた変形をする

<3D変形>では、レイヤーを3Dモデルのように操作し、遠近感をつけて変形させせます。変形の基準となる中心点は9つのポイントで定めることができます。

SAMPLE re03_14.jpg

画像をドラッグして3D変形する

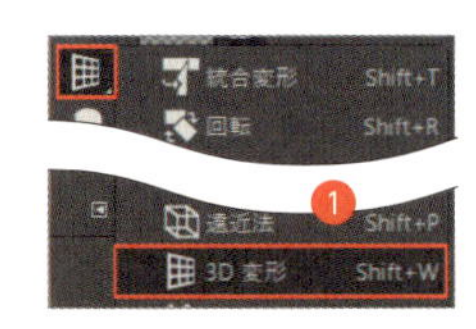

1 ツールボックスの<変形・回転>グループを右クリックして、<3D変形>を選択します❶。<ツールオプション>の<プレビューの表示>にチェックを入れます❷。

2 画像をクリックします❶。<3D変形>ダイアログの<回転>をクリックします❷。

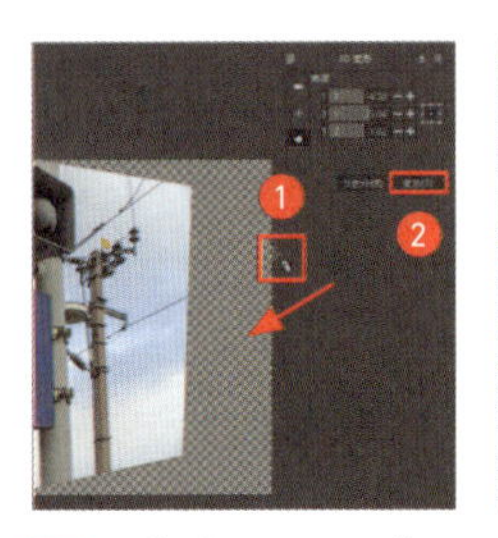

3 画像をドラッグして3D変形させます❶。画像に遠近感を付けながら角度や傾きを調整して、<3D変形>ダイアログの<変形>をクリックします❷。3D変形の状態が確定します。

HINT 3D変形をリセットする

3D変形の途中でを元の状態に戻すには、<3D変形>ダイアログの<リセット>をクリックします。

中心点を設定して3D変形する

1 左の手順1～2同様に<3D変形>ダイアログの<回転>をクリックし❶、右側の四角上にある9つの点のいずれかをクリックします❷。

2 画像をドラッグして3D変形させます❶。<3D変形>ダイアログの<変形>をクリックします❷。

3 3D変形の状態が確定します。

MEMO <カメラ>で消失点を設定する

<カメラ>を選ぶと画像の中央に+印のポイントが表示されます。これは3D変形の消失点です。ドラッグして位置を設定してから<移動>か<回転>に切り替えると、消失点を基準に3D変換ができます。

SECTION 15

フィルターで写真全体を歪める

<フィルター>メニューの<変形>のカテゴリーには、画像全体を滑らかにカーブさせたり、スピード感をつける効果などがあります。

SAMPLE re03_15.jpg

カーブに沿って曲げる

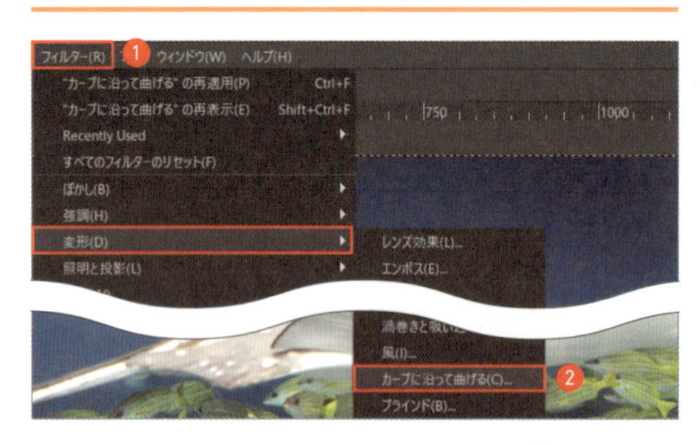

1 <フィルター>メニューをクリックして❶、<変形>の<カーブに沿って曲げる>を選択します❷。

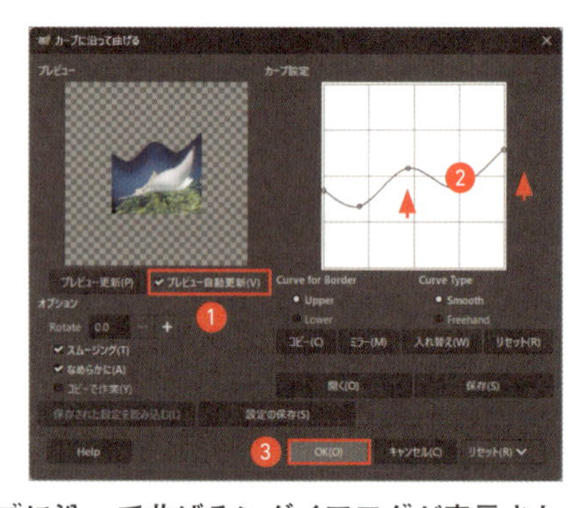

2 <カーブに沿って曲げる>ダイアログが表示されます。<プレビュー自動更新>にチェックを入れ❶、<カーブ設定>の線をドラッグすると❷、それに合わせて画像が滑らかに変形し ます。<OK>をクリックします❸。

3 レイヤーの画像に変形の結果が適用されます。

スピード感のある変形を加える

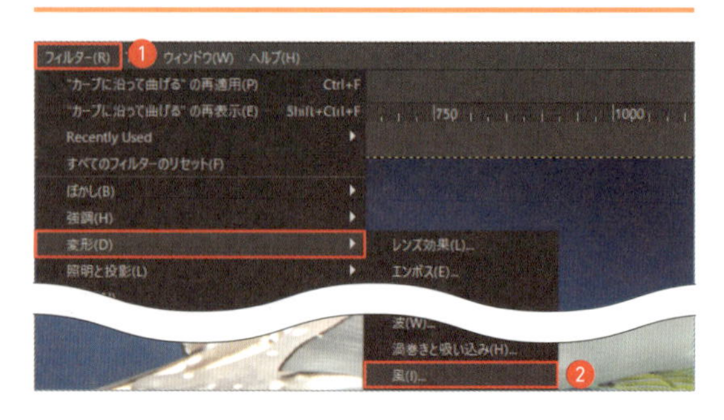

1 <フィルター>メニューをクリックして❶、<変形>の<風>を選択します❷。

2 <風>の<Style>で<Wind>を選択します❶。<Directihon>を設定し❷、<Edge Affected>を選択します❸。

3 <Thresholod>でぶれの効果を加える色や明るさの範囲を設定し❶、<Strength>でぶれの効果の強さを設定します❷。<OK>をクリックします❸。

4 <風>フィルターの効果がレイヤーの画像に適用されます。

［リファレンス編］

CHAPTER

4

画像を選択して編集する

SECTION

01 選択ツールについて知る

選択をするためのツールは、＜矩形選択＞や＜楕円選択＞など、7種類のツールが用意されています。

選択ツールの種類

●＜矩形選択＞

長方形や正方形の領域を選択します（191ページ参照）。

●＜楕円選択＞

楕円形や正円の領域を選択します（191ページ参照）。

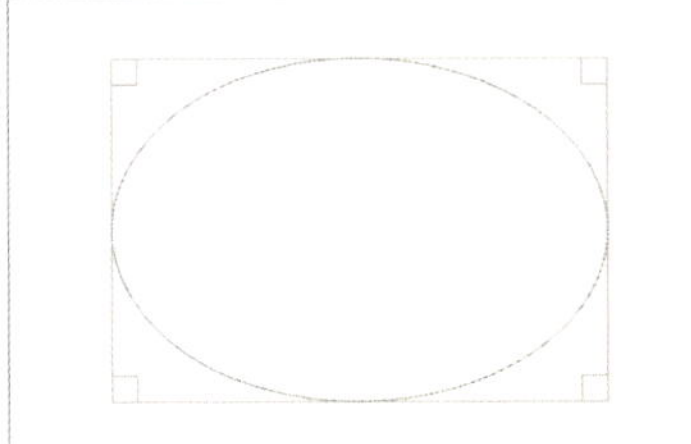

●＜自由選択＞

自由な形に作成した領域を選択します（200ページ参照）。

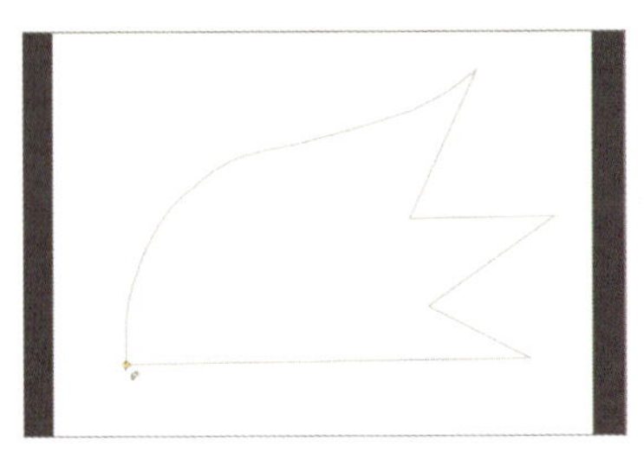

●＜ファジー選択＞

クリックした箇所と同じ色の、隣接している領域を選択します（201ページ参照）。

●＜色域を選択＞

離れた箇所も含めて、クリックした箇所と同じ色の領域を選択します（202ページ参照）。

●＜電脳はさみ＞

色の差が大きい部分を自動的に検出して境界線で結び、囲んだ領域を選択します（203ページ参照）。

●＜前景抽出選択＞

大まかな領域をドラッグして囲み、色の差が大きい前景部分を自動的に検出して選択します（204～205ページ参照）。色が同じ複雑な形を選択するのに適しています。

SECTION 02

四角形・円形に編集範囲を選択する

長方形や楕円形の選択範囲を作る基本的な方法です。選択範囲を作りたい箇所をドラッグし囲みます。

SAMPLE re04_02.jpg

長方形の領域を選択する

1 ツールボックスの＜矩形・楕円選択＞グループを右クリックして、＜矩形選択＞をクリックします❶。

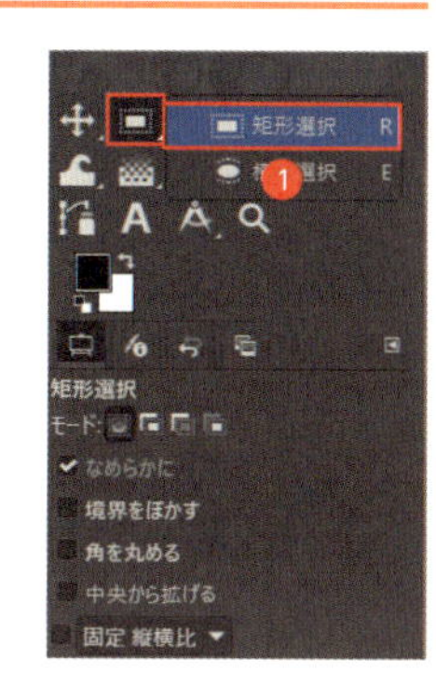

2 画像をドラッグして境界線を作ります❶。

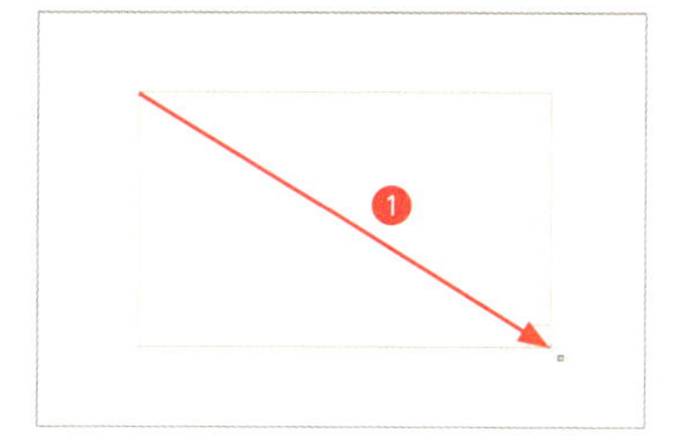

3 マウスボタンを離すと領域を囲む長方形が作成されます。角にポイントが表示されます。

4 枠内をクリックするか Enter キーを押すと、選択範囲が確定します。

円形の領域を選択する

1 ツールボックスの＜矩形・楕円選択＞グループを右クリックして、＜楕円選択＞をクリックします❶。

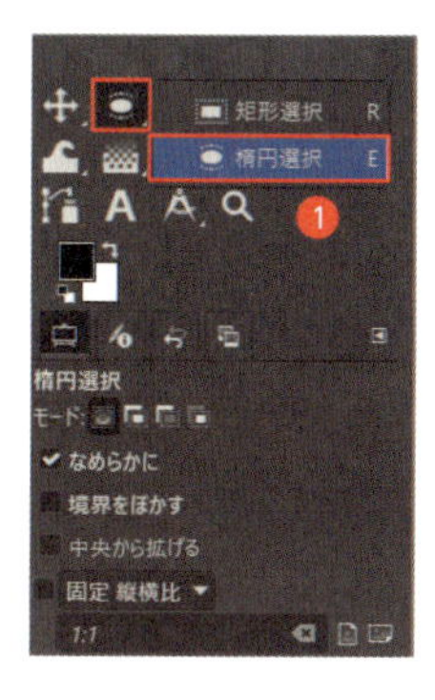

2 画像をドラッグして境界線を作ります❶。マウスボタンを離すと楕円の領域を囲む枠と、角にポイントが表示されます。

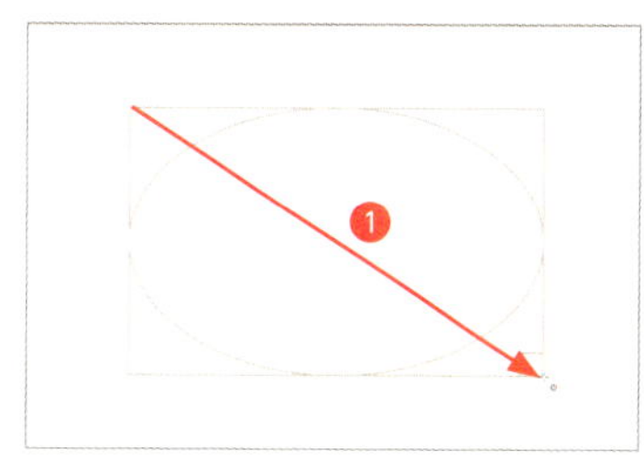

3 枠内をクリックするか Enter キーを押すと、枠が消えて選択範囲が確定します。

MEMO 選択範囲を解除する

選択範囲を解除するには、＜選択＞メニューをクリックして、＜選択の解除＞を選択します。

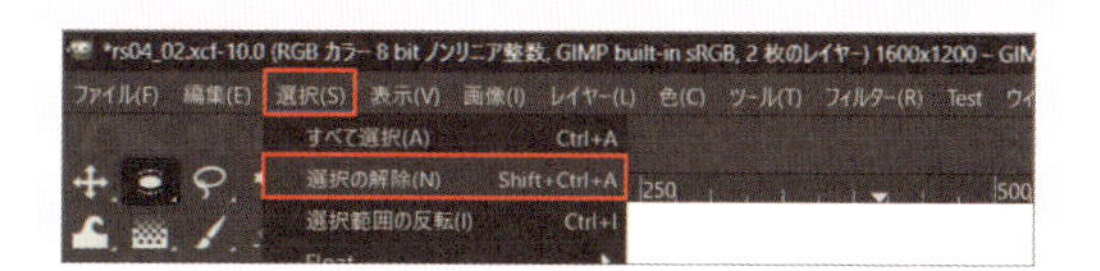

SECTION

03 選択範囲のモードについて知る

選択ツールの＜ツールオプション＞の＜モード＞はどの選択ツールにも共通する設定項目です。選択範囲を置き換えたり、追加や削除ができます。

SAMPLE re04_03.jpg

選択範囲を新しく作る

1 選択範囲を作成し、＜ツールオプション＞の＜モード＞で＜選択範囲を置き換える＞をクリックします❶。

2 選択ツールで新たに選択範囲を作成します❶。

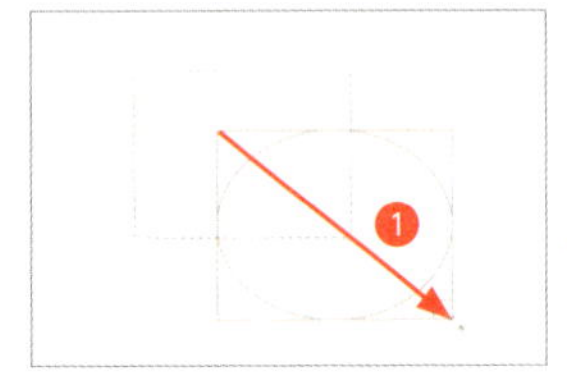

3 選択範囲を確定させると、先に作った選択範囲が消えて、新しい選択範囲に置き換わります。

選択範囲を追加する

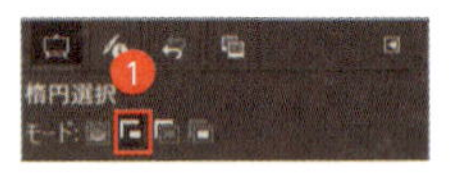

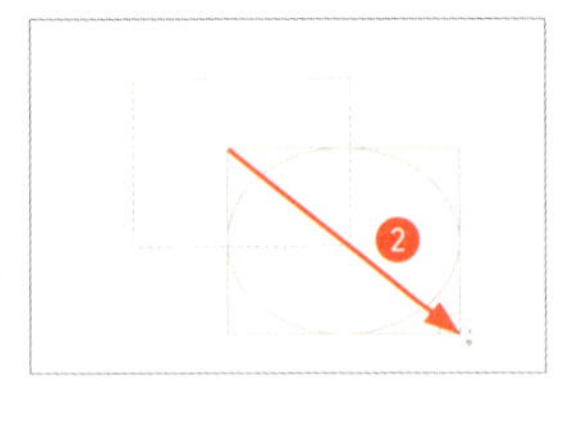

1 選択範囲を作成して、＜モード＞で＜選択範囲に加える＞をクリックします❶。新たな選択範囲を作成します❷。

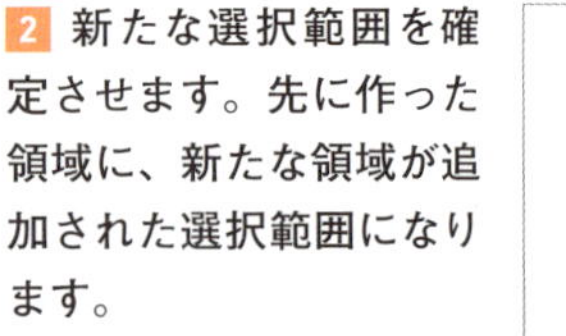

2 新たな選択範囲を確定させます。先に作った領域に、新たな領域が追加された選択範囲になります。

選択範囲の一部を削除する

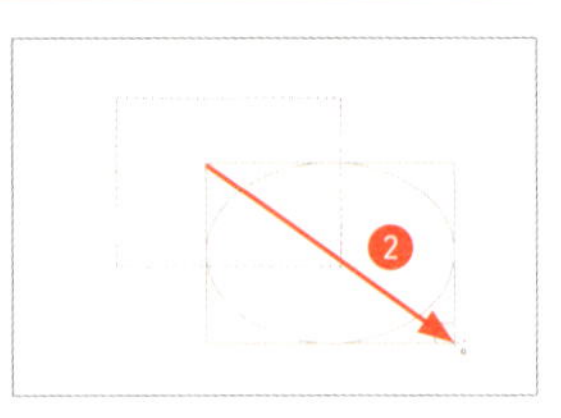

1 選択範囲を作成して、＜モード＞で＜選択範囲から引く＞をクリックします❶。新たな選択範囲を作成します❷。

2 新たな選択範囲を確定させます。新たに作った領域が、先に作った領域と重なった部分を含め選択範囲から削除されます。

選択範囲の交差部分を残す

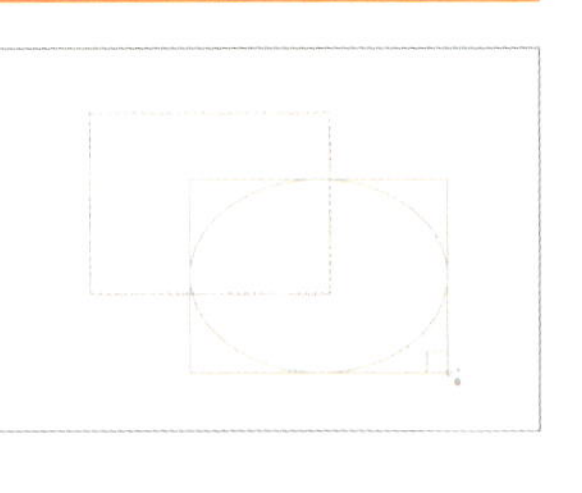

1 選択範囲を作成して、＜モード＞で＜選択範囲の交差部分＞をクリックします❶。新たな選択範囲を作成します。

2 新たな選択範囲を確定させます。先に作った領域と新たに作った領域が重なる部分のみ選択範囲になります。

SECTION 04

＜矩形選択＞・＜楕円選択＞のツールオプションの見方を知る

選択ツール使用時のそのほかのツールオプションの設定について知っておきましょう。ここでは＜楕円選択＞の、モード以外の設定項目を解説します。

SAMPLE re04_04.xcf

ツールオプションの見方

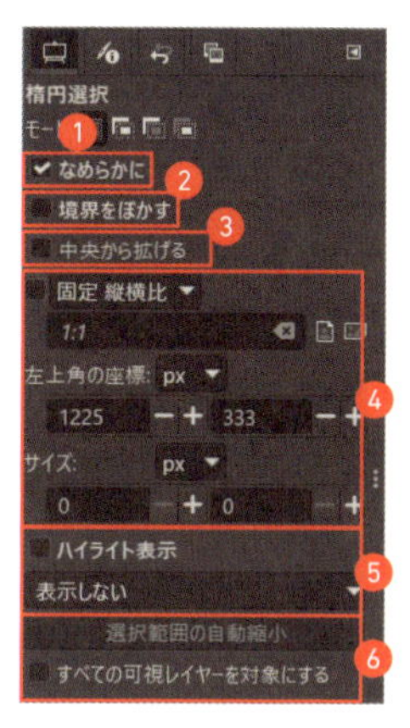

1. なめらかに
2. 境界をぼかす
3. 中央から広げる
4. 値を固定する項目を指定
5. ハイライト表示
6. 選択範囲の自動縮小

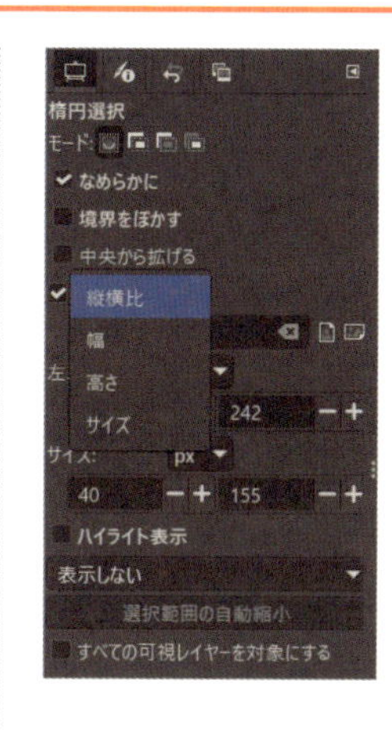

4 Fixed

＜値を固定＞にチェックを入れると、＜縦横比＞、＜幅＞、＜高さ＞、＜サイズ＞から固定したい項目を選択できます。また、＜左上角の座標＞および＜サイズ＞に数値を入力して、選択範囲の開始位置とサイズを指定することもできます。

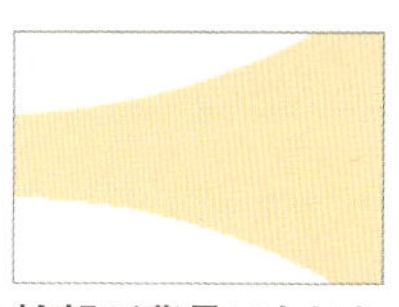

1 なめらかに

＜楕円選択＞で＜なめらかに＞にチェックを入れた選択して切り抜き・貼り付けをした場合（上）は、輪郭が背景になじむように滑らかになります。チェックを外して場合（下）は、輪郭がギザギザでくっきりと切り取られます。

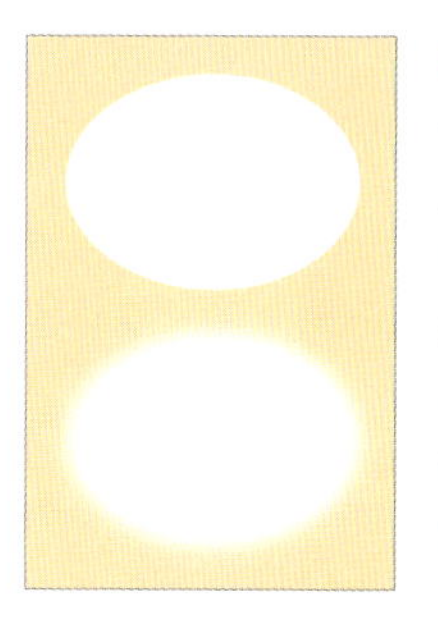

2 境界をぼかす

＜境界をぼかす＞にチェックを入れずに選択して切り取り・貼り付けをした場合（上）は、輪郭がはっきりしています。＜境界をぼかす＞にチェック入れた場合（下）は、輪郭がソフトにぼけます（詳細は195ページ参照）。

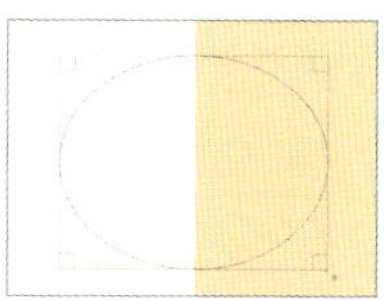

3 中央から広げる

＜中央から広げる＞にチェックを入れない状態でドラッグすると、対角線状に領域が広がります。チェックを入れてドラッグすると、中央からドラッグした方向に領域が広がります。

5 ハイライト表示

＜ハイライト表示＞にチェックを入れると、選択している領域が明るく、それ以外は半透明のグレーに塗りつぶされて表示されます。また領域に表示させるガイドの方法も選べます（206ページ参照）。

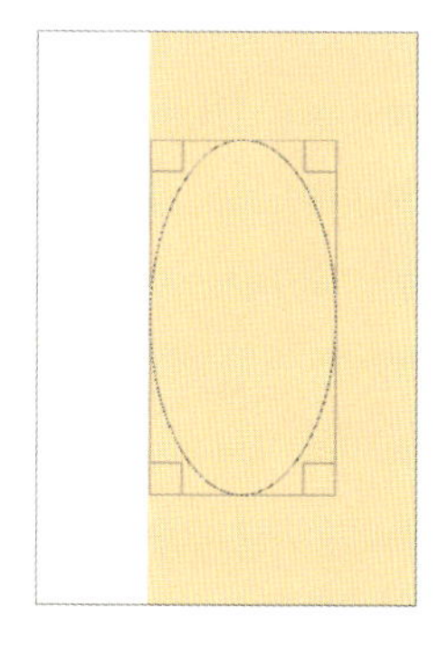

6 選択範囲の自動縮小

大まかに選択範囲を作成し、＜選択範囲の自動縮小＞をクリックすると、選択範囲の境界線に最も近い輪郭を自動的に検出して選択範囲を縮小します。色がはっきりと分かれているオブジェクトを選択するのに適しています。

MEMO すべての可視レイヤーを対象にする

＜すべての可視レイヤーを対象にする＞にチェックを入れると、すべてのレイヤー上の見えているオブジェクトが＜選択範囲の自動縮小＞の対象になります。

SECTION 05

選択範囲の大きさを調整する／角を丸める

<矩形選択>と<楕円選択>は確定する前に枠を伸縮させながら形に合わせることができます。また、あらかじめ<半径>で角を丸める半径のピクセル数を設定できます。

SAMPLE re04_05.jpg

選択したい形に合わせる

1 ツールボックスの<矩形・楕円選択>グループを右クリックして、<矩形選択>か<楕円選択>（ここでは<楕円選択>）をクリックします❶。<値を固定>のチェックを外した状態で❷、選択したい形よりも大きめにドラッグして境界線で囲みます❸。

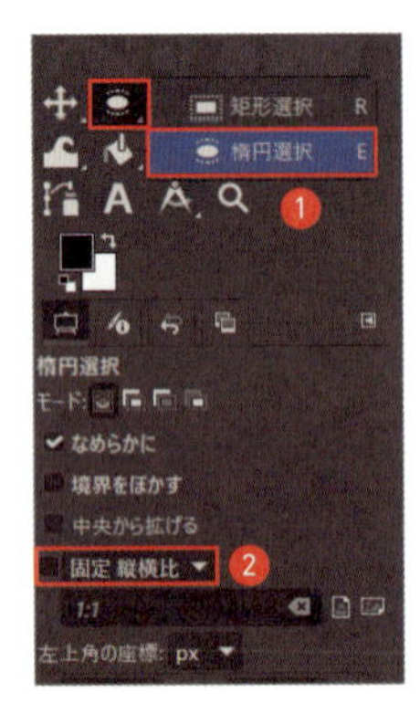

2 ハンドルをドラッグして、境界線を選択したい形に合わせていきます。

3 Enter キーを押すと選択範囲が確定します。

角丸長方形の選択範囲を作る

1 <矩形・楕円選択>グループの、<矩形選択>を選択し❶、ツールオプションで<角を丸める>にチェックを入れます❷。

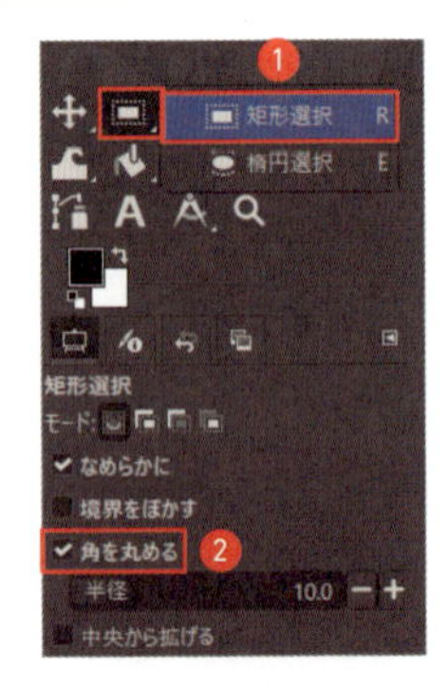

2 <半径>で角を丸めるピクセル数を、スライダーをドラッグして設定するか、または数値を入力します❶。

3 画像を対角線上にドラッグして選択したい領域を囲みます❶。境界線が作成されます。

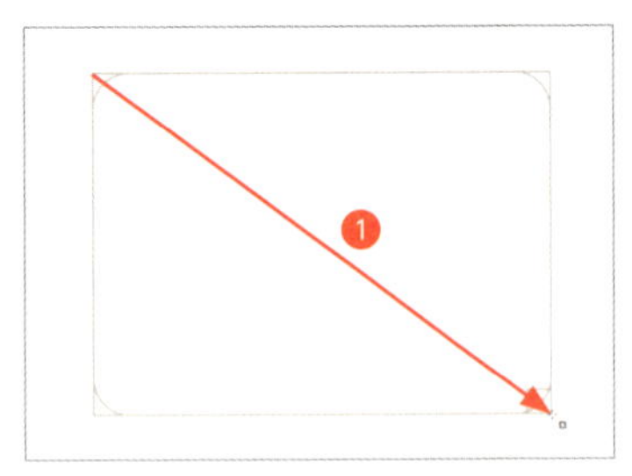

4 境界の内側をクリックするか Enter キーを押すと、角の丸い長方形の選択範囲ができます。

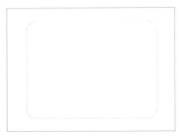

SECTION

06

選択範囲をぼかす

選択範囲を作る前に、＜境界をぼかす＞で選択範囲の境界線にぼかしの幅のピクセル数を設定します。コピーなどをするとぼかしの効果がわかります。

SAMPLE re04_06.jpg

境界をぼかす範囲を設定する

1 選択ツール（ここでは＜矩形選択＞）をクリックして❶、＜ツールオプション＞で＜境界をぼかす＞にチェックを入れます❷。

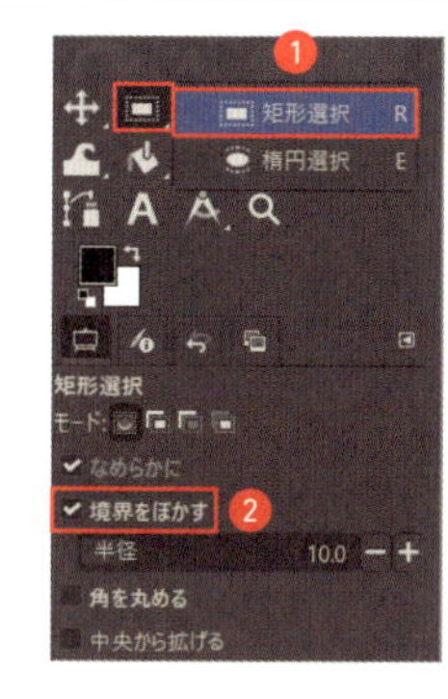

2 ＜境界をぼかす＞の＜半径＞のスライダーをドラッグして、境界をぼかす幅のピクセル数を設定します❶。

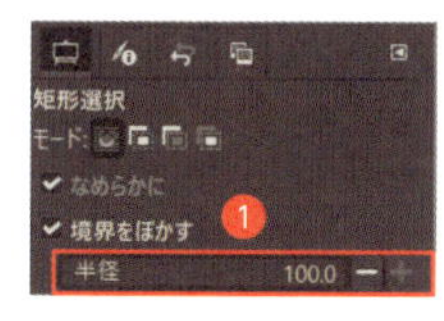

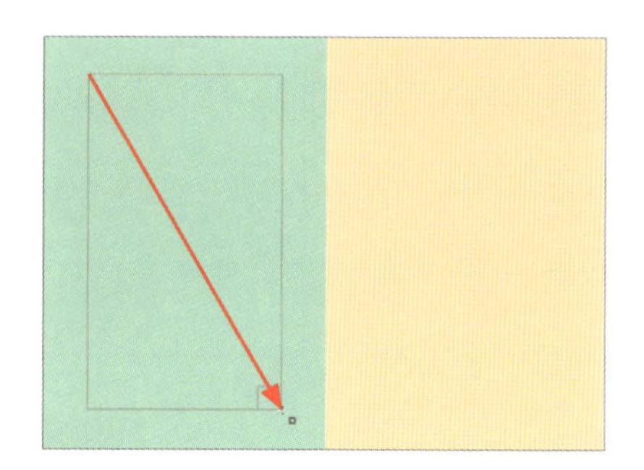

3 選択範囲にしたい領域を囲みます。

ぼかしを確認する

1 上記の手順で選択範囲をぼかします。＜編集＞メニューをクリックして❶、＜コピー＞をクリックします❷。

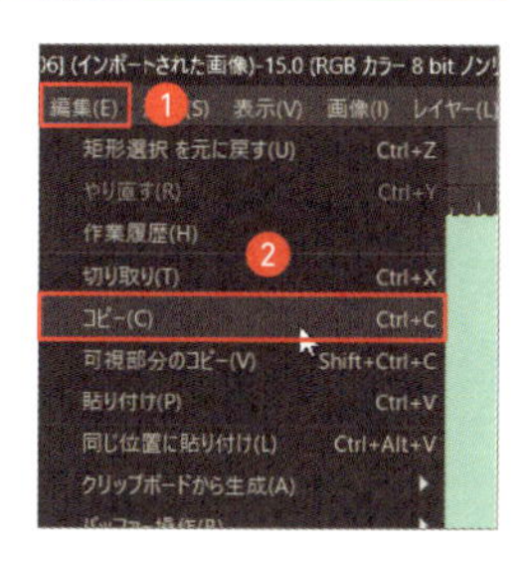

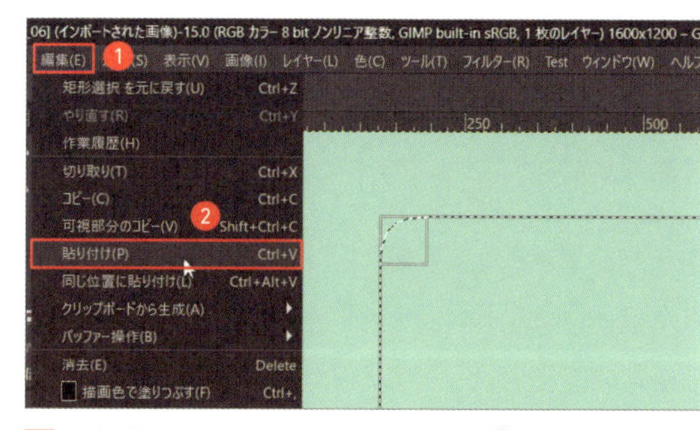

2 ＜編集＞メニューをクリックして❶、＜貼り付け＞をクリックします❷。

3 ＜移動＞をクリックして❶、貼り付けられたレイヤーを、色の付いている部分にドラッグします❷。

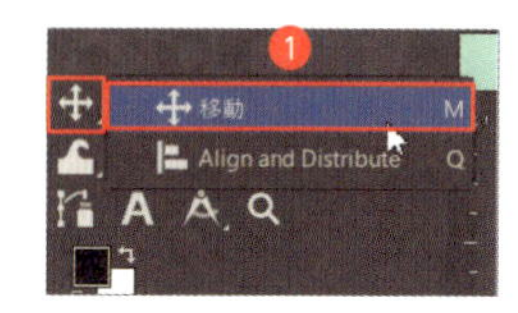

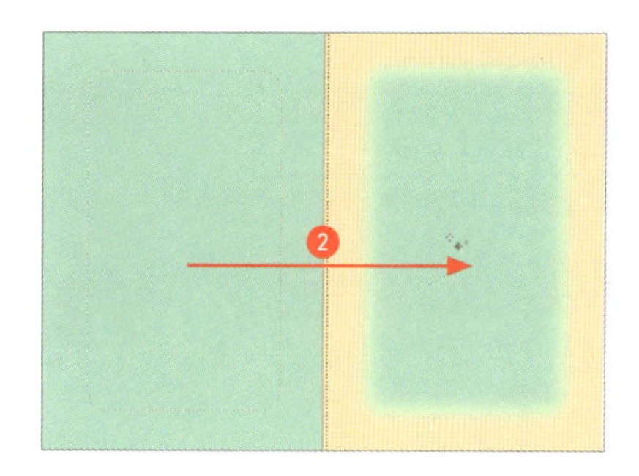

4 貼り付けられたレイヤーの輪郭にぼかしが加わっています。

SECTION 07

選択範囲を自動縮小する

明確なオブジェクトの周囲に選択範囲を作成した場合、<選択範囲の自動縮小>をクリックすると、選択範囲がオブジェクトに合わせて最小の領域になります。

SAMPLE re04_07.xcf

選択範囲を自動縮小する

1 <レイヤー>ダイアログで選択したいオブジェクトのレイヤー（ここでは<レイヤー1>）を選択します❶。

2 <楕円選択>か<矩形選択>（ここでは<楕円選択>）をクリックします❶。

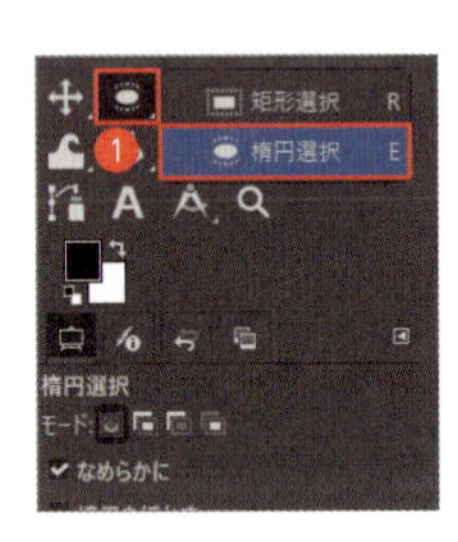

3 選択したいオブジェクト（ここでは左側の円形）の外側から、ひとまわり大きく囲むようにドラッグします❶。

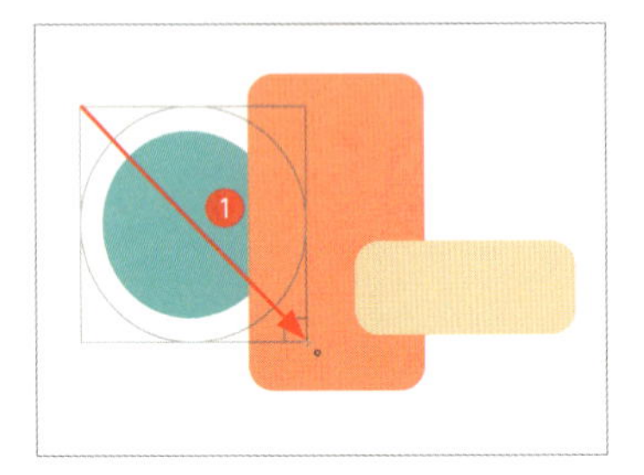

4 <ツールオプション>の<選択範囲の自動縮小>をクリックします❶。

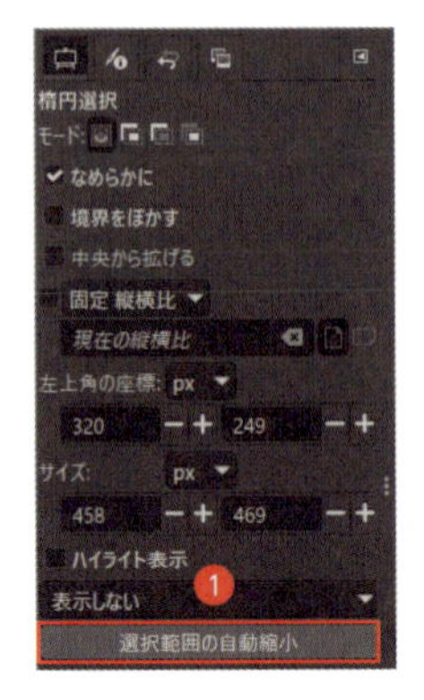

5 選択範囲がオブジェクトに合わせた領域になります。

可視レイヤーに合わせる

1 <矩形選択>を選び、<ツールオプション>で<すべての可視レイヤーを対象にする>にチェックを入れます❶。

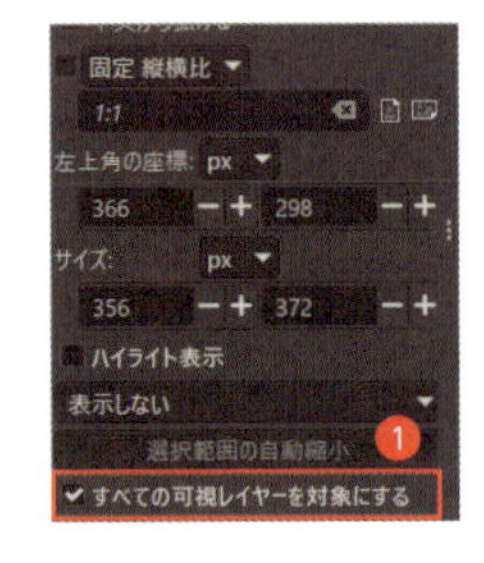

2 左の手順**3**〜**4**と同様に選択したいオブジェクト（ここではすべてのオブジェクト）を囲み❶、<ツールオプション>の<選択範囲の自動縮小>をクリックします❷。

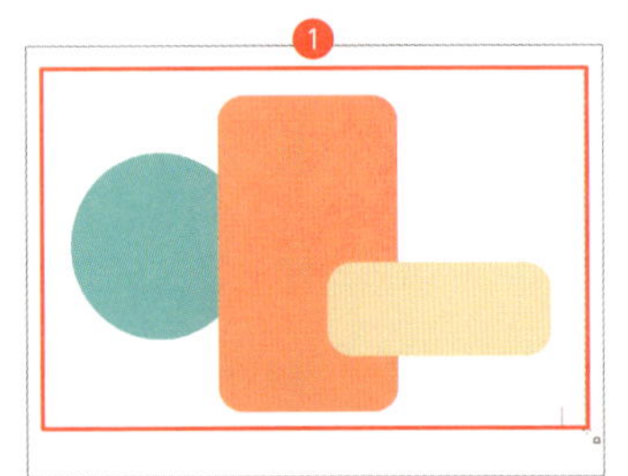

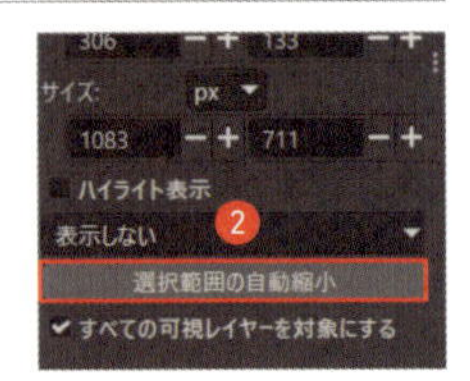

3 見えているすべてのレイヤーのオブジェクトに合わせて、選択範囲が自動的に縮小します。

SECTION 08

選択範囲を縁取る

選択範囲の境界線を縁取ることができます。縁取った選択範囲を切り取って貼り付けたり、色で塗りつぶしてフレームを作るときなどに用いられます。

SAMPLE re04_08.jpg

選択範囲を作成する

1 選択ツール（ここでは＜楕円選択＞）を選択します❶。

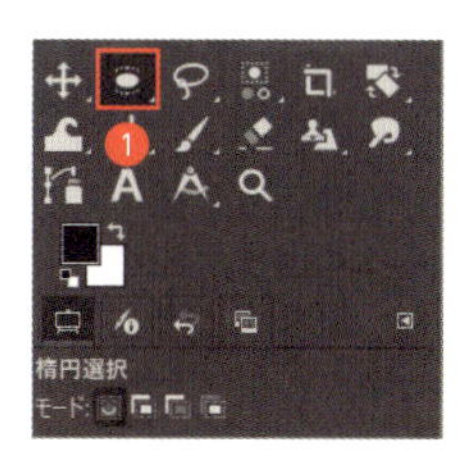

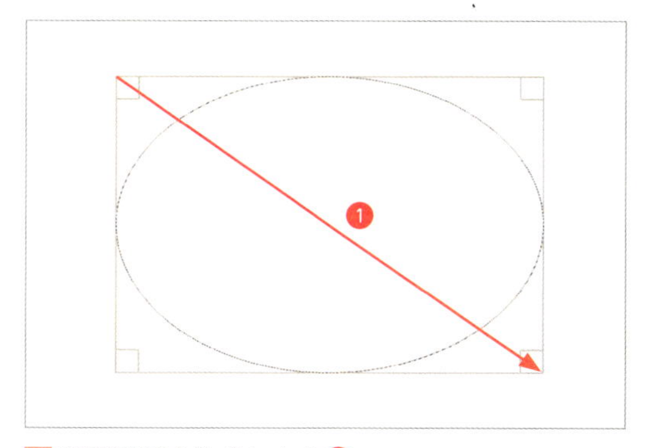

2 選択範囲を作成します❶。

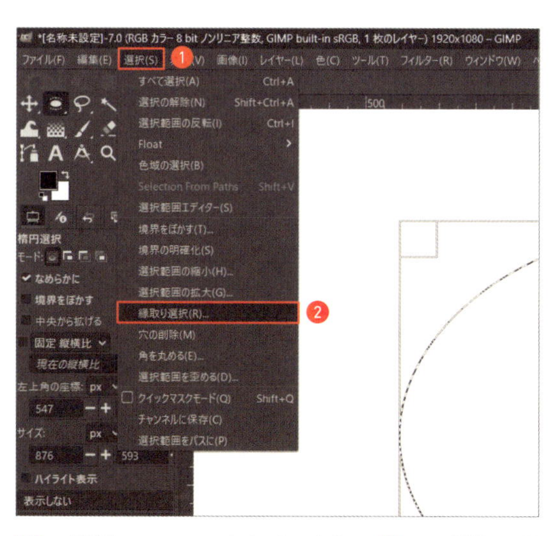

3 ＜選択＞メニューをクリックして❶、＜縁取り選択＞をクリックします❷。

縁取りの幅を設定する

1 ＜縁取り選択＞ダイアログが開きます。＜選択範囲に対する縁の幅＞に、縁取る幅のピクセル数を入力します❶。

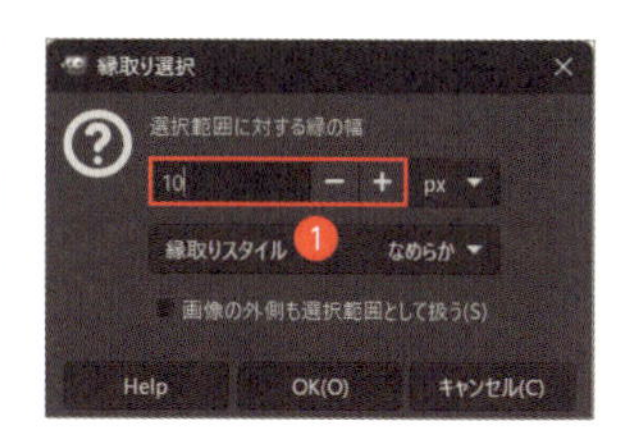

2 境界のスタイルを設定します❶。＜OK＞をクリックします❷。

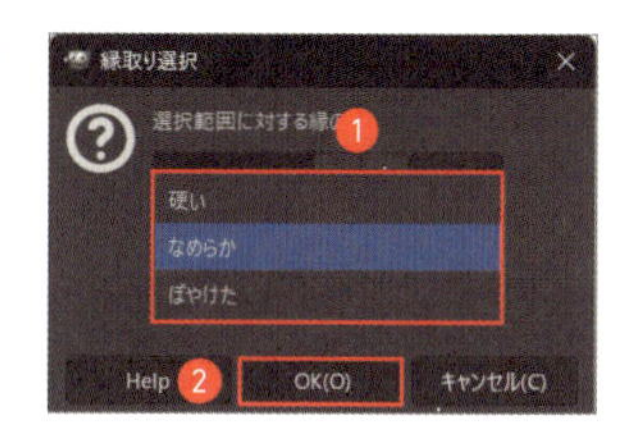

MEMO 境界のスタイル

＜なめらか＞は選択範囲の境界を滑らかに選択します。＜Hard＞は境界をよりくっきりと、＜ぼやけた＞はよりソフトなぼかし効果が加わります。

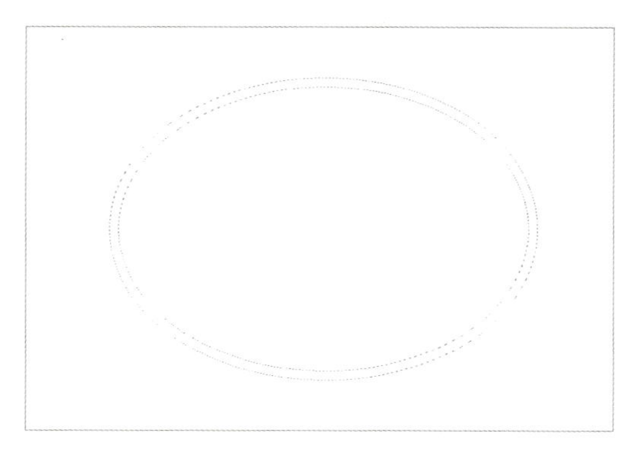

3 元々の選択範囲の境界を中心に、設定したピクセルの幅で縁取られます。

MEMO 画像の縁に接している場合

画像の縁に接している選択範囲がある場合に、＜画像の外側も選択範囲として扱う＞を有効にして縁取り選択を実行すると、画像の縁にある選択範囲は縁取られません。

SECTION

09

選択範囲を切り取る

選択範囲を作成して画像の一部を切り取ります。切り取った部分には背景色や下のレイヤーが表示されます。

SAMPLE re04_09.xcf

選択範囲を切り取る

1 選択ツールで選択範囲を作ります 1 。

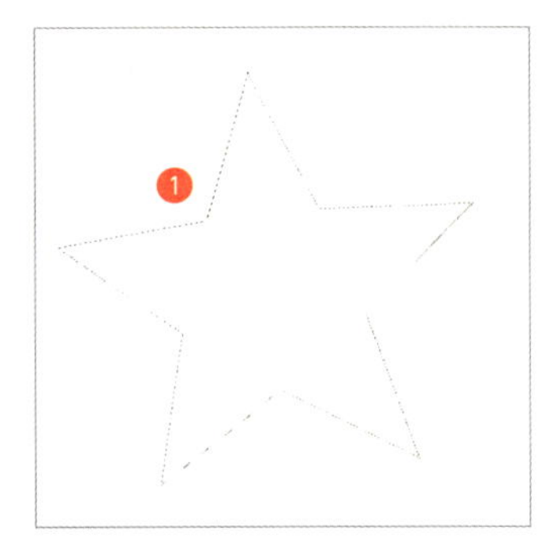

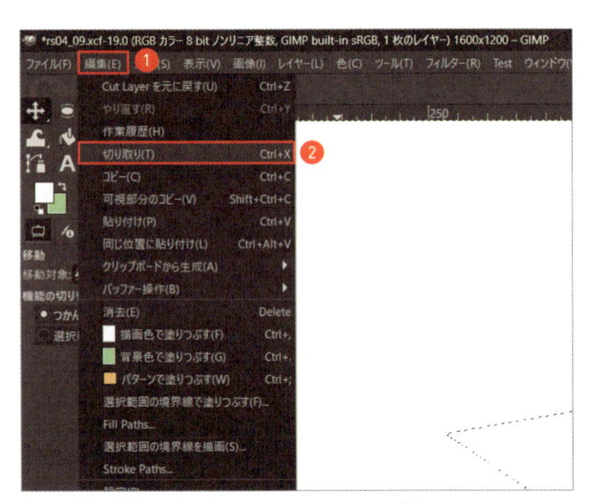

2 <編集>メニューをクリックして 1 、<切り取り>をクリックします 2 。

3 選択範囲が切り取られます。切り取られた部分は背景色が適用されます。

切り取った部分を貼り付ける

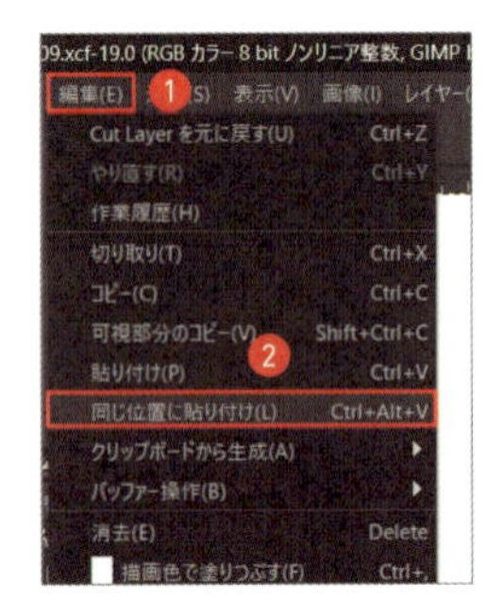

1 画像を切り取った状態で<編集>メニューをクリックして 1 、<同じ位置に貼り付け>を選択します 2 。

2 切り取った画像が、もとあった箇所に貼り付けられます。貼り付けた部分が新しいレイヤーとして追加されます。

MEMO 切り取った画像を貼り付ける

切り取った画像を貼り付ける方法には、上記のもとあった箇所に貼り付ける<同じ位置に貼り付け>と、アクティブな画像の中央に貼り付ける<貼り付け>があります。

SECTION 10

選択範囲を反転する

選択範囲を反転させる方法です。実行すると現在の選択範囲の外側が選択範囲になります。反転は<選択範囲エディター>で確認できます。

SAMPLE re04_10.xcf

選択範囲を反転させる

1 選択ツールで選択範囲を作成します。ここでは<クイックマスクモード>(210ページ参照)を使って、選択範囲外をピンクで表示しています。

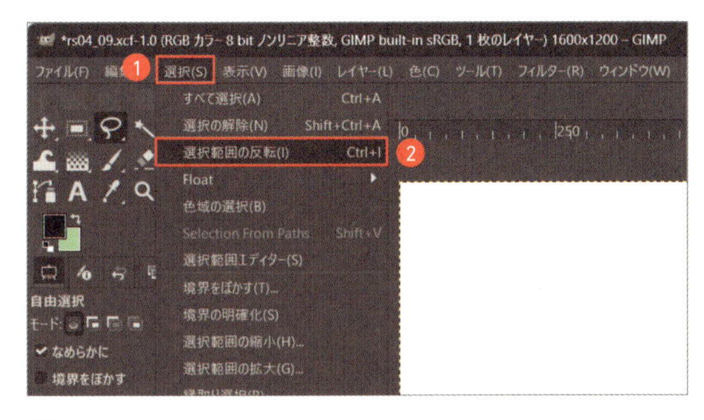

2 <クイックマスクモード>をいったん解除します。<選択>メニューをクリックして1、<選択範囲の反転>をクリックします2。

3 これまで選択範囲の外側だった領域が選択範囲に変わり、選択範囲だった領域が選択範囲外になります。<クイックマスクモード>で確認すると、色が反転しています。

選択範囲エディターで選択範囲の反転を確認する

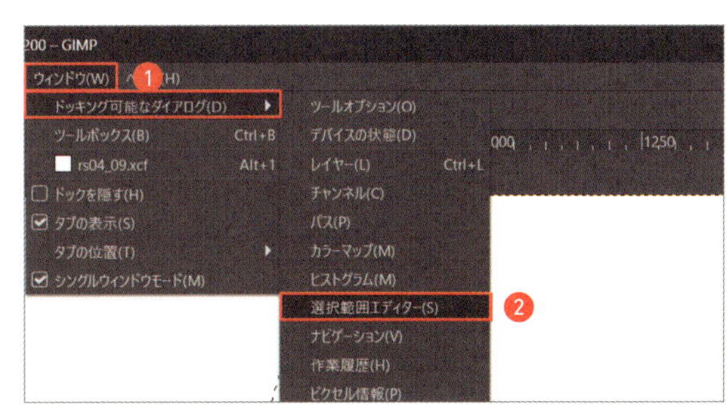

1 <クイックマスクモード>を解除した状態で<ウィンドウ>メニューをクリックして1、<ドッキング可能なダイアログ>の<選択範囲エディター>を選択します2。

2 <選択範囲エディター>ダイアログが開きます。白い領域が選択範囲、黒い領域は選択範囲外を表しています。<選択範囲を反転>をクリックします1。

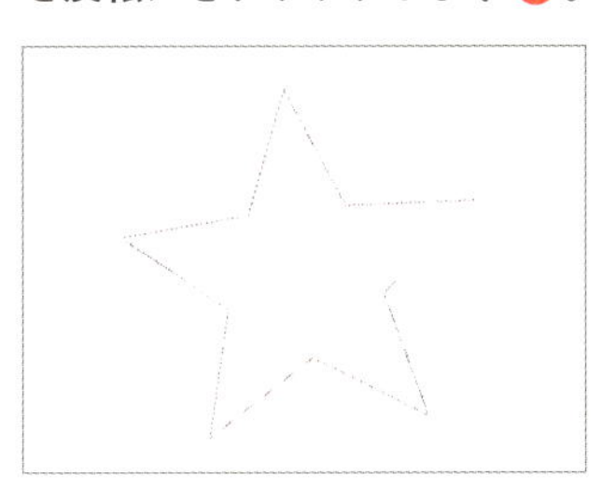

3 白黒の領域が反転し、選択範囲も反転します。

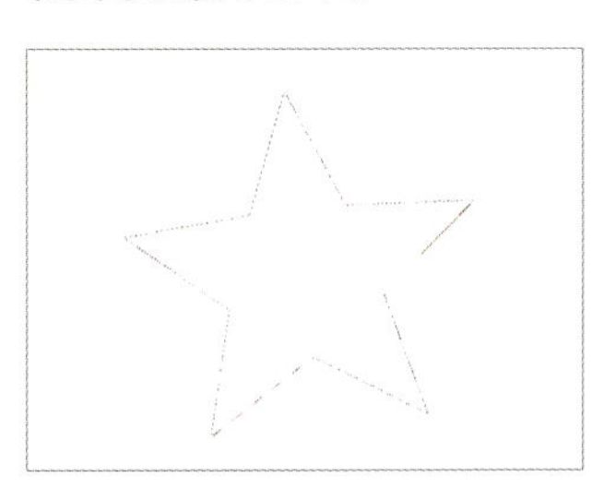

CHAPTER 4 画像を選択して編集する

SECTION 11

フリーハンドで曲線や直線で選択する

自由にドラッグやクリックをして選択範囲を作る方法です。<自由選択>を使って、フリーハンドで自由な曲線で囲んだり、クリックして直線で囲んだりします。

SAMPLE re04_11.jpg

曲線の境界線を作る

1 ツールボックスの<自由選択>グループを右クリックして、<自由選択>をクリックします❶。

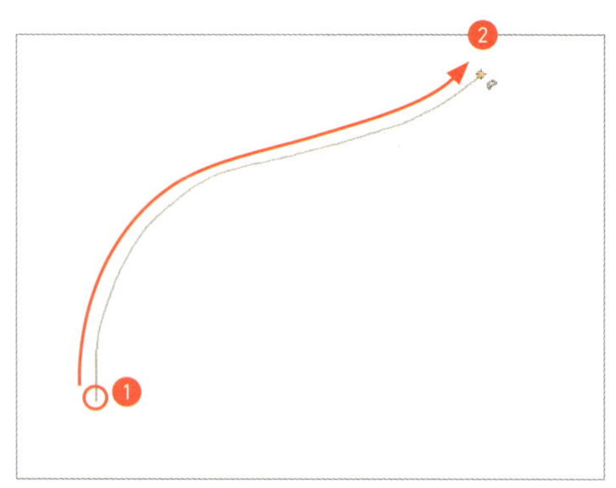

2 画像の選択を開始したい箇所をクリックして❶、自由にドラッグします❷。軌跡が境界線になり、クリックした箇所まで結ばれます。

直線の境界線を作る

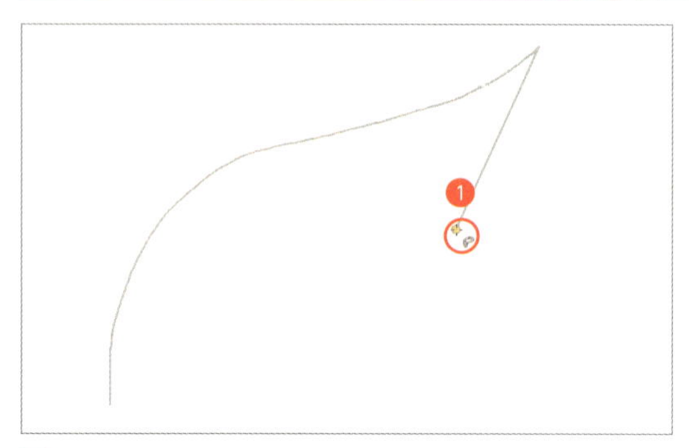

1 直線で結びたい箇所までポインターを移動してクリックします❶。

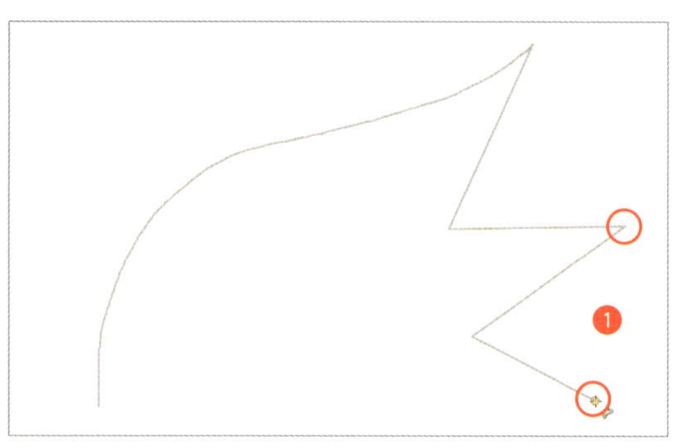

2 同様にポインターを移動してから、クリックして直線で結びます❶。

境界線を閉じて選択範囲を作る

1 開始点にポインターを重ねてクリックします❶。

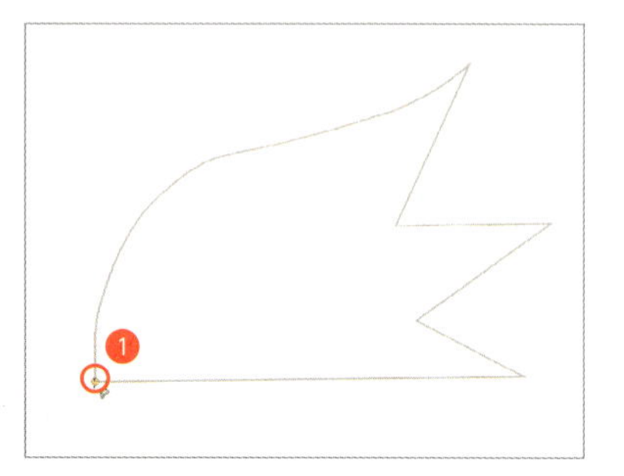

2 Enter キーを押して境界線画閉じて選択範囲になります。

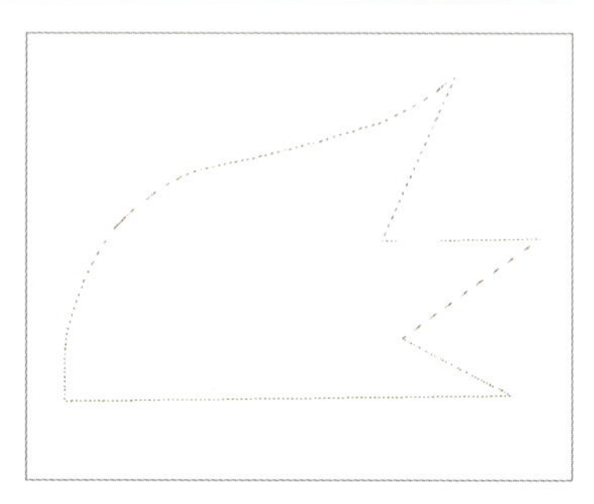

SECTION 12

輪郭がはっきりしたものを簡単に選択する

<ファジー選択>を使って閉じられている同じ色の領域を簡単に選択範囲にする方法です。複雑な形であっても、同じ色が連続している領域を選択するのに適しています。

SAMPLE re04_12.jpg

同じ色の領域を選択する

1 ツールボックスの<自動選択>グループを右クリックして、<ファジー選択>をクリックします❶。

2 画像の選択したい色の箇所をクリックします❶。

3 閉じられた同じ色の領域が選択範囲になります。

MEMO <しきい値>とは

しきい値が小さいほど厳密に同じ色の領域のみ選択し、数値が大きいほど選択される色の領域が広がります。きれいに選択しきれていない場合は、<しきい値>を調整して選択しなおします。

選択する領域を広げる

1 <ファジー選択>を選択した状態で、ツールオプションで<しきい値>のスライダーをドラッグして数値を高めます❶。

HINT <しきい値>の設定方法

数値の部分をダブルクリックして数値を入力するか、または数値の右側にある上下の三角形矢印ボタンをクリックしても数値を設定できます。

2 前項の1と同じ選択したい色の箇所をもう一度クリックします❶。

3 同じ色の箇所がもれなくきれいに選択されます。

HINT 適当な<しきい値>を設定する

<しきい値>の数値を高めすぎると、意図しない色の領域まで選択されてしまいます。数値を変えて何度か試しながら、適した数値に設定しましょう。

SECTION 13

同じ色の部分をまとめて選択する

クリックした箇所と同じ色の領域を選択します。<ファジー選択>と異なる点は、離れた箇所にある閉じられた領域も、同じ色であれば同時に選択するところです。

SAMPLE re04_13.jpg

離れた同じ色の領域を選択する

1 ツールボックスの<自動選択>グループを右クリックして、<色域の選択>をクリックします❶。

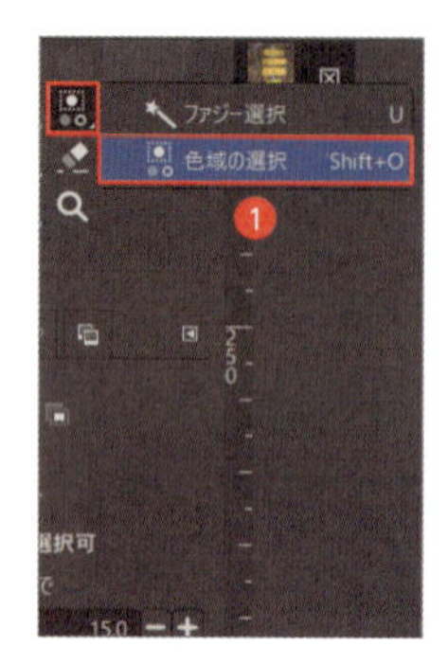

2 画像の選択したい色の箇所をクリックします❶。

3 離れた場所にある同じ色の領域が同時に選択範囲になります。

選択する領域を広げる

1 <色域を選択>を選択した状態で、<ツールオプション>で<しきい値>のスライダーをドラッグして数値を高めます❶。

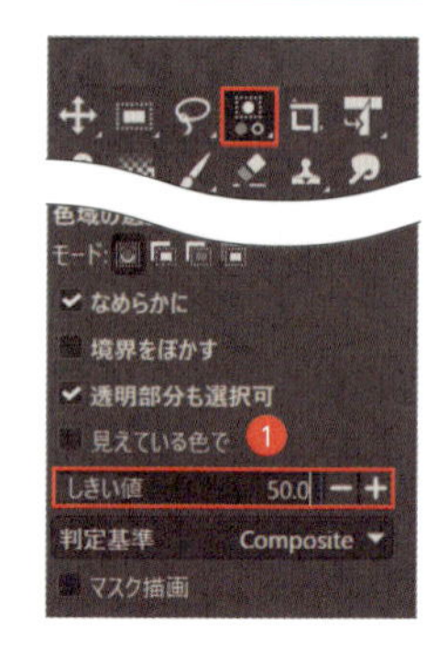

2 前項の1と同じ選択したい色の箇所をもう一度クリックします❶。

3 同じ色の箇所がもれなくきれいに選択されます。

SECTION

14 輪郭に沿って選択する

<電脳はさみ>を使って、色の差のはっきりしている輪郭に自動的に沿わせながら境界線をつなげます。領域を閉じることによって選択範囲を作ります。

SAMPLE re04_14.jpg

自動的にオブジェクトを囲む

1 ツールボックスの<自由選択>グループを右クリックして、<電脳はさみ>をクリックします1。

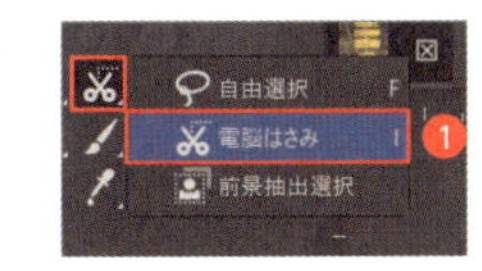

2 選択したいオブジェクトの輪郭をクリックをします1。ポイントが作成されます。

3 輪郭に沿ってドラッグするか、ポインターを移動して輪郭の別の箇所でクリックします1。ポイントとポイントが境界線で結ばれます。

4 オブジェクトの輪郭をクリックをしてポイントを作成し、輪郭に沿わせながら境界線を伸ばしていきます。

境界線を修正する

1 極端に形が変わる部分を挟んで境界線を作成すると、輪郭に自動的に沿わないことがあります。

2 オブジェクトの輪郭に合わせて、選択範囲の境界線をドラッグします1。

3 マウスボタンを放すと、自動的に境界線がオブジェクトの輪郭に吸着して、ポイントが追加されます1。

MEMO 曲線を囲む

曲線部分を挟み輪郭上でクリックをすると、選択範囲の境界線が自動的に曲線の輪郭に沿って作成されます。

境界線を閉じて選択範囲を作る

1 境界線を伸ばして、最初のポイントにポインターを重ねてクリックをします1。

2 Enter キーを押すと境界線が結ばれて、選択範囲になります。

SECTION 15

形を大まかに囲んで選択する

形に合わせて簡単に自動的に選択する方法です。選択しながら領域を足したり、不要な領域を削除するなど細かく調整できるのが特徴です。

SAMPLE re04_15.jpg

選択するオブジェクトの外側を囲む

1 ツールボックスの＜自由選択＞グループを右クリックして、＜前景抽出選択＞をクリックします❶。

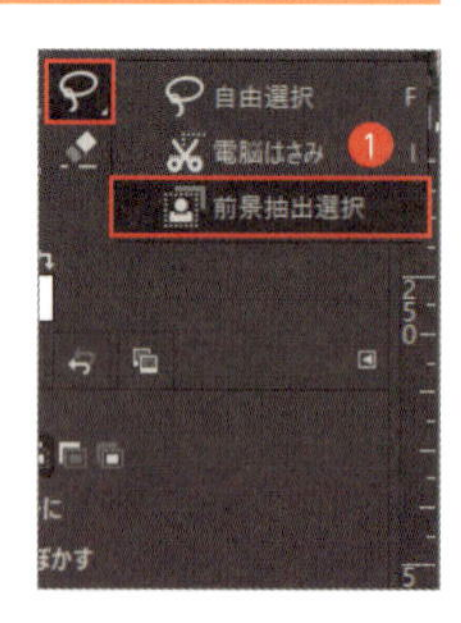

2 選択したいオブジェクトの外側をドラッグし❶、境界線を引いていきます。

3 開始点にポインターを重ねてクリックし、Enterキーを押して境界線を閉じます❶。

4 境界線の外側が濃い青で、内側が薄い青のマスクで覆われます。

前景部分をマークする

1 ＜ツールオプション＞の＜描画モード＞で＜前景の描画＞を選択します❶。＜ストローク幅＞のスライダーをドラッグして❷、前景部分をマークするためのブラシのサイズを調整します。

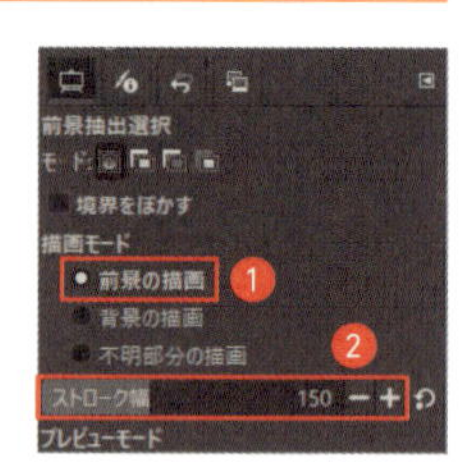

2 選択したい形の内側を大まかにドラッグします❶。

3 マウスボタンを離すと、筆跡部分が薄い青で表示されます。

4 右上の画面の＜マスクのプレビュー＞をチェックして❶、マスクを表示させます。選択したい領域が明るく、それ以外の背景部分が濃い青で表示されます。

5 明るく表示されている領域に残されている背景部分にブラシを重ねます❶。

6 残っていた青い塗りが消えます。

≫ 背景部分にはみ出している前景部分を消す

1 ＜背景の描画＞に選択を切り替えます❶。

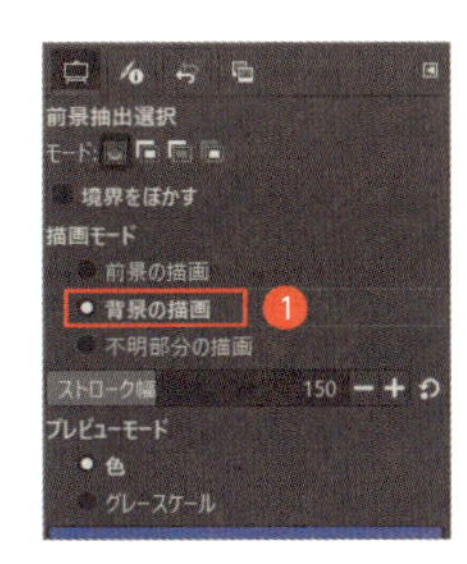

2 ブラシを背景部分にはみ出している前景部分に重ね、はみ出している領域をドラッグします❶。

3 マウスボタンを離すと、はみ出していた前景部分が、青い背景部分に含まれます。

≫ 前景部分を選択範囲にする

1 前景部分と背景部分の調整が終了したところで Enter キーを押します。

2 前景部分が選択範囲になります。

SECTION

16

選択範囲をわかりやすくする

選択ツールのツールオプションの<ハイライト表示>を有効にすることで、選択した領域を囲む枠の内側と外側の見た目をわかりやすくすることができます。

SAMPLE re04_16.jpg

選択した領域を明るく表示する

1 選択ツールで選択範囲を作成します。<ツールオプション>の<ハイライト表示>をクリックして有効にします❶。

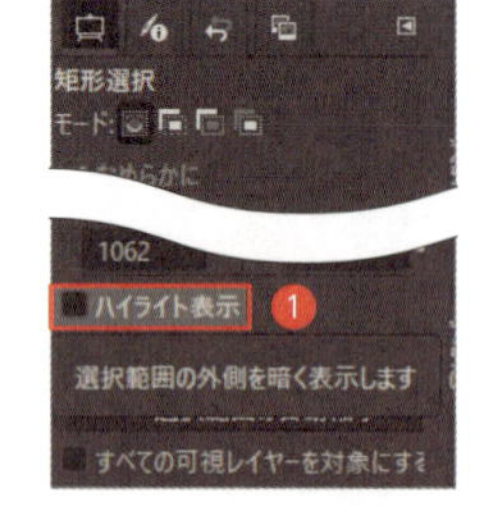

2 選択範囲を囲む枠の内側が明るく表示され、外側はグレーの領域に変わります。もう一度<ハイライト表示>のチェックを外すと、全体が明るい表示に戻ります。

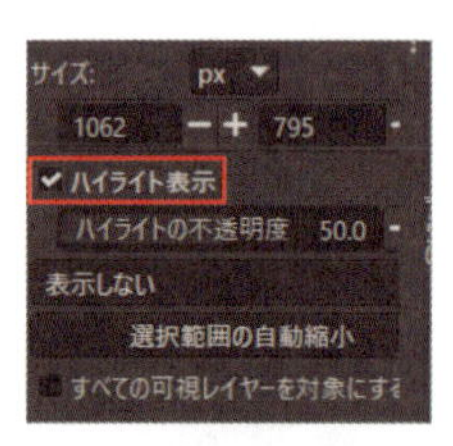

MEMO **グレー領域の透明度を変化させる**

<Highlight opacity>の数値が小さいほどグレーの透明度が強くなり、数値が大きいほど黒くなります。

選択範囲のガイドを表示させる

1 選択ツールで選択範囲を作成します。<ツールオプション>の<表示しない>をクリックします❶。

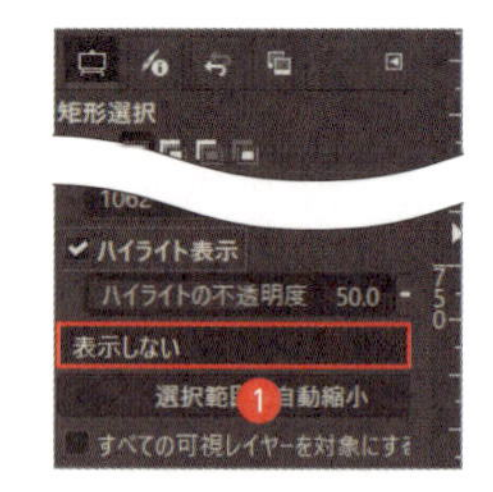

2 ガイドの一覧が表示されます。ガイドの種類(ここでは<センターライン>)を選択します❶。

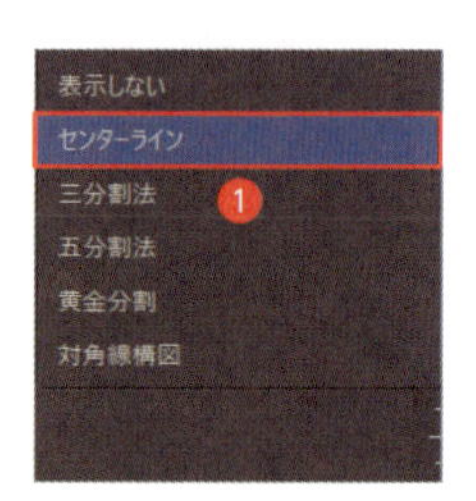

3 縦および横中央にそれぞれ1本ずつ引かれたガイドが表示されます。

MEMO **そのほかのガイドの種類**

右の手順**2**では<センターライン>以外のガイドの表示方法を選択できます。

● <三分割法>

● <五分割法>

● <黄金分割>

● <対角線構図>

SECTION 17

チャンネルとは

チャンネルとは、画像を構成する色や透明度、選択範囲などを管理するものです。赤･緑･青の3原色による構成や、作成、削除、切り替えなどの操作を覚えましょう。

SAMPLE re04_17.xcf

＜チャンネル＞ダイアログの見方

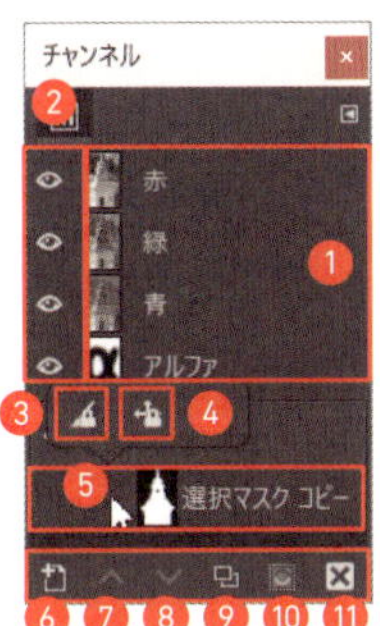

① 各チャンネル
上から＜赤＞、＜緑＞、＜青＞＜アルファ＞のチャンネルを選択できます。それぞれサムネイルがグレースケールで表示されます。

② チャンネルの可視度
クリックして目の形のアイコンが非表示になると、そのチャンネルが非表示になります。もう一度クリックすると表示されます。

③ すべてのピクセルを保護
チャンネルをロックして、描画による編集ができないようにします。もう一度クリックすると編集が可能になります。

④ 位置とサイズの保護
有効にすると、そのレイヤーの移動や変形ができなくなります。

⑤ 追加されたチャンネル
選択範囲から作成したチャンネルやクイックマスク、複製したチャンネルなどはここでに追加されます。サムネイルをクリックすると開くダイアログで＜チャンネル名＞、＜不透明度＞の編集ができます。

⑥ チャンネルの追加
クリックすると＜新規チャンネル＞ダイアログが開き、＜チャンネル名＞、＜不透明度＞の設定と、選択範囲から作成するかどうかを選択できます。

⑦ チャンネルを上段へ
選択しているチャンネルを上に移動します。

⑧ チャンネルを下段へ
選択しているチャンネルを下に移動します。

⑨ チャンネルの複製
選択しているチャンネルを複製します。

⑩ チャンネルを選択範囲に
選択しているチャンネルから選択範囲を作ります。

⑪ チャンネルの削除
選択しているチャンネルを削除します。

各カラーチャンネルのみを表示させる

●赤

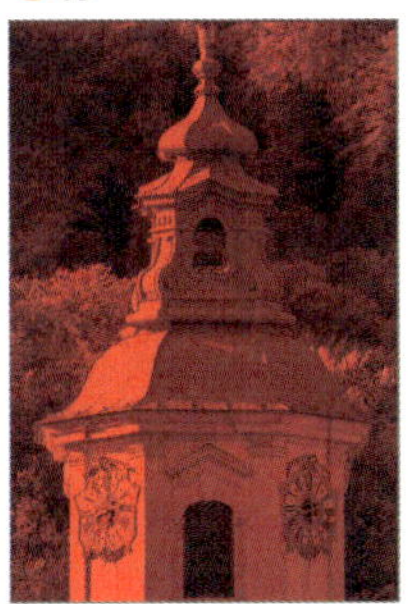

●緑

●青

●アルファ

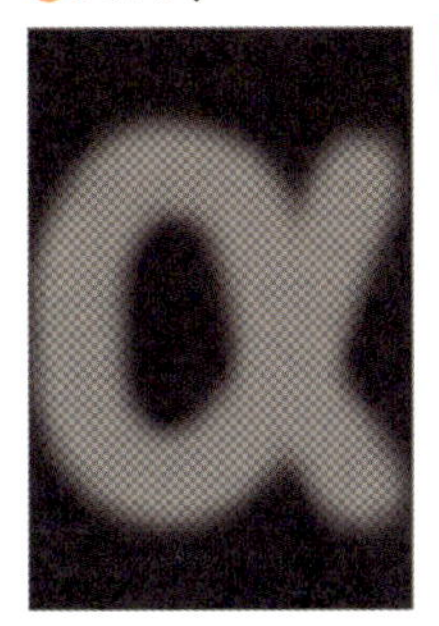

MEMO 通常の編集に切り替える

通常のレイヤーの編集に切り替える場合は、アルファチャンネルを非表示にしてから、＜レイヤー＞ダイアログを開き、編集するレイヤーをクリックします。

SECTION

18 選択範囲を保存する

頻繁に利用する選択範囲はチャンネルに保存をしておきましょう。選択範囲を解除しても同じ選択範囲を何度でも利用することができます。

SAMPLE re04_18.jpg

＜チャンネルに保存＞で保存する

1 選択をするツールで選択範囲を作成します。

2 ＜選択＞メニューをクリックして❶、＜チャンネルに保存＞をクリックします❷。

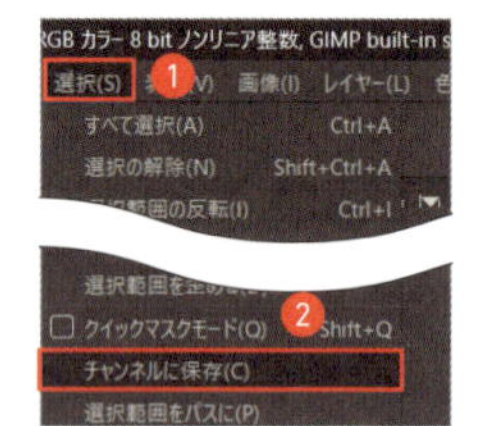

MEMO チャンネルに名前を付ける場合

チャンネルにはじめから名前を付けて追加する場合は、＜チャンネル＞ダイアログから作成します。

3 ＜チャンネル＞ダイアログが開きます。選択範囲から作成された＜選択マスクコピー＞チャンネルが追加されます。

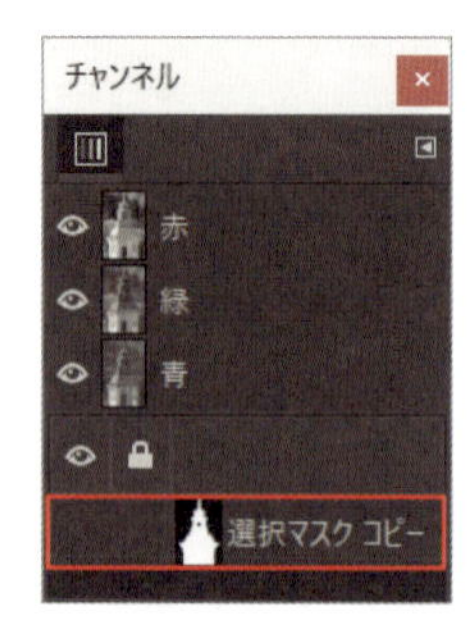

HINT 選択範囲外のグレーを外す

＜チャンネル＞ダイアログで追加した場合は、選択範囲外だった部分がグレーで塗りつぶされた状態になっています。非表示にするにはチャンネルの左側の目の形のアイコンをクリックします。

＜チャンネル＞ダイアログで保存する

1 左の手順**1**同様に、選択するツールで選択範囲を作成し、＜チャンネル＞ダイアログの＜チャンネルの追加＞をクリックします❶。

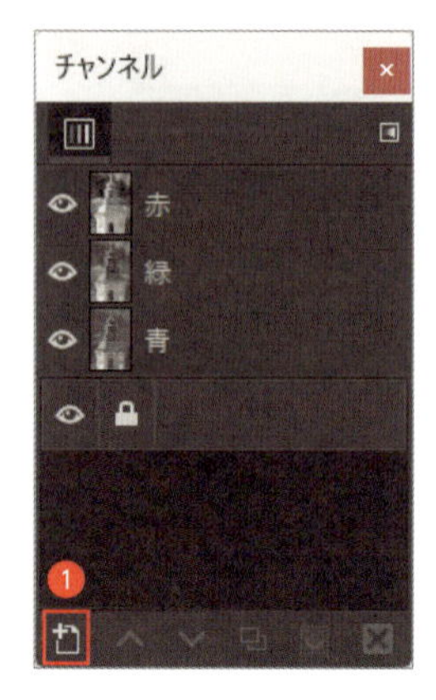

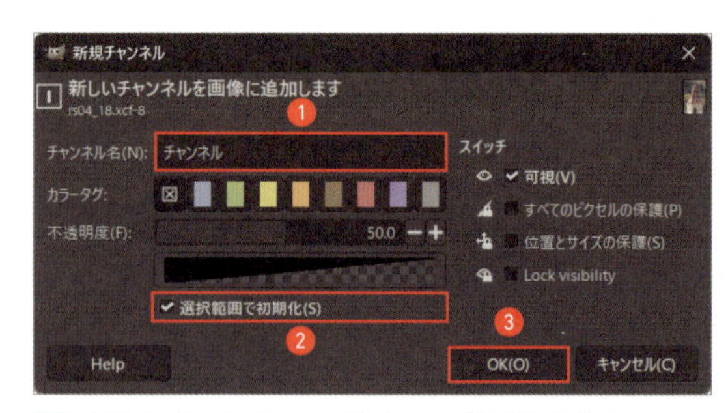

2 ＜新規チャンネル＞ダイアログが開きます。チャンネル名を入力します❶。選択範囲からチャンネルを作成するには＜選択範囲で初期化＞にチェックを入れます❷。＜OK＞をクリックします❸。

3 選択範囲がチャンネルとして、＜チャンネル＞ダイアログに表示された状態で追加されます❶。

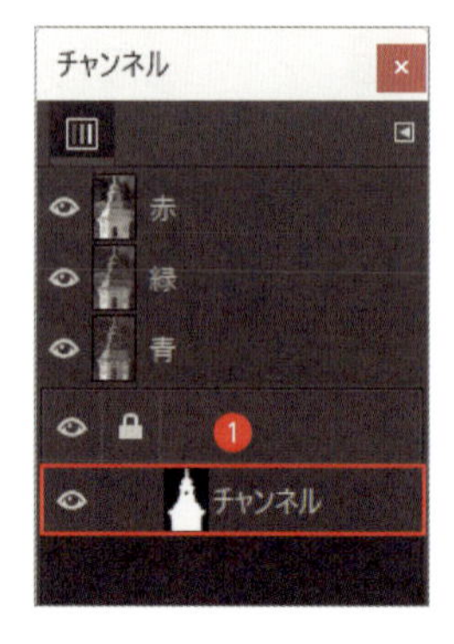

SECTION

19

保存した選択範囲を利用する

チャンネルから選択範囲を作る方法です。選択範囲をチャンネルに保存しておけばこの方法でいつでも選択範囲を復活できます。

SAMPLE re04_19.xcf

チャンネルから選択範囲を作成する

1 <チャンネル>ダイアログを開き、選択範囲に変換したいチャンネルをクリックします❶。

2 <チャンネルを選択範囲に>をクリックします❶。

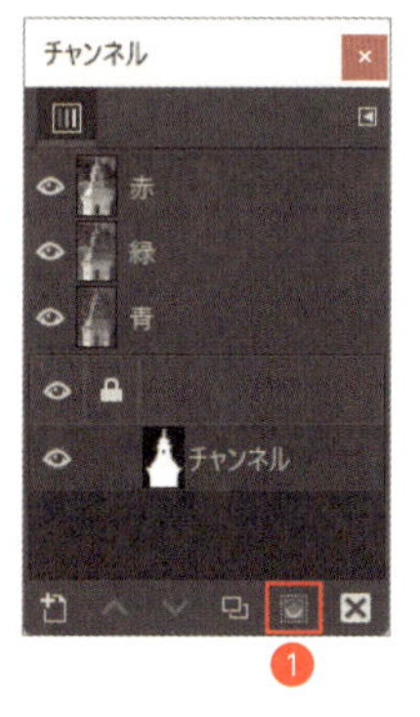

3 選択範囲に変換されます。

チャンネルをレイヤーマスクに利用する

1 <レイヤー>ダイアログを開いて、レイヤーマスクを追加したいレイヤーをクリックします❶。

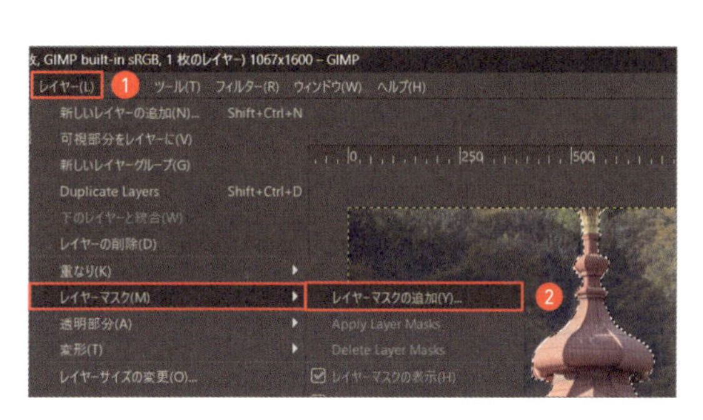

2 <レイヤー>メニューをクリックして❶、<レイヤーマスク>の<レイヤーマスクの追加>をクリックします❷。

3 <レイヤーマスクを追加>ダイアログで<チャンネル>を選択して❶、変換したいチャンネルを選択します❷。<追加>をクリックします❸。

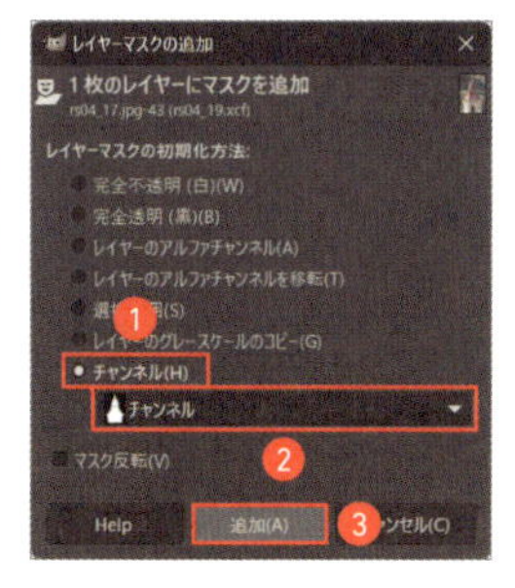

4 チャンネルがレイヤーマスクになります。

CHAPTER 4 画像を選択して編集する

SECTION

20

クイックマスクモードを利用する

選択範囲をクイックマスクモードで可視化します。描画ツールでクイックマスクを編集し、再び選択範囲に変換することで編集結果を適用します。

SAMPLE re04_20.xcf

クイックマスクモードに切り替える

1 選択ツールで選択範囲を作成します。

2 ＜選択＞メニューをクリックして①、＜クイックマスクモード＞にチェックを入れます②。

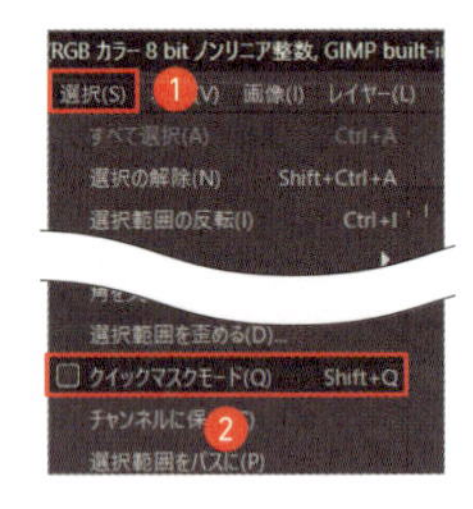

3 選択範囲外が赤い半透明の塗りで覆われます。

クイックマスクを編集する

1 描画ツール（ここでは＜ブラシで描画＞）をクリックします①。ツールオプションでブラシの種類を選択し②、＜サイズ＞を設定します③。＜描画色に黒、背景色に白を設定＞をクリックして描画色を＜黒＞に設定します④。

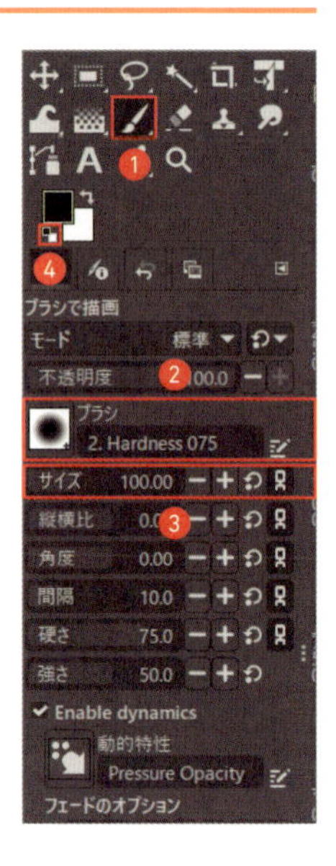

2 選択範囲から削除したい部分をドラッグして塗ります。

編集結果を選択範囲に変換する

1 ＜選択＞メニューをクリックして①、＜クイックマスクモード＞のチェックを外します②。

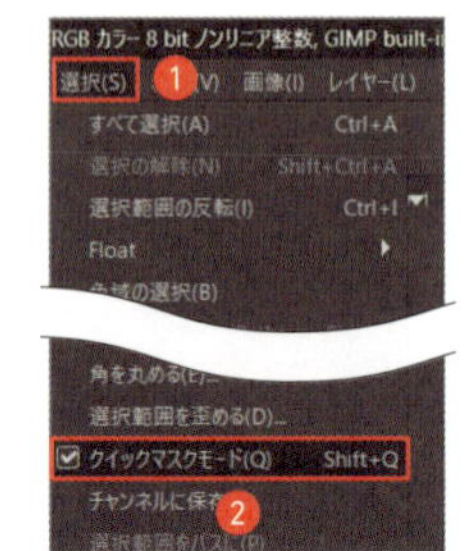

2 選択範囲の表示に切り替わり、クイックマスクで塗り重ねた部分が選択範囲外になります。

[リファレンス編]

CHAPTER

5

レイヤーを編集する

SECTION

01 レイヤーとは

レイヤーはと「層」のことで、写真を貼り付けたり、色でペイントをしたりします。これらの層を重ねることによって、1枚の画像に見せています。

SAMPLE re05_01.xcf

画像の見え方とレイヤーの構造

●レイヤーとは

レイヤーとは1枚の画像に重なった透明な層のことです。それぞれの層に編集を加え、重ねて1枚の画像にします。図1は4つのレイヤーの重なりの概念図です。レイヤーの透明な部分には下のレイヤーの画像が透けて見えるため、実際に見ると図2のように1枚の画像として見えます。

●レイヤーの重なりとダイアログ

画像を構成するレイヤーは、＜レイヤー＞ダイアログで確認できます。図2をGIMPで開くと、図3のような＜レイヤー＞ダイアログが表示されます。＜レイヤー＞ダイアログには下から順に写真のレイヤー、点線を描いたレイヤー、テキストの影のレイヤー、テキストのレイヤーが表示されており、4つのレイヤーで構成されていることがわかります。

図1

図2

図3

SECTION 02

<レイヤー>ダイアログの見方を知る

レイヤーの状態は<レイヤー>ダイアログで確認ができます。また、レイヤーの作成や順の入れ替え、複製、削除といった頻繁に使う操作は、ダイアログの下にあるボタンで行います。

<レイヤー>ダイアログを表示させる

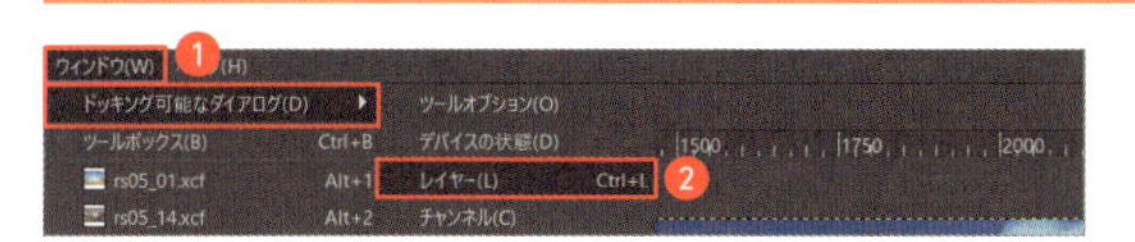

1 <ウィンドウ>メニューをクリックして❶、<ドッキング可能なダイアログ>から<レイヤー>をクリックします❷。

2 <レイヤー>ダイアログが開きます。

<レイヤー>ダイアログの見方

❶ モード
下のレイヤーの色との合成方法を選択します。

❷ 他のモードのグループに切り替え
モードのグループを、通常の<デフォルト>と古いスタイルに則った<レガシー>で切り替えられます。

❸ 不透明度
レイヤーの不透明度を調整します。数値が小さくなるほど色が透けて、「0」で透明になります。

❹ レイヤーの可視度
クリックして目のアイコンが非表示になると、レイヤーが非表示になります。もう一度クリックすると表示されます。

❺ レイヤーの保護
クリックすると以下の操作を選択できます。

すべてのピクセルを保護
有効にすると、そのレイヤーにペイントしたり効果を加えられなくなります。

位置とサイズの保護
有効にすると、そのレイヤーの移動や変形ができなくなります。

Lock visibility
有効にするとレイヤーの表示／非表示の切り替えができなくなります。

透明部分を保護
有効にすると、レイヤーの透明部分にペイントすることができなくなります。

❻ Layer Effects
<色>や<フィルター>メニューで効果を適用すると<fx>のアイコンが表示されます。ここをクリックすると効果名が表示され、効果名をダブルクリックすると再編集ができます。

❼ Select items by patterns and store item sets
レイヤー名またはレイヤーグループ名を検索します。

❽ レイヤー
画像の各レイヤーです。青またはグレーで表示されているレイヤーは、現在アクティブな状態を表しています。レイヤーサムネイルのグレーのチェック状の部分は透明（アルファチャンネル）を表しています。名前はダブルクリックして変更できます。アルファチャンネルを有しているレイヤーの名前は若干太めに表示されます。

❾ 新しいレイヤーを追加
アクティブなレイヤーの上に新しいレイヤーが追加されます。またフローティングレイヤーをレイヤーに確定します。

❿ 新しいレイヤーグループの追加
レイヤーをまとめるための新しいレイヤーグループが追加されます。

⓫ レイヤーを一段上に移動
アクティブなレイヤーが1つ上に移動します。

⓬ レイヤーを一段下に移動
アクティブなレイヤーが1つ下に移動します。

⓭ レイヤーの複製
アクティブなレイヤーを複製します。

⓮ 直下の可視レイヤーと統合
選択している直下にある可視レイヤーと統合します。

⓯ レイヤーマスクを追加
アクティブなレイヤーにレイヤーマスクを追加します。

⓰ レイヤーの削除
アクティブなレイヤーを削除します。

SECTION

03 レイヤーを追加する

新しいレイヤーを追加する方法です。塗りつぶしまたは透明なレイヤーを追加する方法と、画像をレイヤーとして追加する方法があります。

SAMPLE re05_03.jpg

新しい透明なレイヤーを追加する

1 画像を開いた状態で、＜レイヤー＞メニューをクリックして❶、＜新しいレイヤーを追加＞をクリックします❷。

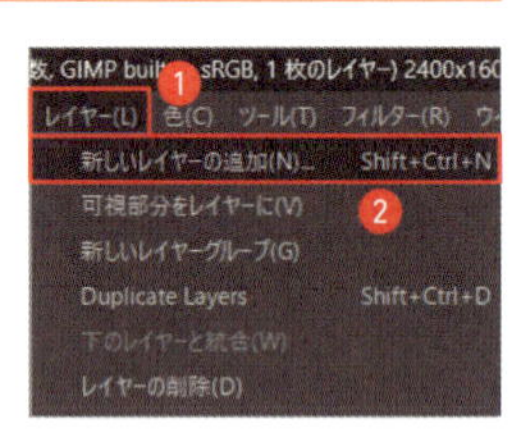

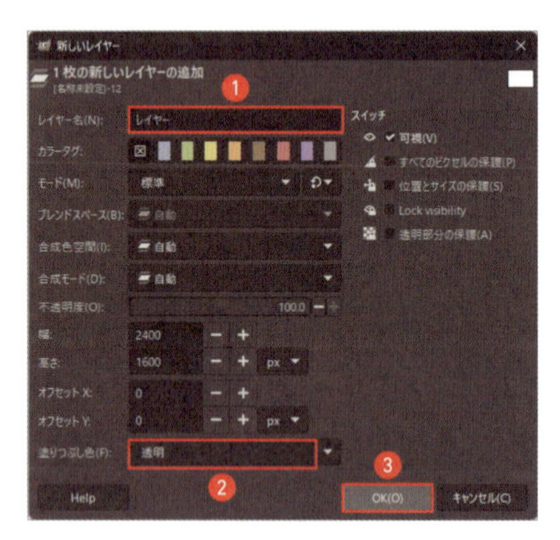

2 ＜新しいレイヤー＞ダイアログが開きます。＜レイヤー名＞に新しいレイヤーの名前を入力します❶。＜塗りつぶし色＞で＜透明＞を選択し❷、＜OK＞をクリックします❸。

3 新しいレイヤーが追加されました。

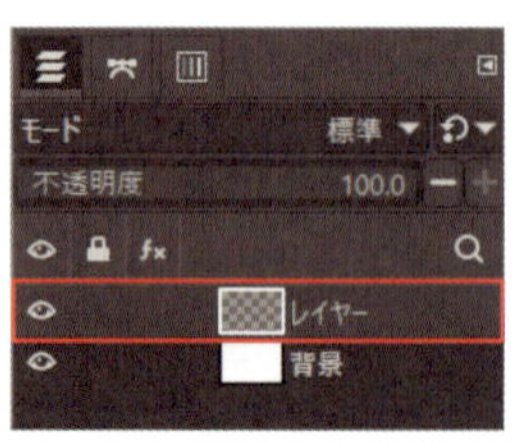

MEMO ＜レイヤー＞ダイアログから追加する

画像を開いた状態で、＜レイヤー＞ダイアログの＜新しいレイヤーを追加＞をクリックしても、＜新しいレイヤー＞ダイアログを表示して、レイヤーを追加することができます。

画像をレイヤーとして追加する

1 ＜ファイル＞メニューをクリックして❶、＜レイヤーとして開く＞をクリックします❷。

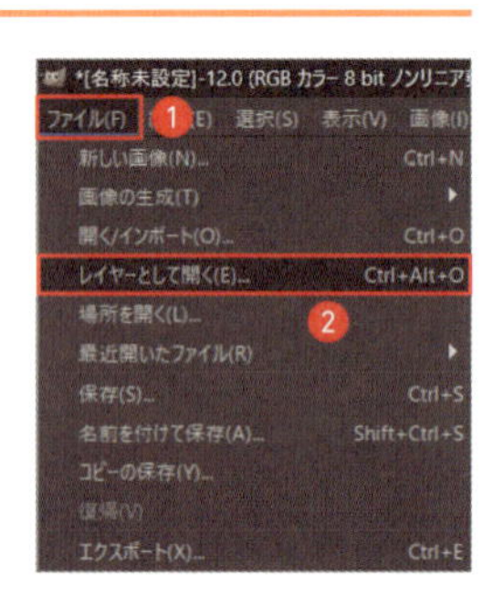

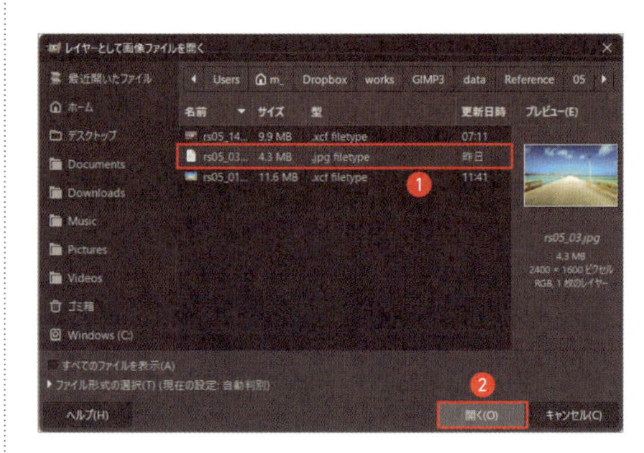

2 レイヤーとして追加したい画像ファイルを選択し❶、＜開く＞をクリックします❷。

3 画像がレイヤーとして追加されました。

＜新しいレイヤー＞ダイアログの見方

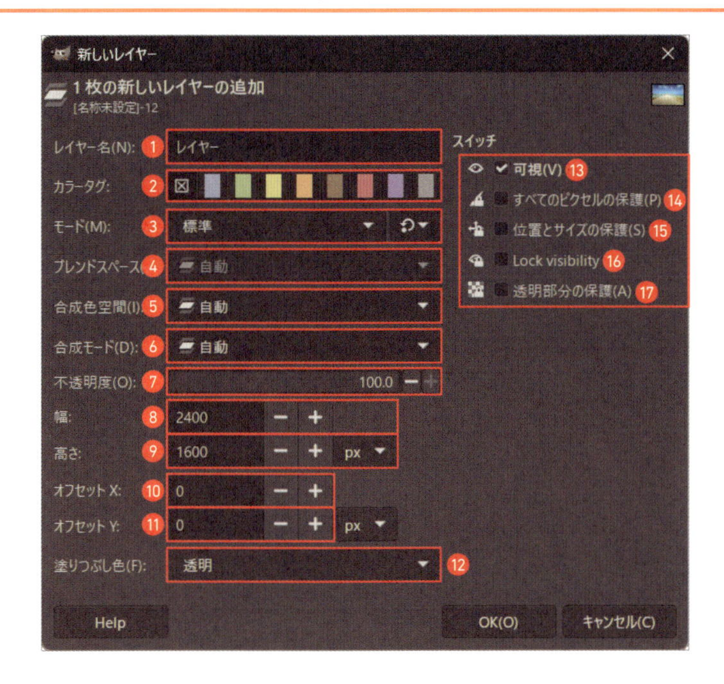

❶ レイヤー名
レイヤーの名前です。

❷ カラータグ
レイヤーを識別するための色を選びます。

❸ モード
レイヤーを重ねた際の合成方法を選びます（226ページ参照）。

❹ ブレンドスペース
合成モードに関連する項目ですが、設定することはできません。

❺ 合成色空間
複合による表示方法を選びます。

❻ 合成モード
レイヤーの不透明・透明な領域な領域との複合モードを選びます。

❼ 不透明度
レイヤーの幅のサイズを設定します。

❽ 幅
レイヤーの幅のサイズを設定します。

❾ 高さ
レイヤーの高さのサイズを設定します。

❿ オフセット X
画像におけるレイヤーの左上の原点の横の位置を設定します。

⓫ オフセット Y
画像におけるレイヤーの左上の原点の縦の位置を設定します。

⓬ 塗りつぶし色
レイヤー全体を塗りつぶす色やパターン、透明を設定します。

⓭ 可視
レイヤーの表示・非表示を設定します。

⓮ すべてのピクセルの保護
すべてのピクセルを保護するかどうかを設定します。

⓯ 位置とサイズの保護
レイヤーの移動・変形の可否を設定します。

⓰ Lock visibility
有効にするとレイヤーの表示・非表示の変更ができなくなります。

⓱ 透明部分の保護
透明部分を保護するかどうかを設定します。

SECTION 04

レイヤーをコピーする

レイヤーを複製する方法です。レイヤーを元のままに保ちながら、複製したレイヤーに効果や編集を加えたいときなどに利用しましょう。

SAMPLE re05_04.xcf

≫ ＜レイヤー＞メニューから複製する

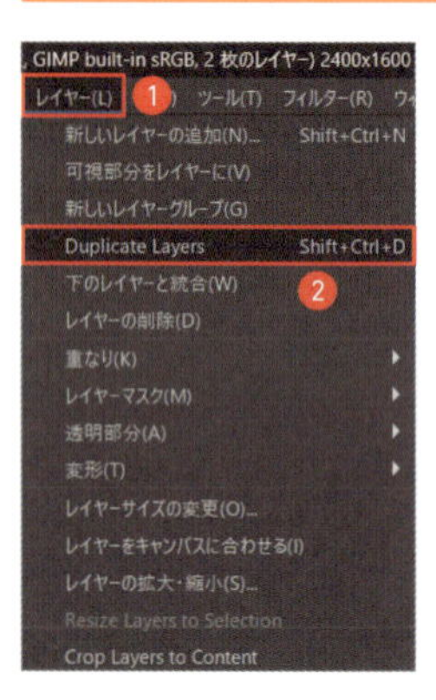

1 ＜レイヤー＞メニューをクリックして❶、＜Duplicate Layers＞をクリックします❷。

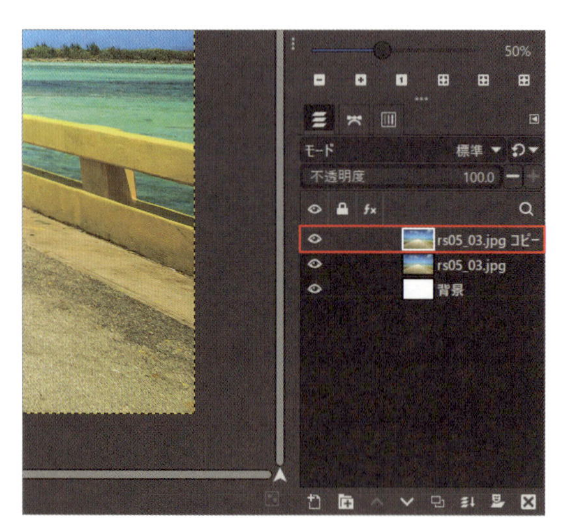

2 レイヤーのコピーが追加されました。

MEMO ＜レイヤー＞ダイアログでメニューを開く

＜レイヤー＞ダイアログで＜このタブの設定＞→＜レイヤーメニュー＞の順番にクリックすると、＜レイヤー＞メニュー同様の項目が表示されます。そこから＜Duplicate Layers＞を選択して操作することもできます。

≫ ＜レイヤー＞ダイアログから複製する

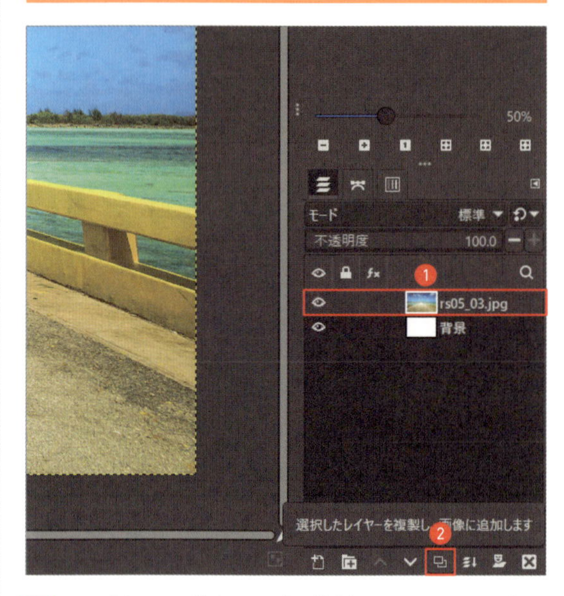

1 ＜レイヤー＞ダイアログで複製したいレイヤーを選択して❶、＜レイヤーの複製＞をクリックします❷。

2 レイヤーのコピーが追加されました。

MEMO 右クリックからコピーする

レイヤーを右クリックして表示されるメニューから、＜Duplicate Layers＞を選択しても、コピーすることができます。

SECTION

05 レイヤーを削除する

レイヤーを削除する方法です。削除したいレイヤーを＜レイヤー＞ダイアログで選択して、アクティブ状態にしてから削除します。

SAMPLE re05_05.xcf

＜レイヤー＞メニューから削除する

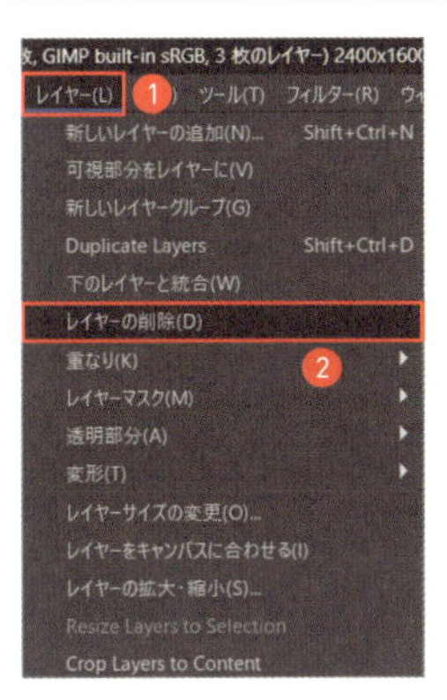

1 ＜レイヤー＞メニューをクリックして①、＜レイヤーの削除＞をクリックします②。

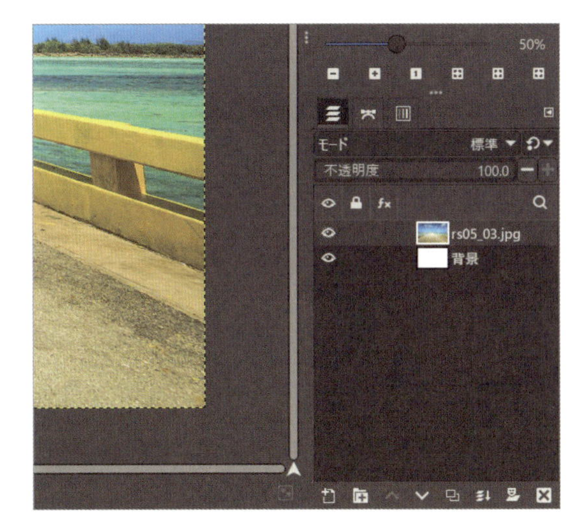

2 レイヤーが削除されました。

MEMO ＜レイヤー＞ダイアログでメニューを開く

＜レイヤー＞ダイアログで＜このタブの設定＞→＜レイヤーメニュー＞の順番にクリックすると、＜レイヤー＞メニュー同様の項目が表示されます。そこから＜レイヤーの削除＞を選択して削除することもできます。

＜レイヤー＞ダイアログから削除する

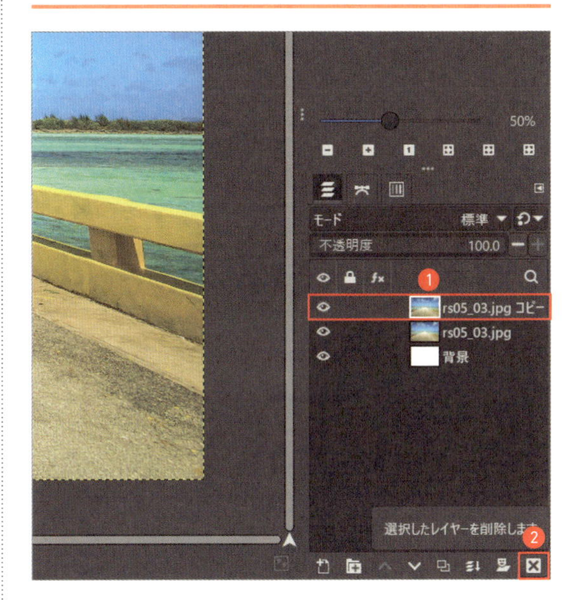

1 ＜レイヤー＞ダイアログで削除したいレイヤーを選択して①、＜レイヤーの削除＞をクリックします②。

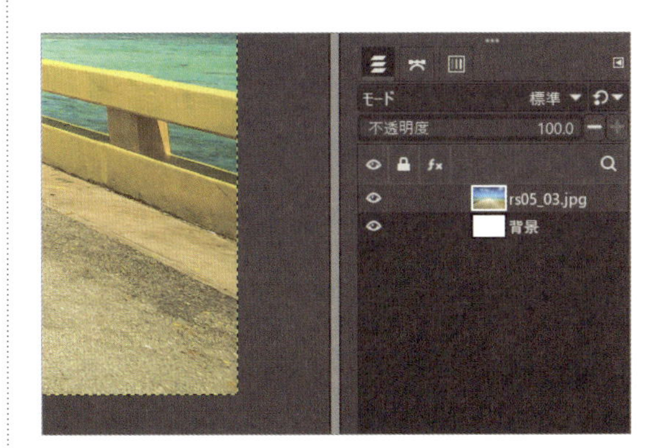

2 レイヤーが削除されました。

MEMO 右クリックのメニューから削除する

レイヤーを右クリックして表示されるメニューから、＜レイヤーの削除＞を選択しても、削除することができます。

SECTION

06 レイヤーの表示・非表示を切り替える

レイヤーは一時的に非表示にできます。レイヤーがそのまま削除されることはありません。下のレイヤーの状態を確認したいときなどに利用します。

SAMPLE re05_06.xcf

レイヤーを非表示にする

1 非表示にしたいレイヤーの左側にある目の形のアイコンをクリックします❶。

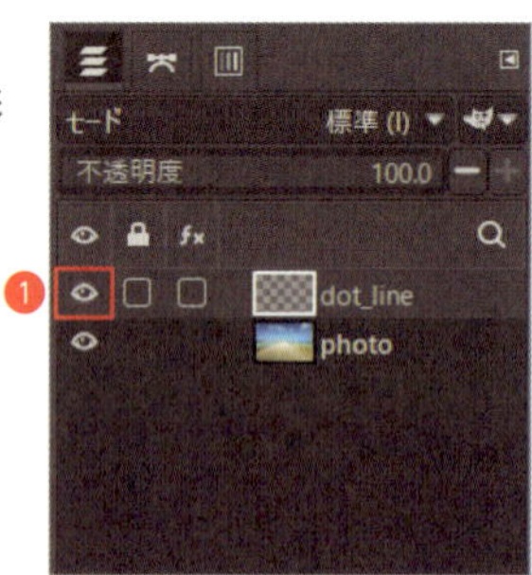

2 レイヤーが非表示になり、その下にあるレイヤーが全体が表示されます。

レイヤーを再表示させる

1 非表示にしたレイヤーの左側の部分をクリックします❶。

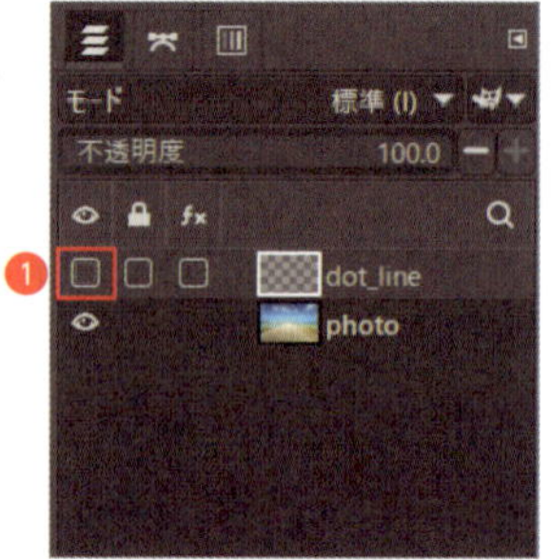

2 レイヤーが表示されます。

SECTION

07

レイヤーの重なり順を入れ替える

レイヤーの重なり順を変える方法です。<レイヤー>ダイアログで重なり順を変えたいレイヤーを直接ほかのレイヤーの上下にドラッグして入れ替えます。

SAMPLE re05_07.xcf

レイヤーの重なり順を入れ替える

1 レイヤーが移動する前の画像にはこのように文字が表示されています。

2 移動させたいレイヤーを選択します❶。

3 選択したレイヤーを、移動させたい位置にドラッグします❶。ここでは文字の影が描かれている<drop_shadow>レイヤーを、文字のレイヤーである<breeze>レイヤーの上に移動させます。

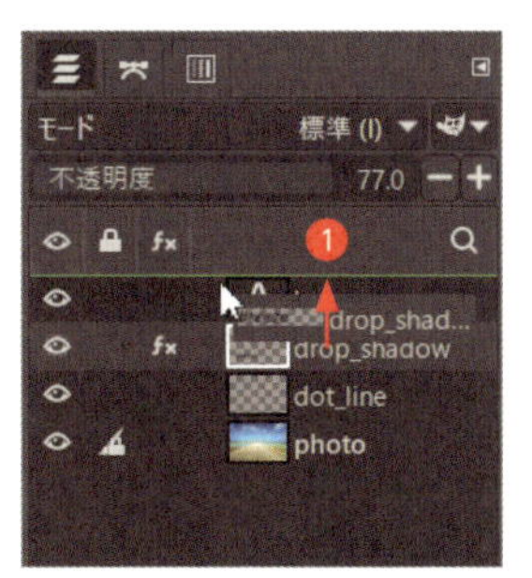

4 選択したレイヤーが移動しました。

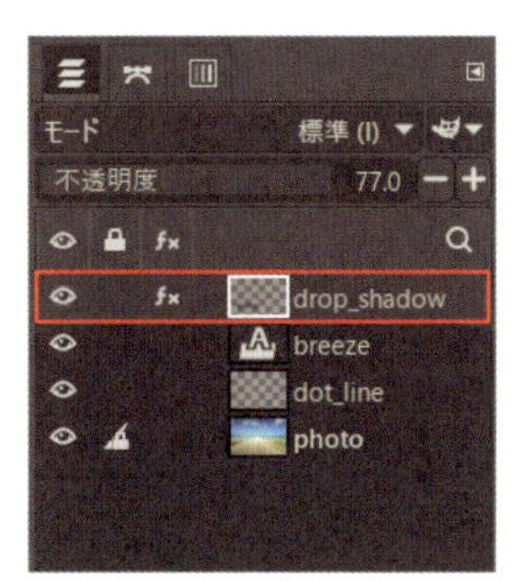

5 レイヤーが移動して、画像上の文字の見え方も変わりました。

<レイヤー>メニューから入れ替える

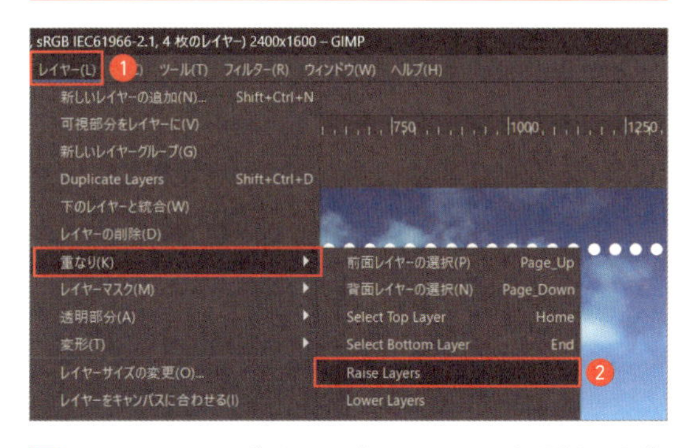

1 <レイヤー>ダイアログでレイヤーを選択した状態で、<レイヤー>メニューをクリックして❶、<重なり>の<Raise Layers>(または<Lower Layers>)をクリックします❷。

2 レイヤーの順番が入れ替わります。

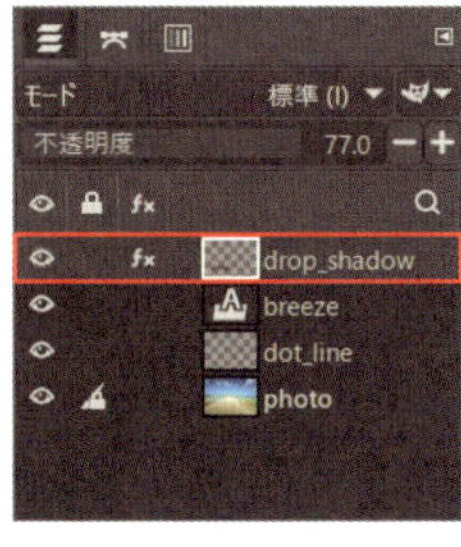

MEMO そのほかの方法で入れ替える

<レイヤー>ダイアログの<レイヤーを一段上(下)に移動>をクリックしても、アクティブなレイヤーの重なり順を変更できます。

SECTION 08

表示されているレイヤーを統合する

表示されている複数のレイヤーを、1つのレイヤーに統合します。このときに表示されていないレイヤーは破棄されます。

SAMPLE re05_08.xcf

＜画像＞メニューから統合する

1 ＜画像＞メニューをクリックして❶、＜可視レイヤーの統合＞をクリックします❷。

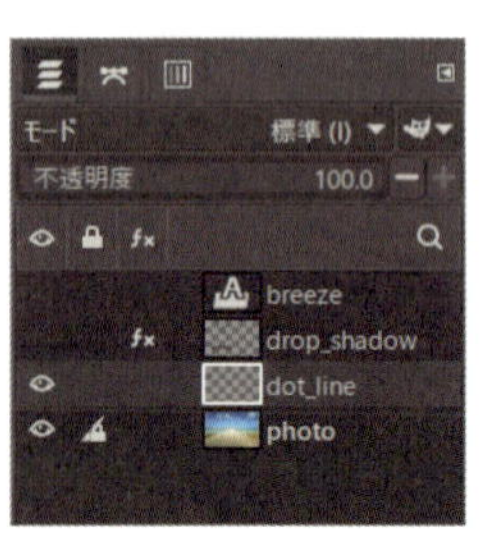

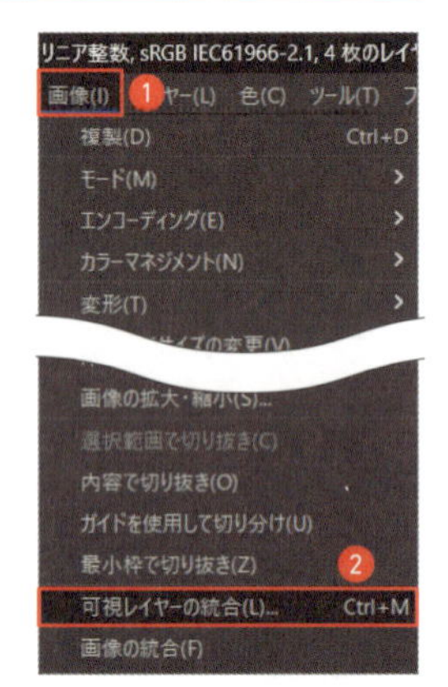

2 ＜レイヤーの統合＞ダイアログが開きます。＜統合されたレイヤーの大きさ＞でいずれかを選択します❶。＜不可視レイヤーの削除＞にチェックを入れて❷、＜統合＞をクリックします❸。

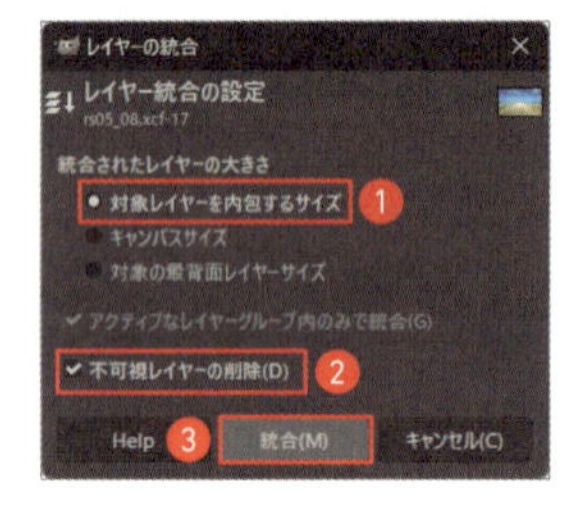

MEMO **統合されたレイヤーの大きさ**

＜統合されたレイヤーの大きさ＞では、統合後のレイヤーのサイズを設定できます。＜対象レイヤーを内包するサイズ＞は統合するすべてのレイヤーが含まれる大きさになります。＜キャンバスサイズ＞は現在のキャンバスサイズに、＜対象の最背面レイヤーサイズ＞は統合する対象レイヤーの最背面にあるレイヤーのサイズに揃えられます。

3 非表示だったレイヤーが破棄され、表示されていたレイヤーが1つに統合されました。

＜レイヤー＞ダイアログから統合する

1 ＜レイヤー＞ダイアログで、統合したいレイヤーを表示させて❶、アクティブなレイヤーをクリックします❷。

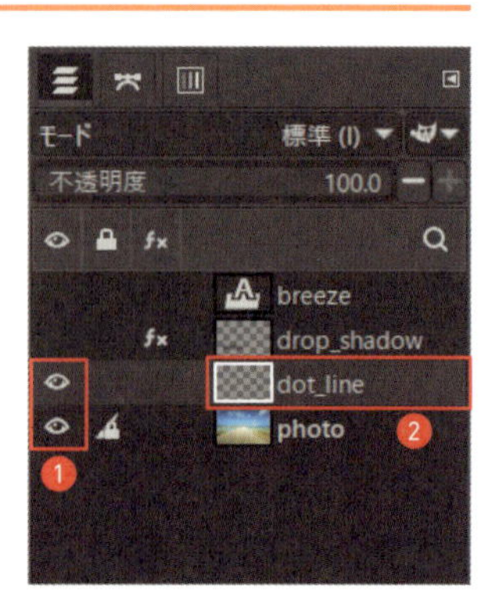

2 ＜このタブの設定＞をクリックして❶、＜レイヤーメニュー＞の＜可視レイヤーの統合＞をクリックします❷。

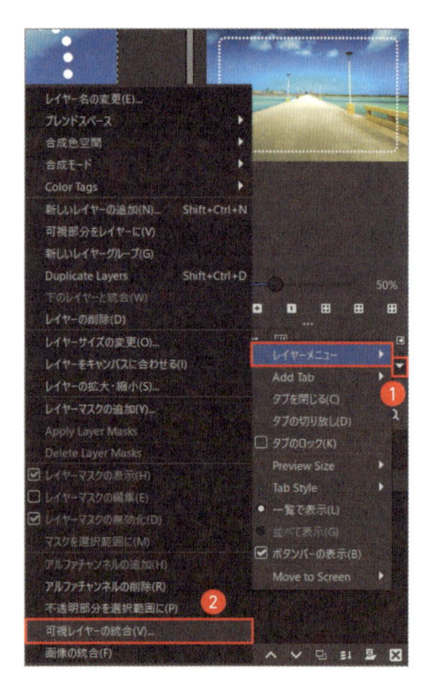

3 ＜レイヤーの統合＞ダイアログが開くので、左の手順**2**～**3**に沿ってレイヤーを統合します。

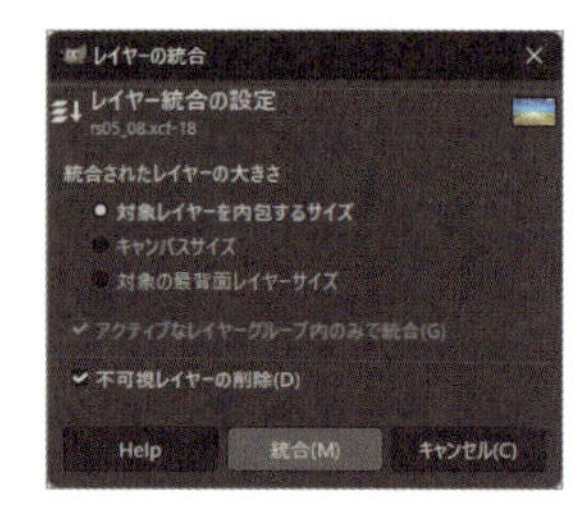

SECTION 09

表示されていないレイヤーを残して統合する

表示されていないレイヤーを破棄せず、そのまま残して表示されているレイヤーだけをまとめて1つに統合します。

SAMPLE re05_09.xcf

<画像>メニューから統合する

1 <画像>メニューをクリックして❶、<可視レイヤーの統合>をクリックします❷。

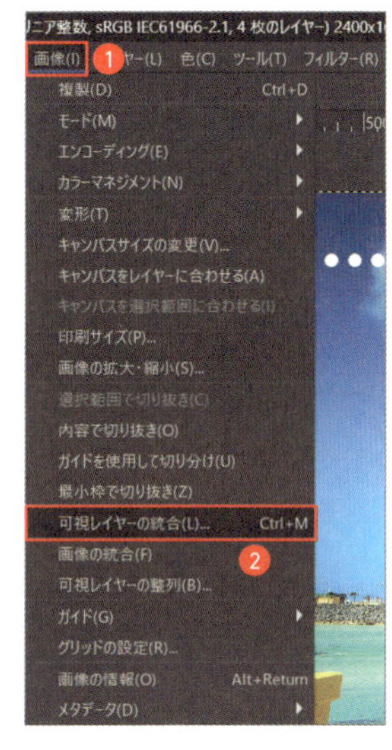

2 <レイヤーの統合>ダイアログが開きます。<統合されたレイヤーの大きさ>でいずれかを選択します❶。<不可視レイヤーの削除>にチェックを外し❷、<統合>をクリックします❸。

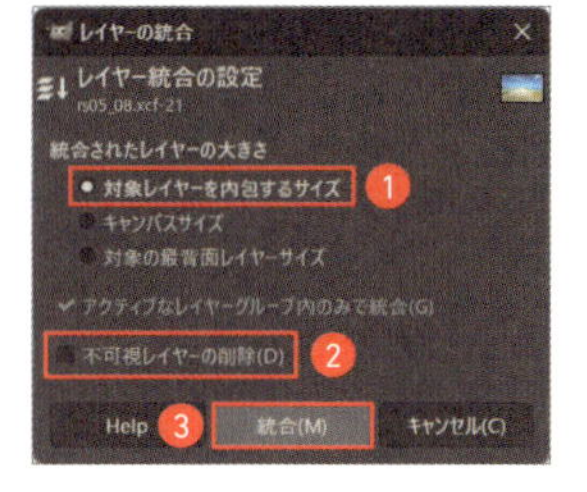

3 非表示のレイヤーはそのまま残り、表示されていたレイヤーが1つに統合されました。

<レイヤー>ダイアログから統合する

1 <レイヤー>ダイアログで、統合したいレイヤーを表示させて❶、アクティブなレイヤーを右クリックします❷。

2 <可視レイヤーの統合>をクリックします❶。

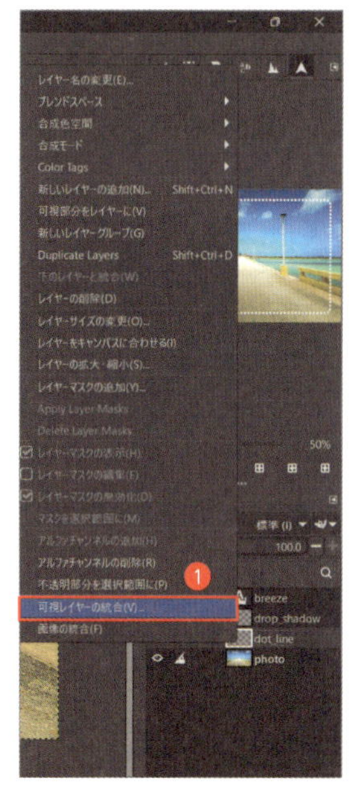

3 <レイヤーの統合>ダイアログが開くので、左の手順**2**~**3**に沿ってレイヤーを統合します。

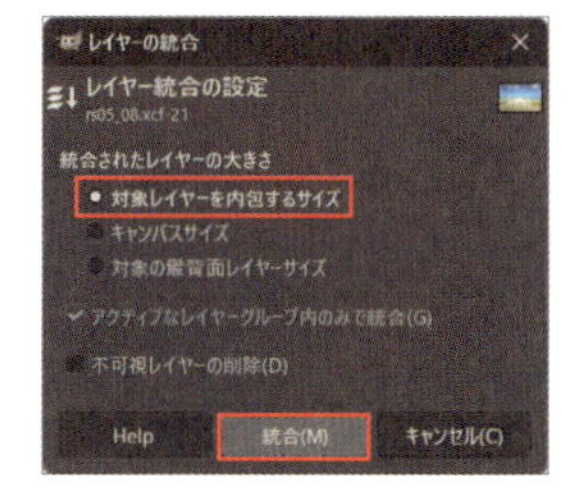

SECTION 10

すべてのレイヤーを統合する

複数重なっているレイヤーを1つに統合する方法です。＜可視レイヤーの統合＞と違い、透明だった部分が背景色で塗りつぶされます。

SAMPLE re05_10.xcf

＜画像＞メニューから統合する

1 ＜レイヤー＞ダイアログで統合したいレイヤーを表示します❶。

2 ＜画像＞メニューをクリックして❶、＜画像の統合＞を選択します❷。

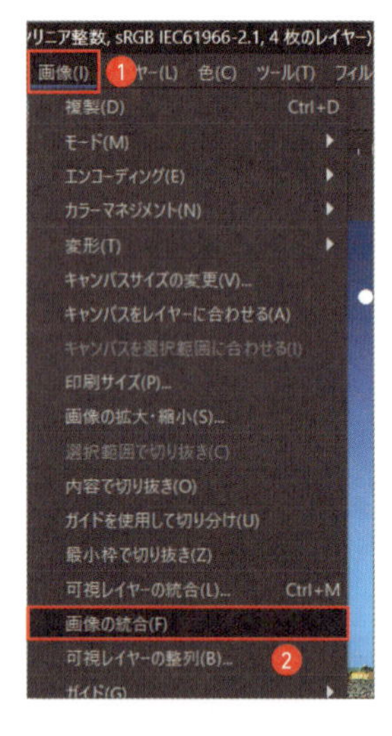

3 レイヤーが1つに統合されます。

＜レイヤー＞ダイアログから統合する

1 ＜レイヤー＞ダイアログで統合したいレイヤーを表示します❶。表示しているレイヤーをクリックします❷。

2 ＜このタブの設定＞をクリックして❶、＜レイヤーメニュー＞の＜画像の統合＞をクリックします❷。

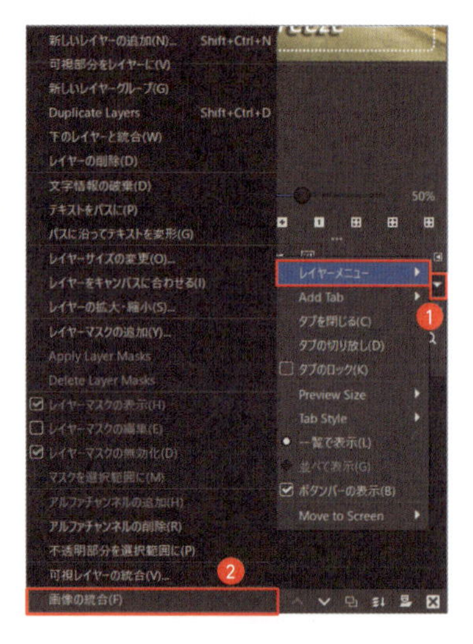

3 レイヤーが1つに統合されます。

MEMO アルファチャンネルを追加する

統合したレイヤーにはアルファチャンネルがありません。通常のレイヤーのように透明部分の情報を付加するには、＜レイヤー＞メニューをクリックして、＜透明部分＞の＜アルファチャンネルの追加＞を選択します。

SECTION

11 下のレイヤーと統合する

複数重なっているレイヤーの、アクティブなレイヤーとその下にあるレイヤーを統合する方法です。統合してもアルファチャンネルによる透明な情報は保たれます。

SAMPLE re05_11.xcf

＜レイヤー＞メニューから統合する

1 ＜レイヤー＞ダイアログで統合したいレイヤーを選択します❶。

2 ＜レイヤー＞メニューをクリックして❶、＜下のレイヤーと統合＞を選択します❷。

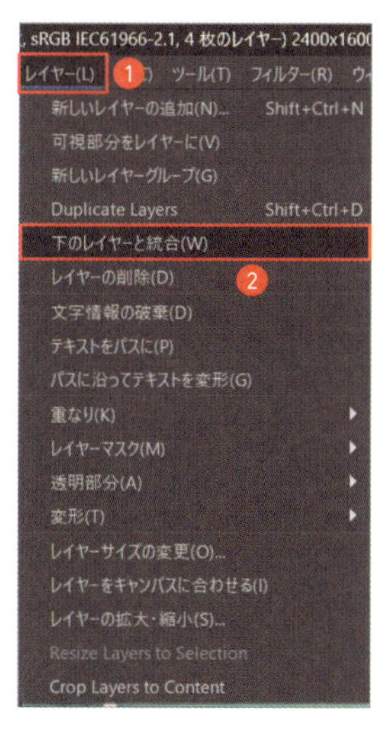

3 選択していたレイヤーとその下のレイヤーが統合します。

＜レイヤー＞ダイアログから統合する

1 ＜レイヤー＞ダイアログで、下のレイヤーと統合したいレイヤーを右クリックします❶。

2 ＜下のレイヤーと統合＞をクリックします❶。

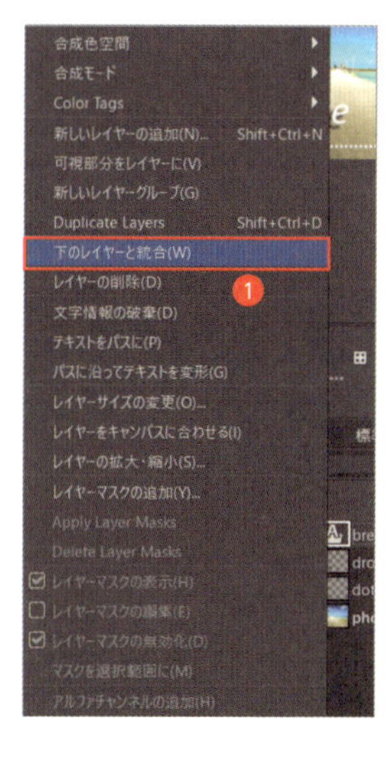

3 選択していたレイヤーとその下のレイヤーが統合します。

SECTION

12 レイヤーの不透明度を編集する

レイヤーの不透明度は、「100」が完全に不透明な状態で、数値が下がるほど透明になって、下のレイヤーの画像が薄く透けて見えてきます。「0」で完全に透明になります。

SAMPLE re05_12.xcf

レイヤーの不透明度を徐々に下げる

1 ＜photo＞レイヤーの上に、ドットのレイヤー＜dot_line＞レイヤーを重ねています。＜dot_line＞レイヤーの＜不透明度＞は「100」の完全不透明な状態です。

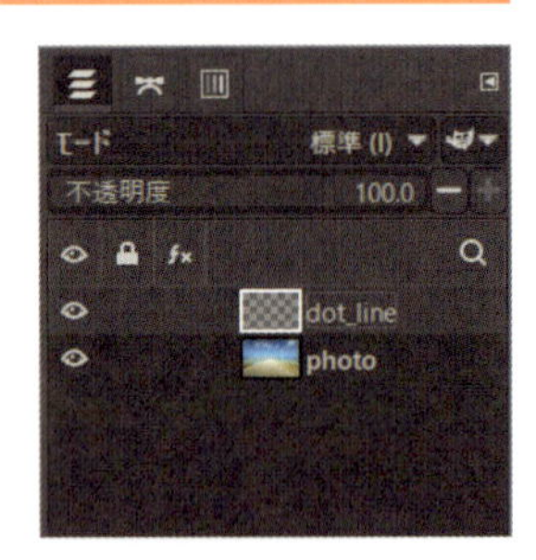

2 ＜不透明度＞のスライダーを左にドラッグして不透明度を下げます❶。

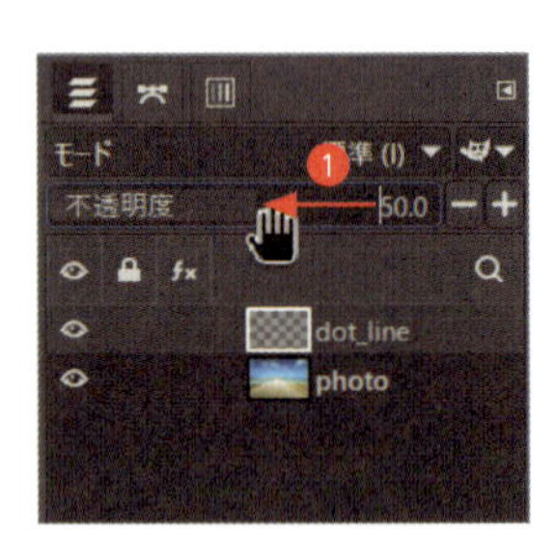

3 レイヤーが少し透けます。

レイヤーを完全透明にする

1 ＜不透明度＞のスライダーの数値をさらに下げます❶。

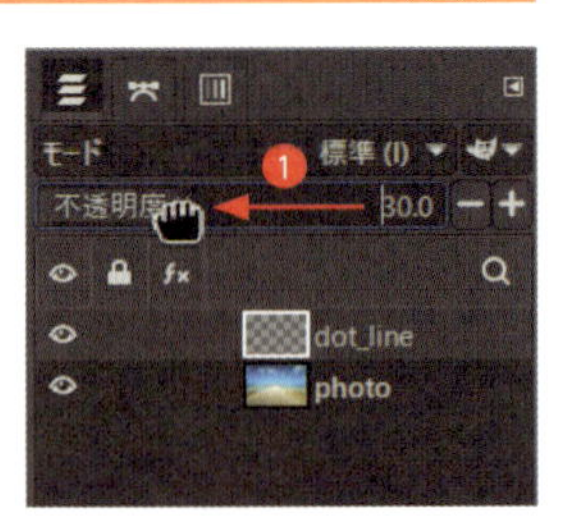

2 レイヤーが半透明になり、＜photo＞レイヤーの色がより見えます。

3 ＜不透明度＞を最小値の「0」に設定すると❶、レイヤーは完全に透明な状態になります❷。＜dot_line＞レイヤーは全く見えなくなります。

SECTION 13

可視部分をレイヤーにする

＜可視部分をレイヤーに＞を利用して、画像の見えている箇所をレイヤーにします。

SAMPLE re05_13.xcf

可視部分をレイヤーに変換する

1 ＜レイヤー＞ダイアログで結合したいレイヤーのみ表示し❶、一番上のレイヤーを選択します❷。

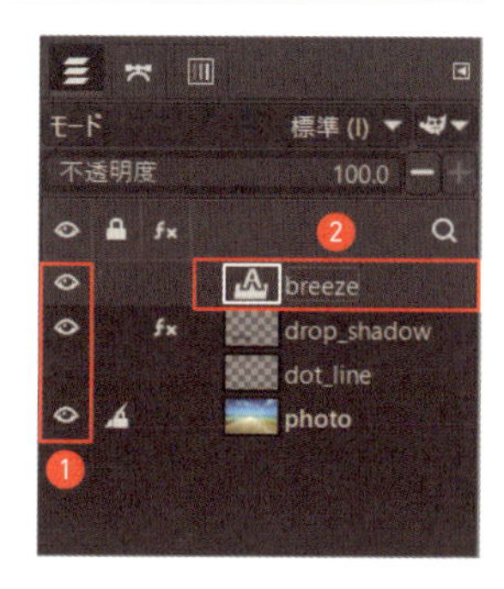

2 ＜レイヤー＞メニューを開き❶、＜可視部分をレイヤーに＞を選択します❷。

3 ＜レイヤー＞ダイアログの一番上に、可視部分を1つのレイヤーに結合した＜可視部分コピー＞レイヤーが追加されます。なお、元のレイヤーはそのまま保たれています。

可視レイヤーのみ統合する

1 ＜レイヤー＞ダイアログで＜このタブの設定＞をクリックして❶、＜レイヤーメニュー＞の＜可視レイヤーの統合＞を選択します❷。

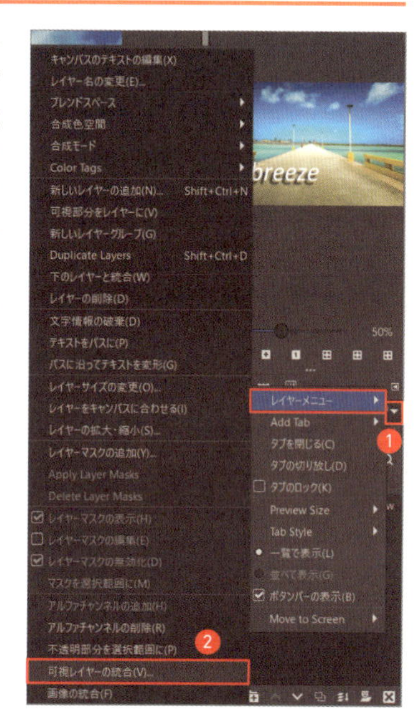

2 ＜レイヤーの統合＞ダイアログが開きます。＜不可視レイヤーの削除＞のチェックを外した状態で❶、＜統合＞をクリックします❷。

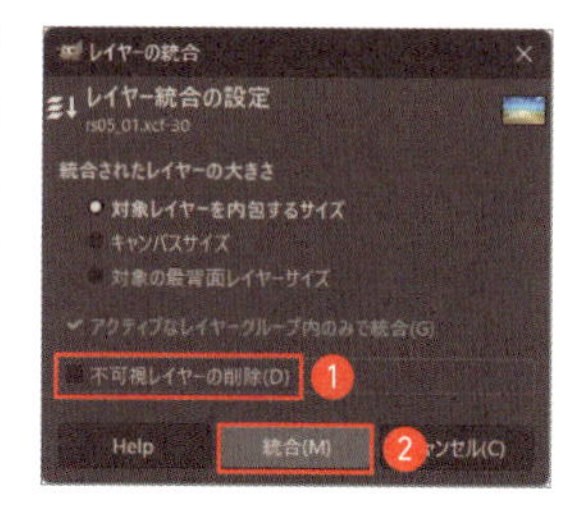

3 不可視レイヤーは非表示のまま残り、可視レイヤーが1つに統合されます。

SECTION 14

レイヤーのモードについて知る

レイヤーが重なっている場合、上に重なっているレイヤーのモードを切り替えることで、下のレイヤーとの色や明るさによって見た目が変化します。

SAMPLE re05_14.xcf

レイヤーのモードを切り替える

1 ＜モード＞をクリックします❶。

2 一覧から目的のモードをクリックします❶。

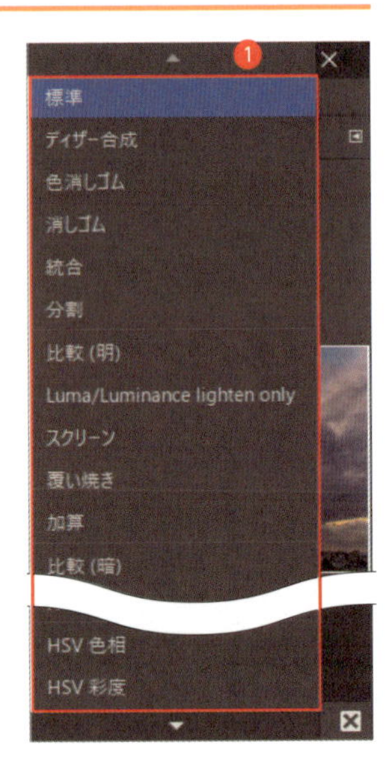

各モードによる見え方の例

●標準

●ディザー合成

●比較(明)

●スクリーン

●覆い焼き

●加算

HINT モードによる変化が見られない場合

モードによっては<不透明度>が「100」の設定ではモードによる変化が現れないことがあります。その場合、不透明度の数値を下げると効果が確認できます。

SECTION

15 レイヤーグループを作成する

複数のレイヤーをまとめるには「レイヤーグループ」を作成します。レイヤーの管理するためのフォルダーとして活用できます。

SAMPLE re05_15.xcf

＜レイヤー＞メニューから作成する

1 レイヤーを選択した状態で＜レイヤー＞メニューをクリックして❶、＜新しいレイヤーグループ＞をクリックします❷。

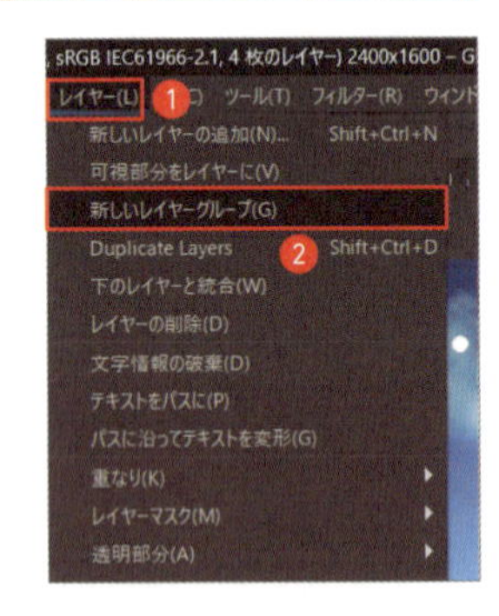

2 選択していたレイヤーの上に＜レイヤーグループ＞が追加されます。

レイヤーグループの名前を変更する

1 レイヤーグループ名をダブルクリックします❶。

2 レイヤーグループ名を入力します❶。Enter キーを押すと新しいレイヤーグループ名が適用されます。

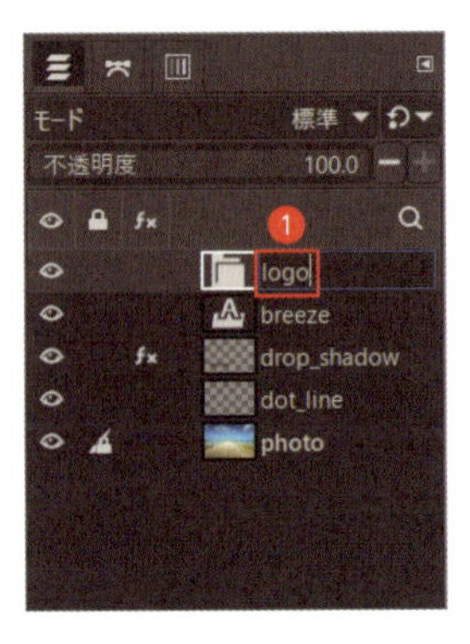

＜レイヤー＞ダイアログから作成する

1 レイヤーグループを作成したいレイヤーを選択します❶。＜新しいレイヤーグループ＞をクリックします❷。

2 選択していたレイヤーの上に＜レイヤーグループ＞が追加されます。

SECTION

16 レイヤーグループにレイヤーを追加する

作成したレイヤーグループに、既存のレイヤーをドラッグして収納します。また、フォルダーは必要に応じて中身を開閉して、ダイアログを省スペース化できます。

SAMPLE re05_16.xcf

レイヤーグループにレイヤーを追加する

1 収納したいレイヤーを、レイヤーグループにドラッグします❶。

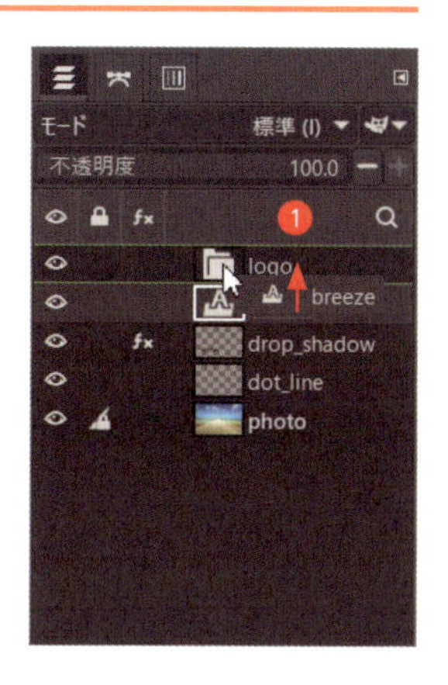

2 レイヤーグループにレイヤーが収納されると、フォルダーの階層のように表示されます。

3 さらにレイヤーグループにレイヤーを追加します。レイヤーをレイヤーグループ内の、配置したい上下の位置にドラッグします❶。

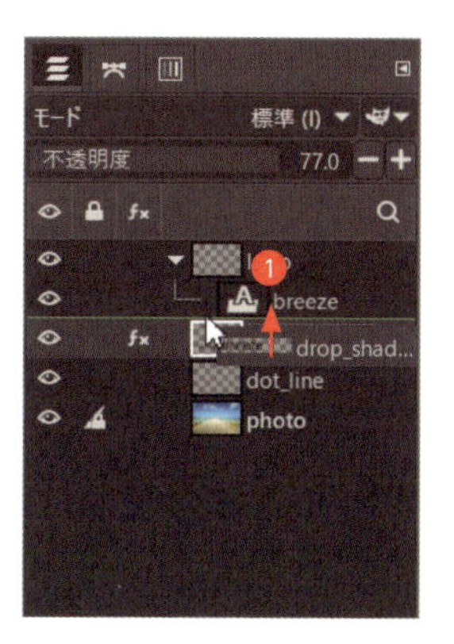

4 レイヤーグループ内で複数のレイヤーが重なります。

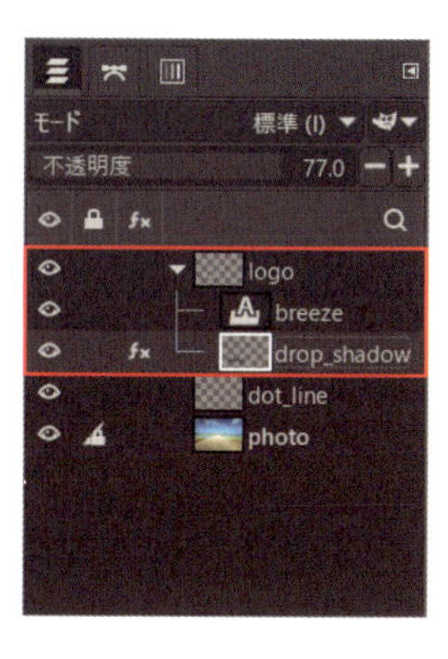

レイヤーグループを開閉する

1 レイヤーグループの▼をクリックします❶。

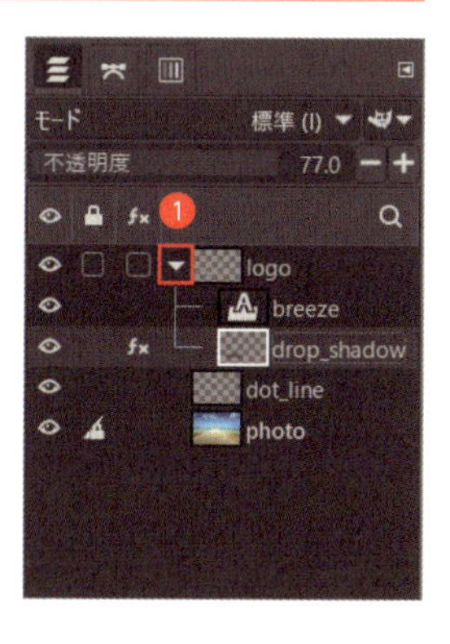

2 レイヤーグループが閉じます。レイヤーグループの▶をクリックすると、レイヤーグループが再び開きます。

MEMO レイヤーグループから外す

レイヤーグループからレイヤーを外したい時には、外したいレイヤーをレイヤーグループの外にドラッグします。

SECTION

17

レイヤーグループごと編集する

レイヤーグループは単体のレイヤー同様の編集を一部加えることができます。ここではレイヤーグループをまとめて変形およびモードを変更します。

SAMPLE re05_17.xcf

レイヤーグループごと編集する

1 ここでは文字のレイヤーと影のレイヤーをまとめた<ロゴ>レイヤーグループを編集します。変形したいレイヤーグループをクリックして選択します1。

2 ここでは<拡大・縮小>を選択して変形します1。レイヤーグループのオブジェクトを縮小します2。

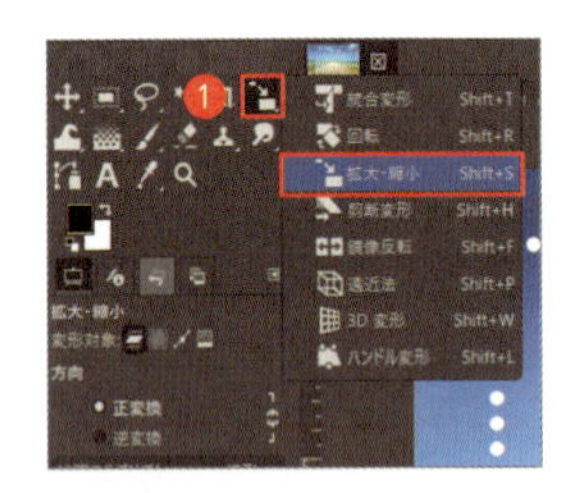

3 レイヤーグループの内容に同時に変形結果が適用されます。

レイヤーグループのモードをまとめて変更する

1 変形したいレイヤーグループを選択します。<モード>をクリックして、変更したいレイヤーのモードを選択します1。

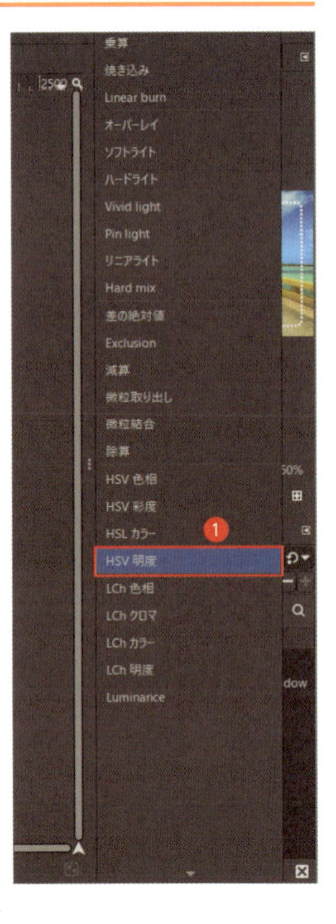

2 レイヤーグループの内容に同時にモードが適用されます。

SECTION

18 レイヤーグループを統合する

レイヤーグループにまとめられているレイヤーは統合することができます。レイヤーグループを解除する方法も覚えておきましょう。

SAMPLE re05_18.xcf

グループ内のレイヤーを統合する

1 2つのレイヤーがレイヤーグループにまとめられています。

2 統合したいレイヤーグループを選択します。<このタブの設定>をクリックして❶、<レイヤーメニュー>の<レイヤーグループの統合>を選択します❷。

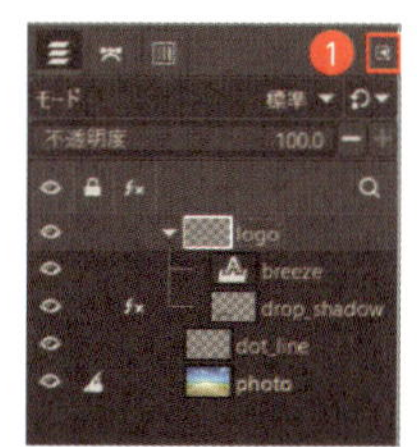

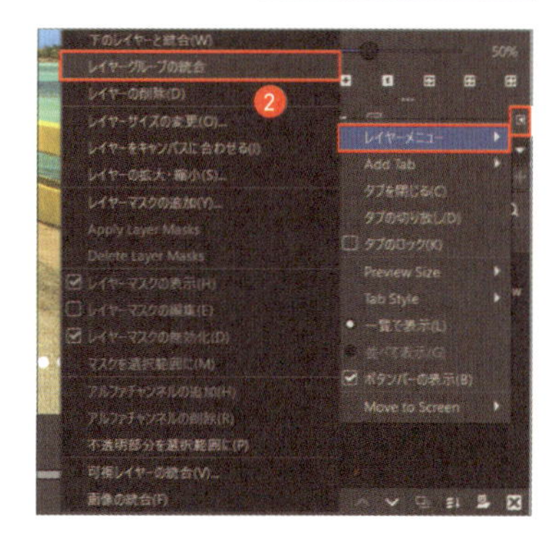

3 レイヤーグループの内容が1つのレイヤーに統合されます❶。

レイヤーグループを解除する

1 レイヤーグループを開き、グループ内のレイヤーをレイヤーグループの外にドラッグします❶。

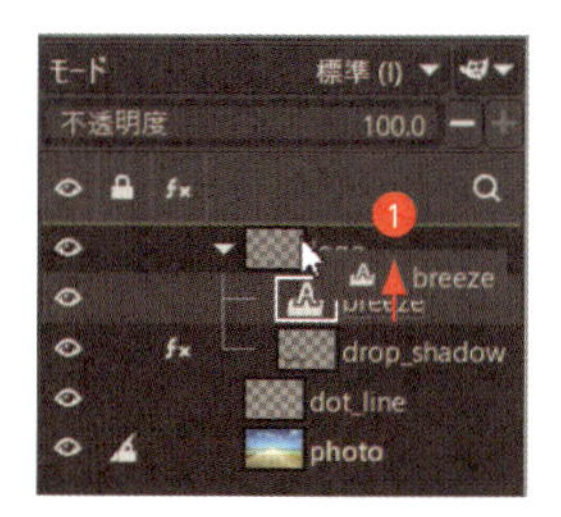

2 レイヤーグループの外にレイヤーが取り出されます。グループ内の残りのレイヤーも同様に取り出します。

3 すべてのレイヤーを取り出したらレイヤーグループを選択して❶、<レイヤーの削除>をクリックします❷。

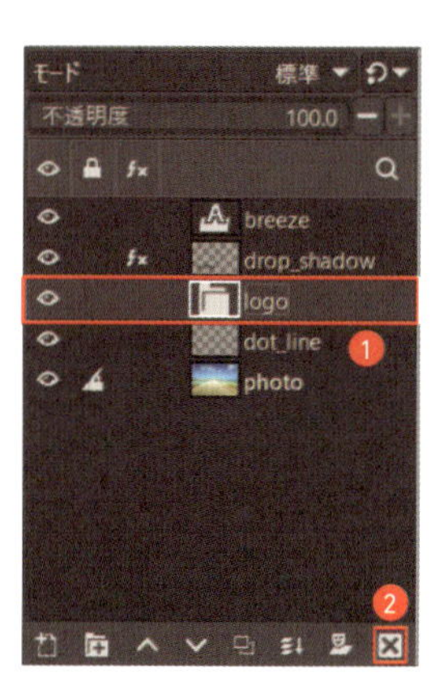

4 レイヤーグループが削除されます。

SECTION 19

レイヤーサイズをキャンバスに合わせる

レイヤーのサイズは、開いた画像によって異なります。キャンバスサイズに合わせるには＜レイヤーをキャンバスに合わせる＞を選択します。

SAMPLE re05_19.xcf

レイヤーをキャンバスサイズに合わせる

1 ＜レイヤー＞ダイアログでキャンバスサイズに合わせたいレイヤーをクリックします 1。

2 ＜レイヤー＞メニューをクリックして 1、＜レイヤーをキャンバスに合わせる＞をクリックします 2。

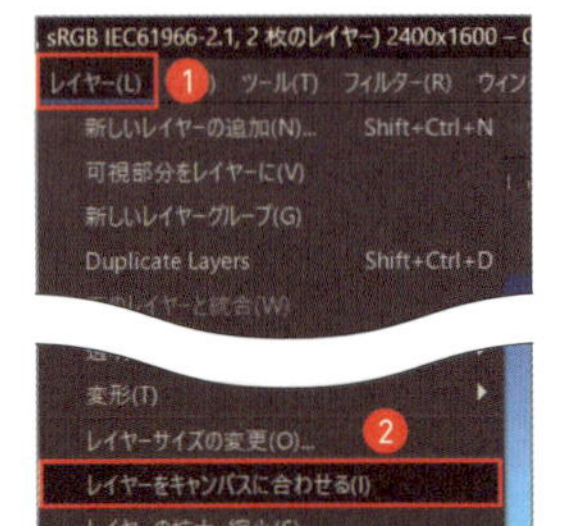

3 レイヤーがキャンバスピッタリのサイズになりました。

レイヤーをアイテムに合わせて切り抜く

1 ＜レイヤー＞ダイアログで、アイテムの大きさに合わせて切り抜きたいレイヤーをクリックします 1。

2 ＜レイヤー＞メニューをクリックして 1、＜Crop Layers to Content＞をクリックします 2。

3 レイヤーのアイテムピッタリサイズにレイヤーが切り抜かれました。

MEMO キャンバスサイズは必ずサイズを合わせる

レイヤーのサイズが小さいと、その範囲にしか描画ができなかったり、フィルターによっては効果が加わりません。キャンバスいっぱいに描画したり効果を加えたいときは、必ずレイヤーをキャンバスサイズに合わせましょう。

[リファレンス編]

CHAPTER

6

レイヤーを活用する

SECTION

01

レイヤーの非破壊編集とは

非破壊編集はレイヤーごとに複数の効果を重ね掛けしたり、いつでも元に戻せたりする機能です。臨機応変に色調補正やフィルターの再編集ができます。

SAMPLE re06_01.xcf

非破壊編集とは

非破壊編集とは画像の元の状態はそのままに、再編集可能な色の調整やフィルター効果をかけることです。調整するごとに画像のデータを書き換える(破壊する)一般的な編集形式に対して、GIMPの非破壊編集ではレイヤーにかけた調整結果をいつでも変更をしたり元の状態に戻すなど、柔軟な編集が可能です。

＜レイヤー＞ダイアログで確認

非破壊編集は＜色＞や＜フィルター＞メニューの効果をかけたレイヤーに適用されます。ただし一部効果には非対応です。非破壊編集な効果が適用されたレイヤーには、＜fx＞アイコンがつきます。

＜Layer Effects＞ダイアログの見方

非破壊編集効果の項目は＜レイヤー＞ダイアログの＜fx＞アイコンをクリックすると開く＜Layer Effects＞で確認します。ここで各項目ごとに効果の有効・無効を切り替えたり、効果順の入れ替えや、効果の削除などの編集が可能です。項目をダブルクリックすると該当する調整ダイアログが開き、現在の調整結果から引き続き再調整ができます。＜Layer Effects＞は下記の機能を備えています。

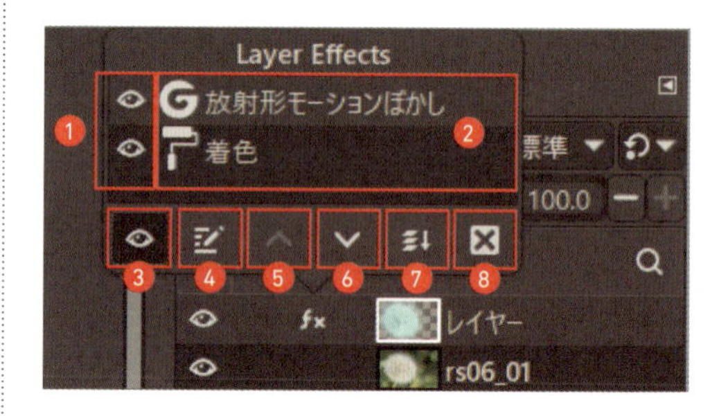

❶ 効果の表示・非表示
適用されている効果の適用と非適用を切り替えます。

❷ 効果名
非破壊編集可能な効果名。ダブルクリックするとダイアログが開きます。

❸ Toggle the visibility ob all filters
すべての効果の可視性を切り替えます。

❹ Edit the selected filter
選択した効果のダイアログが開きます。

❺ Raise filter one step up the stack
選択した効果を1つ上の階層に移動します。

❻ Lower filter one step down in the stack
選択した効果を1つ下の階層に移動します。

❼ Marge all active filters down
適用されているすべての効果をレイヤーに結合します。その結果、効果の再編集はできなくなります。

❽ Remove the selected filter
選択した効果を削除します。

SECTION

02

非破壊編集を活用する

非破壊編集可能な効果を適用して画像編集に活用する方法です。適用中の効果の調整値をあとから微調整するときに便利です。

SAMPLE re06_02.xcf

非破壊編集可能な効果を適用する

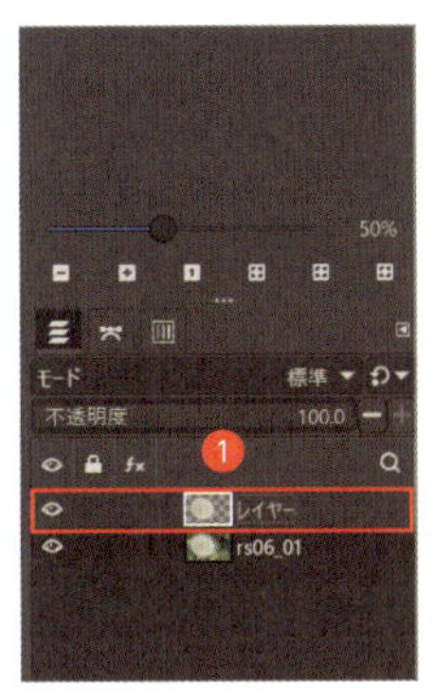

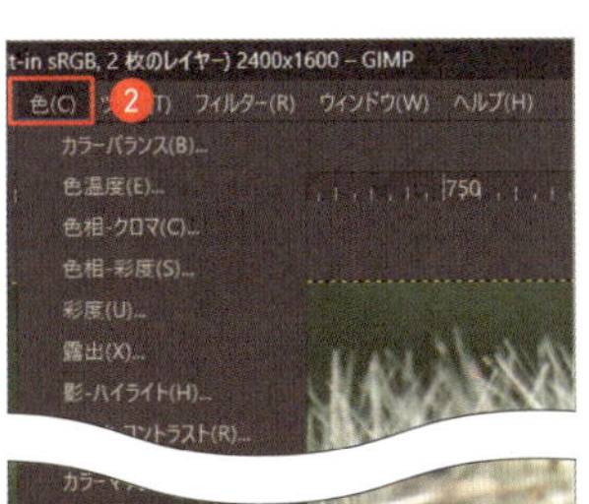

1 効果を加えたいレイヤーを選択します❶。ここでは＜色＞メニューをクリックして❷、＜着色＞をクリックします❸。

2 ＜着色＞ダイアログが開きます。＜OK＞をクリックします❶。

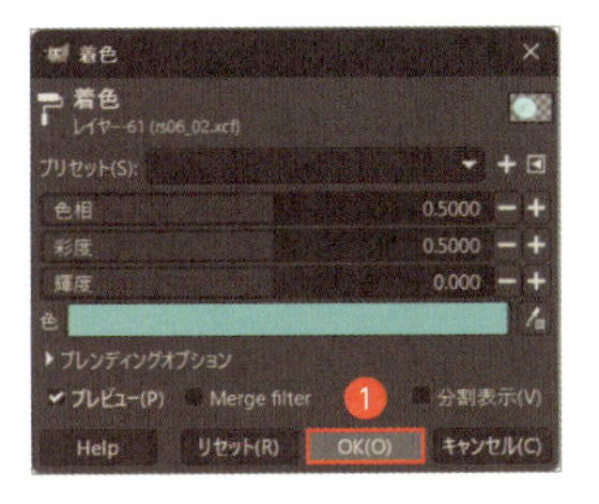

3 レイヤーに色が適用されました。

MEMO ＜Merge filter＞とは

非破壊編集可能な効果のダイアログにある＜Merge filter＞を有効にして＜OK＞をクリックすると、レイヤーに直接効果が適用されます。後から非破壊編集はできませんが、画像データ容量は小さくなります。

非破壊編集効果の再調整

1 非破壊編集可能な状態を示す＜fx＞アイコンをクリックします❶。

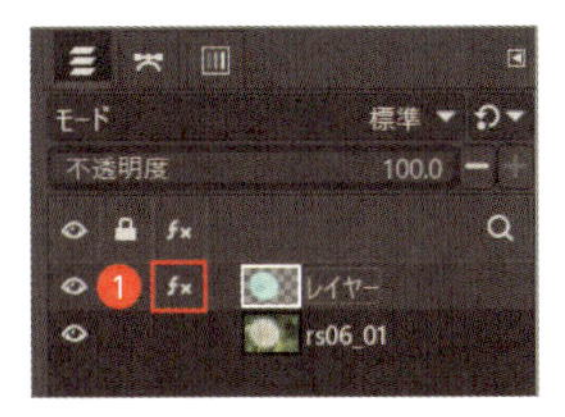

2 ＜Layer Effects＞ダイアログが開きます。再調整したい効果名をダブルクリックします❶。

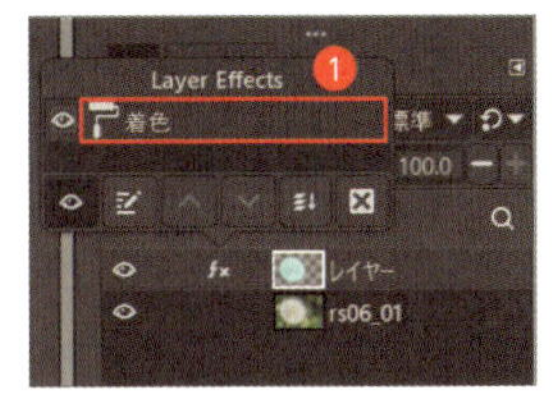

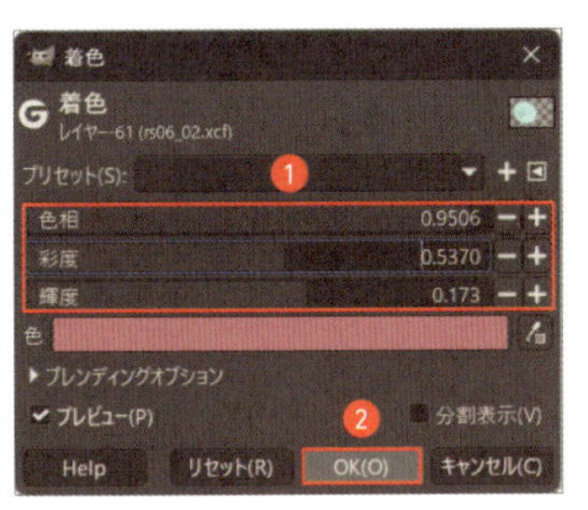

3 前項で適用した＜着色＞ダイアログが開きます。再調整をして❶、＜OK＞をクリックします❷。

4 再調整の結果が適用されました。

HINT 通常のレイヤーに変換する

非破壊編集可能なレイヤーを通常のレイヤーに変換するには、＜Layer Effects＞の＜Merge all active filters down＞をクリックします。

SECTION

03 レイヤーマスクとは

レイヤーマスクを使うと、グレースケールで塗りつぶすことでレイヤーの透明度を編集することができます。

レイヤーマスクとは

レイヤーの画像はそのままに、レイヤー全体や一部分を透明にすることができます。この機能をレイヤーマスクと言います。レイヤーマスクでは画像の一部分を切り取ったりすることはありません。ブラシで描画する要領で、透明部分を指定します。

レイヤーマスクの仕組み

レイヤーマスクは、黒と白のグレースケールによって、透過する部分とそれ以外の部分を指定します（図2）。透明にしたい部分は、レイヤーマスクを黒く塗りつぶすことによって覆い隠す（マスクする）ことができます。反対に、レイヤーマスクを白く塗りつぶした箇所は、元の画像が見えてきます（図2）。白と黒の中間であるグレーで指定した部分は半透明になります。

図1　選択範囲をレイヤーマスクに適用した例。選択範囲の白い部分のみ画像が表示され、黒い部分は透過されます。

図2　画像で確認すると、レイヤーマスクが白くなっている部分だけ表示されています。

レイヤーマスクはグレースケールで透過する領域を指定するので、全体をグレーで塗りつぶしたり、ブラシやグラデーションで細かい調整をしたりできます（図3）。また、マスクを選択範囲に変換することもできます。

図3　レイヤーマスク全体をグレーで塗りつぶした例。画像が半透明で表示されます。

<レイヤー>ダイアログでの表示

レイヤーマスクはレイヤーのサムネイルの右隣に追加されます。おおよその範囲を確認したり編集に切り替えます。

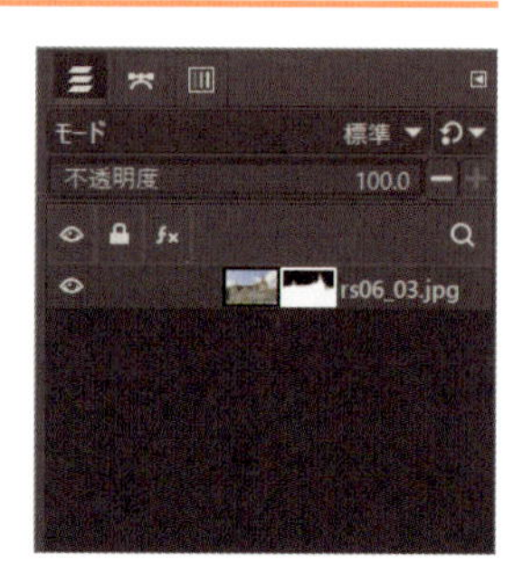

SECTION 04

レイヤーマスクを追加する

レイヤーマスクを追加してみましょう。ここでは選択範囲を表示させてそれ以外を透明にするレイヤーマスクを作ります。

SAMPLE re06_04.xcf

＜レイヤーマスクの追加＞ダイアログを開く

1 画像の表示させたい部分を選択範囲にします（ここでは空以外の部分を選択しています）❶。

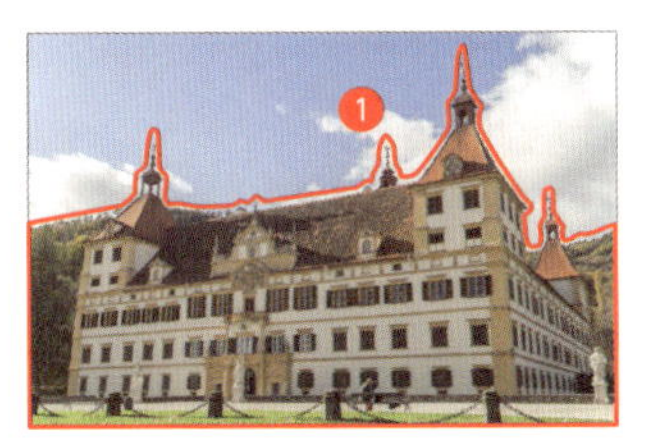

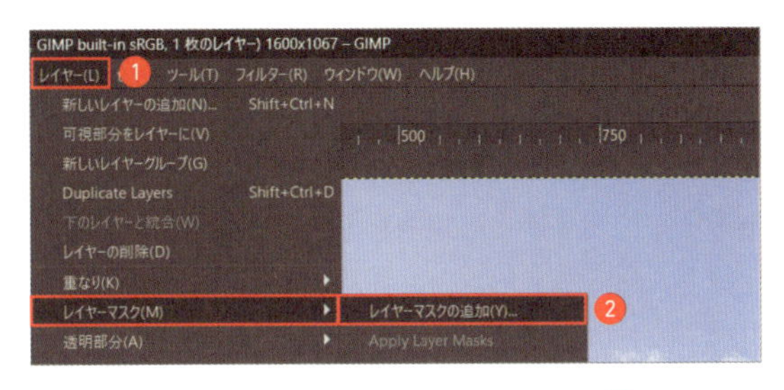

2 ＜レイヤー＞メニューをクリックして❶、＜レイヤーマスク＞の＜レイヤーマスクの追加＞をクリックします❷。

3 ＜レイヤーマスクの追加＞ダイアログが開きます。

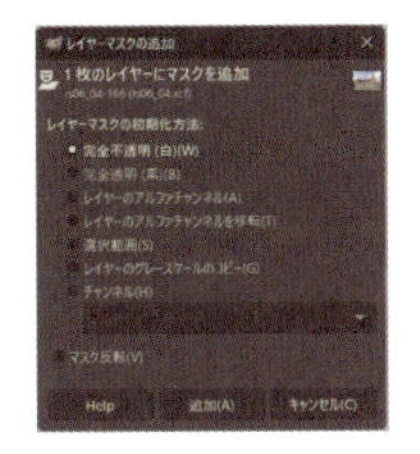

選択範囲外を透明にする

1 ＜レイヤーマスクの初期化方法＞で＜選択範囲＞をクリックして❶、＜追加＞をクリックします❷。

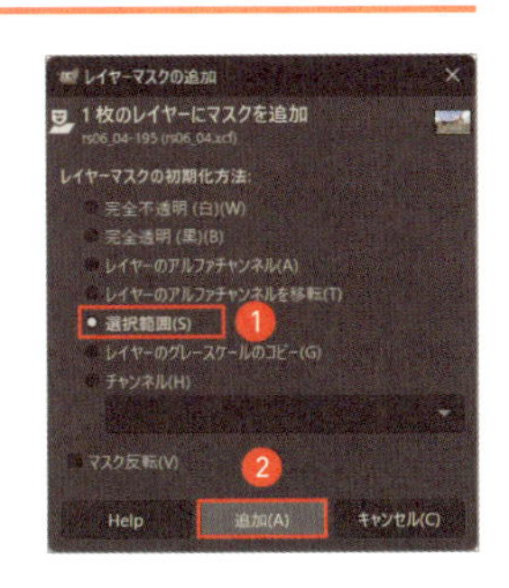

2 選択範囲部分が表示され、それ以外の部分が透明になります。

HINT 選択範囲を解除する

レイヤーマスクが追加された直後は範囲選択がされたままです。＜選択＞メニューから＜選択を解除＞をクリックして範囲選択を解除しましょう。

3 ＜レイヤー＞ダイアログのレイヤーにはレイヤーマスクが追加されています。

＜レイヤー＞ダイアログから追加する

1 画像の表示させたい部分を選択範囲にして、＜レイヤー＞ダイアログで＜レイヤーマスクの追加＞をクリックします❶。

2 ＜レイヤーマスクの追加＞ダイアログが開きます。その後は上記の手順に従ってレイヤーマスクを追加します。

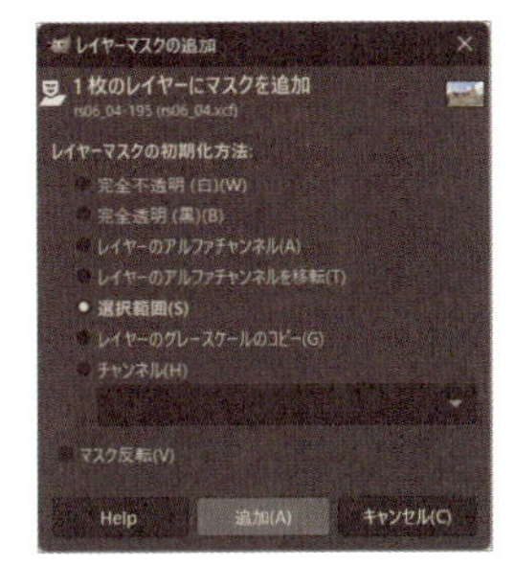

SECTION 05

レイヤーマスクの追加方法について知る

レイヤーマスクを追加する場合に選択する方法は複数あります。ここでは＜選択範囲＞以外に主に利用されるレイヤーマスクの追加方法を解説します。

レイヤーマスクの初期化方法

●元になる画像

●完全不透明（白）

全体が白く塗りつぶされたレイヤーマスクが追加されます。レイヤーの見え方に変化がありませんが、レイヤーサムネイルの左に白いレイヤーマスクが追加されています。

●完全透明（黒）

追加されるレイヤーマスクは黒く塗りつぶされます。レイヤーは完全に透明になります。

●レイヤーのアルファチャンネル

レイヤーにあらかじめ透明な箇所がある場合に、その不透明度によりグレースケールで描画されたレイヤーマスクが追加されます。この場合、透過部分が重ね掛けされた状態になります。

●レイヤーのアルファチャンネルを移転

レイヤーにあらかじめ透明な箇所がある場合に、アルファチャンネルがレイヤーマスクへと移動します。レイヤーマスクを無効化にすると、透明な部分の画像が元の状態に戻ります。

●レイヤーのグレースケールのコピー

レイヤーの画像をグレースケール化したものをレイヤーマスクにコピーします。

●チャンネル

＜チャンネル＞ダイアログのアルファチャンネルの情報を、レイヤーマスクとして利用します。

HINT　マスク反転

いずれの方法も＜レイヤーマスクの追加＞ダイアログで＜マスク反転＞を有効にすることによって、マスク領域を反転させて適用することができます。

SECTION

06

レイヤーマスクで画像の不要な部分を透明にする

レイヤーマスクは追加したあとで、ペイントで透明にする領域を細かく編集することができます。ここでは<ブラシと描画>で部分的に透明にします。

SAMPLE re06_06.xcf

黒の描画色で透明にする

1 レイヤーに追加したレイヤーマスクを選択します❶。

2 ツールボックスで<描画>グループの<ブラシで描画>を選択します❶。描画色を黒に設定します❷。

3 <ツールオプション>の<ブラシ>で円形のブラシを選択します❶。<サイズ>でブラシのサイズを設定します❷。

4 画像をドラッグすると、その部分が透明になります。

白の描画色で画像を表示させる

1 描画色を白に設定します❶。

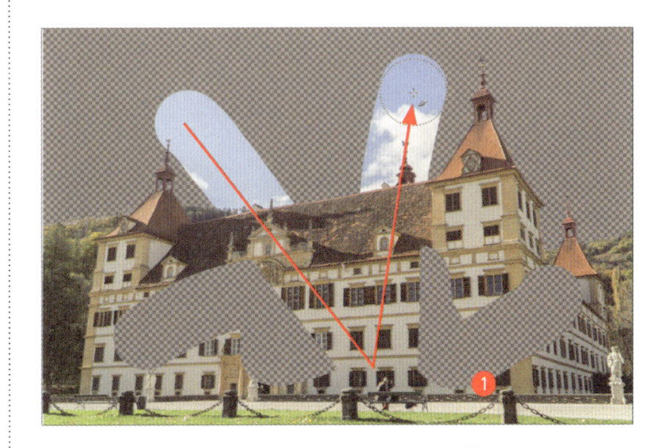

2 透明にした部分をドラッグすると❶、その部分に画像が再び表示されます。

MEMO 半透明にする

描画色をグレーに設定した状態でレイヤーマスクをドラッグすると、その領域が半透明になります。濃いグレーは不透明度が増し、薄いグレーはより透明に近づくなど、グレーの濃さで透明度を調整することができます。

SECTION 07

編集したレイヤーマスクを適用する

編集したレイヤーマスクを、画像に適用します。同時にレイヤーマスクは破棄され、通常のレイヤーに変わります。

SAMPLE re06_07.xcf

≫ レイヤーマスクを適用後破棄する

1 レイヤーマスクを追加して編集をします。

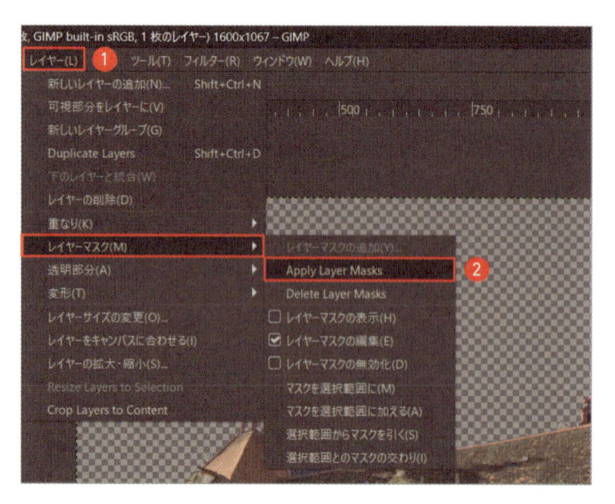

2 ＜レイヤー＞メニューをクリックして❶、＜レイヤーマスク＞の＜Apply Layer Masks＞をクリックします❷。

3 レイヤーマスクによる透明効果が適用されます。

4 なお、レイヤーマスクは適用すると破棄され、＜レイヤー＞ダイアログの表示もなくなります。

MEMO 右クリックから適用する

＜レイヤー＞ダイアログのレイヤーマスクを右クリックしても、レイヤーマスクを適用することができます。右クリックして表示されるメニューから、＜Apply Layer Masks＞をクリックします。

SECTION

08 レイヤーマスクを解除する

追加したレイヤーマスクの編集結果を解除する方法です。レイヤーマスクの適用前の状態に戻り、レイヤーマスクは削除されます。

SAMPLE re06_08.xcf

レイヤーマスクを解除する

1 レイヤーマスクを追加して編集をします。

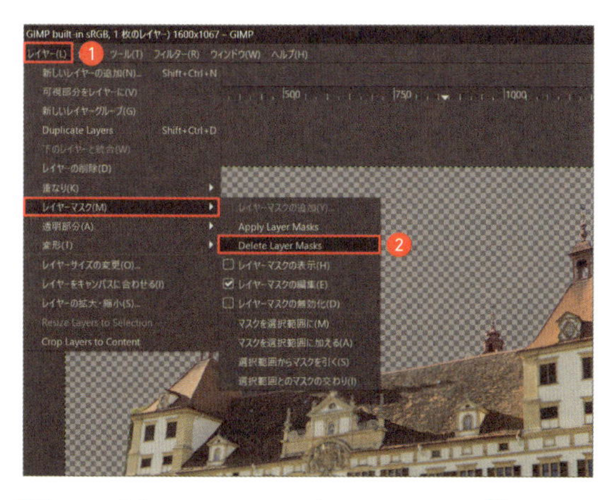

2 ＜レイヤー＞メニューをクリックして1＜レイヤーマスク＞の＜Delete Layer Masks＞をクリックします2。

3 レイヤーマスクによる透明効果が取り消されます。

4 ＜レイヤー＞ダイアログからもレイヤーマスクが削除されています。

MEMO 右クリックから削除する

＜レイヤー＞ダイアログのレイヤーマスクを右クリックしてもレイヤーマスクを解除することができます。右クリックして表示されるメニューから＜レイヤーマスクの削除＞をクリックします。

SECTION

09 レイヤーマスクのみを表示する

レイヤーマスクの状態をグレースケールで表示します。直接ペイントしてマスク領域を調整することができます。またいつでも通常の表示に戻せます。

SAMPLE re06_09.xcf

レイヤーマスクのみを表示する

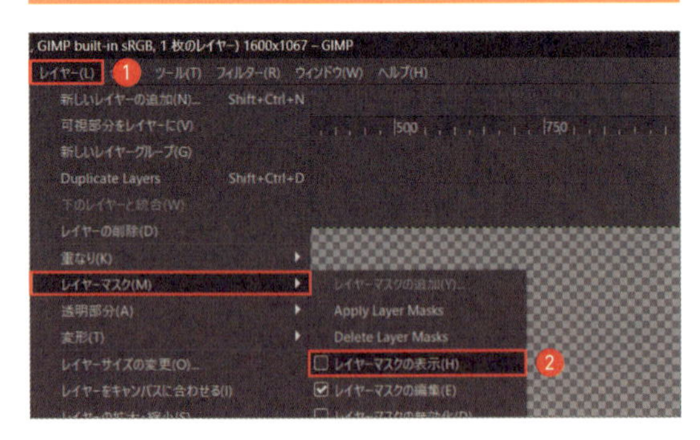

1 レイヤーマスクを追加して編集後、<レイヤー>メニューをクリックして❶、<レイヤーマスク>の<レイヤーマスクの表示>をクリックしてチェックを入れます❷。

2 レイヤーマスクの状態が白黒で表示されます。

3 ブラシなどのペイントツールを選択し、白、黒、グレーの描画色でペイントすると、透過する領域や透明度を調整することができます。

通常の表示に戻す

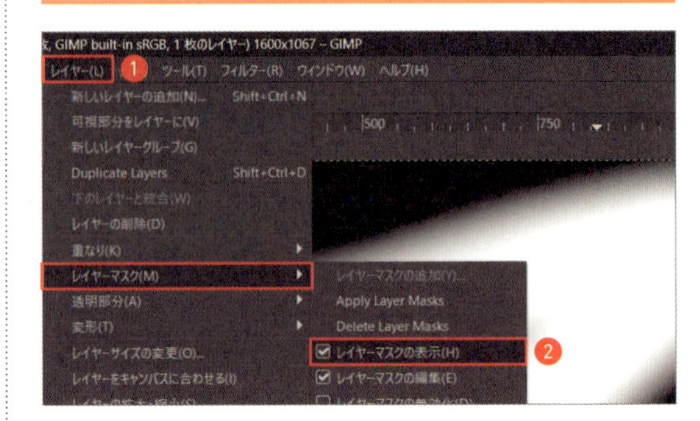

1 <レイヤー>メニューをクリックして❶、<レイヤーマスク>の<レイヤーマスクの表示>をクリックしてチェックを外します❷。

2 通常の表示に戻ります。

MEMO サムネイルでレイヤーマスクを切り替える

Alt キーを押しながらレイヤーマスクのサムネイルをクリックすると、レイヤーマスクの表示・非表示を簡単に切り替えられます。

SECTION 10

レイヤーマスクを設定する前後を見比べる

レイヤーマスクを一時的に無効にする方法です。レイヤーマスクの編集を進める上で、レイヤーマスク適用前後の状態を比較したい時に利用します。

SAMPLE re06_10.xcf

レイヤーマスクを無効にする

1 レイヤーマスクを追加して編集します。

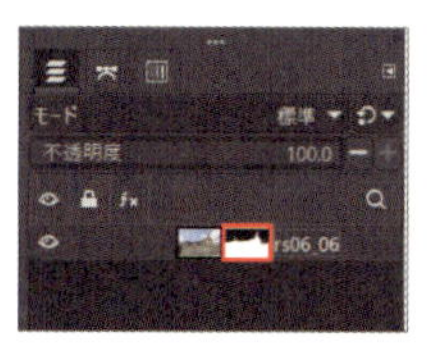

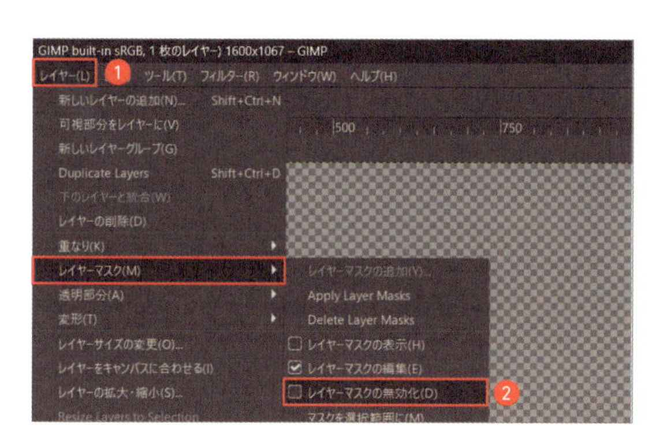

2 <レイヤー>メニューをクリックして❶、<レイヤーマスク>の<レイヤーマスクの無効化>にチェックを入れます❷。

3 レイヤーマスクによる透明効果が一時的に取り消されます。

4 <レイヤー>ダイアログを確認すると、レイヤーマスクは削除されず残っています。

レイヤーマスクを有効にする

1 レイヤーマスクが無効化された状態で、<ブラシで描画>を選択して画像を黒で描画します。

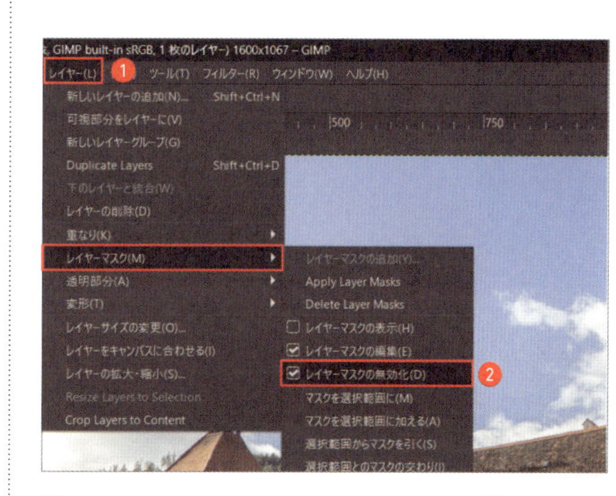

2 <レイヤー>メニューをクリックして❶、<レイヤーマスク>の<レイヤーマスクの無効化>のチェックを外します❷。

3 レイヤーマスクが再表示されます。無効化していたときの編集も反映されます。

SECTION 11

レイヤーマスクを選択範囲にする

レイヤーマスクは選択範囲に変換できます。描画ツールで編集した結果もそのまま選択範囲に反映されます。

SAMPLE re06_11.xcf

レイヤーマスクから選択範囲を追加する

1 レイヤーマスクを追加して編集します。

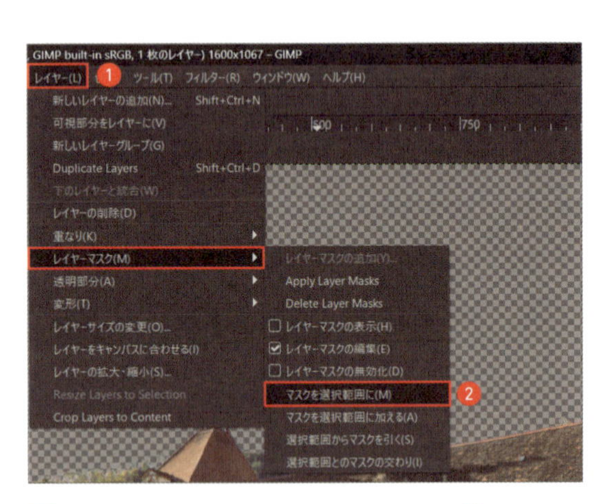

2 ＜レイヤー＞メニューをクリックして❶、＜レイヤーマスク＞の＜マスクを選択範囲に＞をクリックします❷。

3 レイヤーマスクが適用された状態で、マスクの輪郭に沿って選択範囲が追加されます。

選択範囲にレイヤーマスクの領域を追加する

1 レイヤーマスクを追加・編集をして、選択範囲をレイヤーマスクと重なるように作成します。

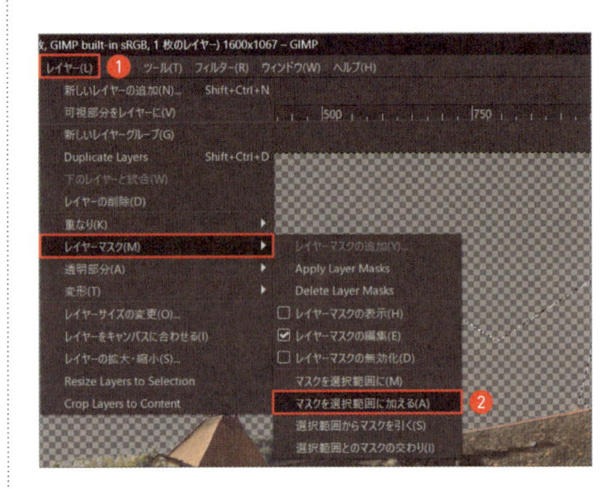

2 ＜レイヤー＞メニューをクリックして❶、＜レイヤーマスク＞の＜マスクを選択範囲に加える＞をクリックします❷。

3 レイヤーマスクの部分が選択範囲に追加されます。

MEMO そのほかのレイヤーマスクを選択範囲にする方法

上記手順2の画面で、＜レイヤー＞メニューの＜レイヤーマスク＞で＜選択範囲からマスクを引く＞をクリックすると、レイヤーマスクと重なった部分が選択範囲から引かれます。また、＜選択範囲とのマスクの交わり＞をクリックすると、選択範囲とレイヤーマスクが重なる部分のみ選択範囲となります。

[リファレンス編]

CHAPTER

7

文字を書き込む

SECTION 01

<テキスト>のツールオプションの見方を知る

<テキスト>は<ツールオプション>で、テキスト入力前の設定を行います。あらかじめフォントやサイズ、揃え位置などを設定しておくといいでしょう。

<テキスト>のツールオプションの見方

1. フォント
2. サイズ
3. Use editor window
4. Show on-canvas editor
5. なめらかに
6. ヒンティング
7. 色
8. Style
9. 揃え位置
10. インデント
11. 行間隔
12. 文字間隔
13. テキストボックス
14. 言語

❶フォント
クリックするとフォントの一覧が表示されます（251ページ参照）。

❷サイズ
フォントサイズを設定します（250ページ参照）。

❸Use editor window
チェックを入れると、エディターウィンドウが開き、テキスト入力や各種設定ができます（258〜259ページ参照）。

❹Show on-canvas editor
チェックを入れるとテキスト入力時にコンパクトなテキスト編集ダイアログが開きます。

❺なめらかに
チェックを入れるとアンチエイリアスが有効になり、文字の縁が滑らかに描画されます（252ページ参照）。

❻ヒンティング
サイズの小さい文字が歪んで表示されないように補正します（252ページ参照）。

❼色
テキストの色を設定します（253ページ参照）。

❽Style
文字のスタイルを<Filled>(塗りつぶし)、<Outlined>(境界線)、<Outlined and Filled>(境界線と塗りつぶし)から選びます。

❾揃え位置
テキストの揃え方を選択します（254ページ参照）。

❿インデント
段落の最初の字下げを設定します（254ページ参照）。

⓫行間隔
行間隔を設定します（255ページ参照）。

⓬文字間隔
文字間隔を設定します（255ページ参照）。

⓭テキストボックス
テキストボックスの体裁を<流動的>と<固定>の2種類からいずれかを選択します（247〜248ページ参照）。

⓮言語
入力する言語を設定します。

MEMO **テキストツールボックス**

テキストボックスを表示させると、同時にテキストツールボックスも表示されます。テキストツールボックスではフォントの各種設定を行えます。

SECTION 02

テキストボックスを作成してテキストを入力する

＜テキストボックス＞を＜固定＞に設定していると、決まった大きさのテキストボックスを作成できます。

SAMPLE re07_02.jpg

テキストボックスを作成する

1 ＜テキスト＞を選択します❶。

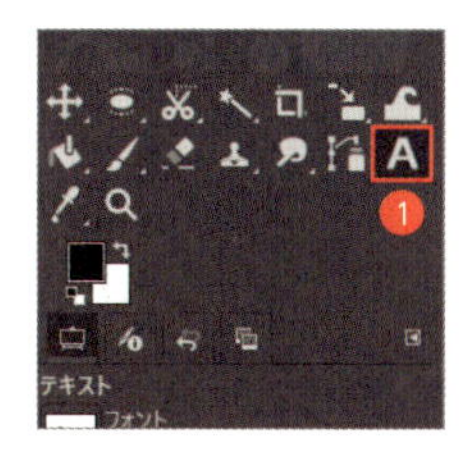

2 ＜ツールオプション＞の＜テキストボックス＞をクリックして、＜固定＞を選択します❶。

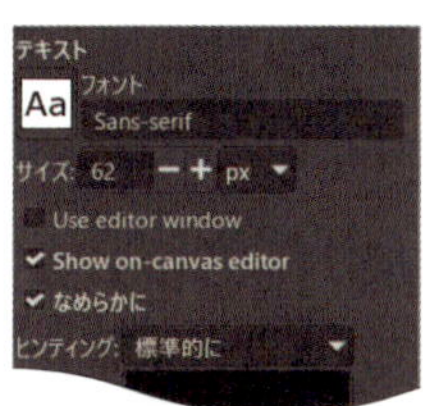

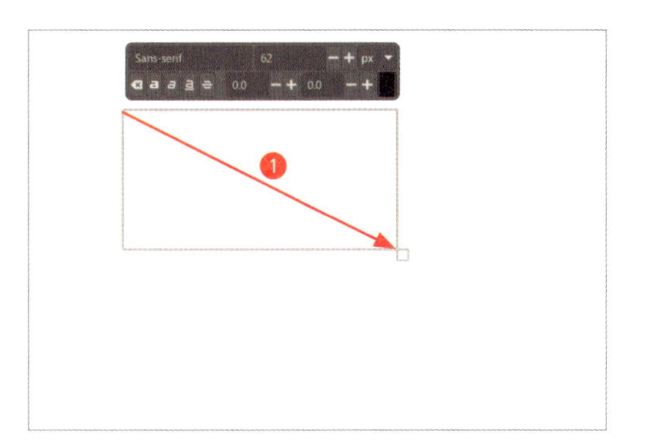

3 テキストを入力したい箇所をドラッグします❶。テキストボックスが表示されます。

MEMO テキストボックス内に収まらない場合

テキストの量が多すぎてテキストボックス内に収まらない場合、テキストが表示されません。テキストボックスの大きさを調整するか、＜テキストボックス＞を＜流動的＞に設定しましょう（248ページ参照）。

テキストを入力する

1 テキストボックスをクリックして❶、テキストを入力します❷。

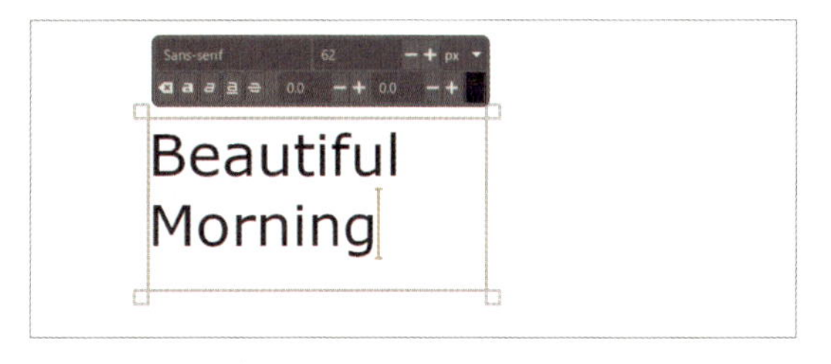

2 テキストボックスの端まで入力すると、自動で折り返します。

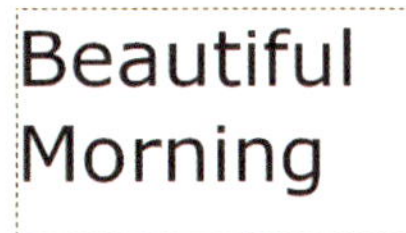

3 入力後、Esc キーを押すとテキストボックスが消え、テキストが確定します。

HINT テキストはレイヤーになる

編集が完了したテキストは、画像とは別個のレイヤーに変換されます。＜レイヤー＞ダイアログでテキストのレイヤーを選択したり、再び入力したテキストをクリックしたりすると、再度テキストやテキストボックスを編集できます。

SECTION 03

テキストボックスを自動でテキストに合わせる

＜ツールオプション＞の＜テキストボックス＞で＜流動的＞を選択すると、入力したテキストに応じて自動でテキストボックスが調整されます。

SAMPLE re07_03.jpg

＜テキストボックス＞を＜流動＞にする

1 ＜テキスト＞を選択します❶。

2 ＜ツールオプション＞の＜テキストボックス＞をクリックして、＜流動的＞を選択します❶。

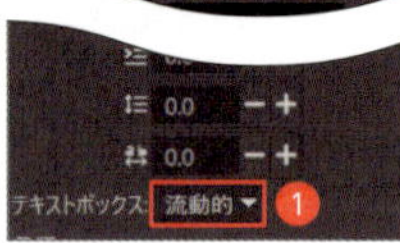

テキストを入力する

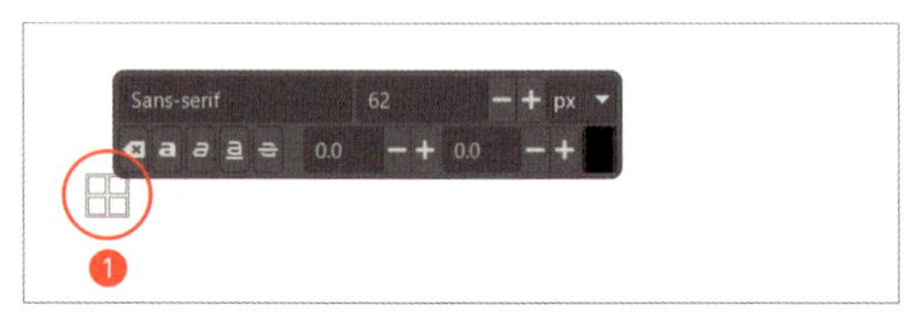

1 テキストを入力したい箇所をクリックします❶。テキストボックスが表示されます。

2 テキストを入力すると自動でテキストボックスが横に広がります。

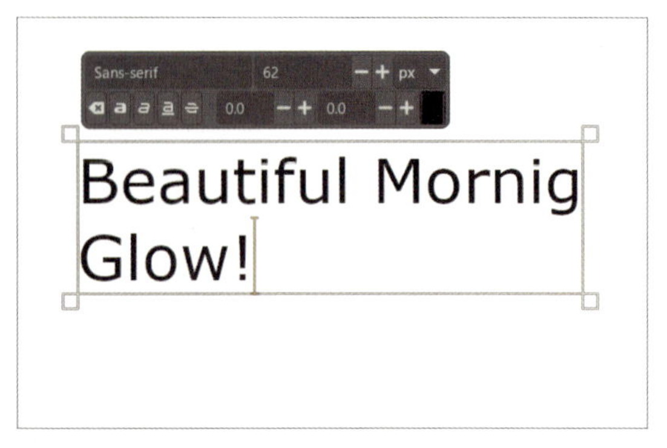

3 改行すると縦にも自動で広がります。

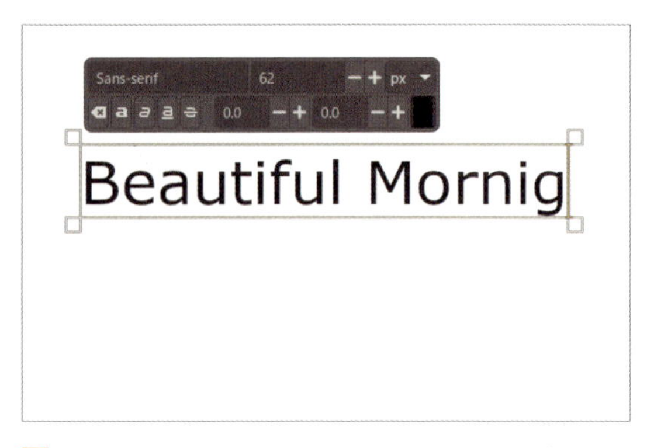

4 テキストを削除すると、その分テキストボックスも小さくなります。

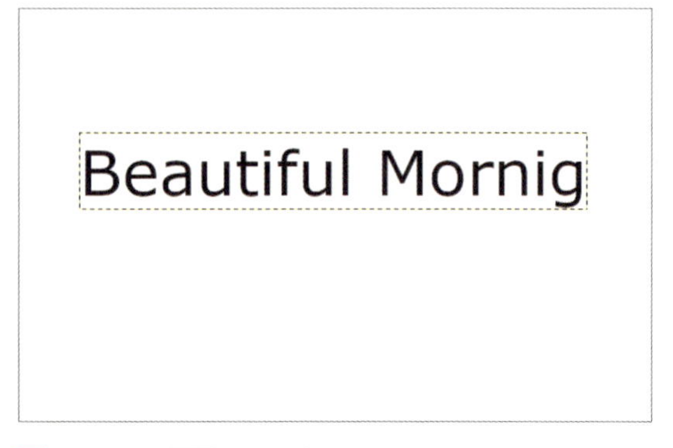

5 入力後、Esc キーを押すとテキストボックスが消え、テキストが確定します。

SECTION 04

テキストボックスを変形する

テキストボックスは、テキストの編集後でも変形させせることができます。角をドラッグすると自由に変形し、辺をドラッグすると縦・横の大きさが変形します。

SAMPLE re07_04.xcf

テキストボックスを自由に変形する

1 ＜テキスト＞を選択します❶。

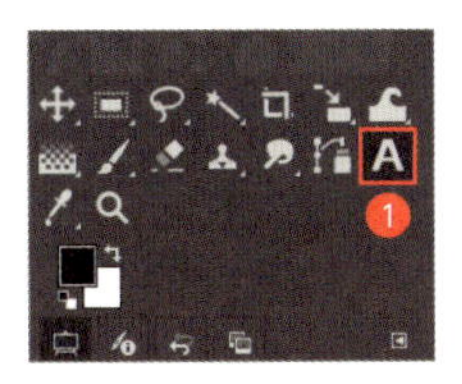

2 テキストボックスをクリックし、テキストボックスのいずれかの角をドラッグします❶。

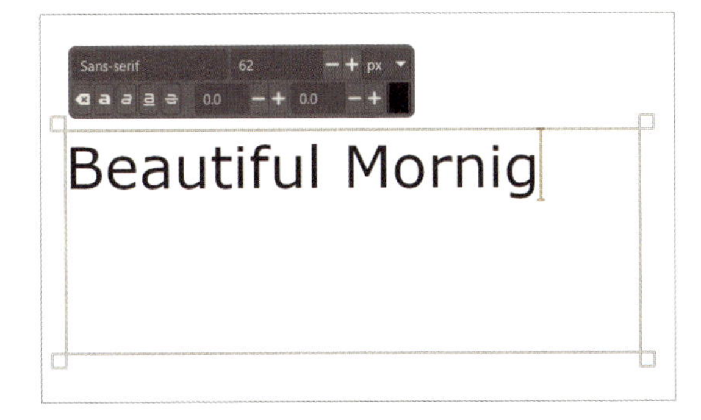

3 テキストボックスが変形します。

HINT テキストは自動で改行する

＜ツールオプション＞の＜テキストボックス＞を＜固定＞にしている場合、変更されたテキストボックスのサイズがテキストの表示位置と合わなくなると、テキストボックスに合わせてテキストが自動的に改行されます。

テキストボックスを縦・横に変形する

1 ＜テキスト＞を選択します❶。

2 テキストボックスをクリックして、テキストボックスのいずれかの辺をドラッグします❶。

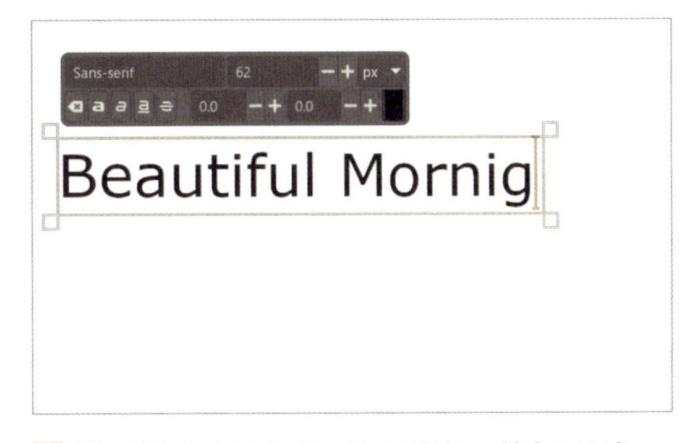

3 縦・横にテキストボックスが拡大・縮小します。

SECTION

05 文字の大きさを変える

テキスト入力後に、文字のサイズを変更する方法です。テキスト全体のサイズを均一にサイズ変更する方法と、選択した文字だけサイズ変更する方法があります。

SAMPLE re07_05.xcf

テキスト全体のサイズを変更する

1 ＜テキスト＞を選択します❶。

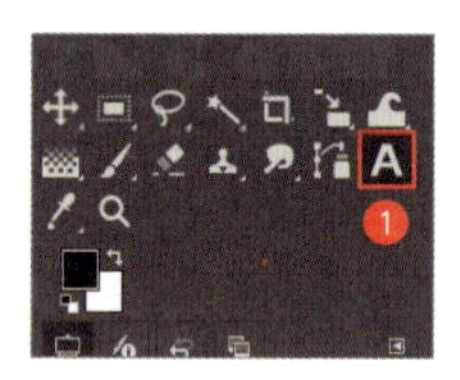

2 入力確定後のテキストを、＜テキスト＞でクリックして、テキストボックスを表示します❶。

HINT ＜レイヤー＞ダイアログで選択する

＜レイヤー＞ダイアログで、入力確定後のテキストレイヤーのサムネイルをダブルクリックしてもテキストボックスを表示できます。

3 ＜ツールオプション＞の＜サイズ＞の数値を変更します。ここでは「62」から「80」に変更します❶。＜テキストボックス＞を＜流動的＞に設定します❷。

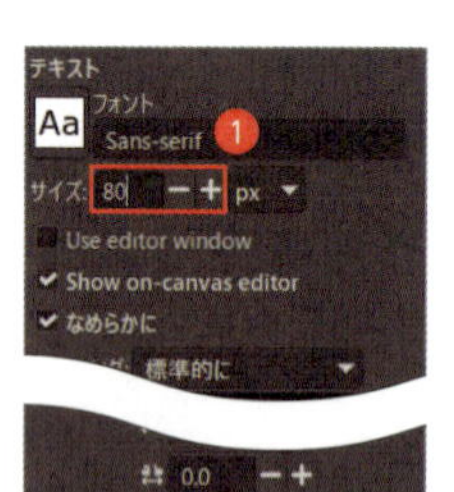

4 テキストボックス全体のテキストサイズがすべて拡大します。

選択したテキストのみサイズを変更する

1 ＜テキスト＞を選択した状態で、サイズを変更したい文字をドラッグして選択します❶。ここでは「Morning」のテキスト部分を選択します。

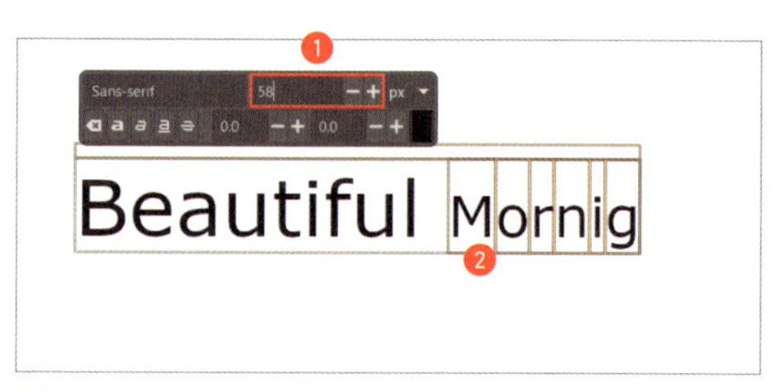

2 テキストボックス上にあるツールボックスでサイズを変更します（ここでは「58」に変更します）❶。選択したテキストのみサイズが変わります❷。

3 テキストをクリックして選択を解除します。

MEMO テキストサイズの単位を選択する

テキストのサイズの右側にあるドロップダウンリストをクリックすると、単位を「px」（ピクセル）や「in」（インチ）から選択できます。

SECTION

06 フォントを変更する

フォントはテキストの入力後でも、種類を変更することができます。一部のみを変更することもできます。

SAMPLE re07_06.xcf

テキストのフォントを変更する

1 <テキスト>を選択します❶。

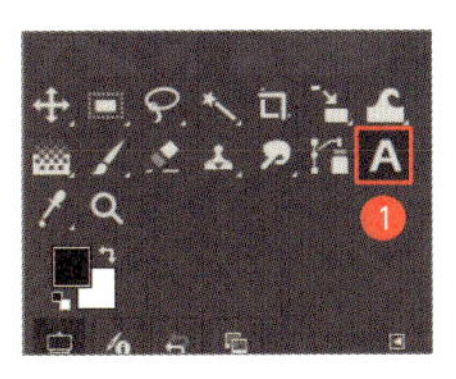

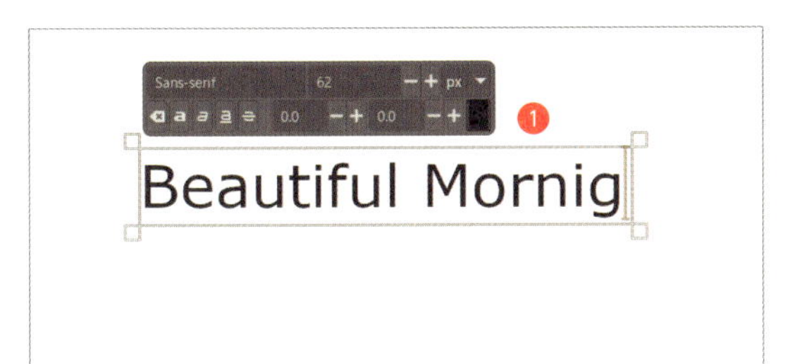

2 テキストボックスをクリックして選択します❶。

3 <ツールオプション>の<フォント>をクリックして❶、一覧から変更したいフォントを選択します❷。

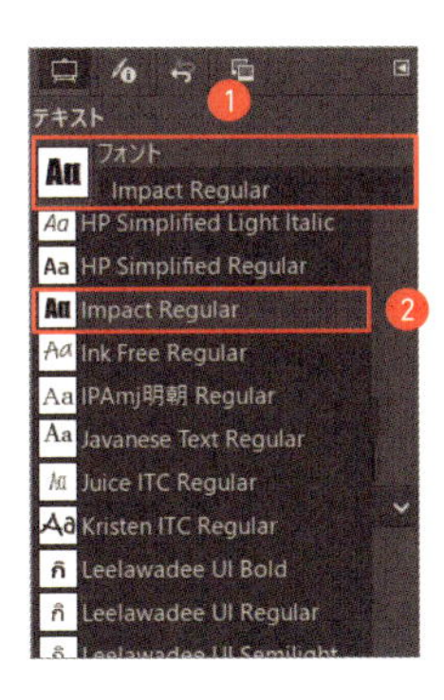

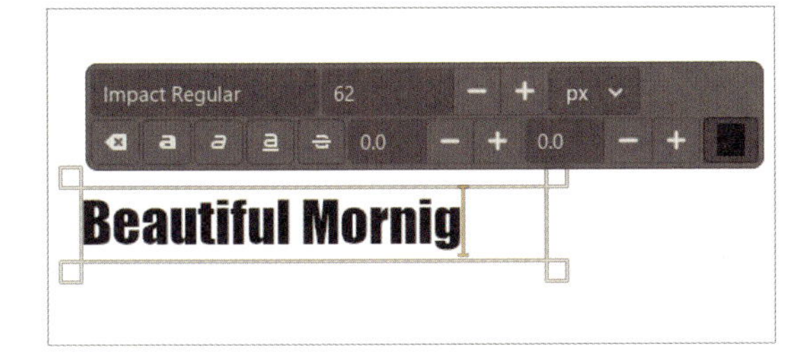

4 テキスト全体のフォントが変更されます。

選択したテキストのみフォントを変更する

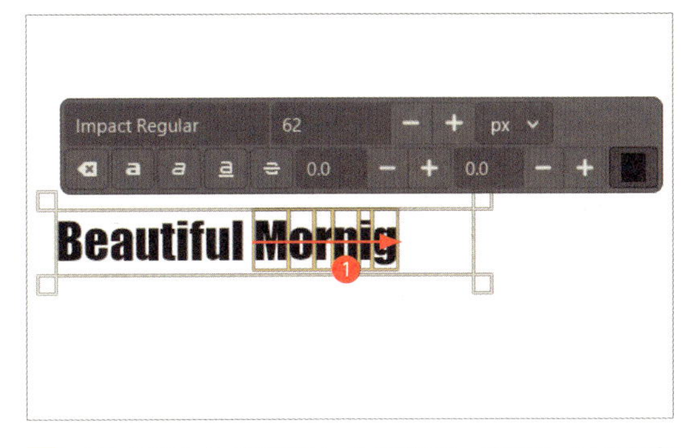

1 <テキスト>を選択した状態で、変更したい文字をドラッグして選択します❶。

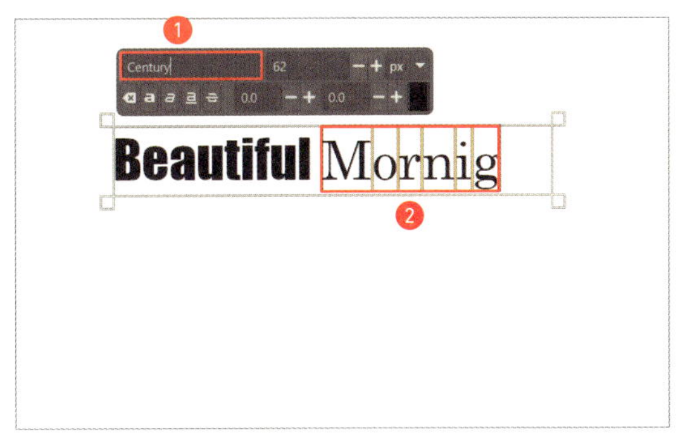

2 テキストボックス上にあるツールボックスでフォントを変更します（ここでは<Century>に変更します）❶。選択したテキストのみフォントが変わります❷。

MEMO フォントを直接指定する

<ツールオプション>のテキストツールボックスのフォント名に、フォント名を直接入力すると、入力した文字列と一致するフォント名の候補が表示されます。この一覧から選択してフォントを変更することもできます。

SECTION 07

文字を滑らかにする／文字のつぶれを防ぐ

テキストの輪郭を滑らかにしたり、メリハリを強調したりできます。また＜ヒンティング＞では、表示サイズの小さいテキストがつぶれないように表示できます。

SAMPLE re07_07_01.xcf、re07_07_02.xcf

テキストの縁を滑らかにする

1 テキストをなめらかに処理する前です。拡大すると輪郭が直線的なことがわかります。

2 テキストボックスを選択した状態で、＜ツールオプション＞の＜なめらかに＞のチェックを入れます❶。

3 拡大表示すると、テキストの縁が滑らかに処理されてることがわかります。

小さいサイズのテキストをにじまないように表示する

1 小さいサイズのテキストが入力されています。

2 テキストボックスを選択した状態で、＜ヒンティング＞をクリックします❶。ここでは違いを分かりやすくするために＜しない＞に設定しています。

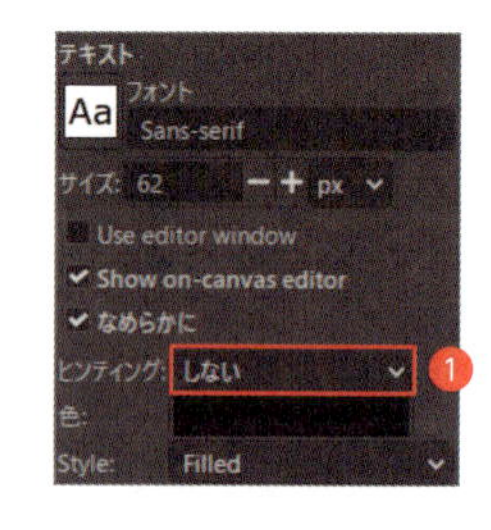

3 表示される項目を選択します❶。ここでは＜最大限に＞を選びます。テキストが見やすくなります。

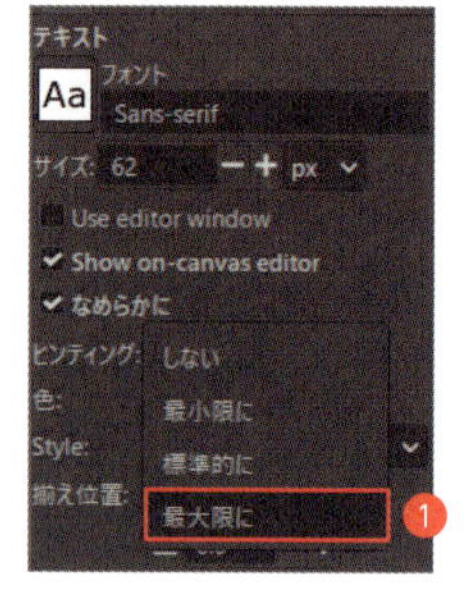

SECTION 08

文字の色を変える

テキスト入力後に、テキスト全体の色を変更したり、テキストの一部分を選択して色を変更することができます。

SAMPLE re07_08.xcf

テキスト全体の色を変更する

1 テキストボックスを選択した状態で、<ツールオプション>の<色>をクリックします1。

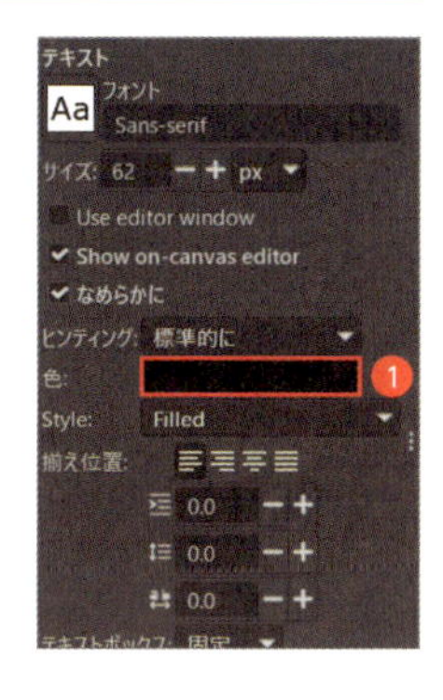

2 <文字色>ダイアログが開きます。色の系統をドラッグで選択して1、パレットから変更したい色を設定します2。<OK>をクリックします3。

HINT HTML表記

HTML表記とは、0～9までの数字とa～fまでのアルファベットを6つ組み合わせて色を表記する方法です。<文字色>ダイアログの<HTML表記>に入力することで、色を指定することもできます。

3 テキスト全体の色が変わりました。

選択したテキストの色を変更する

1 <テキスト>を選択した状態で、色を変更したいテキストをドラッグします1。テキストボックス上にあるツールボックスで<選択したテキストの色>をクリックします2。

2 左の手順1～2同様に変更したい色を設定します1。<OK>をクリックします2。

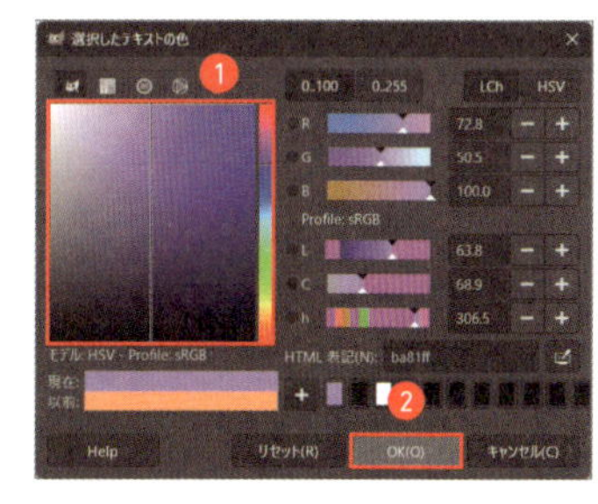

3 選択したテキストのみ、色が変わります。

MEMO 境界線と塗りつぶしを指定する

テキストボックスを選択した状態で<ツールオプション>の<Style>をクリックすると、塗りつぶしの色や境界線の幅、パターンなどを細かく設定できます。設定は<Filled>（塗りつぶし）、<Outlined>（境界線）、<Outlined and Filled>（境界線と塗りつぶし）から選べます。

SECTION 09

テキストの揃え位置とインデントを整える

テキスト入力後でも、テキストボックスでの文字の揃え位置を変更することができます。また、インデントの大きさの設定もできます。

SAMPLE re07_09_01.xcf、re07_09_02.xcf

テキストの揃え位置を整える

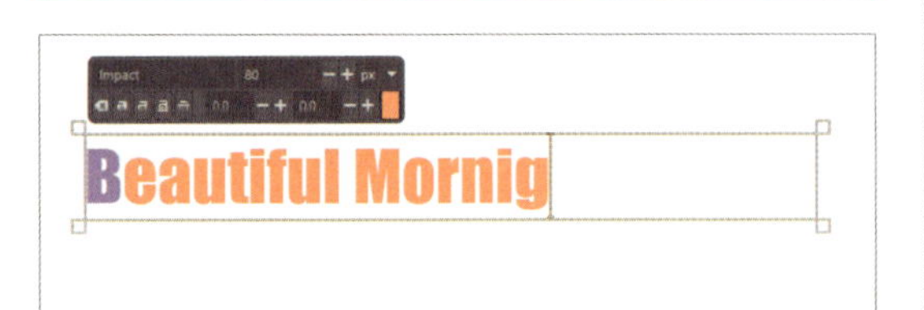

1 テキストボックスを選択した状態で、<ツールオプション>の<揃え位置>を選択します（ここでは<左揃え>を<右揃え>に変更します）①。

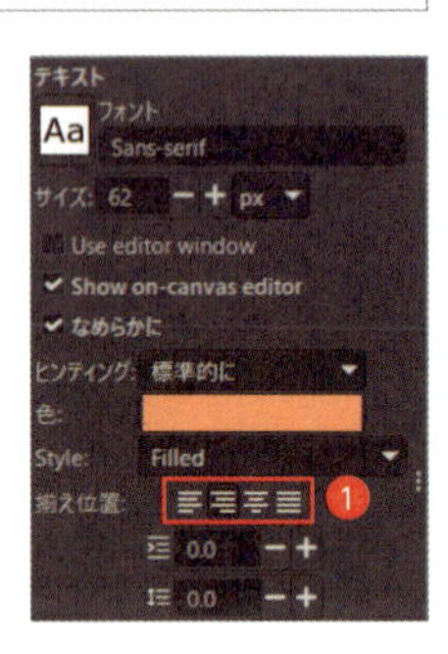

2 テキストボックス内で、テキスト全体が右端に揃って配置されます。

MEMO そのほかの揃え位置

● 中央揃え

● 両端揃え

インデントを調整する

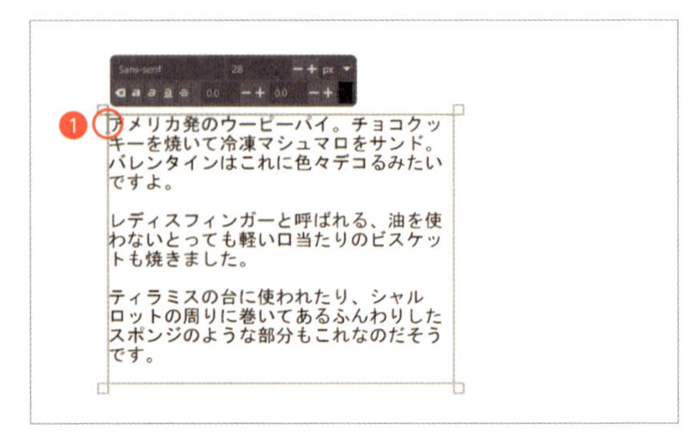

1 文章と文章の間に改行を入れて段落を分けます。テキストの最初をクリックしてカーソルを配置します①。

2 <ツールオプション>の<サイズ>で単位を設定して①、<インデント>の数値を変更します②。

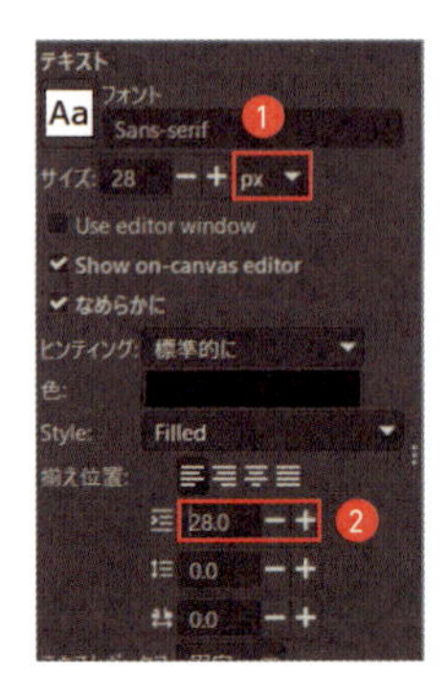

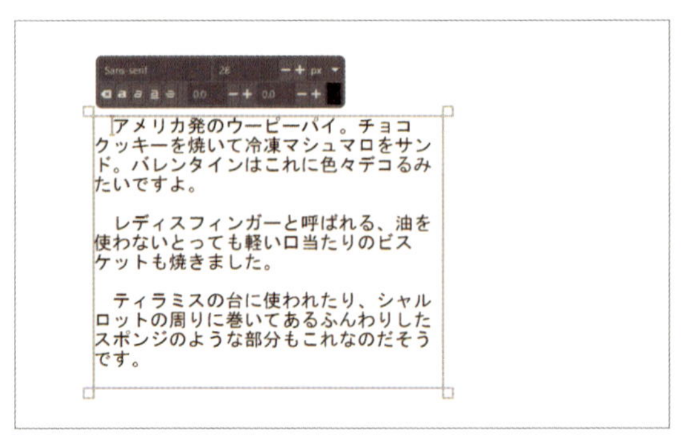

3 各段落の最初に設定した分のインデントが加わります。

SECTION 10

行間と字間を設定する

<テキスト>でテキストボックスに入力した文章は行間隔、文字間隔をそれぞれ調整できます。

SAMPLE re07_10.xcf

行間隔を調整する

1 <テキスト>を選択した状態で、テキストボックスをクリックします❶。

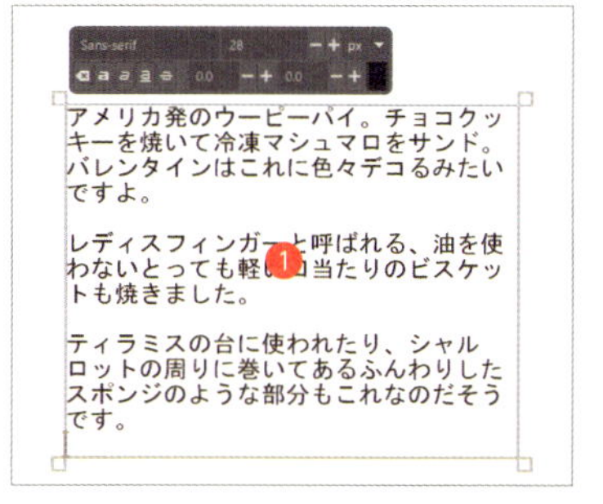

2 <ツールオプション>で<サイズ>で単位を設定して❶、<行間隔>の数値を変更します❷。

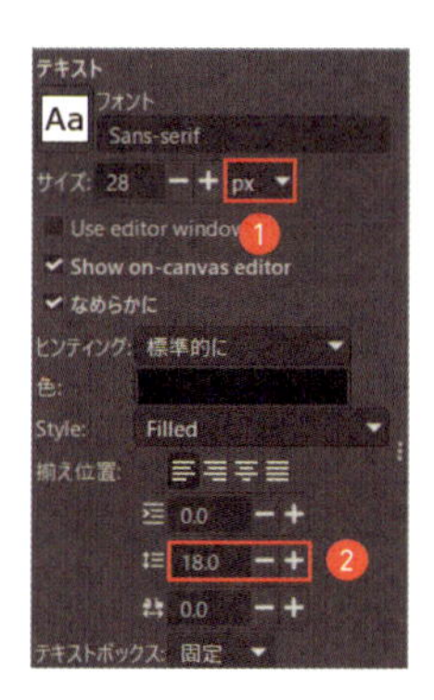

3 各行間隔が標準よりも設定した分広がります。

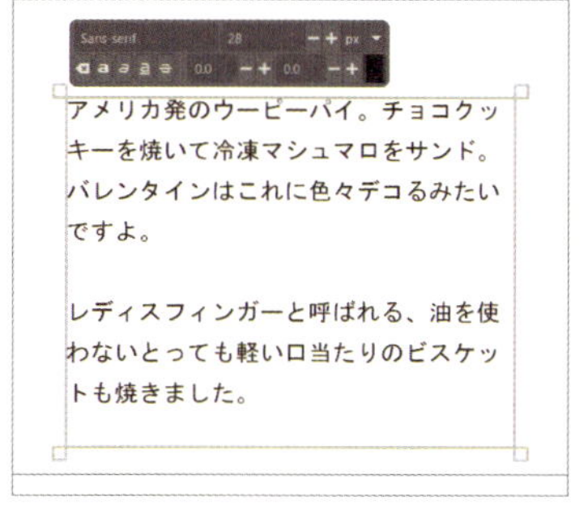

MEMO **行間を縮める**

<行間隔>の数値をマイナスに変更すると、各行間隔が標準よりも縮小します。

文字間隔を調整する

1 <テキスト>を選択した状態で、テキストボックスをクリックします❶。

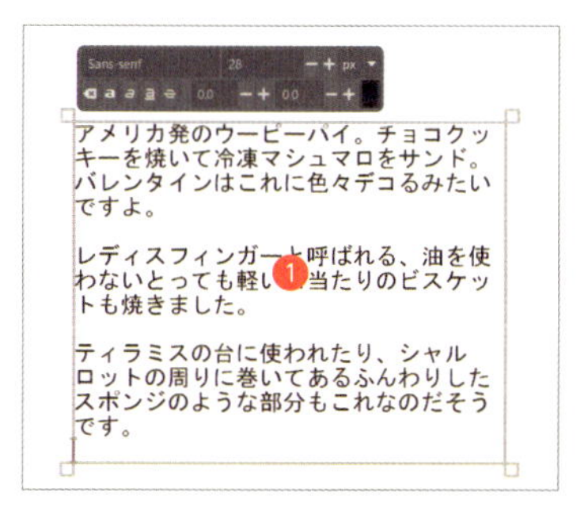

2 <ツールオプション>で<サイズ>で単位を設定して❶、<文字間隔>の数値を変更します❷。

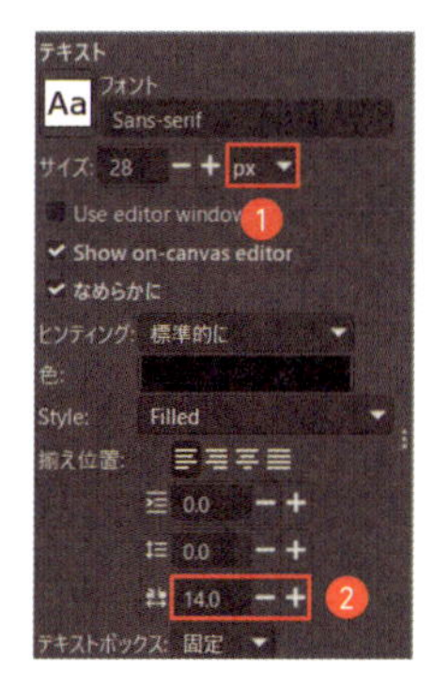

3 各文字間隔が標準よりも設定した分広がります。

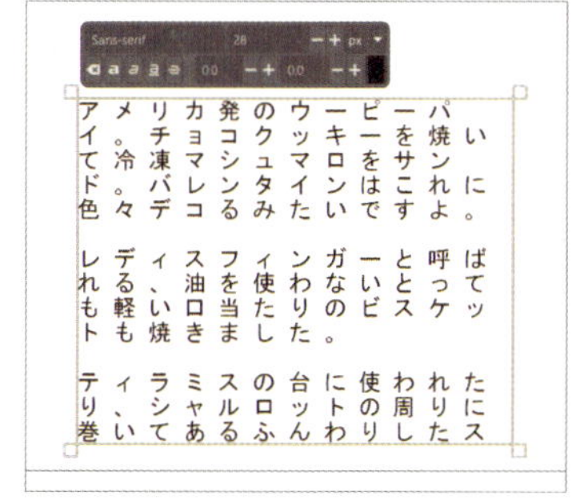

MEMO **字間を縮める**

<文字間隔>の数値をマイナスに変更すると、各文字間隔が標準よりも縮小します。

CHAPTER 7 文字を書き込む

SECTION 11

文字飾りをつける

＜テキスト＞で入力した文字に＜太字＞、＜斜体＞、＜下線＞、＜取り消し線＞の修飾を加えます。

SAMPLE re07_11.xcf

太字にする

1 ＜テキスト＞を選択した状態で、テキストをドラッグして選択します❶。

アメリカ発のウーピーパイ。チョコクッ
キーを焼いて冷凍マシュマロをサンド。
バレンタインはこれに色々デコるみたい
ですよ。

レディスフィンガーと呼ばれる、油を使
わないとっても軽い口当たりのビスケッ
トも焼きました。

ティラミスの台に使われたり、シャル
ロットの周りに巻いてあるふんわりした
スポンジのような部分もこれなのだそう
です。

2 ＜太字＞をクリックします❶。選択したテキストに太字が適用されます。

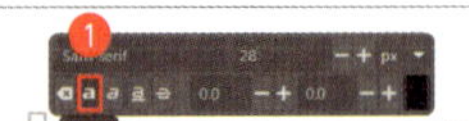

アメリカ発のウーピーパイ。チョコクッ
キーを焼いて冷凍マシュマロをサンド。
バレンタインはこれに色々デコるみたい
ですよ。

レディスフィンガーと呼ばれる、油を使
わないとっても軽い口当たりのビスケッ
トも焼きました。

ティラミスの台に使われたり、シャル
ロットの周りに巻いてあるふんわりした

斜体にする

1 ＜テキスト＞を選択した状態で、テキストをドラッグして選択します❶。

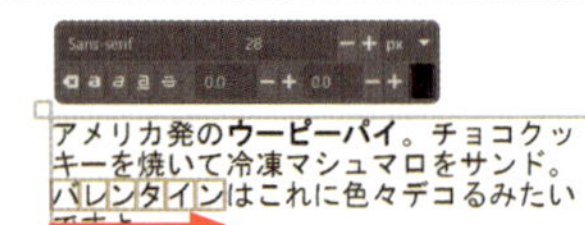

アメリカ発のウーピーパイ。チョコクッ
キーを焼いて冷凍マシュマロをサンド。
バレンタインはこれに色々デコるみたい
ですよ。

レディスフィンガーと呼ばれる、油を使
わないとっても軽い口当たりのビスケッ
トも焼きました。

ティラミスの台に使われたり、シャル
ロットの周りに巻いてあるふんわりした
スポンジのような部分もこれなのだそう
です。

2 ＜斜体＞をクリックします❶。選択したテキストに斜体が適用されます。

アメリカ発のウーピーパイ。チョコクッ
キーを焼いて冷凍マシュマロをサンド。
バレンタインはこれに色々デコるみたい
ですよ。

レディスフィンガーと呼ばれる、油を使
わないとっても軽い口当たりのビスケッ
トも焼きました。

ティラミスの台に使われたり、シャル
ロットの周りに巻いてあるふんわりした

下線を引く

1 ＜テキスト＞を選択した状態で、テキストをドラッグして選択します❶。

アメリカ発のウーピーパイ。チョコクッ
キーを焼いて冷凍マシュマロをサンド。
バレンタインはこれに色々デコるみたい
ですよ。

レディスフィンガーと呼ばれる、油を使
わないとっても軽い口当たりのビスケッ
トも焼きました。

ティラミスの台に使われたり、シャル
ロットの周りに巻いてあるふんわりした
スポンジのような部分もこれなのだそう
です。

2 ＜下線＞をクリックします❶。選択したテキストに下線が適用されます。

アメリカ発のウーピーパイ。チョコクッ
キーを焼いて冷凍マシュマロをサンド。
バレンタインはこれに色々デコるみたい
ですよ。

レディスフィンガーと呼ばれる、油を使
わないとっても軽い口当たりのビスケッ
トも焼きました。

ティラミスの台に使われたり、シャル
ロットの周りに巻いてあるふんわりした

字消しをする

1 ＜テキスト＞を選択した状態で、テキストをドラッグして選択します❶。

アメリカ発のウーピーパイ。チョコクッ
キーを焼いて冷凍マシュマロをサンド。
バレンタインはこれに色々デコるみたい
ですよ。

レディスフィンガーと呼ばれる、油を使
わないとっても軽い口当たりのビスケッ
トも焼きました。

ティラミスの台に使われたり、シャル
ロットの周りに巻いてあるふんわりした
スポンジのような部分もこれなのだそう
です。

2 ＜取り消し線＞をクリックします❶。選択したテキストに鶏取り消し線が適用されます。

アメリカ発のウーピーパイ。チョコクッ
キーを焼いて冷凍マシュマロをサンド。
バレンタインはこれに色々デコるみたい
ですよ。

レディスフィンガーと呼ばれる、油を使
わないとっても軽い口当たりのビスケッ
トも焼きました。

ティラミスの台に使われたり、シャル
ロットの周りに巻いてあるふんわりした

SECTION 12

ベースラインを調整する／カーニングを設定する

入力したテキストのベースラインを変更します。また、<カーニング>では文字の間隔を調整できます。

SAMPLE re07_12.xcf

ベースラインを移動する

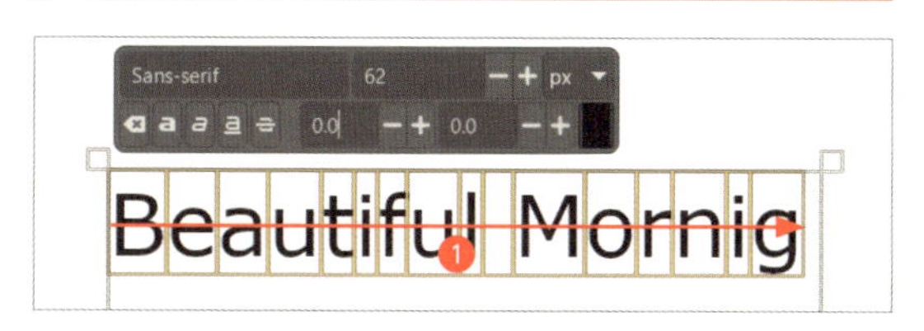

1 <テキスト>を選択した状態で、ベースラインを変更したいテキストをドラッグして選択します❶。

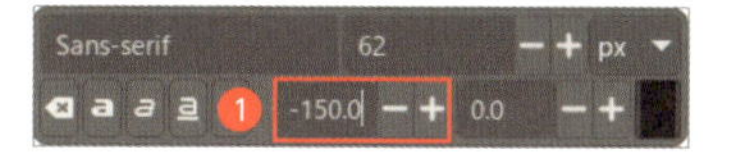

2 テキストツールボックスの<ベースライン>の数値を変更します（ここでは「-150」）❶。

3 ベースラインの位置が150ピクセル分下に移動します。

カーニングで文字間隔を広げる

1 <テキスト>を選択した状態で、カーニングの調整をしたい箇所をドラッグして選択します❶。

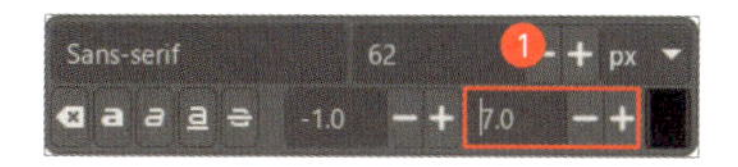

2 テキストツールボックスの<カーニング>の数値を変更します（ここでは「7」）❶。

3 選択していた文字間隔が、標準よりも7ピクセルずつ広がります。

カーニングで文字間隔を狭める

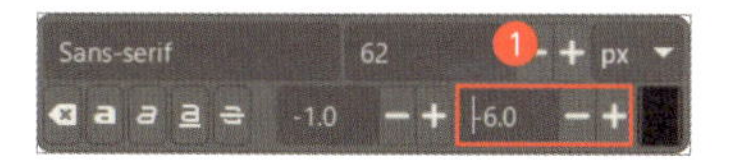

1 カーニングの調整をしたい箇所をドラッグして選択して、<テキストツールボックス>の<カーニング>の数値を変更します（ここでは「-6」）❶。

2 選択していた文字間隔が、標準よりも6ピクセルずつ狭まります。

MEMO 書式を削除する

テキストをドラッグして選択した状態でテキストツールボックスの<選択したテキストのスタイルを消去します>をクリックすると、テキストに設定された太字やベースラインなどの書式を削除することができます。

SECTION 13

外部のテキストデータを読み込む

＜テキスト＞のツールオプションで＜テキストエディター＞を開き、既存のテキストファイルから、テキストを開いて適用する方法です。

SAMPLE re07_13.jpg

＜GIMPテキストエディター＞を開く

1 ＜テキスト＞を選択して、ツールオプションで＜Use editor window＞にチェックを入れます❶。

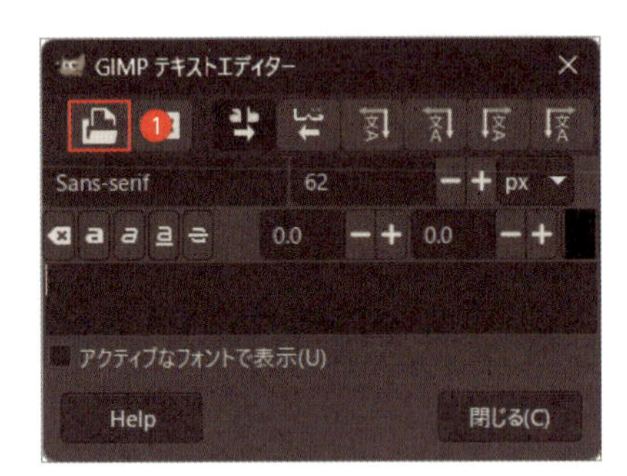

2 テキストボックスを作成すると、＜GIMPテキストエディター＞が開きます。＜ファイルからテキストを読み込む＞をクリックします❶。

HINT ＜GIMPテキストエディター＞が自動的に開く場合

テキストボックスが既に作成されていると、＜Use editor window＞にチェックを入れるだけで＜GIMPテキストエディター＞が表示されます。

MEMO 文字コードに注意

文字コードによっては、テキストを読み込めなかったり、正しく表示されなかったりする場合があります。

テキストファイルを開く

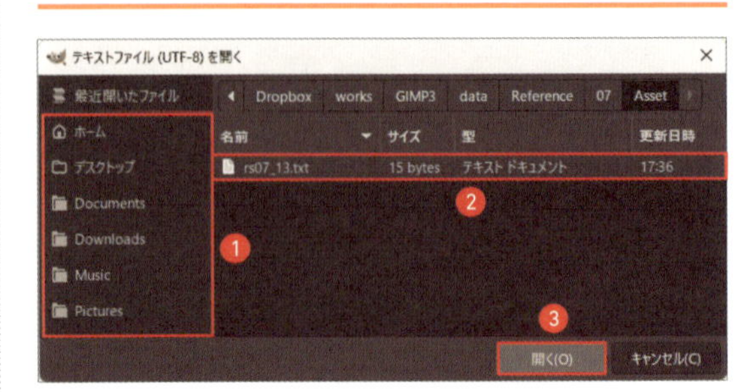

1 開きたいテキストファイルの場所を選択して❶、テキストファイルを選択します❷。＜開く＞をクリックします❸。

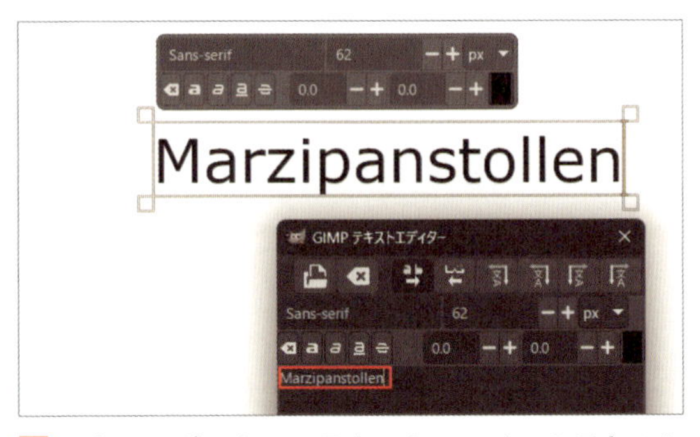

2 テキストボックスにテキストファイルのテキストが適用されます。

3 ＜閉じる＞をクリックします❶。

SECTION

14 エディタを起動してテキストを入力する

GIMPテキストエディターを開き、テキストを直接入力して、テキストボックスに適用します。

SAMPLE re07_14.jpg

テキストエディターにテキストを入力する

1 <テキスト>を選択した状態で、<ツールオプション>の<Use editor window>にチェックを入れます❶。

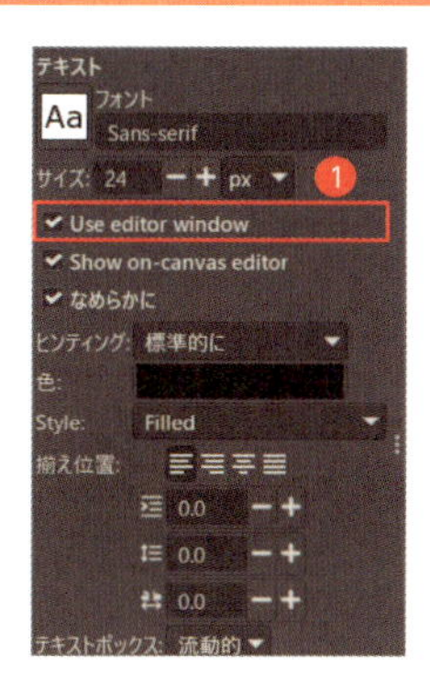

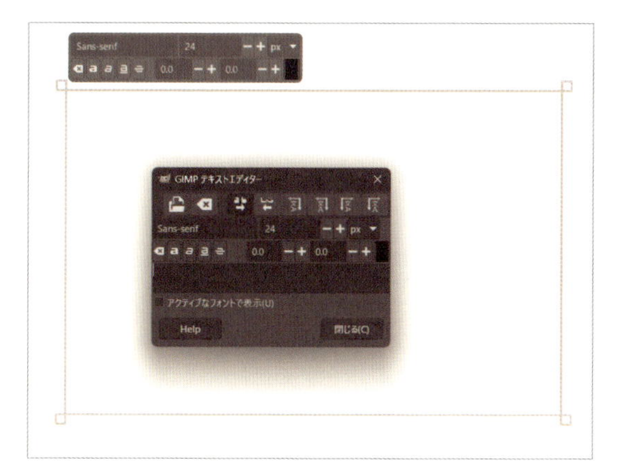

2 テキストボックスを作成すると、<GIMPテキストエディター>が開きます。

MEMO アクティブなフォントで表示

<GIMPテキストエディター>で<アクティブなフォントで表示>にチェックを入れると、テキストに設定されているフォント、サイズ、修飾などの書式が適用された状態でテキストエディタに表示されます。

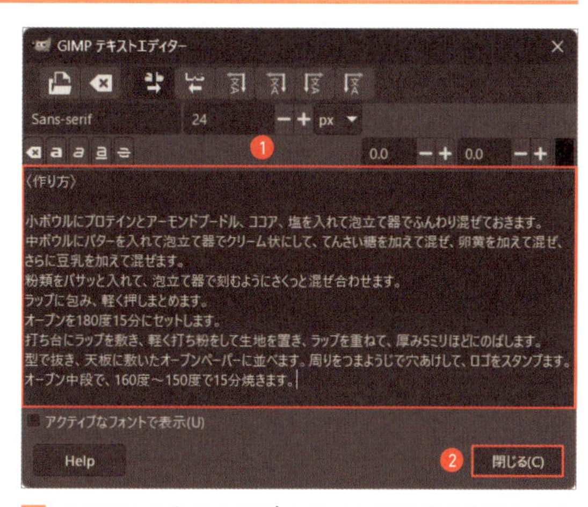

3 <GIMPテキストエディター>にテキストを入力します❶。<閉じる>をクリックします❷。

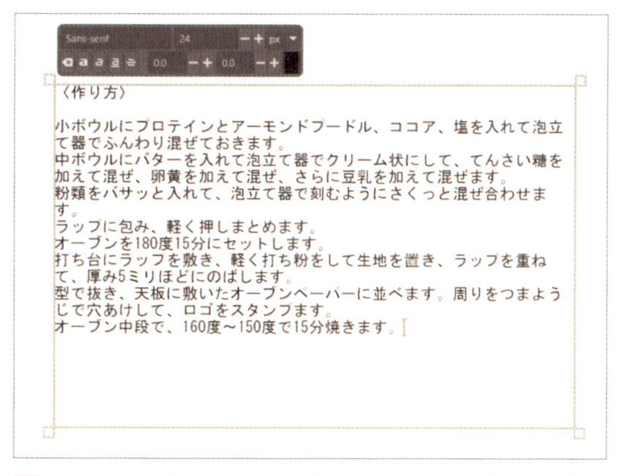

4 テキストボックスに、テキストエディターで入力したテキストが適用されます。

HINT コピー&ペーストで入力する

テキストエディタにはコピーしておいたテキストをペーストすることもできます。ほかのテキストエディタで編集したテキストを、そのまま入力するときに便利です。

SECTION 15

テキストを画像データにする／テキストレイヤーを削除する

テキストはベクトルデータとして扱われます。テキストを一般的なビットマップ画像にするには、テキストレイヤーの文字情報を破棄する必要があります。

SAMPLE re07_15.xcf

テキストの文字情報を破棄する

1 テキストを入力すると＜レイヤー＞ダイアログにはテキストレイヤーが追加されます**1**。

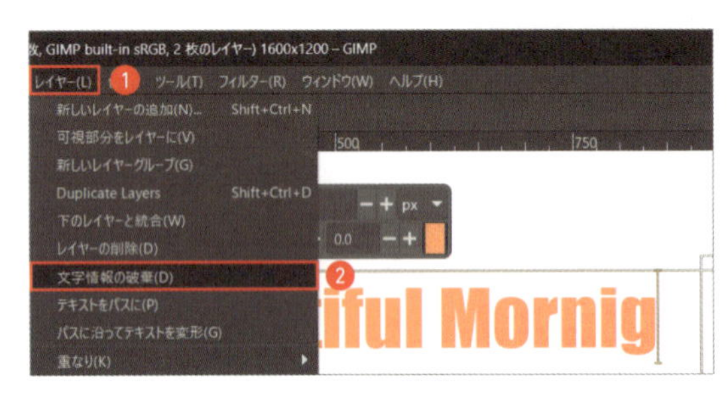

2 ＜レイヤー＞メニューをクリックして**1**、＜文字情報の破棄＞をクリックします**2**。

3 テキストボックスが消え、通常のレイヤーに変換されました。

テキストレイヤーを削除する

1 削除したいテキストボックスを＜レイヤー＞ダイアログで選択します**1**。

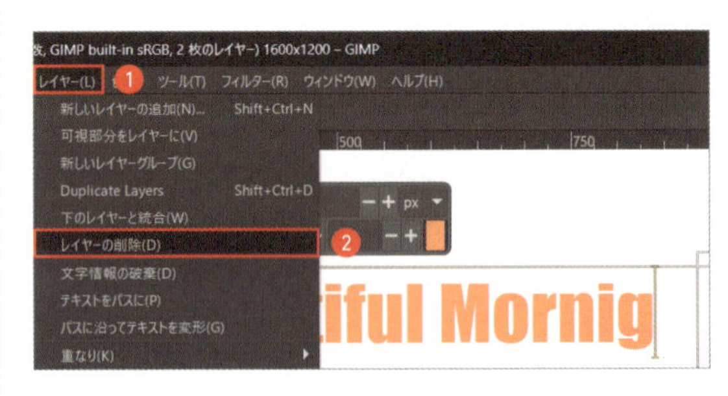

2 ＜レイヤー＞メニューをクリックして**1**、＜レイヤーの削除＞をクリックします**2**。

3 テキストレイヤーが削除されます。

HINT 画像化したデータはテキスト化できない

一度破棄した文字情報は＜元に戻す＞で操作前の状態に戻す以外に復活させる方法はありません。破棄する際は注意しましょう。

SECTION 16

フィルターでテキストにドロップシャドウ効果を加える

テキストの下に薄く淡い影の効果を加えて立体的に見せます。＜フィルター＞メニューから＜ドロップシャドウ＞を選択します。

SAMPLE re07_16.xcf

≫ ＜ドロップシャドウ＞ダイアログを開く

1 ＜レイヤー＞ダイアログで、影を加えたいテキストレイヤーを選択します①。

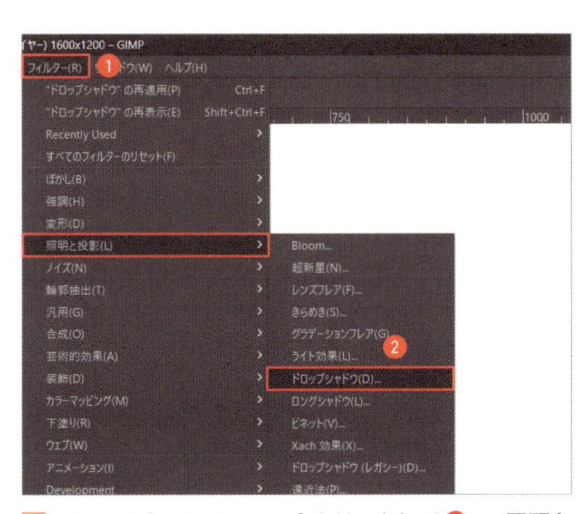

2 ＜フィルター＞メニューをクリックして①、＜照明と投影＞の＜ドロップシャドウ＞を選択します②。

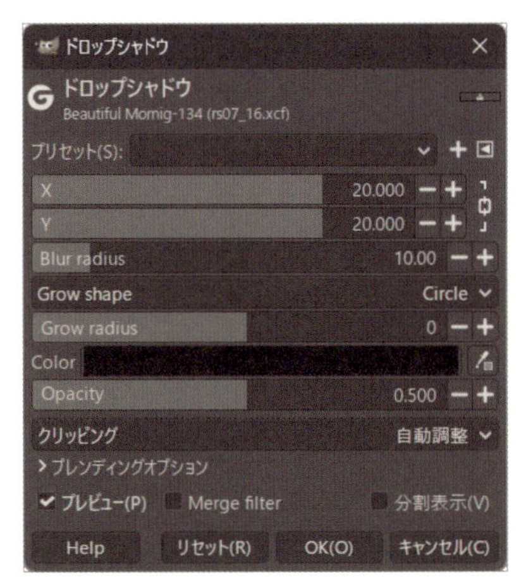

3 ＜ドロップシャドウ＞ダイアログが開きます。

≫ ドロップシャドウの設定をする

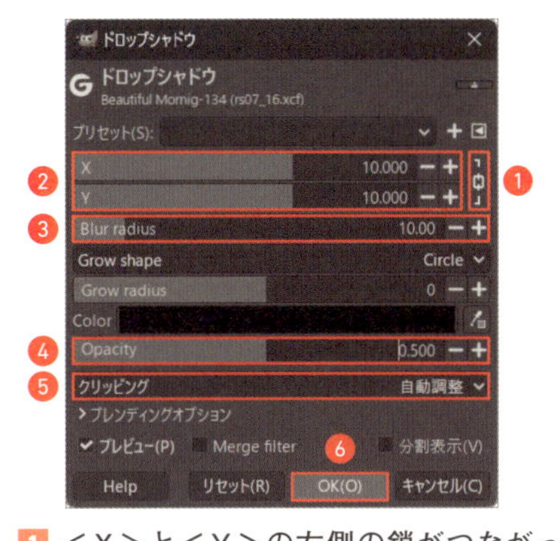

1 ＜X＞と＜Y＞の右側の鎖がつながった状態して①、横と縦方向の影の位置を設定します②。＜Blur radius＞に影が徐々に薄くなる幅の数値を設定します③ 。＜Opacity＞で影の不透明度を設定します④。＜クリッピング＞で＜自動調整＞を選択し⑤、＜OK＞をクリックします⑥。

MEMO クリッピングの自動調整

＜クリッピング＞で＜自動調整＞を選択することで、影が現在の画像よりも外側にはみ出してしまった場合に、画像サイズが自動的に広がります。

Beautiful Mornig

2 ドロップシャドウが適用されます。

3 ＜レイヤー＞ダイアログでは、テキストレイヤーの左に＜fx＞が追加され、ここをクリックすると＜ドロップシャドウ＞のLayer Effectsが追加されています。＜ドロップシャドウ＞をダブルクリックすると再編集ができます。

CHAPTER 7 文字を書き込む

SECTION 17

フィルターで立体的なロゴを作成する

＜再帰変形＞で、テキストに徐々に色が変化させながら重ねる効果を加えて立体的に見せることができます。

SAMPLE re07_17.xcf

＜再帰変形＞ダイアログを開く

1 ＜テキスト＞でロゴを入力して、テキストの揃え位置を＜左揃え＞に設定します❶。テキストボックスはテキストよりも広げておきます❷。

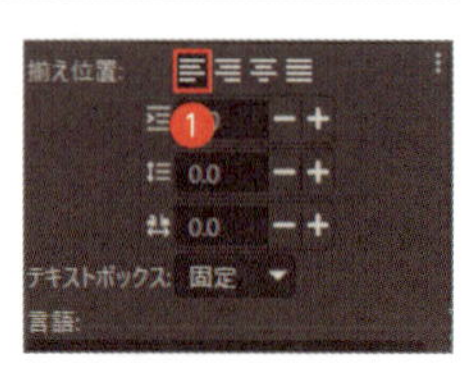

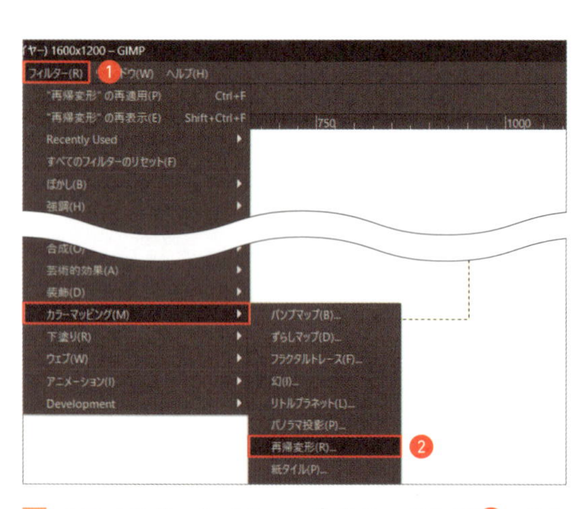

2 ＜フィルター＞メニューをクリックして❶、＜カラーマッピング＞から＜再帰変形＞を選択します❷。

3 ＜再帰変形＞ダイアログが開き、テキストボックスが枠で囲まれます。

立体効果を設定する

1 ＜再帰変形＞ダイアログで＜Iterations＞に反復させて重ねる回数を設定します。ここでは「7」に設定します❶。＜Paste below＞にチェックを入れて、元のロゴの下に重ねる設定にします❷。＜Fade color＞をクリックします❸。

2 重ねるロゴの色を設定します❶。徐々に色が変化するように透過の＜A＞の数値を設定します（ここでは「26」）❷。＜OK＞をクリックします❸。

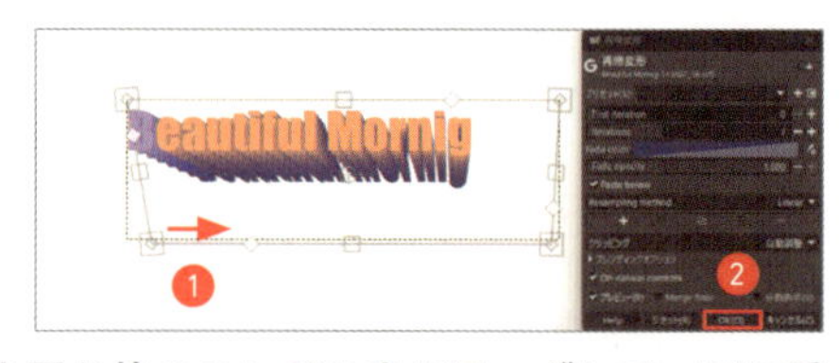

3 ロゴを囲む枠のハンドルをドラッグして、下に重なって表示される方向を調整します❶。＜再帰変形＞ダイアログで＜OK＞をクリックします❷。

4 立体的な色変わりをするロゴが完成します。テキストレイヤーには非破壊編集可能な［fx］のアイコンがついて、ここをクリックして［Layer Effects］ダイアログで再調整ができます。

[リファレンス編]

CHAPTER

8

ペイントツールで描画する

SECTION

01 描画色のダイアログの見方を知る

ツールボックスにある＜描画色＞と＜背景色＞にそれぞれ色を割りあてることにより、常に2色を使った描画や効果を利用できます。

≫ ＜描画色の変更＞ダイアログを開く

1 ツールボックスの＜描画色＞をクリックします❶。

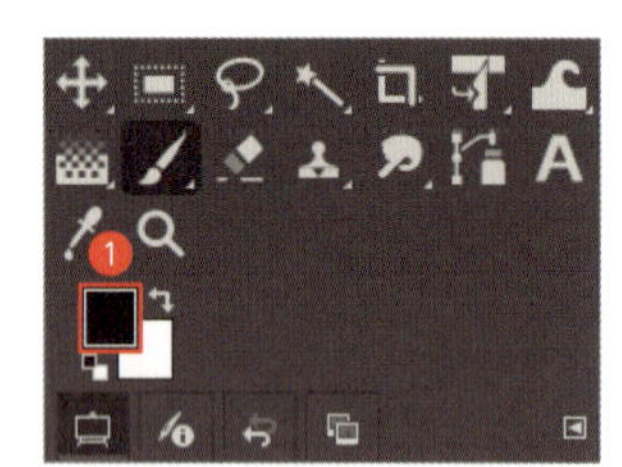

2 ＜描画色の変更＞ダイアログが開きます。

MEMO ＜背景色の変更＞ダイアログを開く

手順**1**で後ろに隠れたアイコンをクリックすると、＜背景色の変更＞ダイアログが開きます。＜背景色の変更＞ダイアログは＜描画色の変更＞ダイアログと同じ見方で操作できます。

≫ ＜描画色（背景色）の変更＞ダイアログの見方

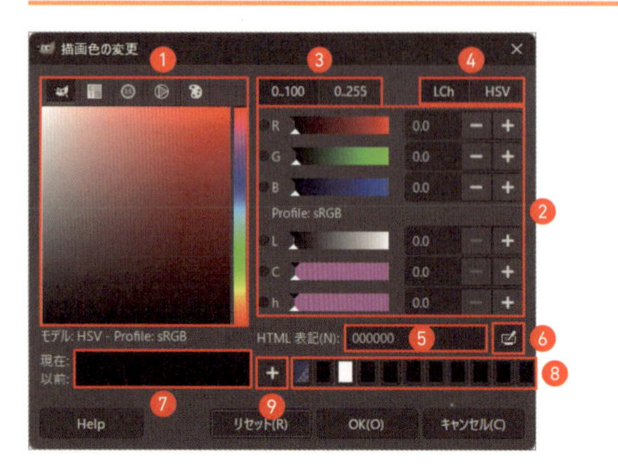

❶ セレクター

色を選択します。＜GIMPセレクター＞など5つの方法から選択できます。

❷ スライダー

RGBの調整と、LCH（明度・彩度・色相）またはHSV（色相・彩度・明度）の調整を行えます。

❸ 数値の表記法

スライダーの数値を100段階か255段階か選択できます。

❹ LCHとHSV

スライダーで調整する項目をLCHかHSVか選択できます。

❺ HTML表記

HTMLやCSSで用いられる色の表記方法で、色を指定できます。

❻ スポイト

画像のピクセルの色を吸い取って設定できます（266ページ参照）。

❼ 現在と以前

変更前と編集中の色を見比べることができます。

❽ 色履歴

今まで設定した色の履歴が12色まで残ります。

❾ 色履歴に追加

クリックすると、編集中の色を色履歴に追加できます。

MEMO 5つのセレクター

セレクターは＜GIMPセレクター＞、＜CMYKセレクター＞、＜水彩色セレクター＞、＜三角形セレクター＞、＜パレット＞の5つのセレクターから選択します。本書では、＜GIMPセレクター＞を例に解説します。

SECTION

02 描画色の設定を行う

描画する際にはまず<描画色の変更>ダイアログで描画色を設定します。なお、背景色もほぼ同様の方法で設定することができます。

SAMPLE re08_02.xcf

色を設定する

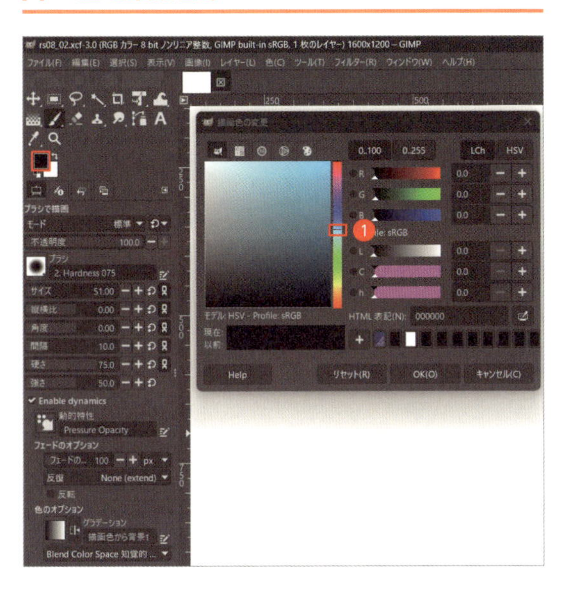

1 264ページの方法で<描画色の変更>ダイアログを開きます。縦長の色尺で色を選択します❶。

2 左側のエリアで色を設定します❶。<OK>をクリックします❷。

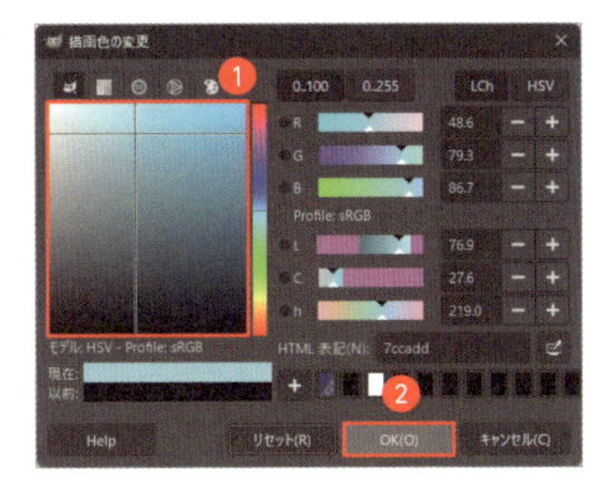

3 設定した色が適用されます。

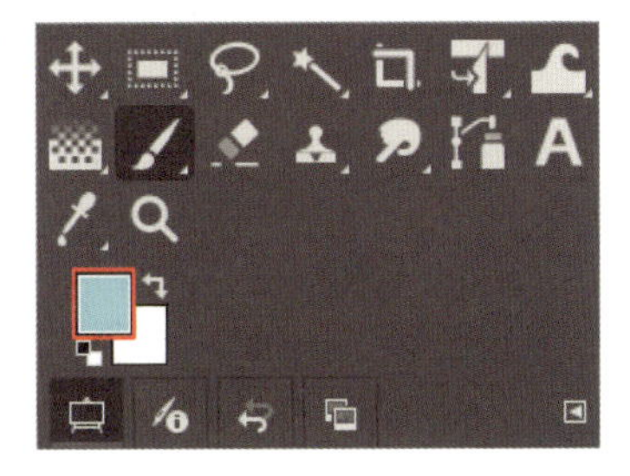

描画色と背景色を入れ替える

1 描画色の右上にあるボタンをクリックします❶。

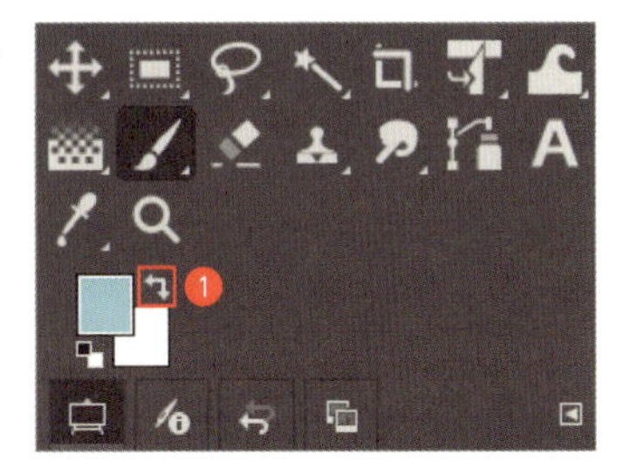

2 描画色と背景色が入れ替わります。

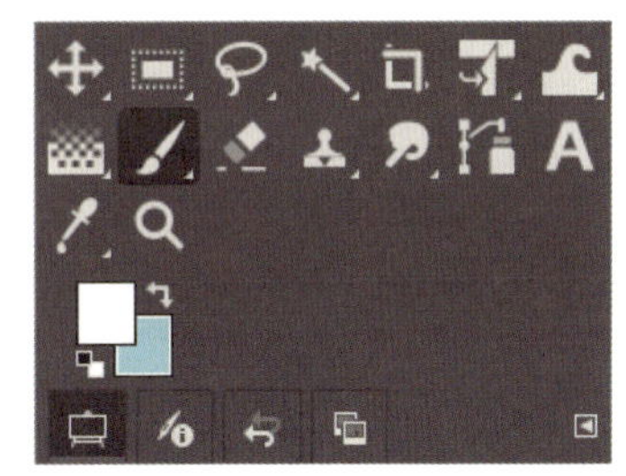

描画色と背景色をリセットする

1 描画色の左下にあるボタンをクリックします❶。

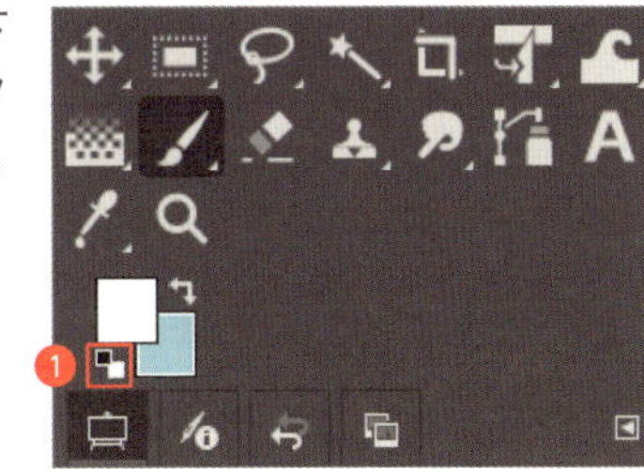

2 描画色と背景色がリセットされ、描画色が黒、背景色が白になります。

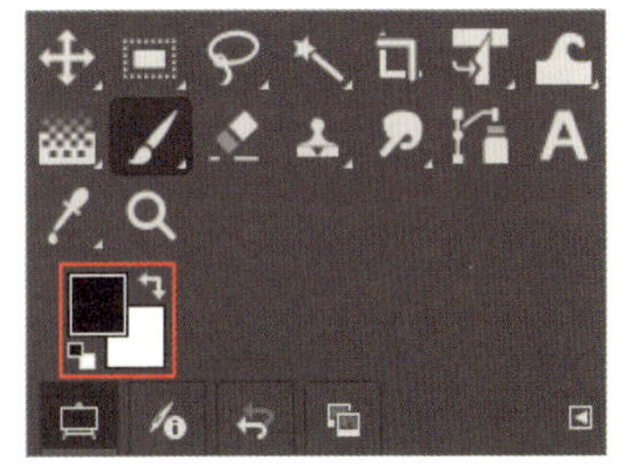

SECTION

03 スポイトで描画色を設定する

画像のピクセルの色は、<スポイト>で吸い取って描画色や背景色に設定できます。

SAMPLE re08_03.jpg

スポイトで描画色を設定する

1 ツールボックスの<スポイト・定規>グループを右クリックして、<スポイト>を選択します❶。

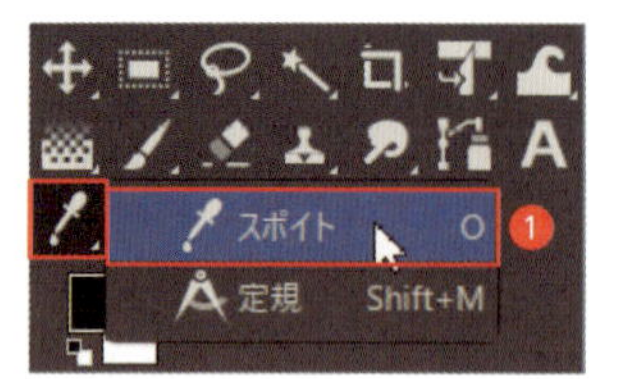

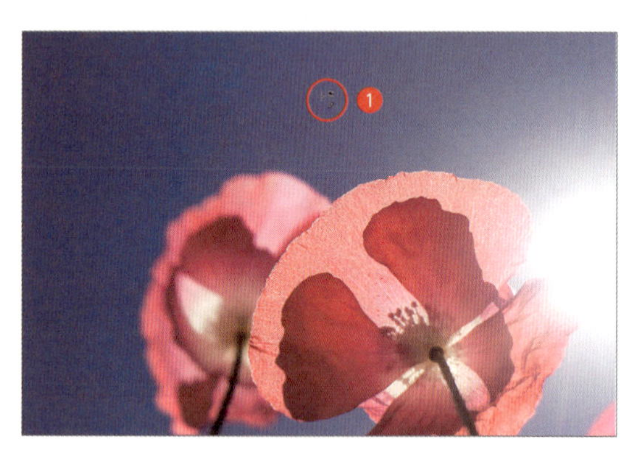

2 画像の描画色に設定したい色の箇所をクリックします❶。

3 <描画色>に適用されました。

スポイトで背景色を設定する

1 左の手順1同様に<スポイト・定規>グループの<スポイト>を選択します❶。

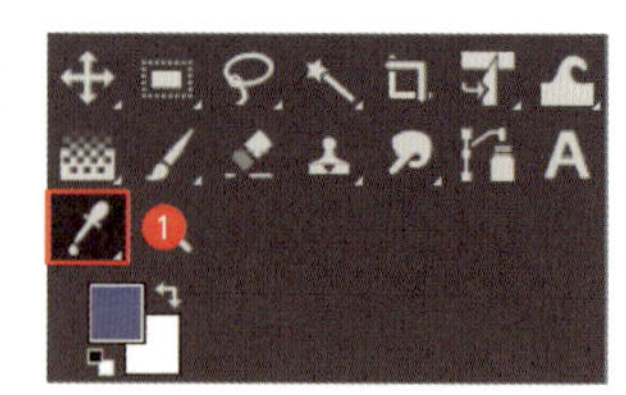

2 画像の背景色に設定したい色の箇所を、Ctrlキーを押しながらクリックします❶。

3 <背景色>に適用されました。

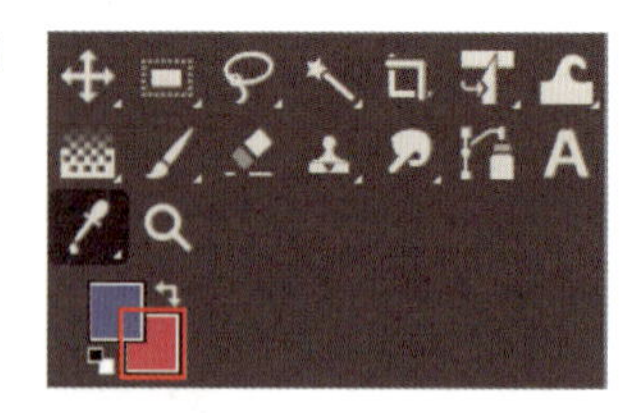

MEMO <描画色の変更>ダイアログで設定する

<描画色（背景色）の変更>ダイアログを開いた状態からでもスポイトで色を設定することができます。スポイトのアイコンをクリックすると、マウスカーソルがスポイトの形に変わります。画像上で色を設定に利用したい箇所をクリックすると、描画色（背景色）がその色に設定されるので、<OK>をクリックします。

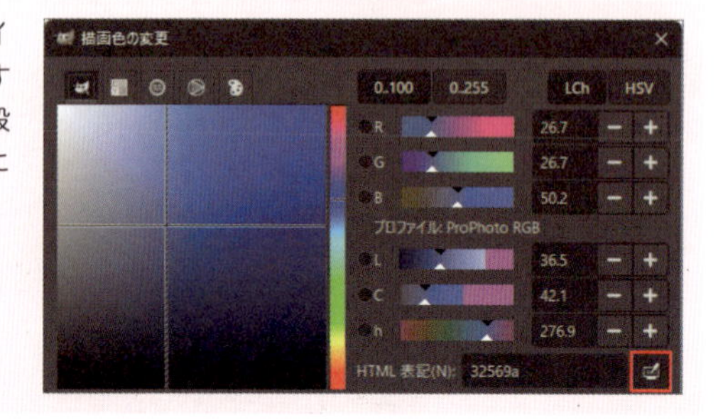

SECTION

04

描画ツールで描画する

描画ツールは＜鉛筆で描画＞や＜ブラシで描画＞などいくつかある種類から選択できますが、基本的な操作や設定は共通しています。

SAMPLE re08_04.jpg

鉛筆やブラシで描画する

1 ツールボックスの＜描画＞グループを右クリックして、＜鉛筆で描画＞か＜ブラシで描画＞を選択し❶、265ページの方法で＜描画色＞を設定します❷。

2 ＜ツールオプション＞で＜モード＞を設定し❶、不透明度を設定します❷。また、＜サイズ＞を設定します❸。

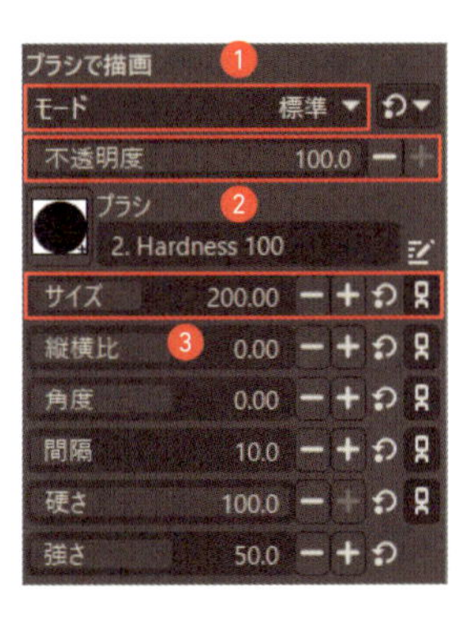

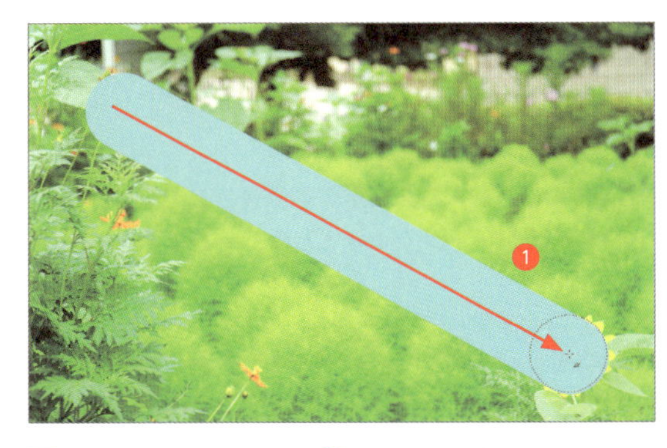

3 画像をドラッグします❶。描画色で線が描かれます。

HINT 消しゴム

＜消しゴム＞はブラシでドラッグした部分を背景色で塗り消したり、透明にしたりするツールです。ツールボックスの＜消しゴム＞を選択して、＜モード＞の選択がない点以外は上記の方法で利用できます。

エアブラシで描画する

1 ツールボックスの＜描画＞グループを右クリックして、＜エアブラシで描画＞をクリックして❶、描画色やブラシの種類などを設定します（268ページ参照）。

2 画像をクリックすると、ブラシの形状で描画されます。クリックする長さに応じて色の濃さが変化します。

インクで描画する

1 ツールボックスの＜描画＞グループを右クリックして、＜インクで描画＞をクリックして❶、描画色やブラシの種類などを設定します（268ページ参照）。

2 画像をドラッグすると描線が描かれます。ドラッグする速さに応じて線の太さが変化します。

SECTION

05 描画ツールのツールオプションの見方を知る

描画ツールのツールオプションで、共通する設定項目を覚えましょう。どの描画ツールに切り替えたときでも効率良く描けます。

≫ ＜ブラシ（鉛筆）で描画＞のツールオプションの見方

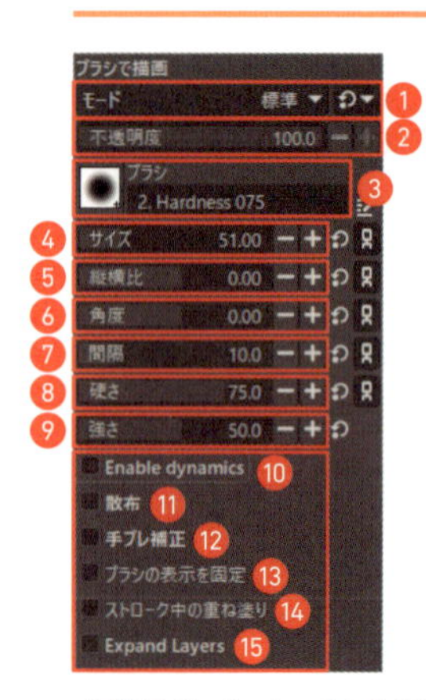

＜ブラシで描画＞と＜鉛筆で描画＞のオプションは共通です。ここでは＜ブラシで描画＞のオプションの画面を例にとり解説します。

❶ モード

色が重なるときの合成方法を選択します（270ページ参照）。

❷ 不透明度

ほかと重なった色の不透明度を設定します。最大は「100」で、下の色が完全に見えなくなります。「50」で半透明になり下の色が透けて見え、「0」で完全不透明になります。

❸ ブラシ

色を描くブラシの種類を選択します（275ページ参照）。

❹ サイズ

ブラシのサイズを調整します。

❺ 縦横比

ブラシの縦横比を調整します（273ページ参照）。数値が小さいほどブラシが縦長になり、数値が大きいほど横長の形になります。

❻ 角度

ブラシの角度を調整します（273ページ参照）。数値が小さいほど左に傾き、数値が大きいほど右に傾きます。

❼ 間隔

ドラッグしたときのブラシの先端が描画される間隔を調整します。数値が小さいほど先端が密に連続して滑らかに描き、数値が大きいほどコロコロスタンプのように描かれます（275ページ参照）。

❽ 硬さ

数値が小さいほどブラシ先端の境界が徐々にソフトにぼやけて、数値が大きいほど輪郭がくっきり描かれます。

❾ 強さ

数値が小さいほどインクの量が少なく薄く描かれ、数値が小さいほど濃く描きます。

❿ Enable dynamics

ブラシで描く際の筆圧や速度、方向などよって、サイズ、不透明度、角度、色に変化を設定できます（274ページ参照）。

⓫ 散布

有効にするとストロークをランダムに散らせながら描けます。また、その散布量を設定します（274ページ参照）。

⓬ 手ぶれ補正

有効にするとストロークを滑らかに描けます。また、ストロークの品質と滑らかさの適用量を設定できます。

⓭ ブラシの表示を固定

表示倍率やキャンバス表示の回転角度に合わせてブラシのサイズをロックするかどうかを選択します。

⓮ ストローク中の重ね塗り

有効にすると、不透明度の値を小さく設定している際でも完全不透明な状態でストロークを描きます。

⓯ Expand Layers

有効にするとキャンバスの外側にストロークがはみ出した場合に、それに合わせてレイヤーサイズが広がります。拡張されるレイヤーを完全不透明に、または完全透明にするのかを選びます。

＜消しゴム＞のツールオプションの見方

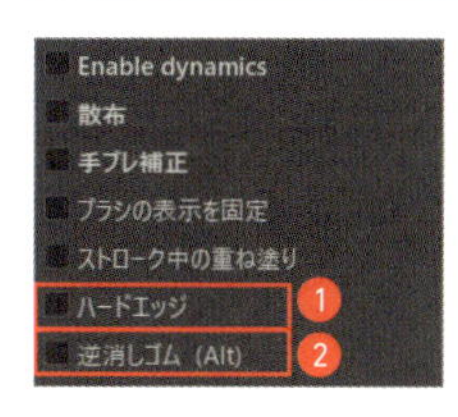

多くの設定が＜鉛筆(ブラシ)で描画＞のオプションと共通していますが、モードの設定はできません。ここでは＜消しゴム＞特有の設定のみ紹介します。

❶ハードエッジ

有効にすると消しゴムの輪郭がくっきりします。

❷逆消しゴム

有効にすると、アルファチャンネル（透過）を含むレイヤーに対して、一度透過した部分をドラッグして復元できます。

＜エアブラシで描画＞のツールオプションの見方

多くの設定が＜鉛筆(ブラシ)で描画＞などのオプションと共通しています。ここでは＜エアブラシで描画＞特有の設定のみ紹介します。

❶ブラシ移動時のみ以下を使用

チェックを入れると、＜割合＞と＜流量＞の調整ができるようになります。

❷割合

エアブラシでクリックやドラッグしている間に色が濃くなるスピードを調整します。数値が大きいほど短時間で色が濃くなり、数値が小さいほど濃くなるのに時間がかかります。

❸流量

エアブラシでクリックやドラッグしている間に適用されるインクの量です。数値が大きいほど濃くなり、数値が小さいほど薄くなります。

＜インクで描画＞のツールオプションの見方

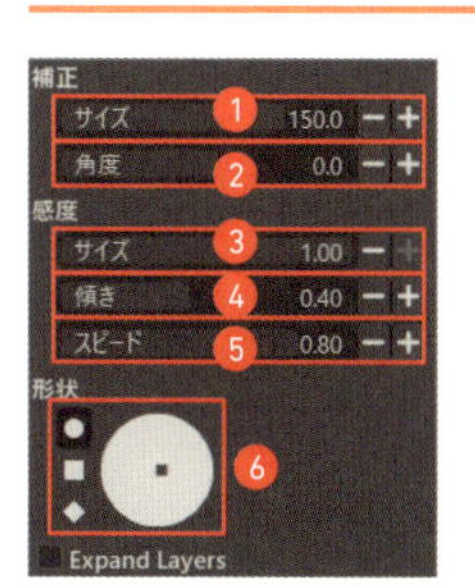

モードや不透明度、手ブレ補正の役割は＜鉛筆（ブラシ）で画＞のオプションなどと共通です。ここでは＜インクで描画＞特有の設定のみ紹介します。

❶サイズ（補正）

ペン先のサイズです。

❷角度（補正）

ペン先の斜角です。水平からの角度を調整します。

❸サイズ（感度）

ペン先を移動させたときのスピードに対するサイズの変化量です。

❹傾き（感度）

ペン先を移動させたときのスピードに対する角度の変化量です。

❺スピード（感度）

ペン先を移動させたときのスピードに対する変化の量を調整します。

❻形状

ペン先の形状を円形、長方形、平行四辺形から選択します。内部の白い四角をドラッグすると形状や傾きが変化します。

＜MyPaint ブラシで描画＞のツールオプションの見方

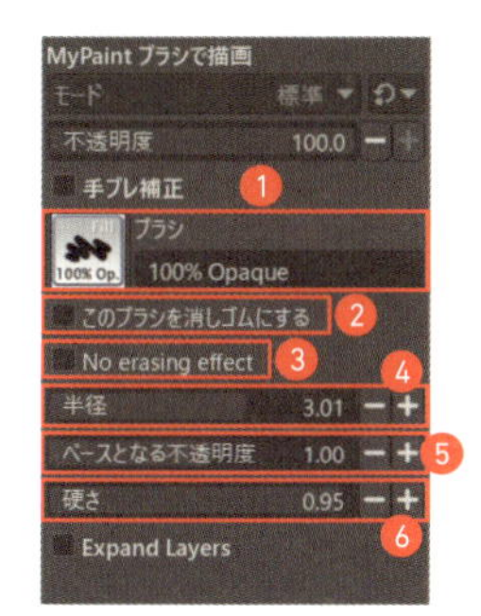

不透明度や手ブレ補正の役割は＜鉛筆（ブラシ）で描画＞のオプションなどと共通ですが、＜モード＞の選択はできません。ここでは＜MyPaintブラシで描画＞特有の設定のみ紹介します。

❶ブラシ

ブラシの種類を選択する点では＜鉛筆＞などのオプションと共通ですが、＜MyPaintブラシで描画＞の場合、独自のブラシが用意されています（280ページ参照）。

❷このブラシを消しゴムにする

チェックを入れるとブラシが消しゴムになります。

❸No erasing effect

有効にするとレイヤーに描いた時に既存のピクセルの透明度を下げません。

❹半径

ペン先の半径を設定します。

❺ベースとなる不透明度

不透明度を設定します。数値が大きいほど不透明になります。

❻硬さ

数値が大きいほどはっきりした線になります。

SECTION

06 描画のモードについて知る

ブラシなどで色を描き重ねる際に、元の色と描画色を合成しながら描画する＜モード＞の種類を変更することができます。ここでは一例を紹介します。

 色々なモードで描く

●標準

●ディザ-合成（不透明度を50に下げて描いた場合）

●消しゴム（アルファチャンネルがある場合）

●比較（明）

●Luma lighten only

●スクリーン

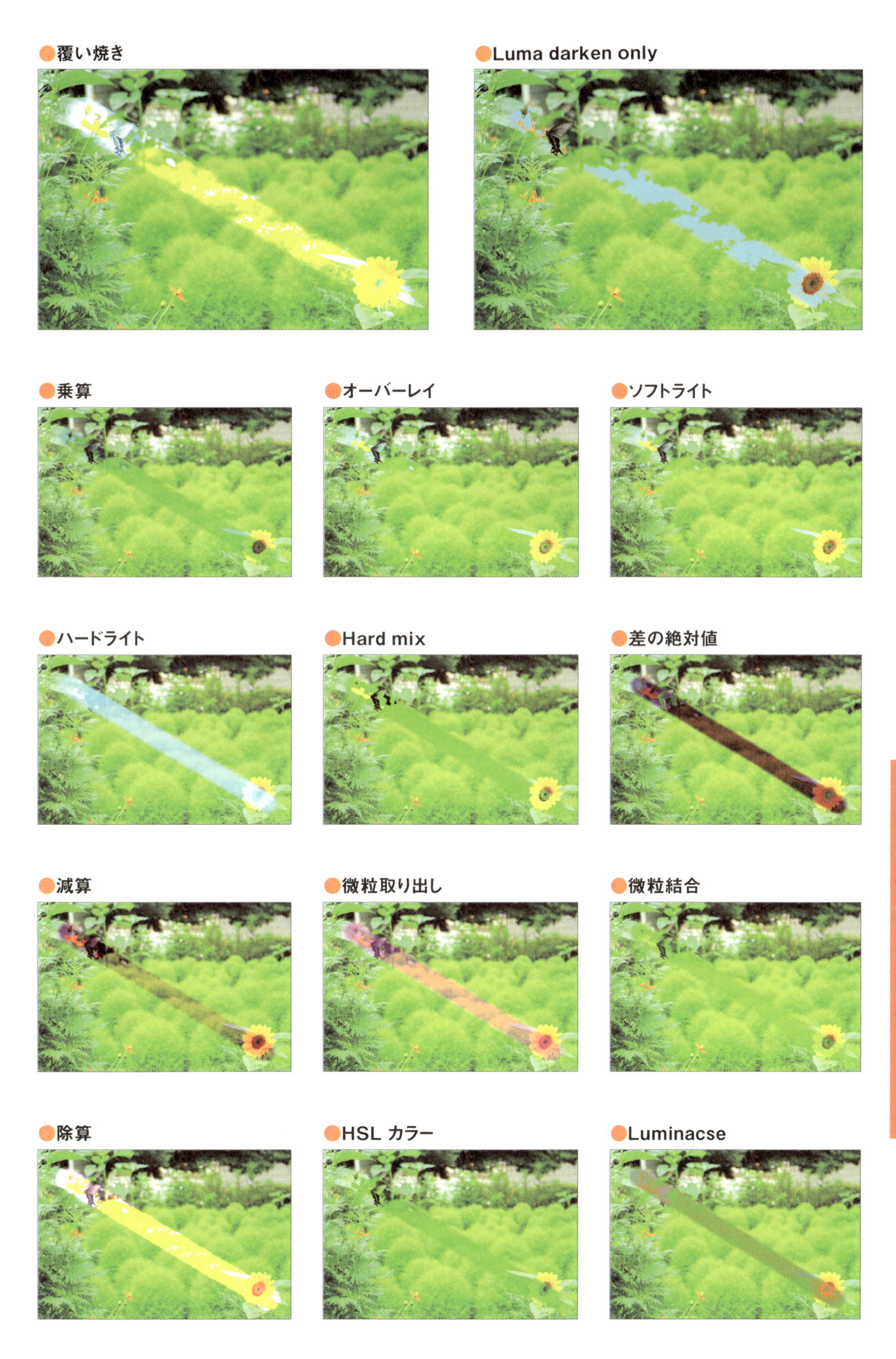
覆い焼き
Luma darken only
乗算
オーバーレイ
ソフトライト
ハードライト
Hard mix
差の絶対値
減算
微粒取り出し
微粒結合
除算
HSL カラー
Luminacse

SECTION 07

不透明度を設定する

レイヤーの不透明度と同じように、ブラシなどで画像に描き重ねる色の不透明度を調整することができます。不透明度を下げて描くと元の画像が透けた状態になります。

SAMPLE re08_07.jpg

完全不透明で色を描く

1 描画ツール（ここでは＜ブラシで描画＞）を選択します。＜不透明度＞を「100」に設定します❶。

2 画像をドラッグすると、描画色で着色された部分がまったく見えなくなります。

不透明度を下げて描く

1 描画ツール（ここでは＜ブラシで描画＞）を選択します。＜不透明度＞を下げて「50」に設定します❶。

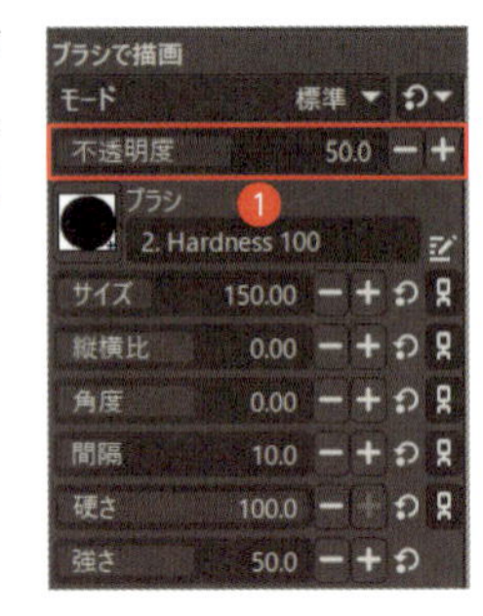

2 画像をドラッグすると、着色した部分が透けた状態になります。

3 さらに塗り重ねると、色が重なった部分の色がモードに応じて変化します。

SECTION

08

描画の形状を調整する

描画するツールを使用する際に、<ツールオプション>ではブラシのサイズや、縦横比、角度などを調整して、様々な形状やストロークの変化を加えられます。

SAMPLE re08_08.jpg

ブラシの縦横比を変更する

1 描画ツール(ここでは<ブラシで描画>)を選択します。<ツールオプション>で<縦横比>を設定します(ここでは「-5」)①。<間隔>の数値を小さく設定します(ここでは「3」)②。

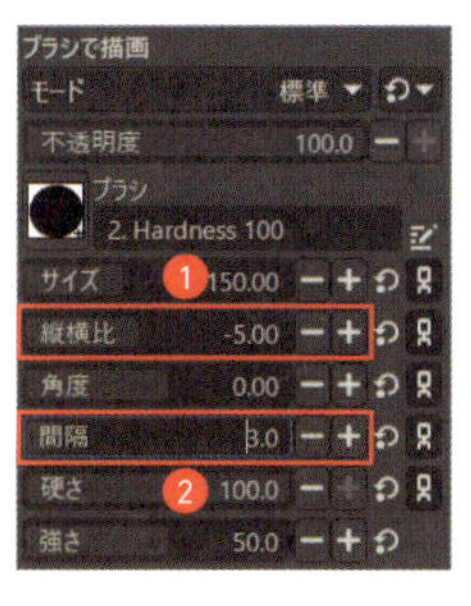

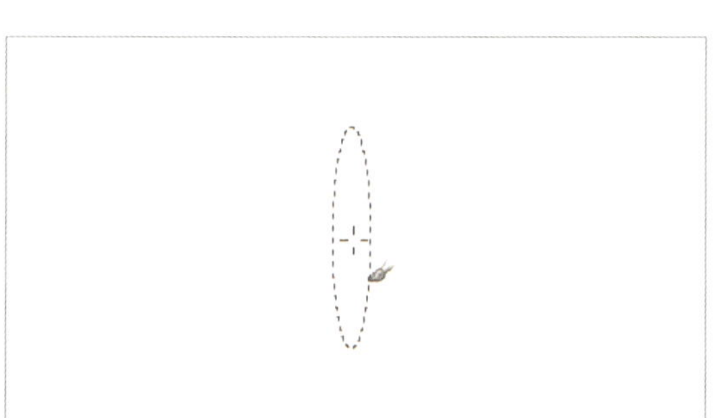

2 ブラシの形状が縦長になります。

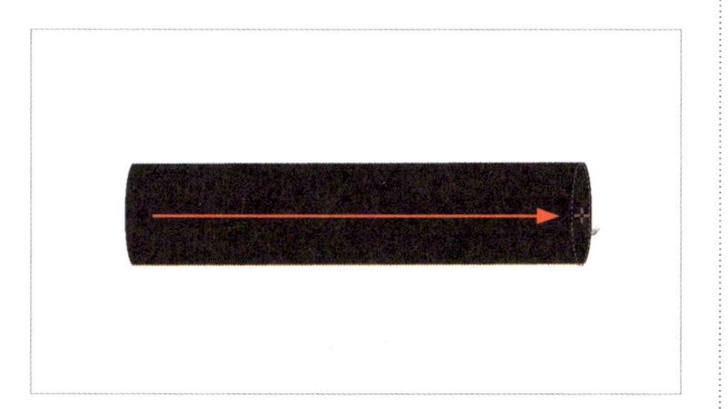

3 横にドラッグすると、図のように円柱状のストロークを描きます。

ブラシの角度を変更する

1 描画ツール(ここでは<ブラシで描画>)を選択します。<ツールオプション>でブラシの<角度>を設定します(ここでは「-45」)①。

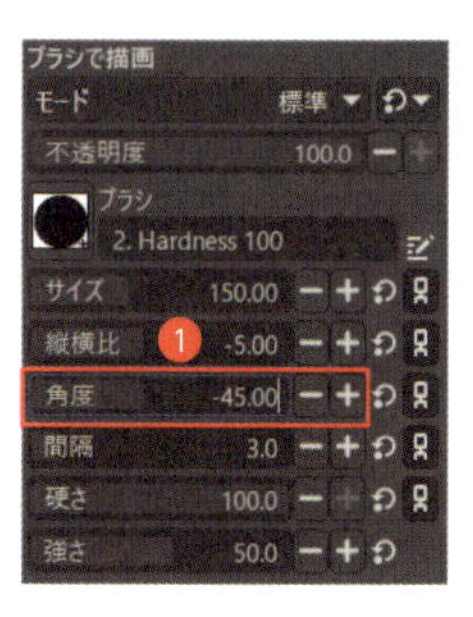

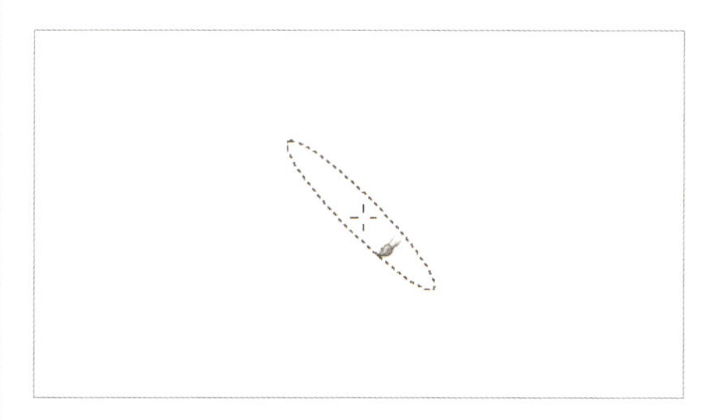

2 ブラシの形状が45度左に傾いた形に変わります。

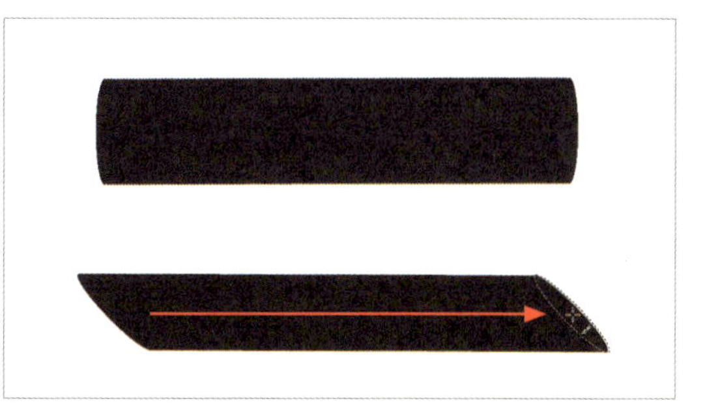

3 横にドラッグすると、描きはじめと描き終わりが傾いた形状になります。

MEMO ツールオプションをリセットする

<ツールオプション>の右下にある<このツールオプションを規定値に戻します>をクリックすると、<サイズ>や<縦横比>などの数値をデフォルトに戻せます。ただし、ブラシの種類や動的特性は変更されません。

SECTION

09

動的特性や散布効果を利用する

＜動的特性＞や＜散布＞で描線に動きを付けます。＜動的特性＞を設定すると独特な変化をします。＜散布＞の数値を大きくすると描線が散らばります。

SAMPLE re08_09.jpg

動的特性効果を適用する

1 描画ツールを選択し、＜ツールオプション＞の＜Enable dynamics＞を有効にします❶。＜Paint dynamics＞をクリックして❷、一覧から設定する動的特性を選択します（ここでは＜Fade Tapering＞）❸。

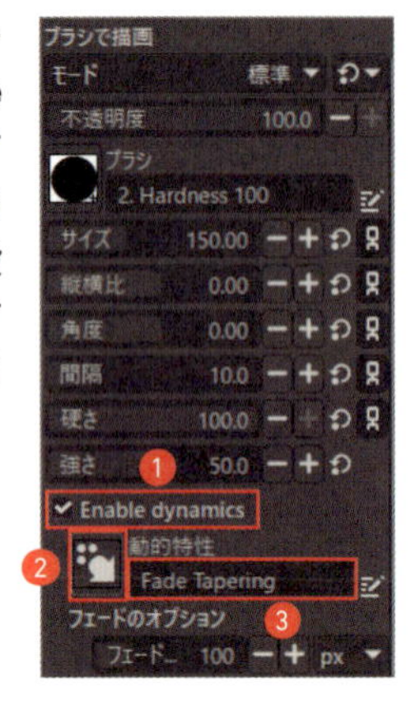

2 ＜フェードの長さ＞を設定します❶。

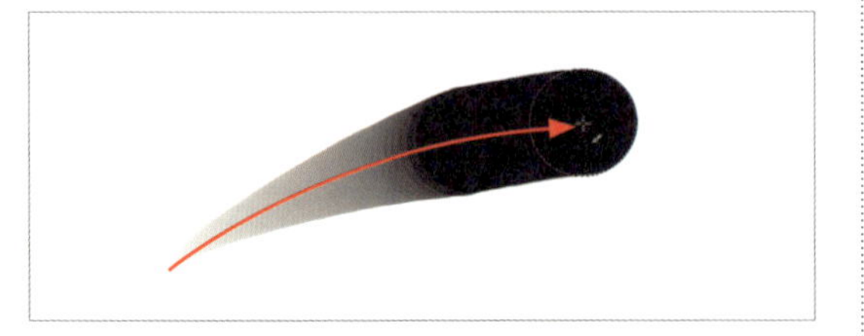

3 ドラッグすると、効果により描きはじめが細く、徐々に太くなる線が描かれます。

4 ＜反転＞にチェックを入れて有効にします❶。

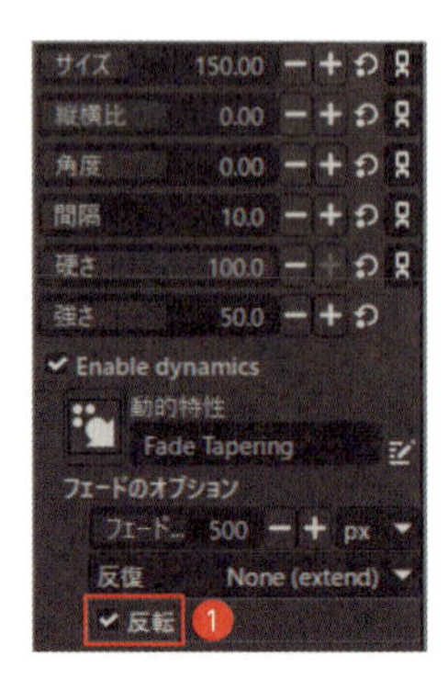

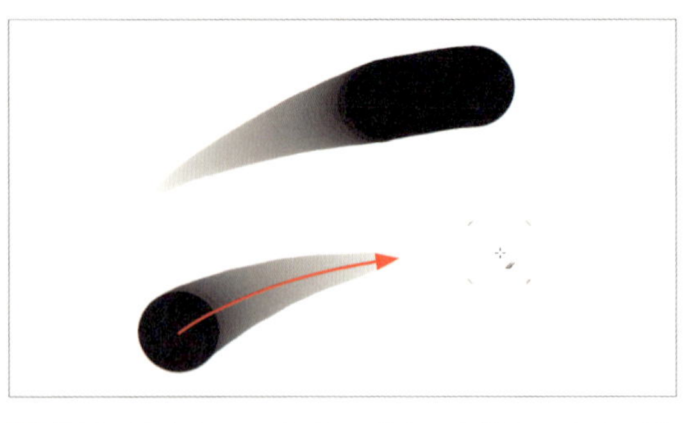

5 効果が反転して、ドラッグすると描きはじめが太く、徐々に細くなります。

散布効果を適用する

1 ＜散布＞にチェックを入れて❶、＜散布量＞を設定します（ここでは「0.2」）❷。

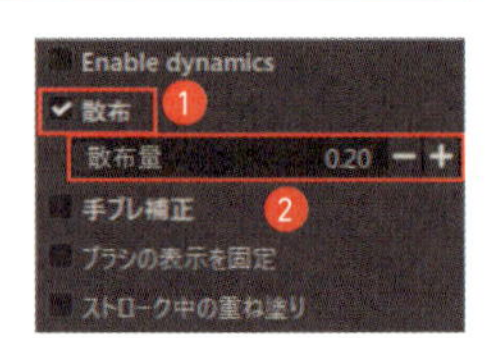

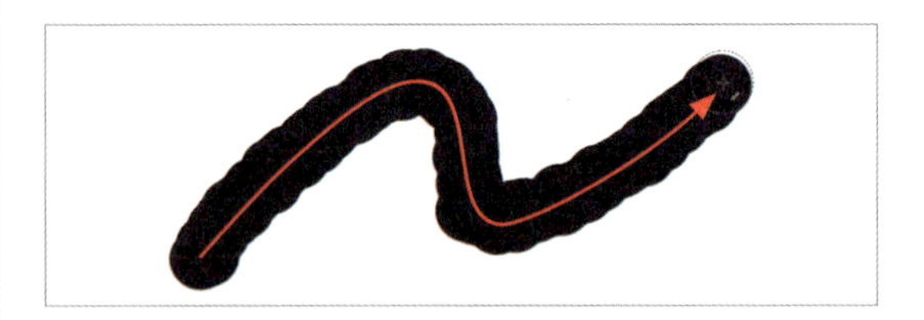

2 ドラッグすると、描線の輪郭にわずかに凹凸感が加わります。

3 ＜散布量＞を「5」に設定してドラッグすると、ブラシがランダムに拡散します。

SECTION

10

<ブラシ>ダイアログを利用する

<ブラシ>ダイアログでは描画するためのブラシの種類を選んだり、描画の間隔を調整することで、滑らかな線や、点線を描くことができます。

SAMPLE re08_10.jpg

ブラシの種類を選ぶ

1 描画ツール（ここでは<ブラシで描画>）を選択します❶。

2 <ツールオプション>の<ブラシ>をクリックします❶。

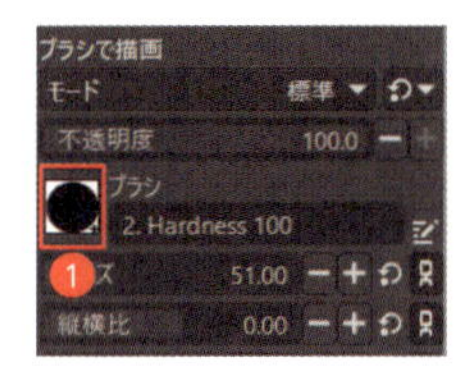

3 ブラシの一覧が開きます。<ブラシダイアログを開く>をクリックします❶。

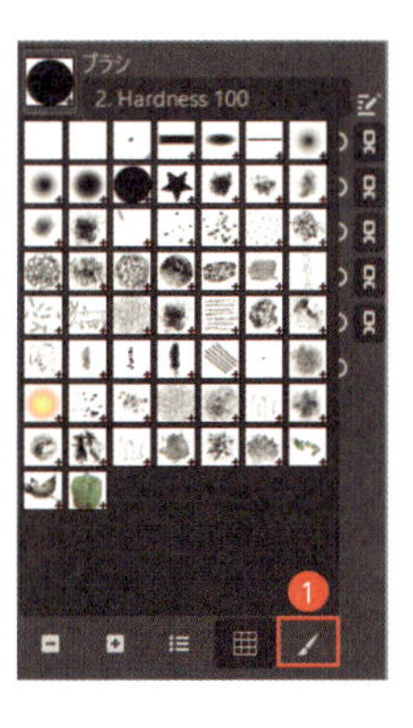

4 <ブラシ>ダイアログが開きます。一覧からブラシをクリックして選択します❶。

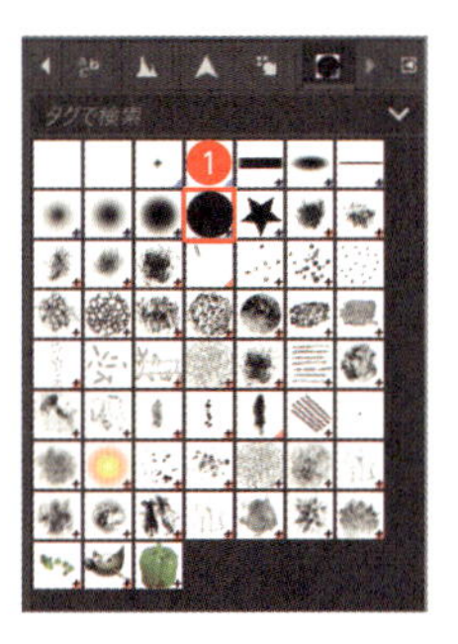

MEMO <ウィンドウ>メニューから開く

<ブラシ>ダイアログは、<ウィンドウ>メニューをクリックして、<ドッキング可能なダイアログ>で<ブラシ>を選択して開くこともできます。

ストロークの間隔を調整する

1 <ブラシ>ダイアログの<間隔>の数値を設定します（ここでは「100」）❶。

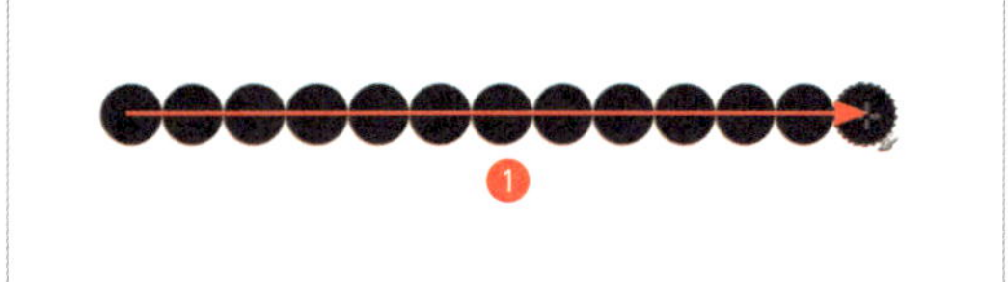

2 ドラッグすると❶、一定の距離を置いた点状に描画されます。

3 <間隔>を「200」に設定してドラッグすると❶、さらに間隔が開きます。

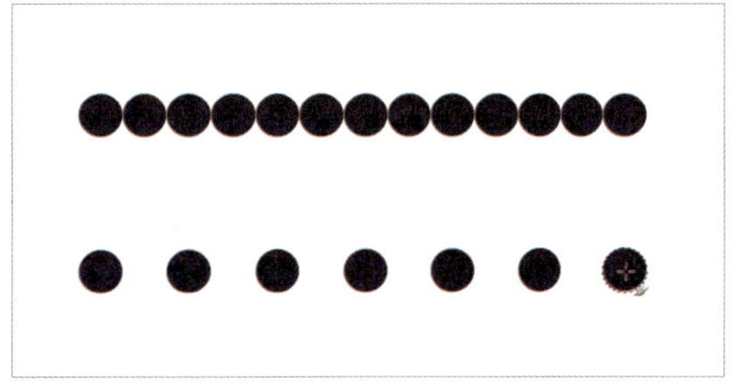

CHAPTER 8 ペイントツールで描画する

SECTION 11

自由に設定したブラシを活用する

＜ブラシエディター＞では、円形、長方形、平行四辺形から、オリジナルの形状のブラシを作ることができます。

SAMPLE re08_11.xcf

オリジナルのブラシを作る

1 ＜ブラシ＞ダイアログの＜新しいブラシを作成＞をクリックします❶。

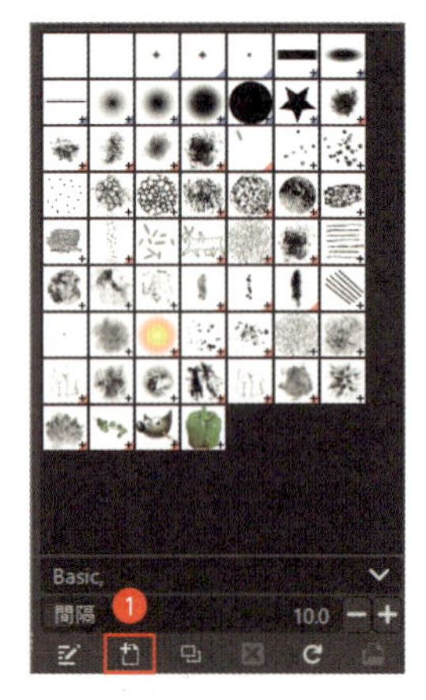

2 ＜ブラシエディター＞ダイアログが開きます。形状の種類を選択します（ここでは＜Diamondとがった先端＞）❶。

3 ＜半径＞、＜とがりの数＞、＜硬さ＞、＜とがりの縦横比＞、＜角度＞、＜間隔＞を設定します❶。

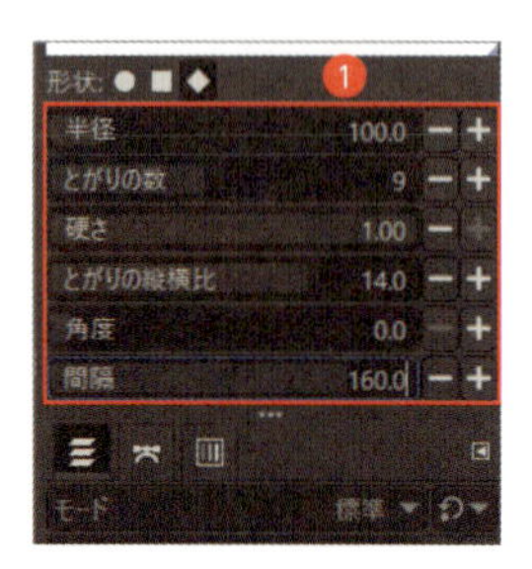

4 プレビューで編集中のブラシの形状を確認できます。上部のボックスをクリックして新規ブラシの名前を入力して登録します❶。

オリジナルのブラシで描く

1 描画ツール（ここでは＜エアブラシで描画＞）を選択して、＜ツールオプション＞の＜ブラシ＞をクリックしてオリジナルのブラシを選択します。描画色や＜サイズ＞なども設定しておきます。画面をクリックします❶。

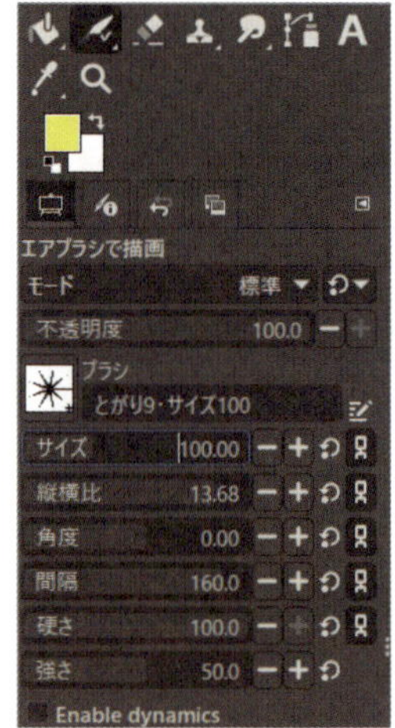

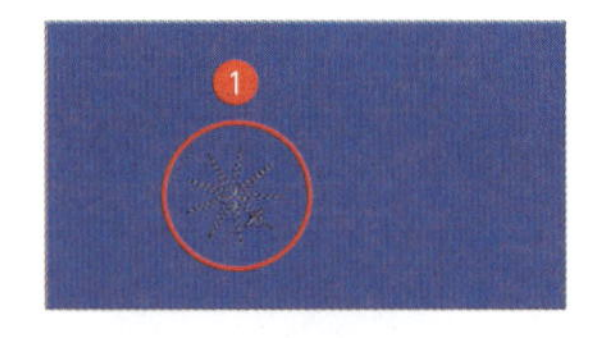

2 作成したブラシの形状で描画されます。

SECTION

12

単色で塗りつぶす

<塗りつぶし>を使うとレイヤーを描画色で塗りつぶすことができます。選択範囲と組み合わせれば、一部だけ塗りつぶすこともできます。

SAMPLE re08_12_01.xcf、re08_12_02.xcf

選択範囲を塗りつぶす

1 選択範囲を作成しておきます。<塗りつぶし・グラデーション>グループを右クリックして、<塗りつぶし>を選択します❶。

2 <ツールオプション>の<塗りつぶし範囲>で<選択範囲>を選択します❶。

3 選択範囲の内側をクリックします❶。

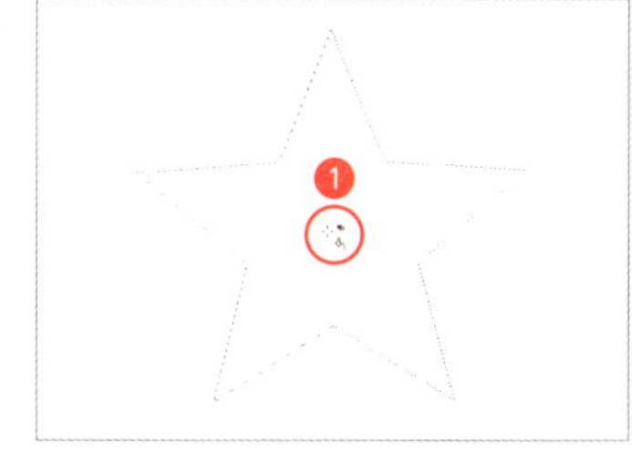

4 選択範囲内だけ描画色で塗りつぶされます。

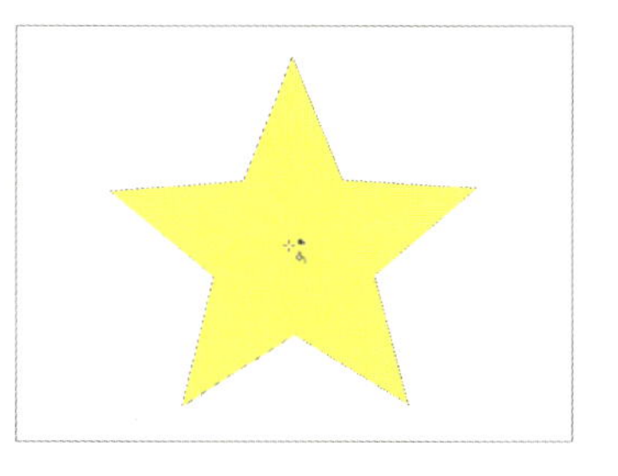

MEMO <編集>メニューから塗りつぶす

<編集>メニューをクリックして、<描画色で塗りつぶす>を選択しても同じように塗りつぶせます。

同じ色の範囲を塗りつぶす

1 <塗りつぶし>を選択して、描画色を設定します。<ツールオプション>の<塗りつぶす範囲>で<類似色領域>を選択します❶。似た色の範囲を広げたい場合は<しきい値>数値を上げます❷。

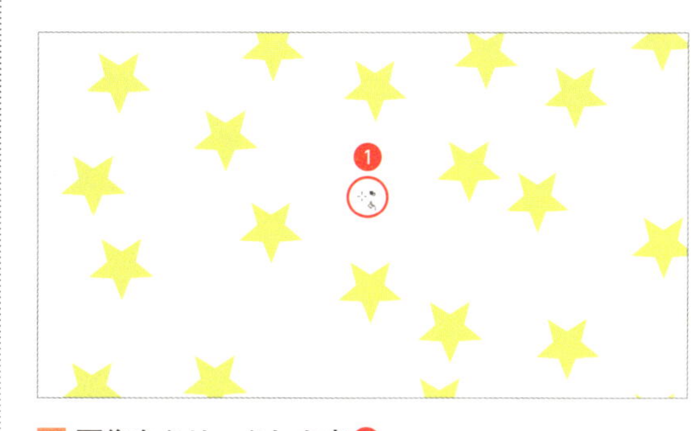

2 画像をクリックします❶。

3 クリックした箇所と同じ色の範囲が塗りつぶされます。

SECTION 13

グラデーションで塗りつぶす

＜グラデーション＞を利用すると、描画色から背景色に徐々に切り替わるグラデーションを描くことができます。

SAMPLE re08_13.jpg

グラデーションで塗りつぶす

1 ツールボックスの＜塗りつぶし・グラデーション＞グループを右クリックして、＜グラデーション＞を選択します❶。

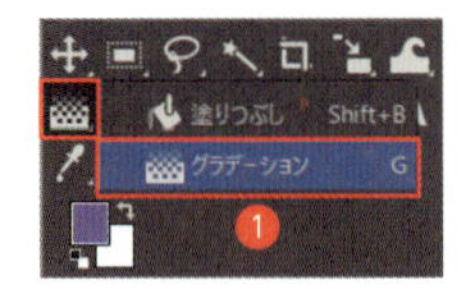

2 描画色と背景色をそれぞれ設定します❶。

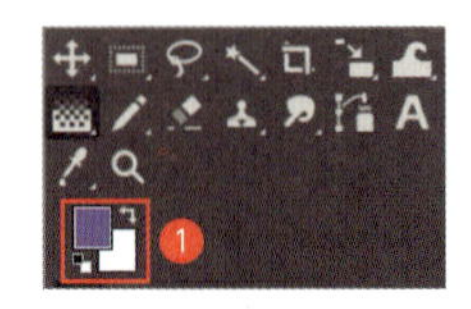

3 ＜ツールオプション＞で＜グラデーション＞をクリックして❶、グラデーションの種類（ここでは＜描画色から背景色（RGB）＞を選択します❷。

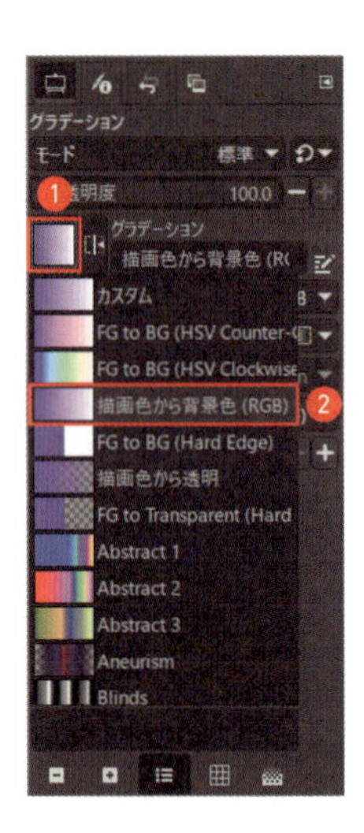

4 ＜ツールオプション＞の＜形状＞をクリックして、一覧からグラデーションの形状（ここでは＜線形＞）を選択します❶。

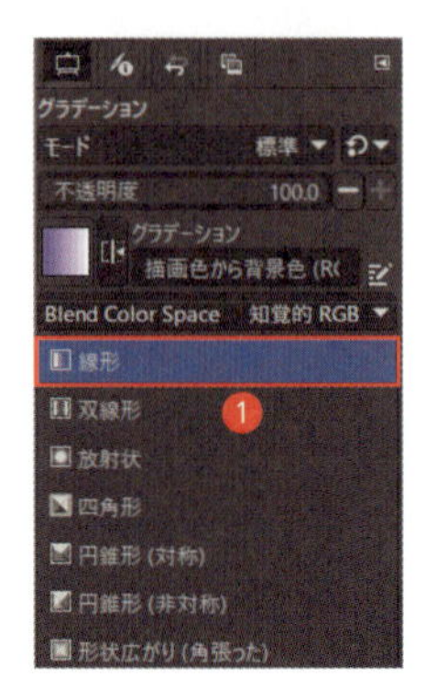

5 画像をドラッグします❶。ドラッグした方向に向けて徐々に背景色から描画色に切り替わるグラデーションで塗りつぶされます。Enter キーを押すと確定します。

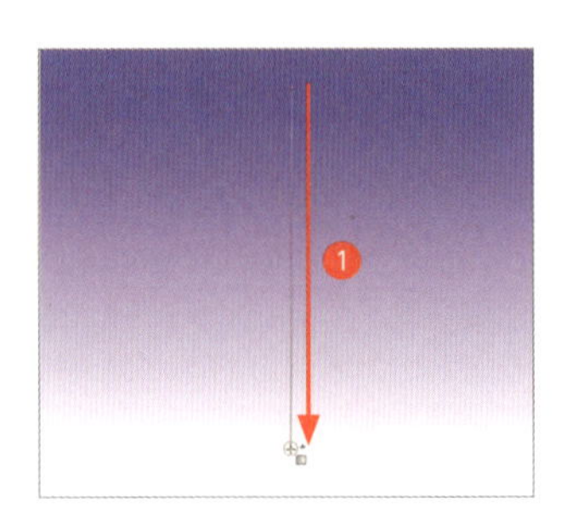

＜グラデーション＞ダイアログから操作する

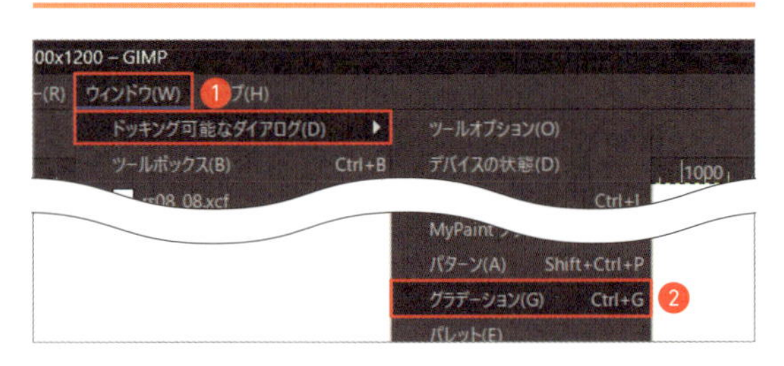

1 ＜ウインドウ＞メニューをクリックして❶、＜ドッキング可能なダイアログ＞の＜グラデーション＞を選択します❷。

2 ＜グラデーション＞ダイアログが開きます。グラデーションの種類を選択します❶。

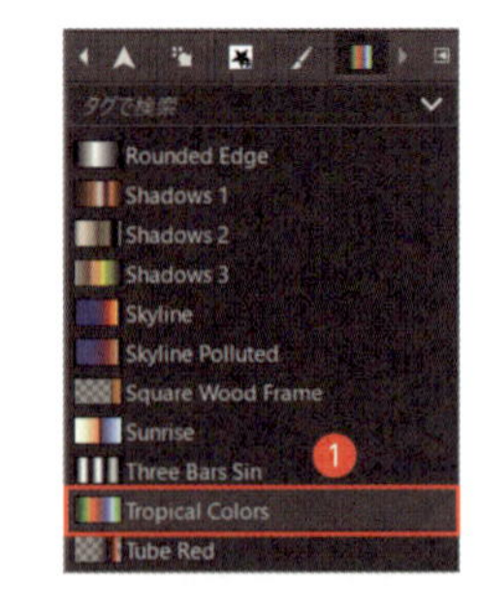

3 画像をドラッグして❶、選択したグラデーションで塗りつぶします。Enter キーを押して確定します。

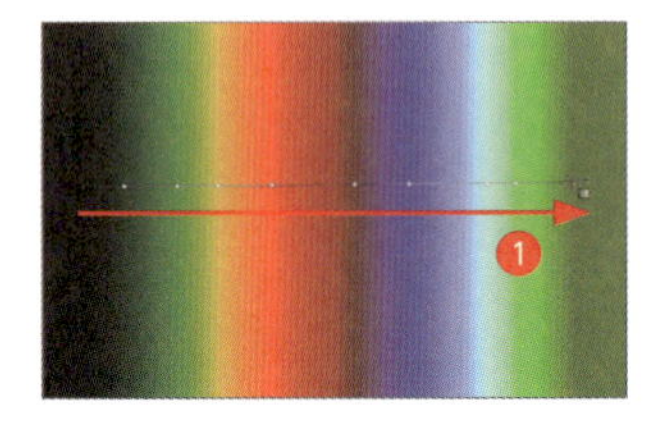

SECTION 14

グラデーションの形状を編集する

グラデーションの形状は、直線的に色が変化する＜線形＞のほかにも、放射状や円錐状など様々な形状で色を変化させることができます。

形状を選択する

グラデーションの形状には次のようなものが用意されています。いずれも画像の中央から右に向けてドラッグして塗りつぶした状態です。

●放射状

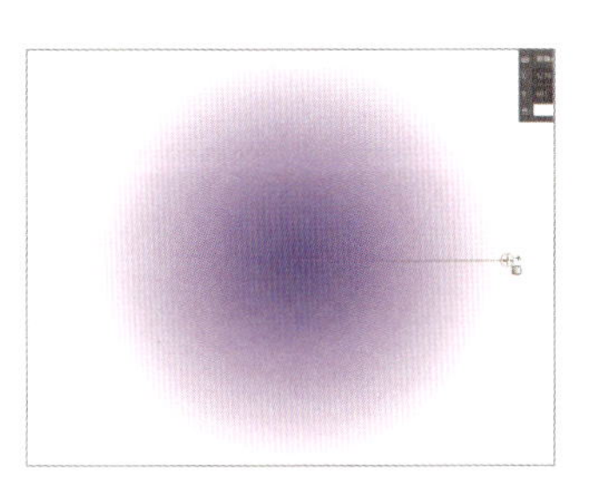

●四角形

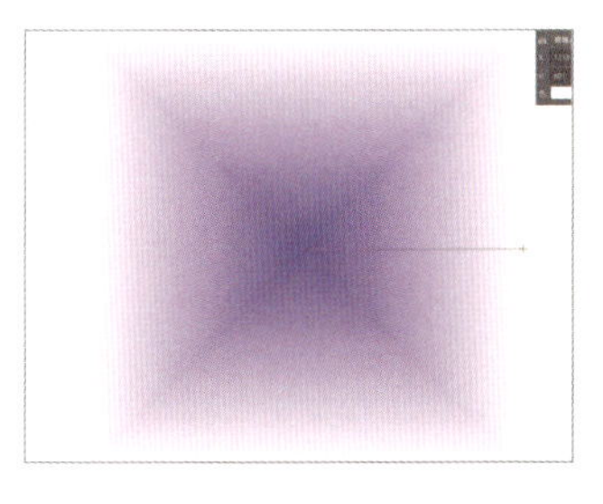

●円錐形（対称）

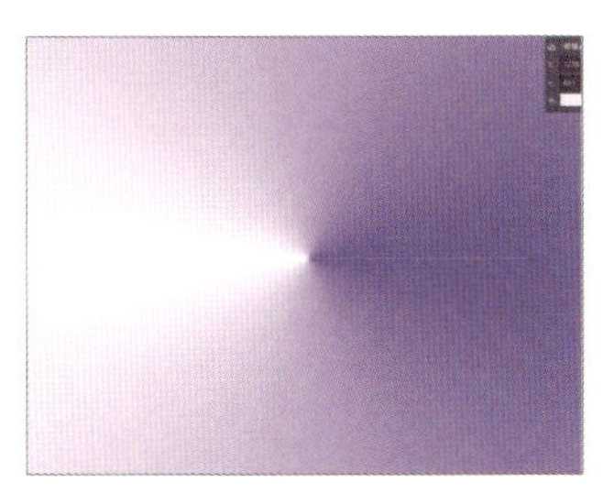

●螺旋（時計回り）

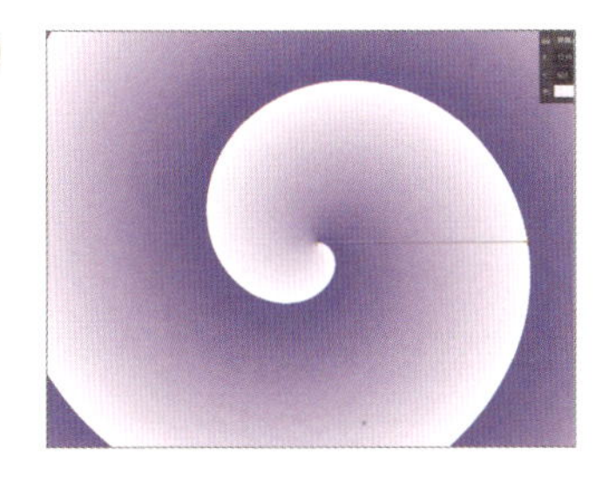

グラデーションを連続させる

＜ツールオプション＞の＜反復＞では、グラデーションを連続描画する方法が選べます。ここでは＜線形＞で画像の中央から右へドラッグした状態にします。

1 ＜ツールオプション＞の＜反復＞をクリックして＜None（extend）＞、＜None（Truncate）＞、＜ノコギリ波＞、＜三角波＞からここでは＜None（extend）＞を選択します❶。

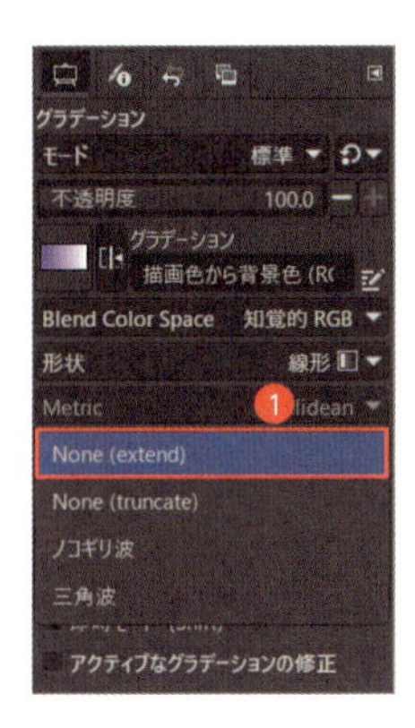

2 グラデーションをかけると、設定が適用されます。

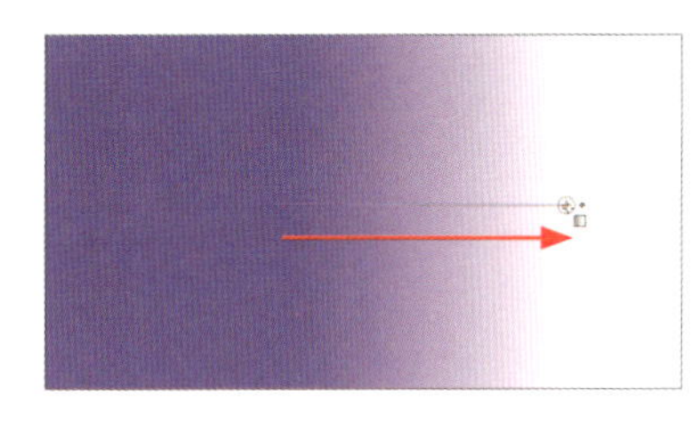

MEMO そのほかの＜反復＞の設定

●ノコギリ波

●三角波

●None（truncate）

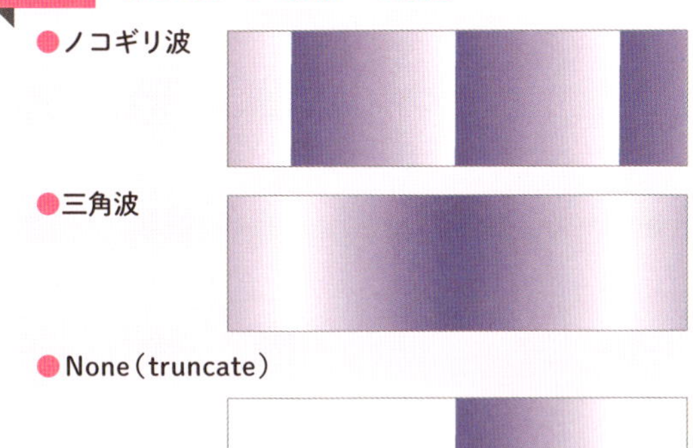

SECTION

15

MyPaintブラシで描画を利用する

GIMPでは、無料ペイントソフト「MyPaint」の様々なブラシを、<MyPaintブラシで描画>で使用することができます。

SAMPLE re08_15.jpg

＜MyPaintブラシで描画＞を利用する

1 ツールボックスの＜描画＞グループを右クリックして、＜MyPaintブラシで描画＞をクリックして❶、描画色を設定します❷。

2 ブラシの種類を選択します（ここでは＜Acrylic 03 with water＞）❶。＜半径＞などのパラメーターを調整します❷。

3 画像をドラッグすると、あらかじめブラシに設定されている質感で描きます。

＜MyPaintブラシで描画＞の一例

●basic

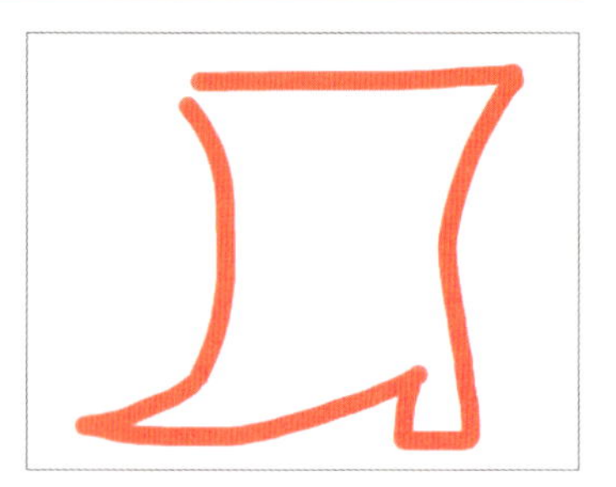

●calligraphy

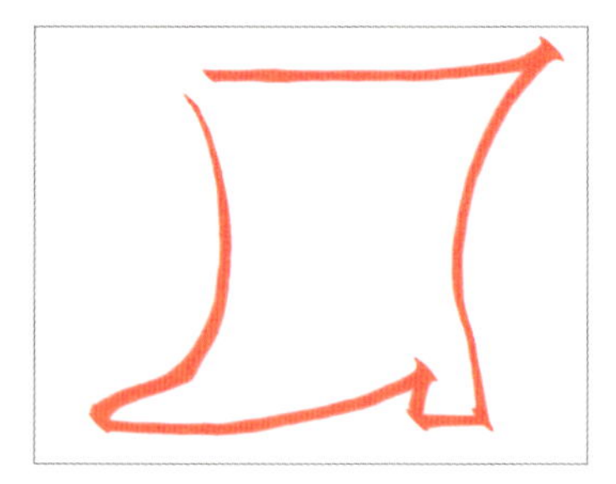

●particules eraser

●Sewing

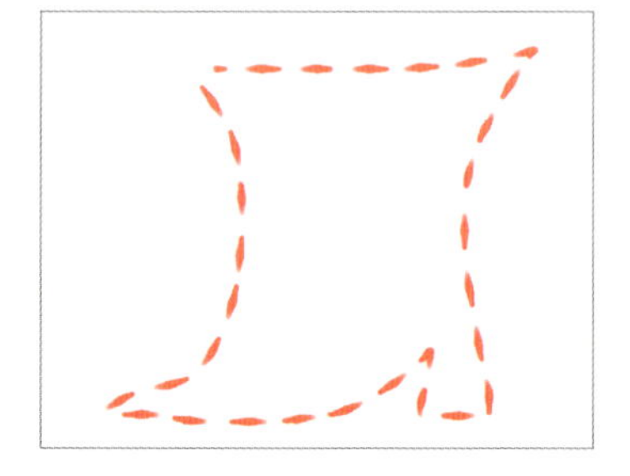

SECTION 16

パレットを利用する

GIMPにはあらかじめ複数の色を収納した＜パレット＞が多数用意されています。用途によって好みの配色のパレットを選ぶことができます。

パレットを利用する

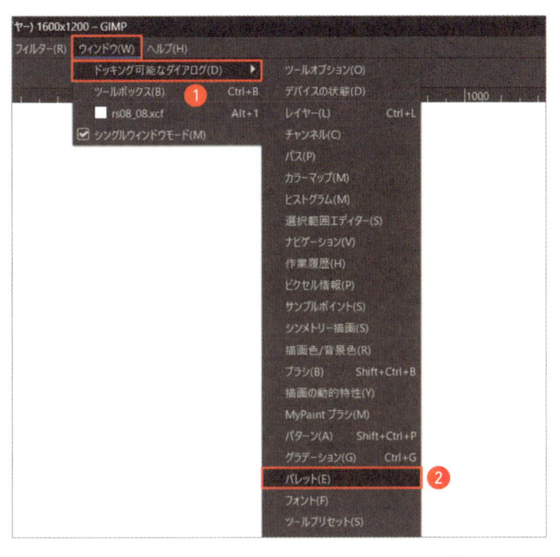

1 ＜ウィンドウ＞メニューをクリックして❶、＜ドッキング可能なダイアログ＞の＜パレット＞をクリックします❷。

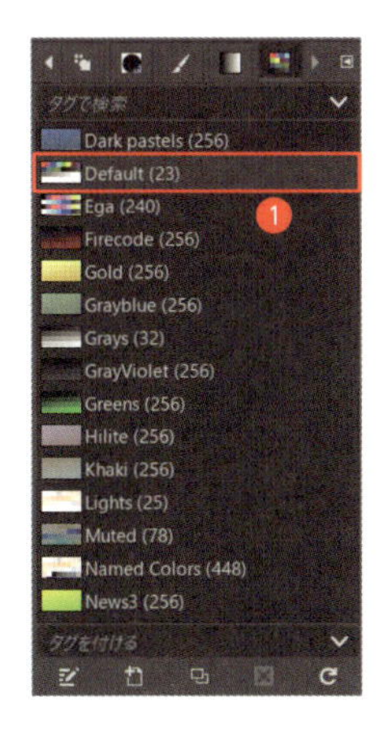

2 ＜パレット＞ダイアログが開きます。一覧から利用したいパレットをダブルクリックします❶。

MEMO 色数を確認する

パレット名の右の数字はパレットに含まれている色の数を表しています。

3 ＜パレットエディター＞が開きます。色の一覧から描画色に設定したい色をクリックします❶。

4 パレットで選択した色が描画色に反映されます。

SECTION

17

オリジナルのパレットを作る

＜パレットエディター＞を利用すると色をパレットに登録できます。描画で頻繁に使用する色をパレットに登録して、オリジナルのパレットを作成しておくと便利です。

＜パレットエディター＞ダイアログを開く

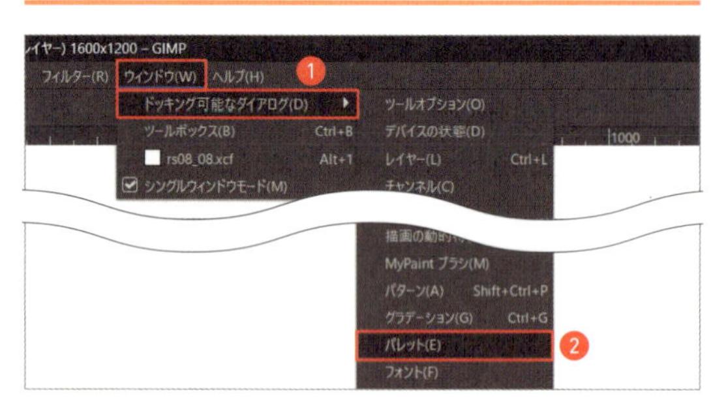

1 ＜ウィンドウ＞メニューをクリックして❶、＜ドッキング可能なダイアログ＞の＜パレット＞をクリックします❷。

2 ＜パレット＞ダイアログが開きます。＜新しいパレット＞をクリックします❶。

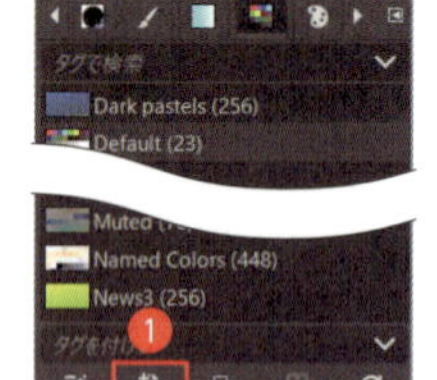

3 ＜パレットエディター＞ダイアログが開きます。

色を登録する

1 265ページの方法で描画色（背景色）を設定します。

2 ＜パレットエディター＞ダイアログの＜現在の描画色を追加＞をクリックします❶。パレットに現在の描画色が登録されます❷。

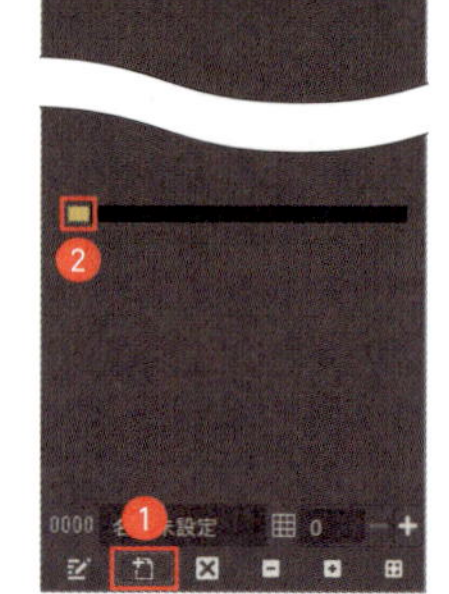

3 パレット下の＜名称未設定＞と表記されている部分を選択して、現在選択している色の名称を入力します❶。

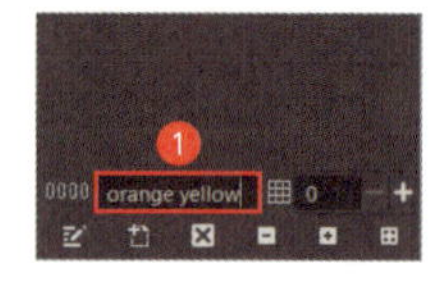

パレットを保存する

1 ＜パレットエディター＞ダイアログの上に、パレット名を入力します❶。

2 ＜パレット＞ダイアログに、登録したオリジナルパレットが追加されました。

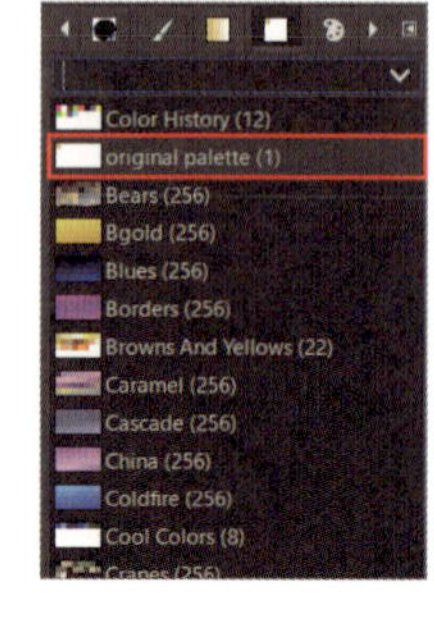

HINT 背景色を登録する

Ctrl キーを押しながら、＜パレットエディター＞ダイアログの＜新規作成＞ボタンをクリックすると、パレットに現在の背景色が登録されます。

［リファレンス編］

CHAPTER

9

パスを利用する

SECTION

01 パスとは

GIMPでは「パス」と呼ばれるベジェ曲線を作成することができます。パスは図形や選択範囲の作成に利用します。

パスとは

GIMPにはいわゆるドローやベジェ曲線といった性質を持つ、「パス」の機能も備わっています。パスは計算により作り出される柔軟性のある境界線で、変形をしても滑らかな状態を保ちます。直線や曲線、図形を描いたり、選択範囲を作るための補助的ツールとして用います。

パスの各部位の名称

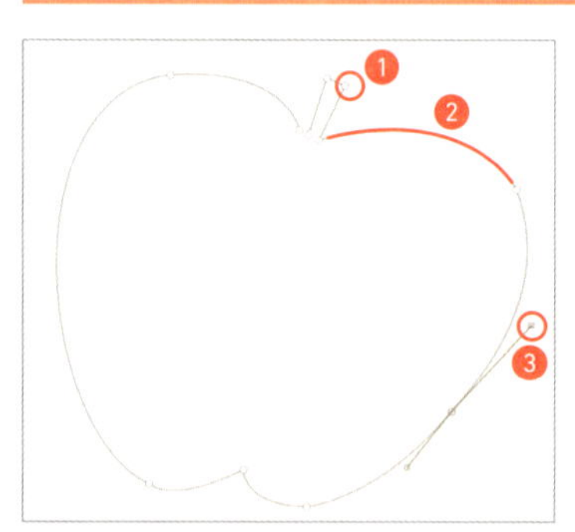

❶アンカーポイント
❷セグメント
❸ハンドル

パスの特徴

パスは2つ以上のアンカーポイントによって、直線や滑らかな曲線を作ります。作成したい選択範囲や、描画したい形の輪郭に合わせてクリックやドラッグをすると、アンカーポイントが追加されます。アンカーポイント同士の間は線（セグメント）で結ばれます。作成したパスは<パス>ダイアログに追加されるため、あとから同じパスを選択して利用することもできます。

●選択範囲に変換できる

作成したパスは、<パス>ダアログで選択範囲に簡単に変更できます（292ページ参照）。また、逆に選択範囲からパスを作成することもできます（293ページ参照）。テキストをパスに変換したり、テキストをパスに沿わせて配置するといったことも可能です（296〜297ページ参照）。

●パスを描画する

パスは描画するためのツールとは異なり、変形をしても滑らかな状態を保ちます。そのため、作図や範囲選択で補助的な役割を果たします。パスを利用すれば滑らかに描画することができます（294ページ参照）。

SECTION 02

<パス>ダイアログの見方を知る

パスを作成すると、<パス>ダイアログに記録されます。編集するパスを選択して、表示の切り替えや、様々な編集操作を行います。

SAMPLE re09_02.xcf

<パス>ダイアログを開く

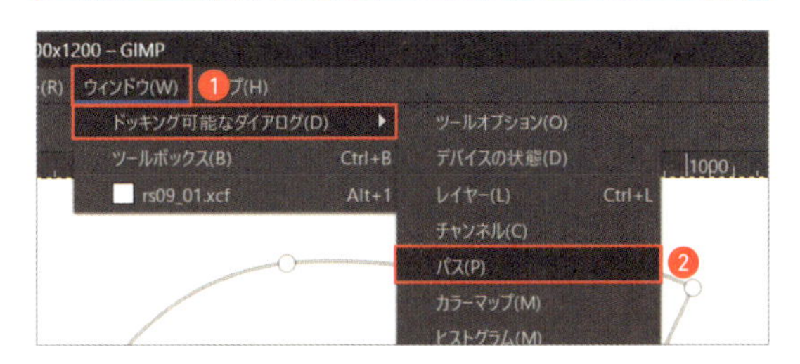

1 <ウインドウ>メニューをクリックして❶、<ドッキング可能なダイアログ>の<パス>をクリックします❷。

2 <パス>ダイアログが開きます。

<パス>ダイアログの見方

❶ パスを保護
クリックして有効にするとパスを編集できなくなります。もう一度クリックすると解除します。

❷ パスの位置を保護
上記の<パスを保護>と同様に有効にするとパスの編集、移動ができなくなります。

❸ Lock path visibility
有効にするとパスの可視度の変更ができなくなります。

❹ パスの可視度
クリックして目の形のアイコンが表示されていると、パスが線で可視化します。

❺ パス
パスのサムネイルと名前を表示します。名前はダブルクリックして変更することができます。

❻ 新しいパスの作成
クリックすると<新規パス>ダイアログが開き、パス名を決めてからパスを追加できます。任意で新しいパスとして区別して追加する場合に利用します。

❼ パスを前面へ
クリックすると選択しているパスが1つ上のレイヤーとなります。ダイアログ上では1つ上に移動します。

❽ パスを背面へ
クリックすると選択しているパスが1つ下のレイヤーになります。ダイアログ上では1つ下に移動します。

❾ パスの複製
選択しているパスを複製します（291ページ参照）。

❿ パスを選択範囲に
パスを選択範囲に変換します（292ページ参照）。

⓫ 選択範囲をパスに
選択範囲をパスに変換します（293ページ参照）。

⓬ パスに沿って描画
パスに沿って任意の太さや色、形状の線を描きます（294ページ参照）。

⓭ パスの削除
選択しているパスを削除します（291ページ参照）。

SECTION

03 パスで直線を描く

＜パス＞で直線のパスを作成します。クリックを繰り返すことでアンカーポイントが作成され、直線のセグメントが追加されます。

SAMPLE re09_03.jpg

直線のセグメントを作成する

1 ツールボックスの＜パス＞をクリックします❶。

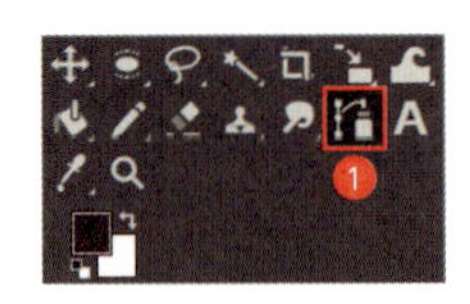

2 ＜ツールオプション＞の＜編集モード＞で＜作成＞を選択します❶。

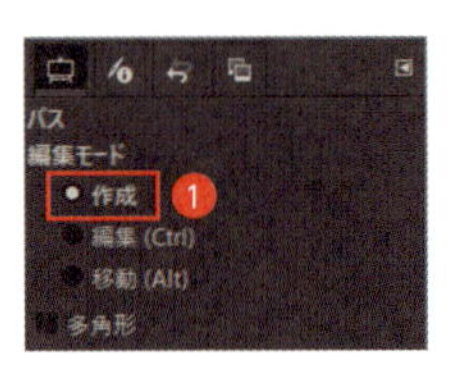

3 画像の直線を作成する最初の地点をクリックします❶。

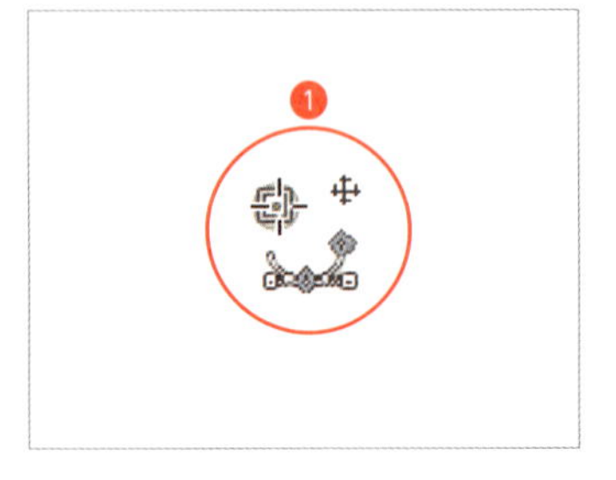

4 開始点のアンカーポイントができます❶。直線で結びたい地点をクリックします❷。

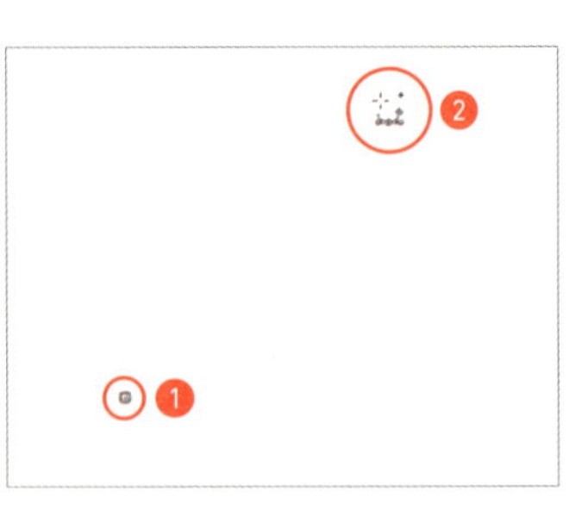

5 2つめのアンカーポイントが追加され、間に直線のセグメントが伸びます。

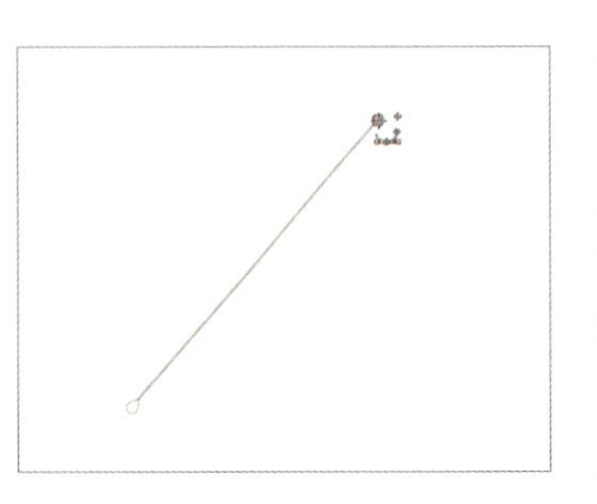

直線をつなげて多角形を作る

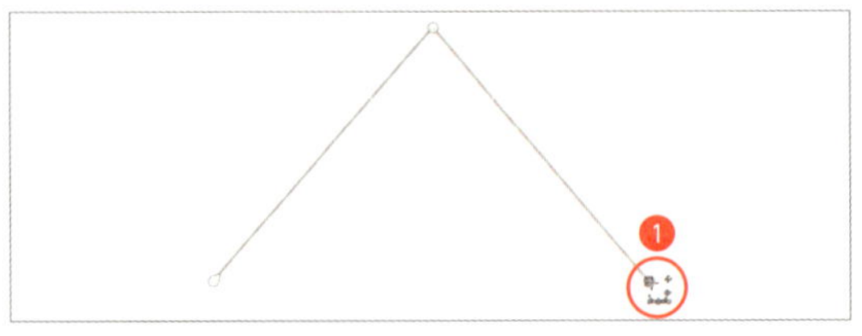

1 同じようにマウスポインターを移動してクリックしていき❶、直線のセグメントをつなげていきます。

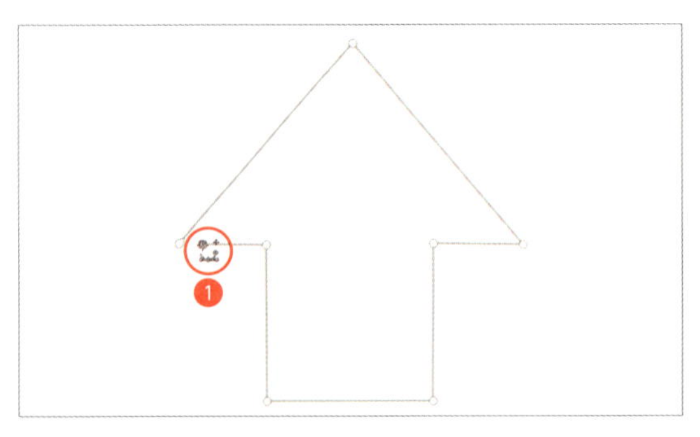

2 セグメントとセグメントの間に角ができ、直線的な輪郭で形作られます。最初のアンカーポイントの近くをクリックして❶、最後のアンカーポイントを作ります。

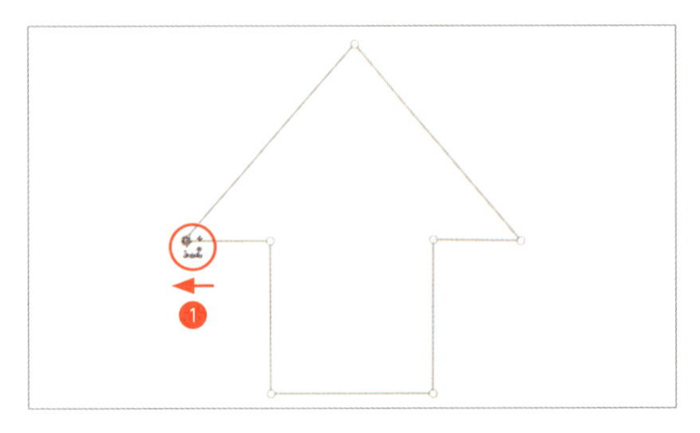

3 最後のアンカーポイントを最初のアンカーポイントにドラッグして重ねると❶、多角形のパスができます。

SECTION

04 パスで曲線を描く

曲線のセグメントはアンカーポイントを作成すると同時にドラッグをして作成します。ハンドルの先をドラッグしてセグメントを湾曲させます。

SAMPLE re09_04.jpg

曲線のセグメントでつなげる

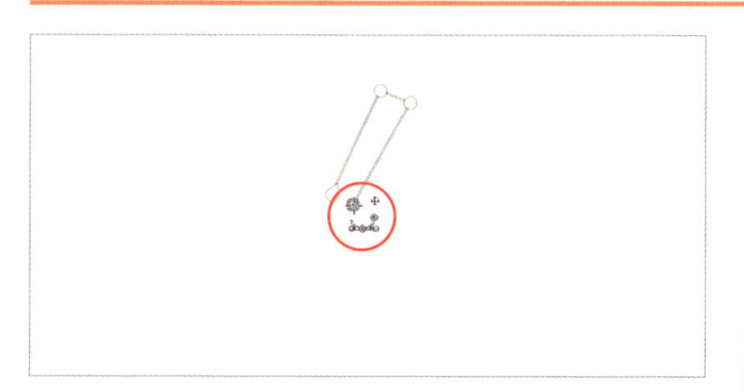

1 286ページの方法を参考に、アンカーポイントを追加します。

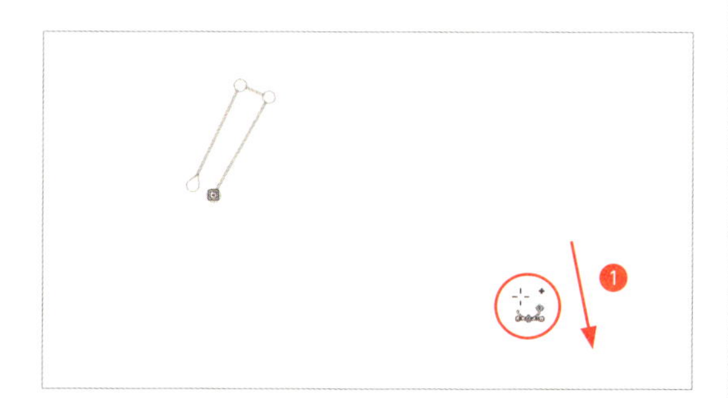

2 曲線のセグメントをつなげたい位置で画像をドラッグします❶。

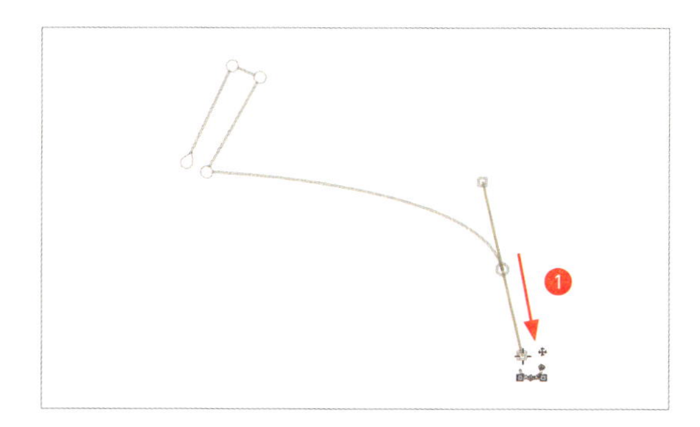

3 アンカーポイントが追加され、ハンドルが伸びます。ハンドルの先をそのままドラッグしてセグメントを湾曲させます❶。

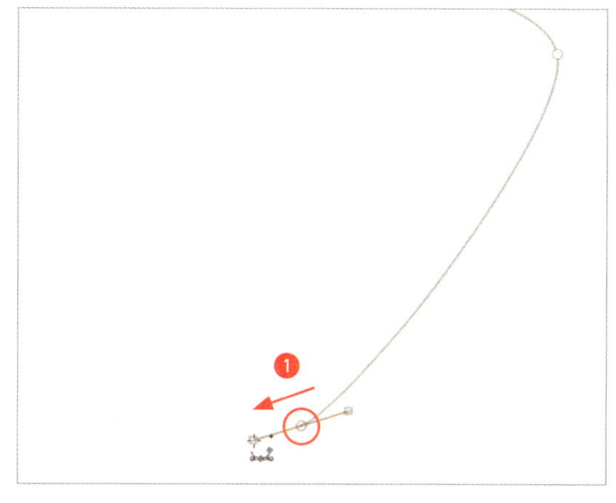

4 手順2と同様にセグメントをつなげたい位置でドラッグして、ハンドルの付いたアンカーポイントを追加します❶。

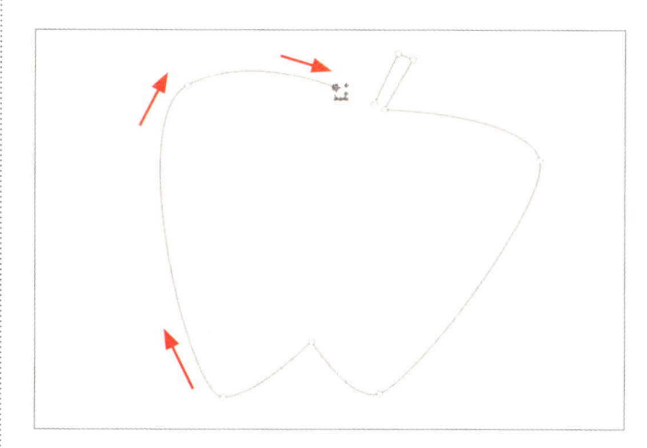

5 アンカーポイントの追加を繰り返して、曲線のセグメントをつなげて形作ります。

MEMO 曲線のセグメントが追加できない場合

<ツールオプション>の<多角形>にチェックが入っていると、アンカーポイントをドラッグしながら追加してもセグメントが湾曲しません。<多角形>のチェックを外してからパスを追加しましょう（298ページ参照）。

CHAPTER 9 パスを利用する

SECTION

05

パスを調整する

アンカーポイントはパスの作成中に移動できます。また、アンカーポイントから伸びているハンドルを操作して、セグメントの形を変えることもできます。

アンカーポイントを移動する

1 ＜パス＞の＜ツールオプション＞の＜編集モード＞で＜作成＞を選択します1。

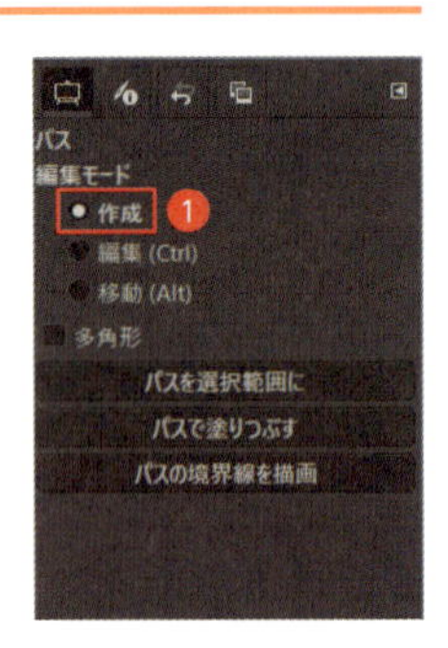

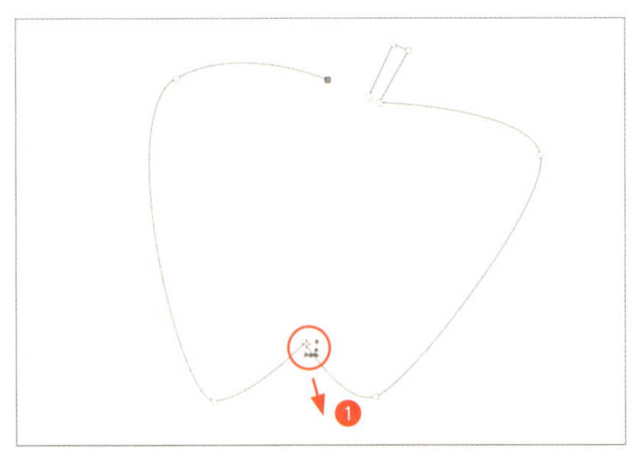

2 アンカーポイントを移動したい方向にドラッグします1。

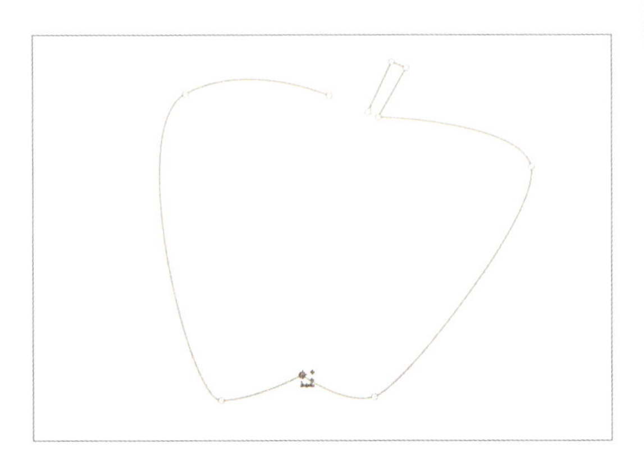

3 アンカーポイントが移動します。

セグメントを変形する

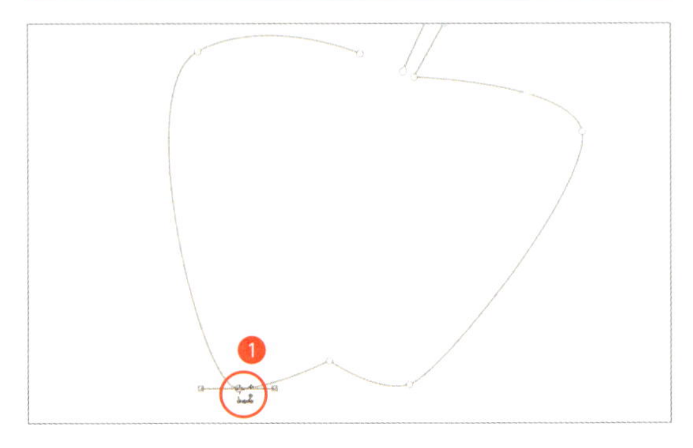

1 アンカーポイントをクリックします1。

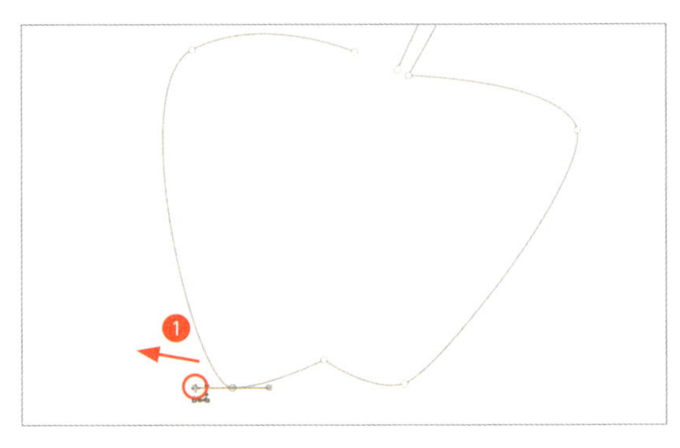

2 ハンドルが表示されます。ハンドルの先をドラッグします1。

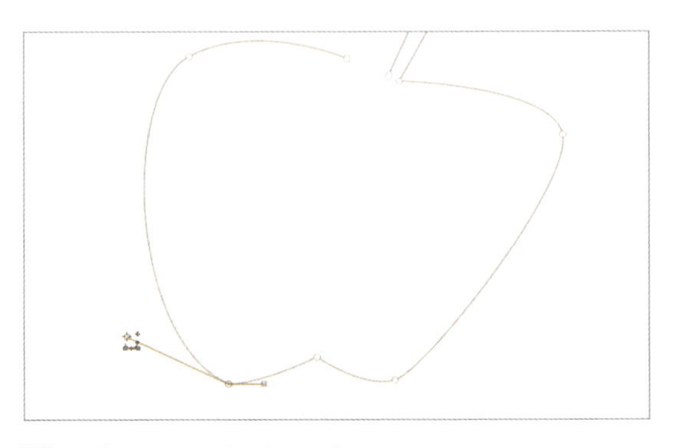

3 セグメントが変形します。

SECTION 06

パスを連結する

パスの開始と終端のアンカーポイントを連結させます。「パスを閉じる」とも言います。

パスの開始点と終端を連結する

1 <パス>の<ツールオプション>の<編集モード>で<編集>を選択します❶。

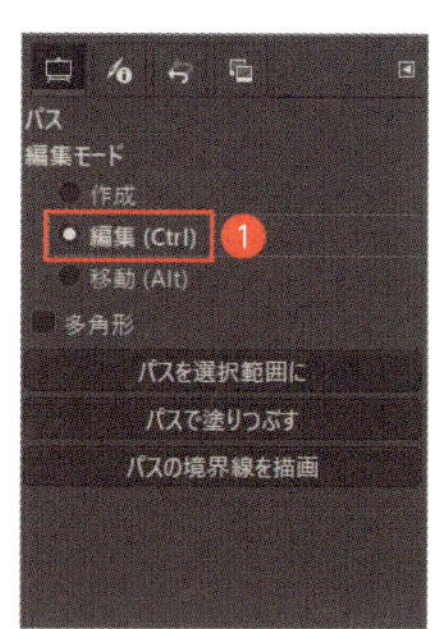

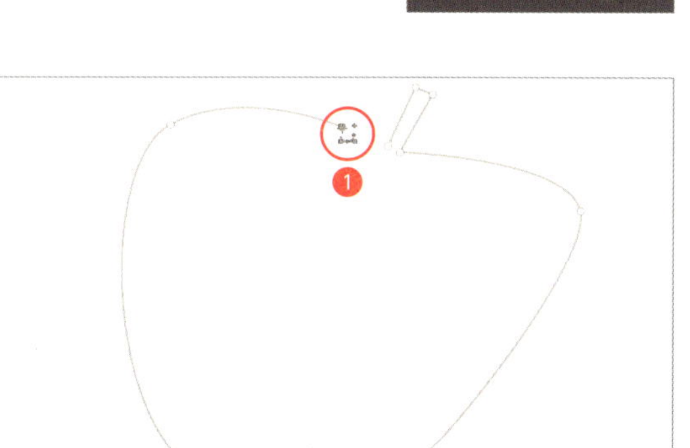

2 パスの終端のアンカーポイントをクリックします❶。

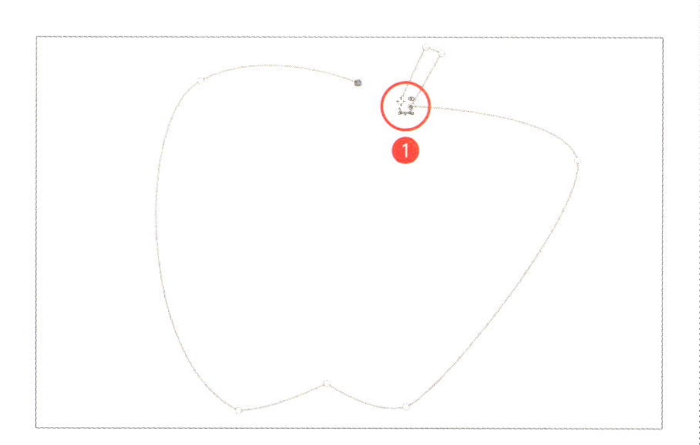

3 最初のアンカーポイントにマウスポインターを重ね、ポインターの右に小さく鎖のマークが表示されたタイミングでクリックします❶。

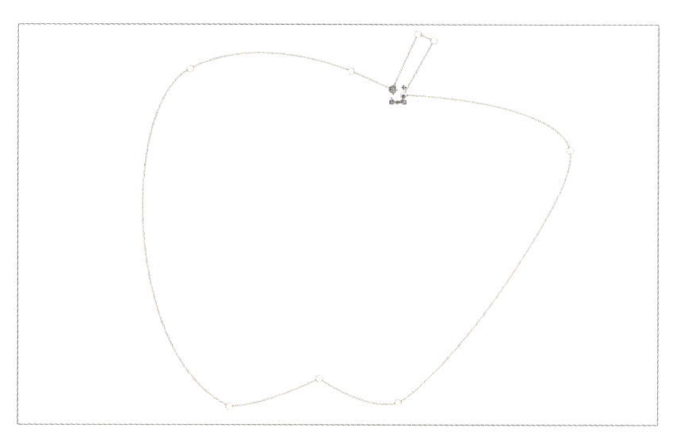

4 パスが連結され、間にセグメントが伸びます。

HINT **選択範囲を作るならパスは必ず閉じる**

パスから選択範囲を作ることができますが（292ページ参照）、そのためにはパスが閉じている必要があります。パスから選択範囲を作るときには必ずパスを閉じましょう。

CHAPTER 9 パスを利用する

SECTION

07 パスの一部を追加・削除・移動する

＜パス＞の＜ツールオプション＞の＜編集モード＞では作成したパス上にアンカーポイントを追加しできます。また＜移動＞に切り替えるとパス全体を移動できます。

SAMPLE re09_07.xcf

アンカーポイントを追加する

1 ＜パス＞の＜ツールオプション＞の編集モードで＜編集＞を選択します❶。

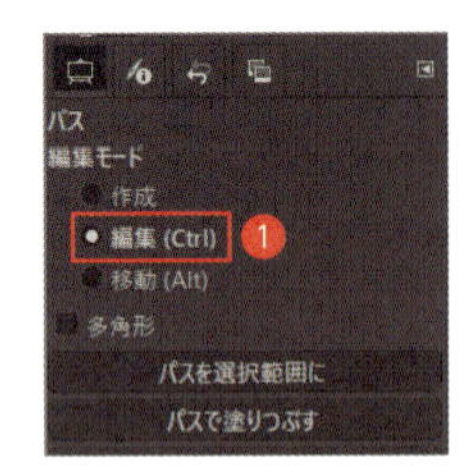

2 セグメント上のアンカーポイントを追加したい地点にマウスポインターを重ねます。ポインターの右に小さいプラスのカーソルが表示されるタイミングでクリックします❶。

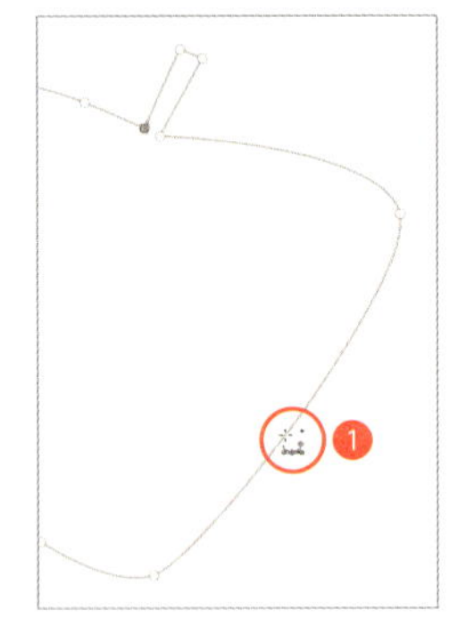

3 セグメント上にアンカーポイントが追加されます。曲線の場合はアンカーポイントからハンドルが伸びます。

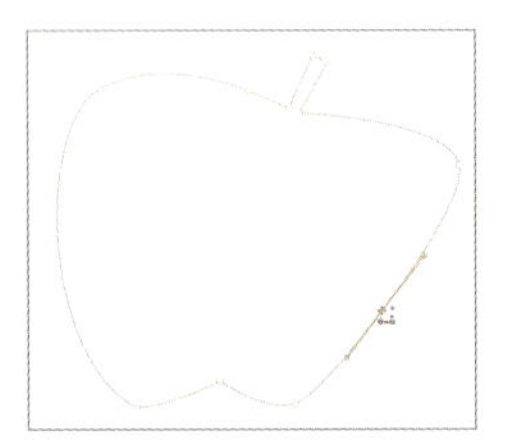

アンカーポイントを削除する

1 ＜パス＞の＜ツールオプション＞の＜編集モード＞で＜編集＞を選択します❶。

2 削除したいアンカーポイントに Shift キーを押しながらマウスポインターを重ねます。ポインターの右に小さいマイナスのカーソルが表示されたタイミングでクリックします❶。

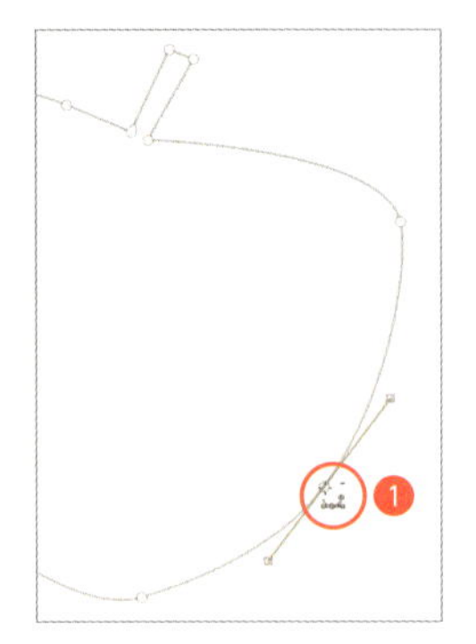

3 アンカーポイントが削除されます。同時にセグメントの形も変わります。

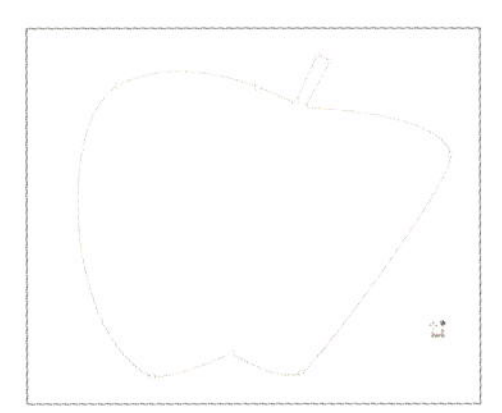

パスを移動する

1 ＜パス＞の＜ツールオプション＞の＜編集モード＞で＜移動＞を選択します❶。

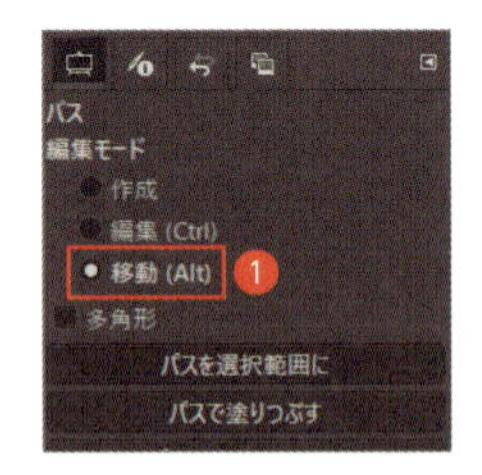

2 パスにマウスポインターを重ねます。ポインターの右に小さい十字の矢印が表示されたタイミングでドラッグします❶。

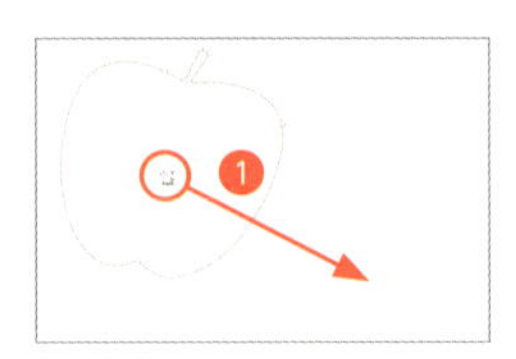

3 選択しているパス全体が移動します。

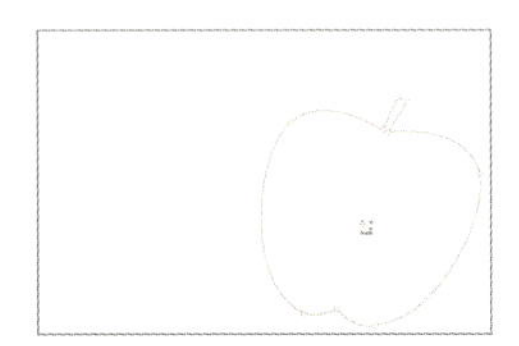

SECTION 08

パス全体を複製・削除する

不要なパスを削除したり、再利用したいパスを複製します。いずれも<パス>ダイアログで操作します。

SAMPLE re09_08.xcf

パスを複製する

1 <パス>ダイアログで複製したいパスをクリックして選択して❶、<パスの複製>をクリックします❷。

2 パスが複製されます。

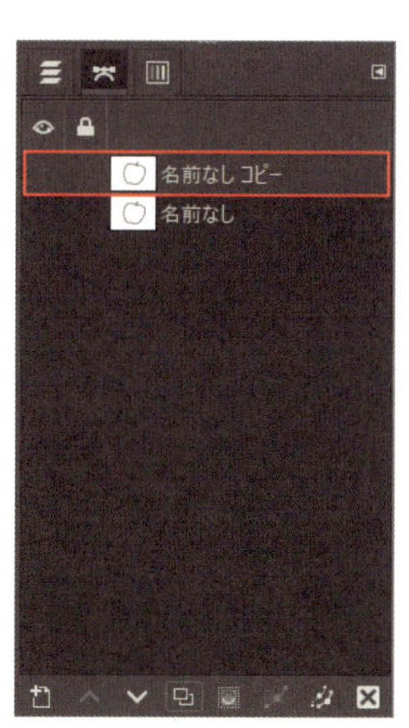

パスを削除する

1 <パス>ダイアログを開き、削除したいパスをクリックして選択し❶、<パスの削除>をクリックします❷。

2 パスが削除されます。

SECTION 09

パスを選択範囲に変換する

作成したパスを選択範囲に変換します。変換するためにはパスを閉じておく必要があります。

SAMPLE re09_09.xcf

パスを選択範囲に変換する

1 パスを作成して、＜パス＞ダイアログで選択範囲に変換するパスを選択します1。

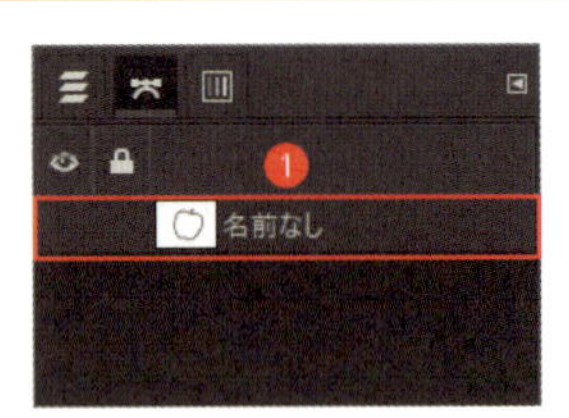

2 ＜パス＞の＜ツールオプション＞で＜パスを選択範囲に＞をクリックします1。

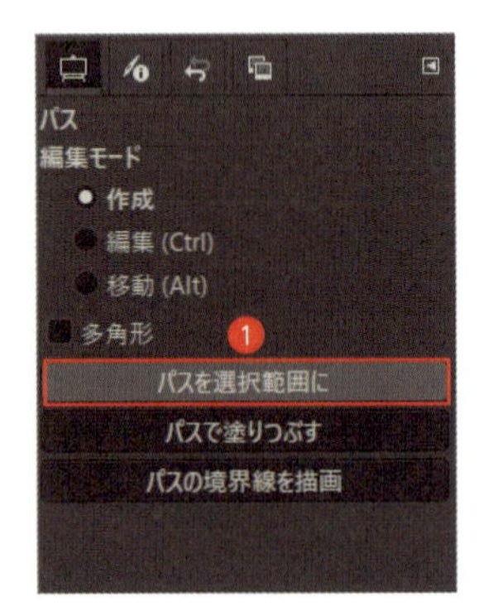

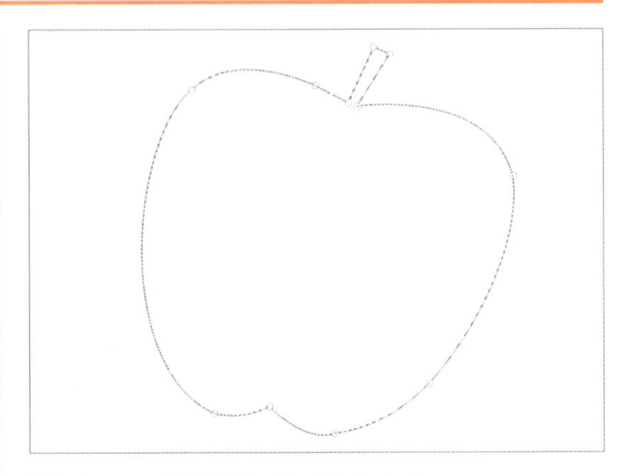

3 パスから選択範囲が作成されます。

4 選択範囲に変換後、＜パス＞以外のツールをクリックすると、パスが非表示になり、選択範囲だけ表示されます。

MEMO ＜パス＞ダイアログから変換する

＜パス＞ダイアログの＜パスを選択範囲に＞をクリックしても同様に変換できます。

MEMO 再びパスを表示させる

一度表示させなくしたパスを再び表示させるには、＜パス＞ダイアログで表示させたいパスのサムネイルをダブルクリックします。＜パス＞以外のツールを選択した状態でもパスが表示されます。

SECTION

10

選択範囲をパスに変換する

選択範囲からもパスを作成できます。パスに変換したあとは、選択範囲を解除してパスを可視化するとパスが見やすくなりよいでしょう。

SAMPLE re09_10.xcf

選択範囲をパスに変換する

1 選択範囲を作成した状態で285ページを参考に<パス>ダイアログを開きます。<選択範囲をパスに>をクリックします 1 。

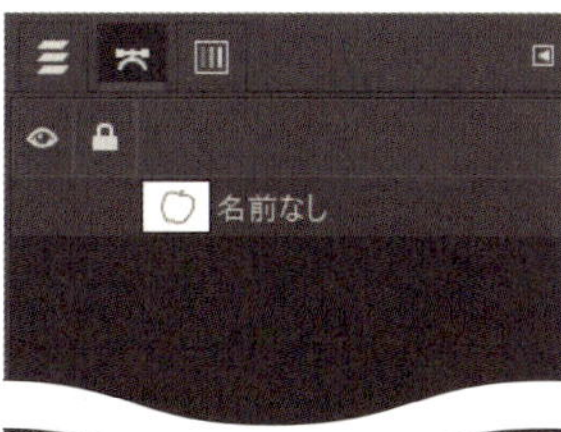

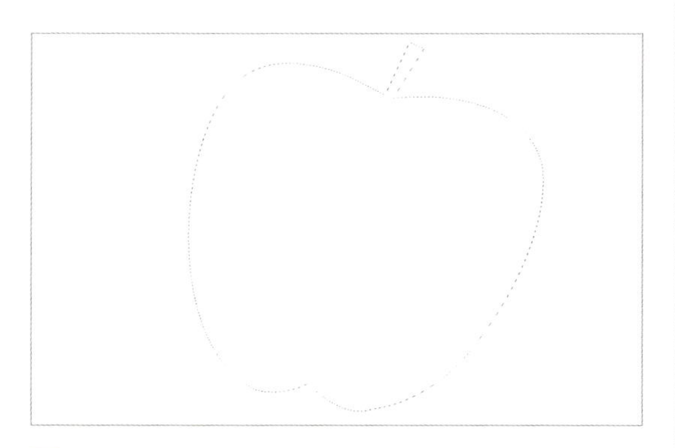

2 選択範囲がパスに変換されます。

3 <パス>ダイアログには<選択範囲>パスが追加されています。

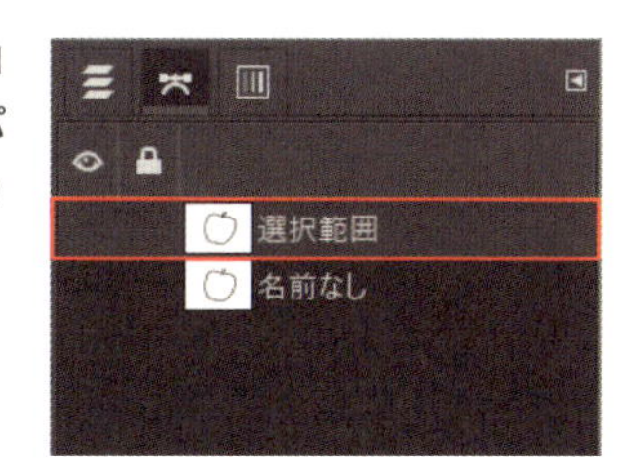

MEMO 実際のパスが表示されているわけではない

可視化されたパスは、実際に線を描画しているものではありません。パスの境界線を仮の線で表示させているものです。目の形のアイコンをクリックすると非表示になります。

パスのみを表示させる

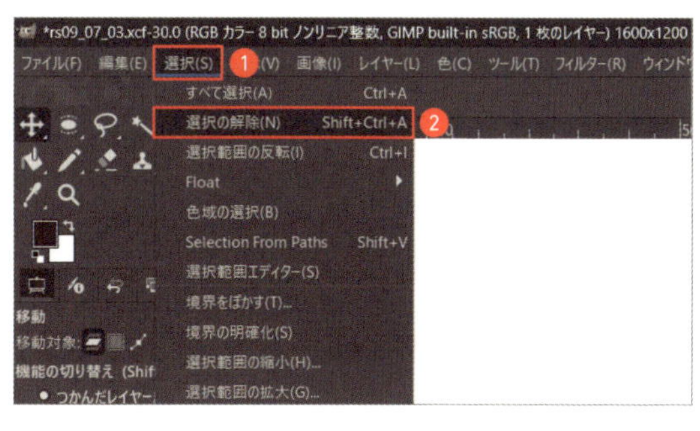

1 <選択>メニューをクリックして 1 、<選択を解除>をクリックします 2 。

2 <パス>ダイアログで<選択範囲>パス左側をクリックして、目のアイコンを表示させます 1 。

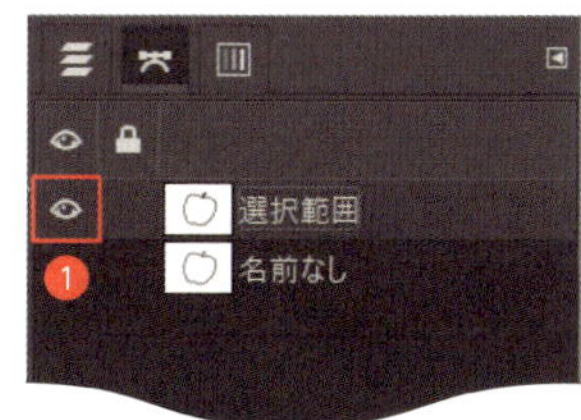

3 赤い線でパスが可視化されます。

CHAPTER 9 パスを利用する

SECTION 11

パスに沿って描画する

線の色やパターン、線の幅、線の種類を指定できるほか、あらかじめ設定しておいた<ブラシで描画>などの指定したブラシ形状で線を描くこともできます。

SAMPLE re09_11.xcf

<パスの境界線を描画>ダイアログを表示する

1 <パス>ダイアログでパスを選択した状態で、<レイヤー>ダイアログで線を描画するレイヤーを選択します❶。

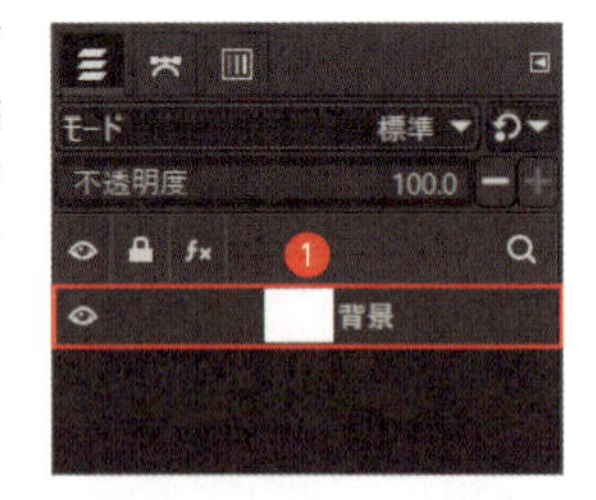

2 <描画色>で描画する線の色を設定して❶、<パス>をクリックします❷。

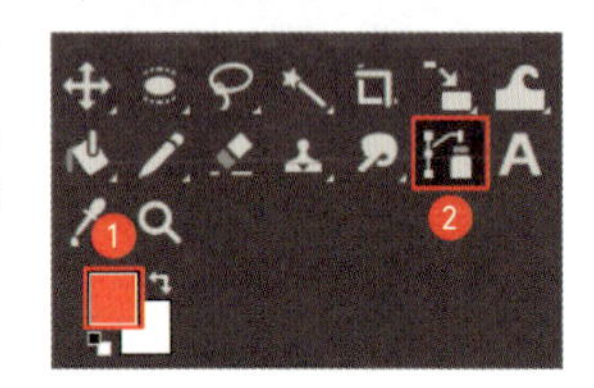

3 <ツールオプション>で<パスの境界線を描画>をクリックします❶。

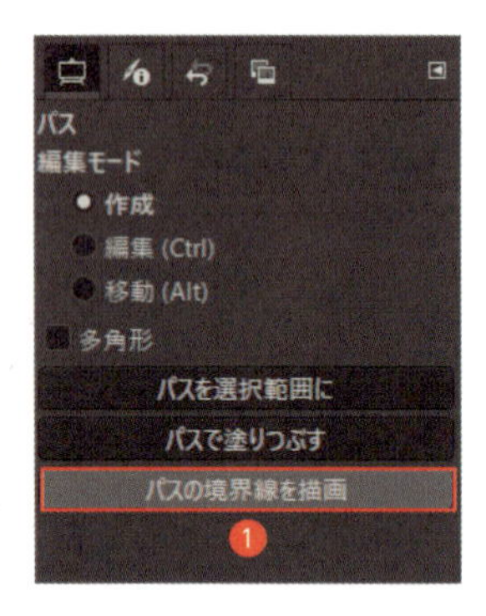

パスに沿って線を描画する

1 <パスの境界線を描画>ダイアログが開きます。ここでは<line>タブが開いている状態で<Foreground color>を選択し❶、<線の幅>を設定します❷。<ストローク>をクリックします❸。

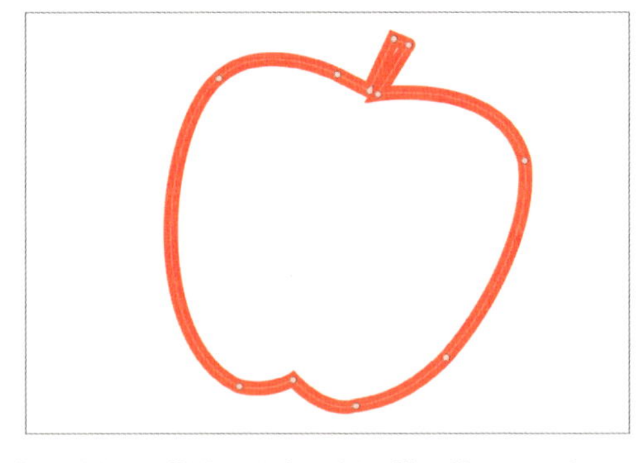

2 パスに沿って指定した色、幅の線が描かれます。

MEMO <Paint tool>

<Paint tool>（描画ツールを使用）を選択すると、描画するツールを<ブラシで描画>などから選択できます。あらかじめブラシの形状やサイズを指定しておけばその設定で線を描きます。

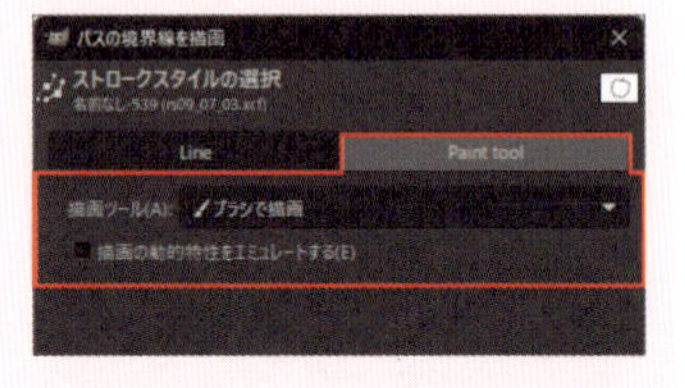

SECTION

12 パスの内側を塗りつぶす

<パスで塗りつぶす>を利用すればパスを選択範囲に変換することなく、パスで囲った範囲を塗りつぶすことができます。

SAMPLE re09_12.xcf

パスを塗りつぶす

1 パスで図形を作成し❶、描画色を設定しておきます❷。

2 <パス>の<ツールオプション>で<パスで塗りつぶす>をクリックします❶。

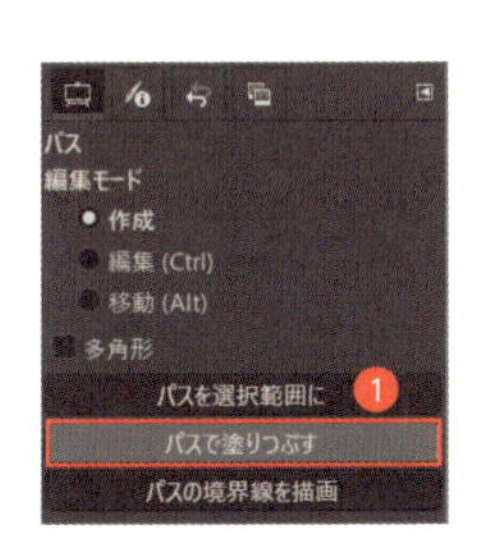

3 <パスで塗りつぶす>ダイアログが表示されます。<Foreground color>を選択し❶、<塗りつぶし>をクリックします❷。

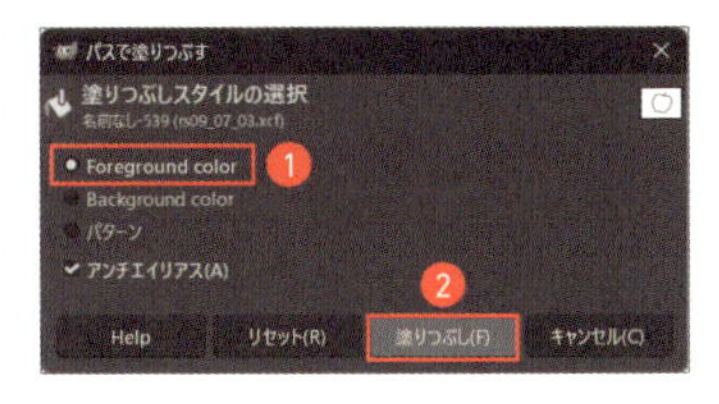

4 パスの内側が描画色で塗りつぶされます。

パターンで塗りつぶす

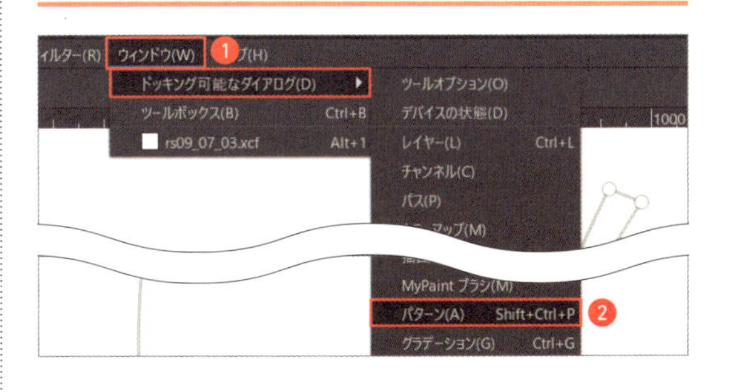

1 <ウィンドウ>メニューをクリックし❶、<ドッキング可能なダイアログ>の<パターン>をクリックします❷。

2 <パターン>ダイアログで塗りつぶす柄を選択します❶。

3 左の手順を参考に<パスで塗りつぶす>ダイアログを表示し、<パターン>を選択して❶、<塗りつぶし>をクリックします❷。

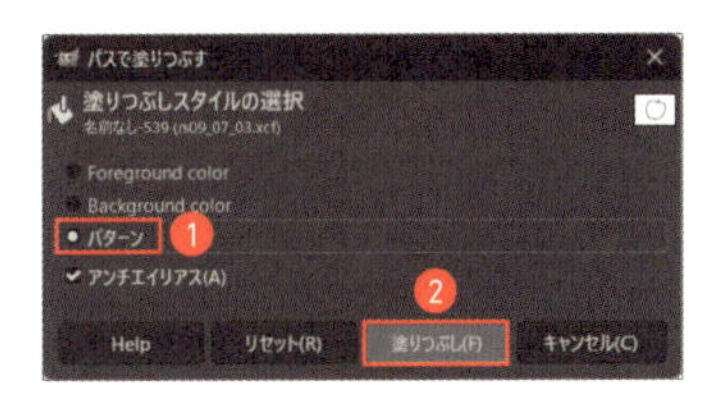

4 パスの内側がパターンの柄で塗りつぶされます。

SECTION 13

テキストをパスに沿って変形させる

テキストをパスに合わせて配置します。あらかじめパスを作成しておき、テキストを入力後、<テキストをパスに沿って変形>を実行します。

SAMPLE re09_13.xcf

テキストの準備をする

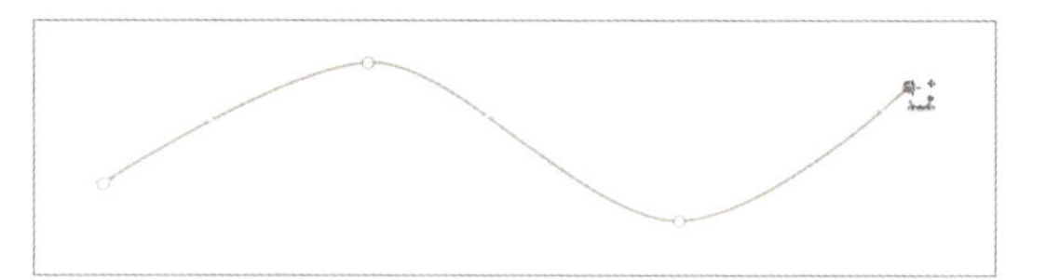

1 パスでテキストを沿わせる形を作ります。パスは<パス>ダイアログで表示状態にしておきます。

2 <テキスト>をクリックして❶、<ツールオプション>で<フォント>や<サイズ>、<色>などを設定しておきます❷。

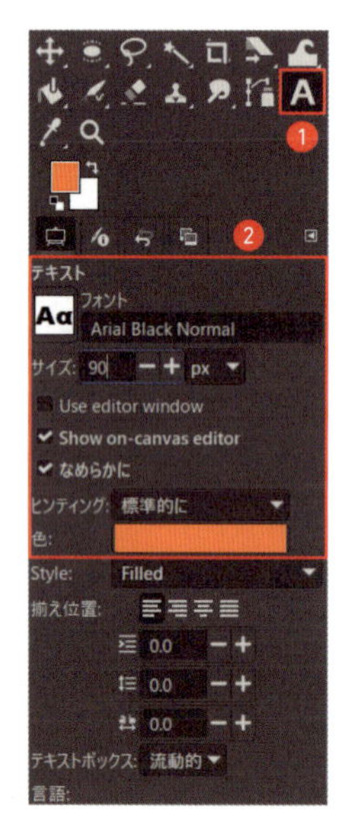

テキストを入力してパスに沿わせる

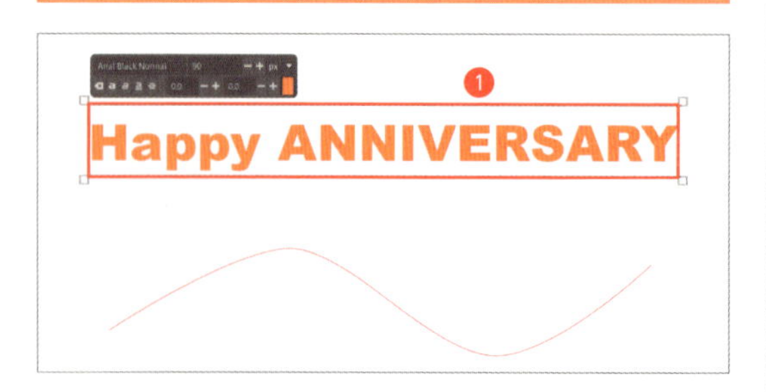

1 画像をクリックしてテキストを入力します❶。

2 テキストを右クリックして❶、<テキストをパスに沿って変形>を選択します❷。

3 パス上にテキストが配置されます。

4 <テキスト>レイヤーの左側をクリックして、目の形のアイコンを非表示にします❶。

5 パスのみが表示されます。

SECTION

14 テキストをパスに変換する

テキストをパスに変換します。テキストがパスとして扱うことができ、＜パス＞ダイアログで管理をしたり、自由に変形したりすることができます。

SAMPLE re09_14.xcf

テキストをパスに変換する

1 テキストを入力します。

2 テキストを右クリックして❶、＜Text to Path＞をクリックします❷。

3 ＜パス＞ダイアログに切り替えると、テキストから変換されたパスが追加されています。サムネイルをダブルクリックします❶。

4 テキストを形作る輪郭がパスに変換されています。

MEMO パスの輪郭を確認する

テキストを変換したパスの輪郭を表示させるには、＜パス＞ダイアログでテキストのパスの左側をクリックして目の形のアイコンを表示させます。パスの部分に赤い線が表示されて輪郭を確認しやすくなります。

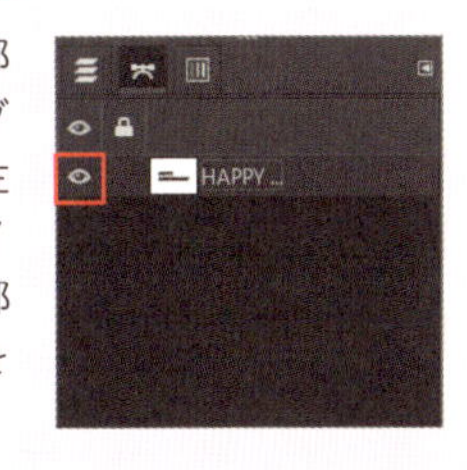

SECTION

15 多角形の選択範囲を作成する

＜ツールオプション＞の＜多角形＞を活用すれば、直線的な多角形の選択範囲を簡単に作成できます。

SAMPLE re09_15.jpg

＜多角形＞を設定する

1 ツールボックスの＜パス＞を選択します❶。

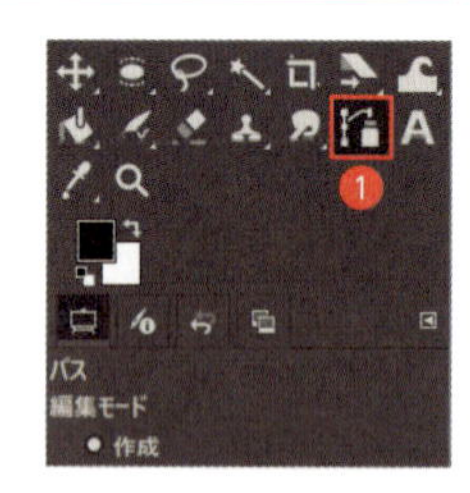

2 ＜ツールオプション＞で＜作成＞を選択し❶、＜多角形＞にチェックを入れます❷。

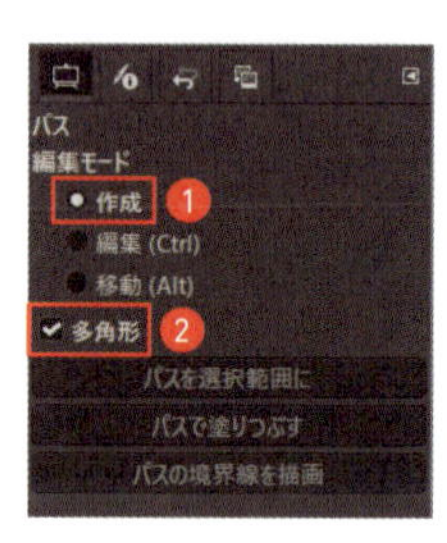

MEMO 作成途中で<多角形>を解除する

＜多角形＞はパスの作成中に解除したり、逆に設定を有効にすることができます。切り替えれば直線と曲線を両方簡単に引くことができます。

多角形を作図する

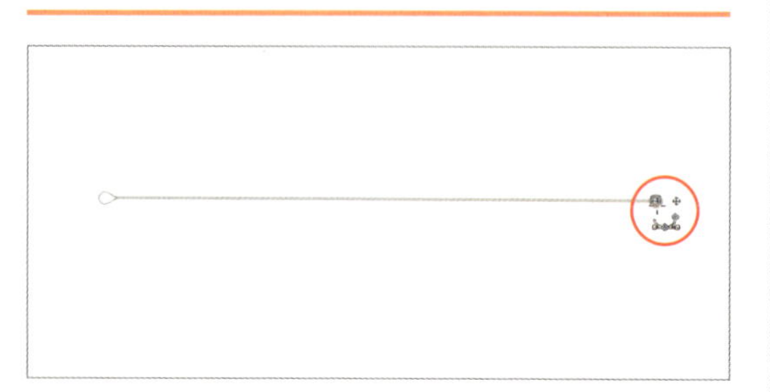

1 画像をクリックしてアンカーポイントを追加し、直線のセグメントを作成していきます。

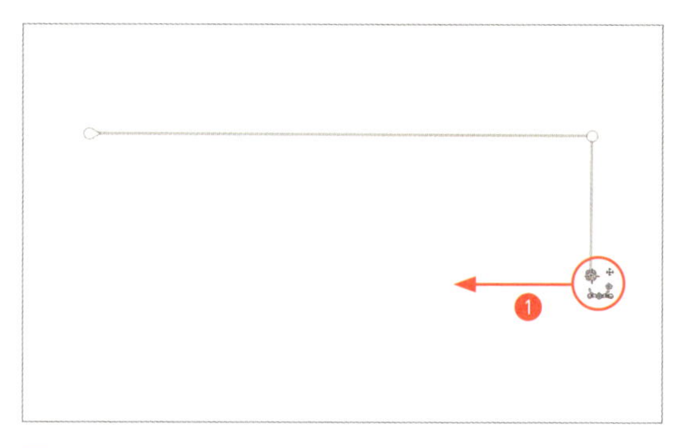

2 画像をクリックしたあと、そのままドラッグします❶。

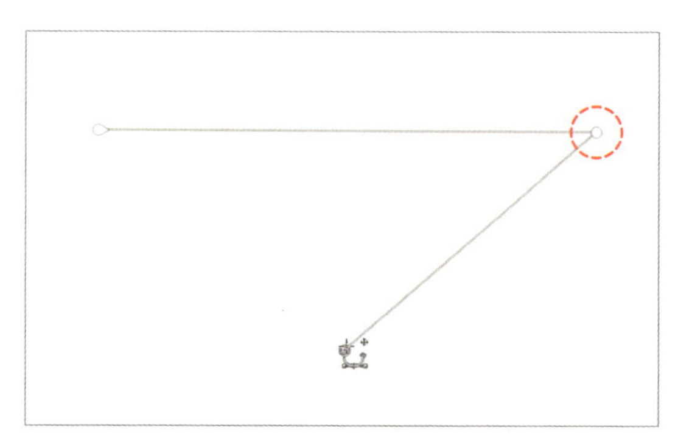

3 セグメントが湾曲せず、直線のまま角度が変わります。

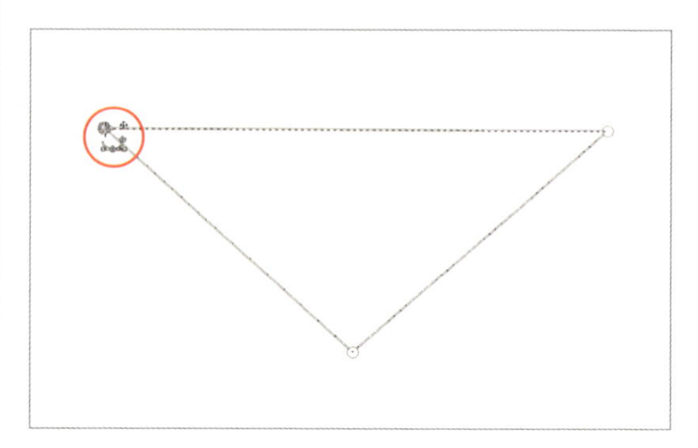

4 アンカーポイントの始点と終点を重ね合わせてEnterキーを押すと、多角形の選択範囲が作成されます。

［リファレンス編］

CHAPTER

10

補助機能を活用する

SECTION

01 表示サイズを拡大・縮小させる

GIMPでの操作をしやすいように、目的に応じて画面サイズを変更しましょう。画像全体に表示させたり、縮小表示した画像を画面サイズに合わせて拡大したりできます。

SAMPLE re10_01.jpg

表示倍率を変更する

1 表示領域の左下の表示倍率をクリックして❶、一覧から変更したい表示倍率をクリックします❷。

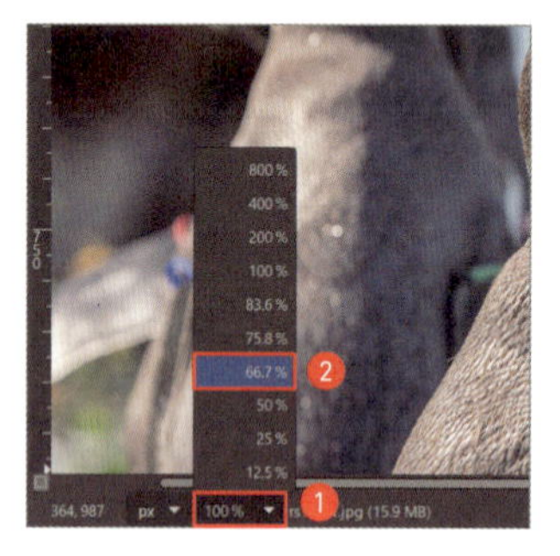

HINT 表示倍率の数値を入力する

表示倍率の数値は直接入力して変えることもできます。

2 画像表示の倍率が変更されます。

表示領域に写真全体を表示する

1 画像の一部が拡大された状態で表示されています。

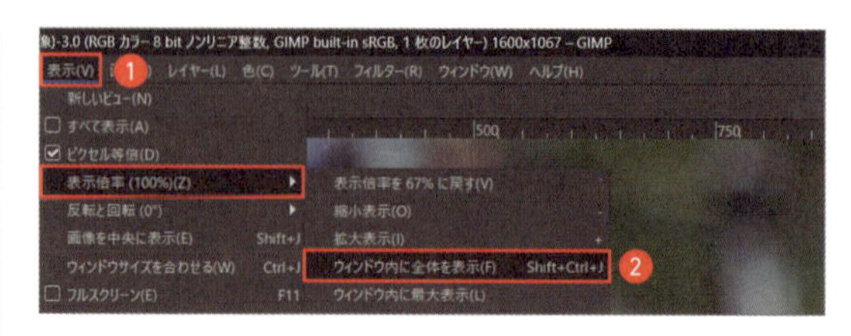

2 <表示>メニューをクリックして❶、<表示倍率>の<ウィンドウ内に全体を表示>をクリックします❷

3 表示領域に画像全体が表示されます。

縮小表示からウィンドウサイズに合わせる

1 右上の<ウィンドウサイズ変更時に画像をズーム>をクリックします❶。

2 画像表示領域に合わせて表示が拡大します。

SECTION

02 テンプレートを利用する

GIMPで新しい画像を作成する際に、あらかじめ登録されている画像のサイズの一覧から選ぶことができます。一般的なサイズから作成したいときに便利です。

テンプレートから新規画像を作成する

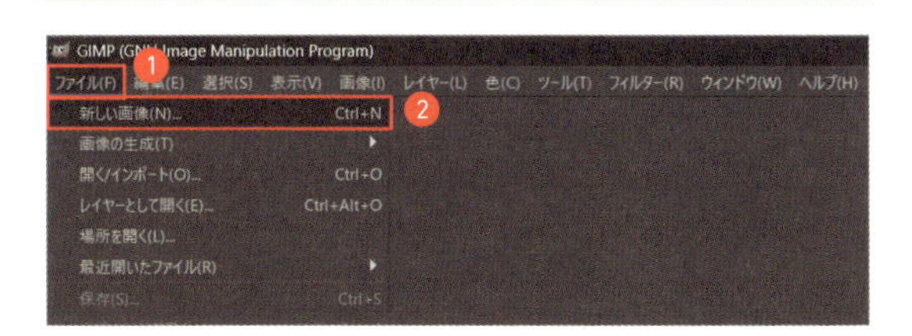

1 <ファイル>メニューをクリックして1、<新しい画像>をクリックします2。

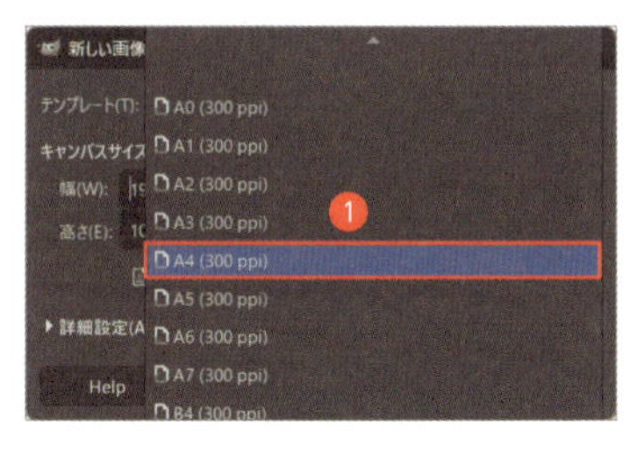

2 <新しい画像の作成>ダイアログが表示されます。<テンプレート>をクリックして、サイズを一覧から選択します1。

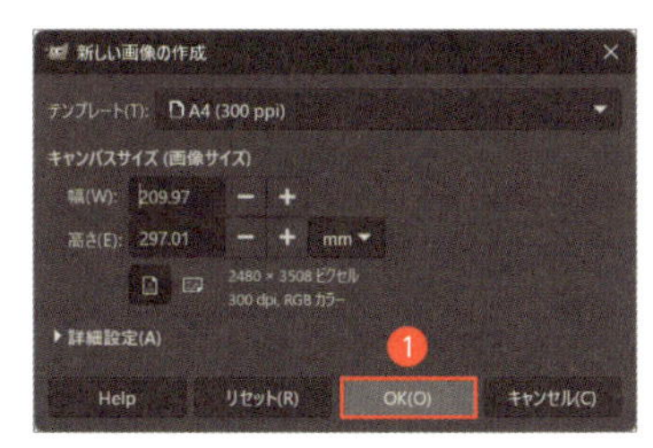

3 キャンバスサイズの幅と高さに自動的に数値が入力されています。<OK>をクリックします1。

HINT キャンバスサイズの確認

<設定>の<システムリソース>の<新しい画像の最大サイズ>で設定しているサイズよりも大きいサイズで新規画像を作成しようとすると、警告のダイアログが開きます。続行する場合は<OK>をクリックします。

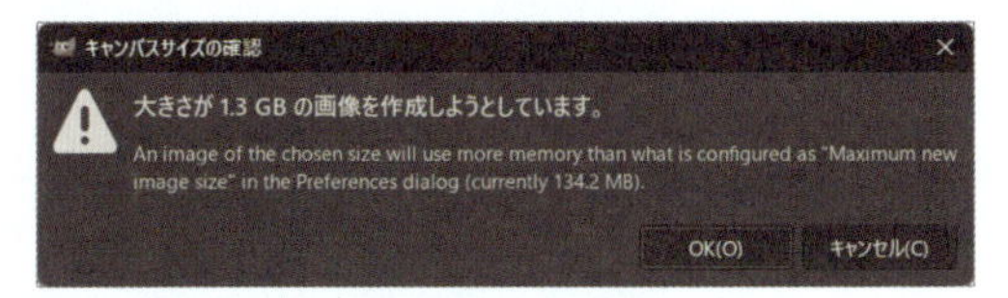

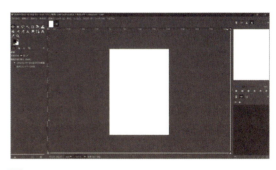

4 選択した既存のサイズの新しい画像が開きます。

テンプレートを作成する

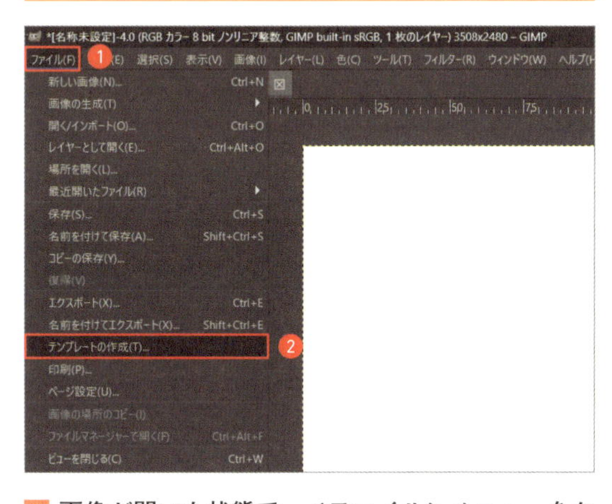

1 画像が開いた状態で、<ファイル>メニューをクリックして1、<テンプレートの作成>をクリックします2。

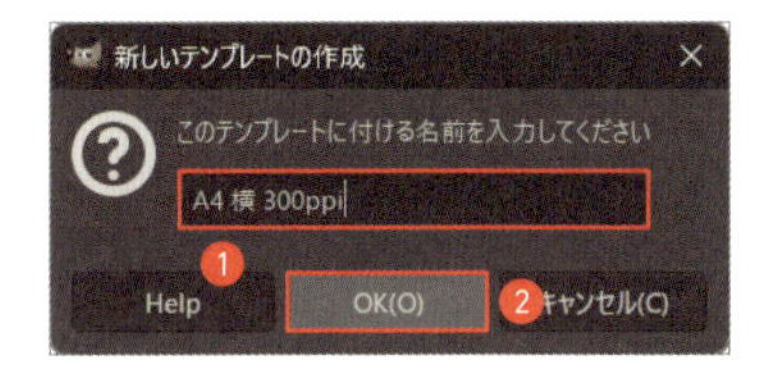

2 <新しいテンプレートの作成>ダイアログが開きます。テンプレート名を入力して1、<OK>をクリックすると2、テンプレートが保存されます。

SECTION

03

スクリーンショットを編集する

ディスプレイに表示されているウィンドウや、ディスプレイ全体をキャプチャしてGIMPで画像として開きます。単一ウィンドウと画面全体のいずれかを選択します。

単一ウィンドウを取り込む

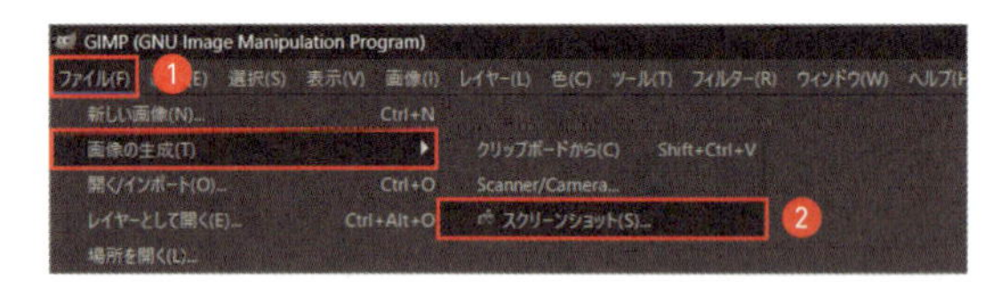

1 ＜ファイル＞メニューをクリックして❶、＜画像の生成＞の＜スクリーンショット＞をクリックします❷。

2 ＜スクリーンショット＞ダイアログが開きます。＜Shoot area＞で＜Take a screenshot of a single window＞を選択し❶、＜スナップ＞をクリックします❷。

3 ＜Select Window＞ダイアログの十字のカーソルをクリックし続けます❶。ポインターが十字に変わるので、クリックし続けたままドラッグします。

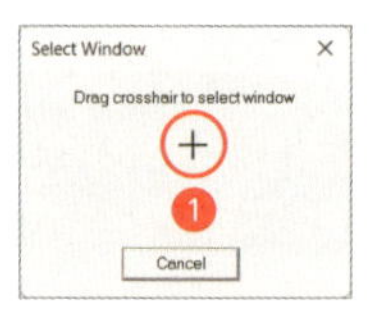

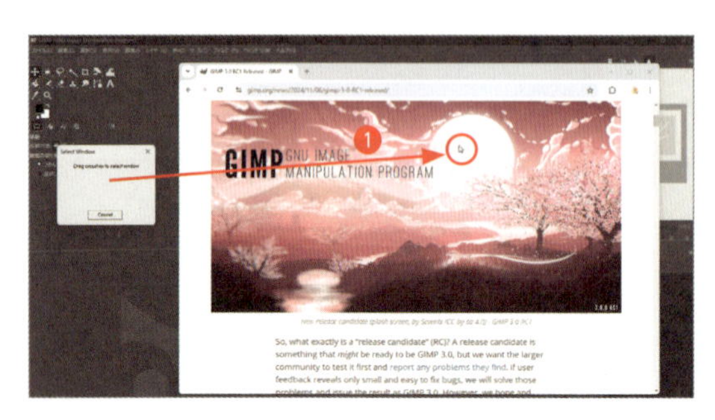

4 画像として取り込みたいウィンドウにポインターを移動します❶。マウスボタンを放します。

5 GIMPに指定したウィンドウをキャプチャした画像が開きます。

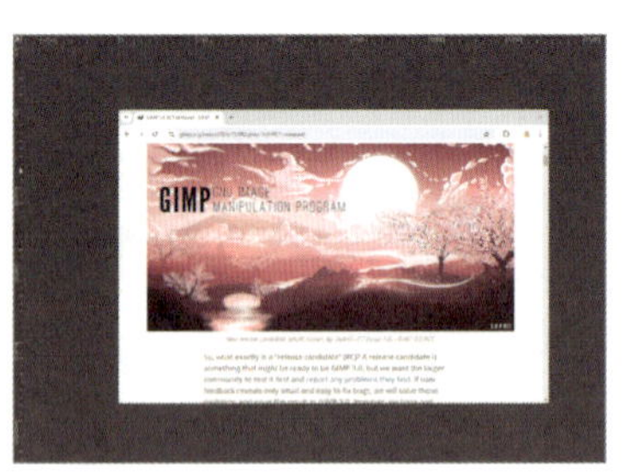

画面全体を取り込む

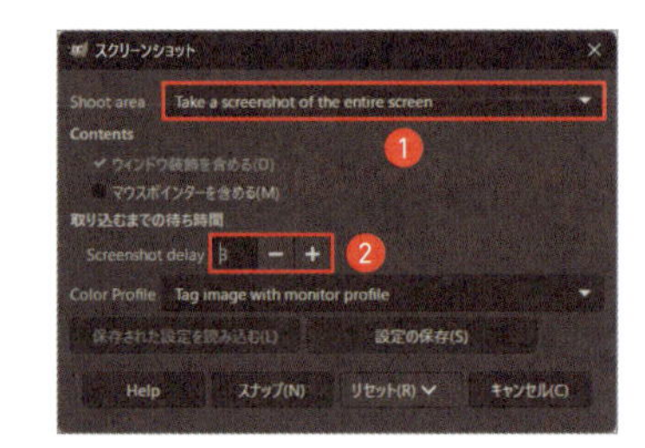

1 左の手順**1**の方法で＜スクリーンショット＞ダイアログを開いて、＜Take a screenshot of the entire screen＞を選択します❶。取り込みを開始するまでの時間を指定します❷。

2 ディスプレイの表示を取り込みたい状態に整えます。＜スクリーンショット＞ダイアログを再び表示し、＜スナップ＞をクリックします❶。

3 設定した秒数後にキャプチャしたディスプレイ全体の画像がGIMPに取り込まれます。

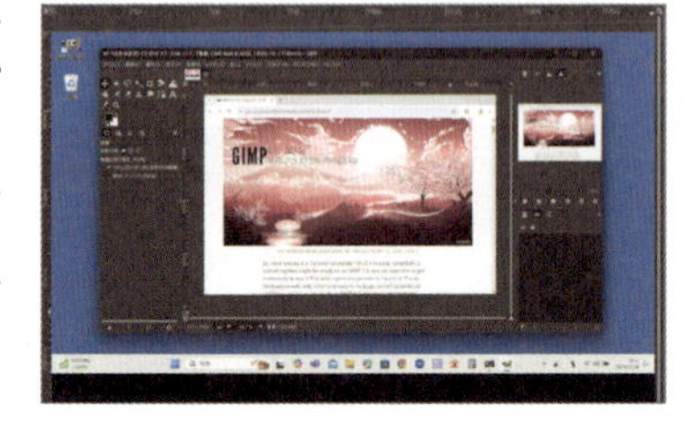

SECTION 04

クリップボードやスキャナーから画像を取り込む

Webブラウザーなどほかのアプリケーションでコピーした画像や、パソコンに接続しているスキャナーやカメラからも画像をGIMPに取り込めます。

画像をコピーする

1 ここではWebブラウザーを起動し、ネットで公開されている画像をコピーします❶。

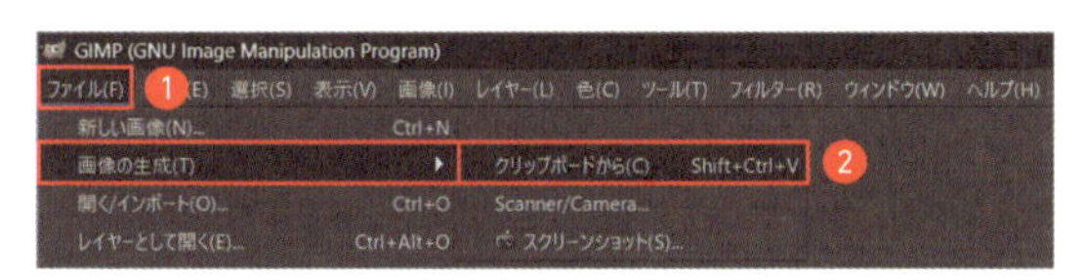

2 GIMPの<ファイル>メニューをクリックして❶、<画像の生成>の<クリップボードから>をクリックします❷。

3 クリップボードにコピーした画像が開きます。

スキャナーから取り込む

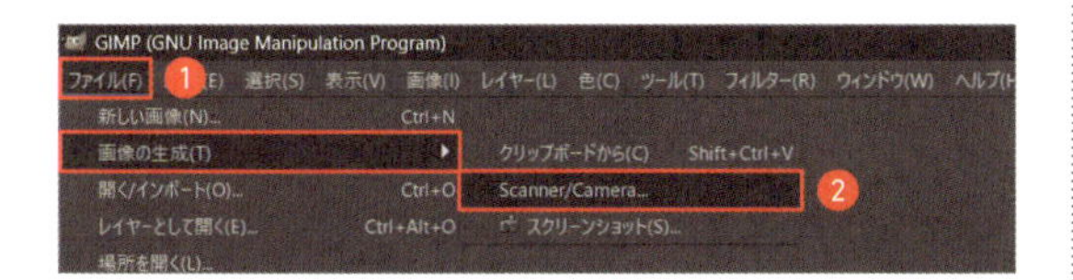

1 使用する機器をパソコンに接続しておきます。GIMPの<ファイル>メニューをクリックして❶、<画像の生成>の<Scanner/Camera>をクリックします❷。

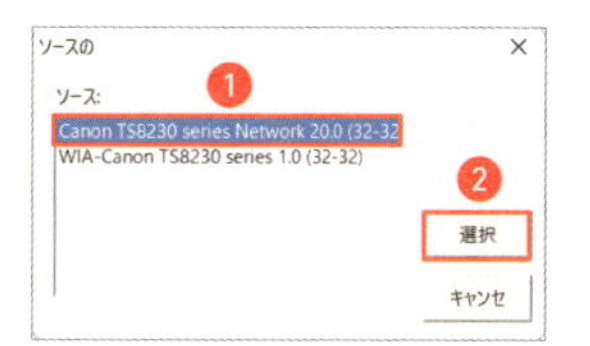

2 <ソースの選択>ダイアログで、使用する機器名をクリックし❶、<選択>をクリックします❷。

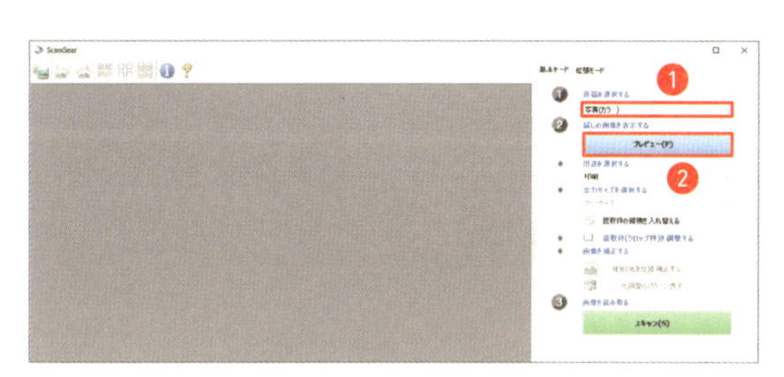

3 スキャナーの設定画面が開き、プレビューを取得します。なお、接続している機器によって設定画面が異なります。ここではスキャナーの読み取り台に原稿をセットして、<写真（カラー）>を選択し❶、<プレビュー>をクリックします❷。

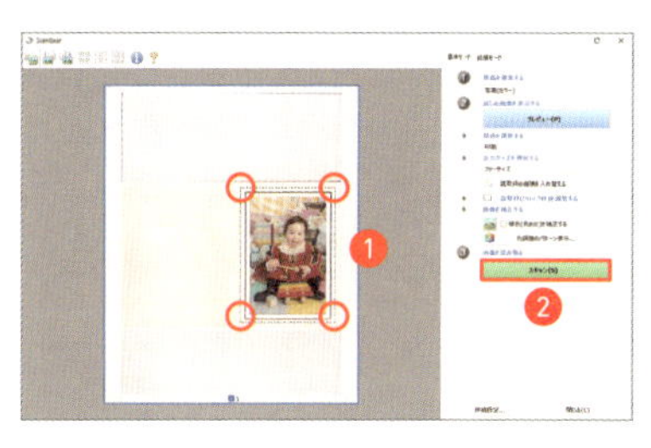

4 仮のスキャンが行われます。プレビューの読み込みたい範囲をドラッグして囲んだり、画像を囲む枠のハンドルをドラッグして読み込む範囲を設定します❶。<スキャン>をクリックします❷。

5 GIMPにスキャンした画像が取り込まれます。

SECTION

05 グリッドやルーラーを表示する

等間隔の格子線である「グリッド」はレイヤーにガイドやオブジェクトを正確に配置をするのに役立ちます。

SAMPLE re10_05.jpg

グリッドを表示する

1 ＜表示＞メニューをクリックして❶、＜グリッドの表示＞をクリックして有効にします❷。

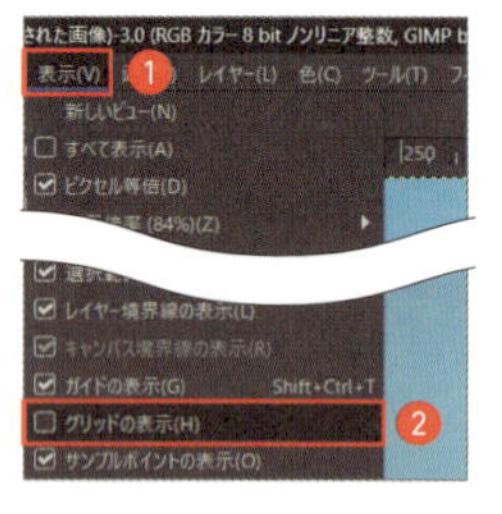

2 縦横に等間隔の直線が格子状に表示されます。なお初期設定では黒い実線で、間隔は幅と高さががそれぞれ「10」ピクセルの状態です。

グリッドの設定をする

1 ここでは実線を破線に変更して、格子の間隔を広げます。＜画像＞メニューをクリックして❶、＜グリッドの設定＞をクリックします❷。

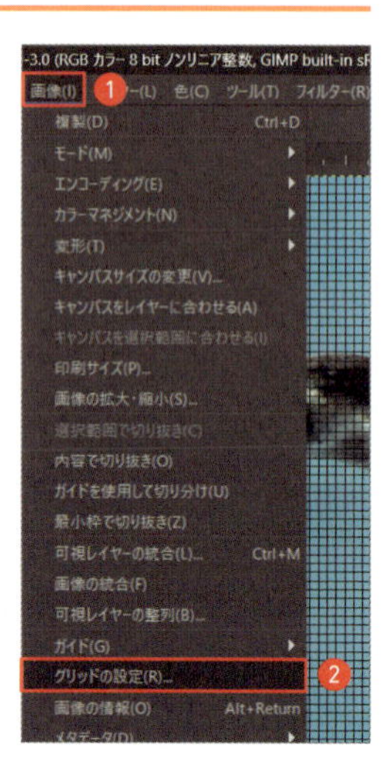

2 ＜線種＞をクリックして、一覧から線の種類（ここでは＜破線＞）をクリックします❶。

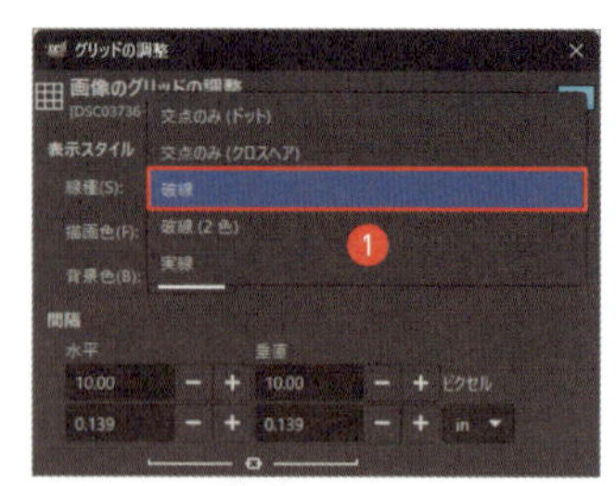

3 ＜間隔＞の＜水平＞と＜垂直＞をそれぞれ変更し（ここでは「50ピクセル」）❶、＜OK＞をクリックします❷。

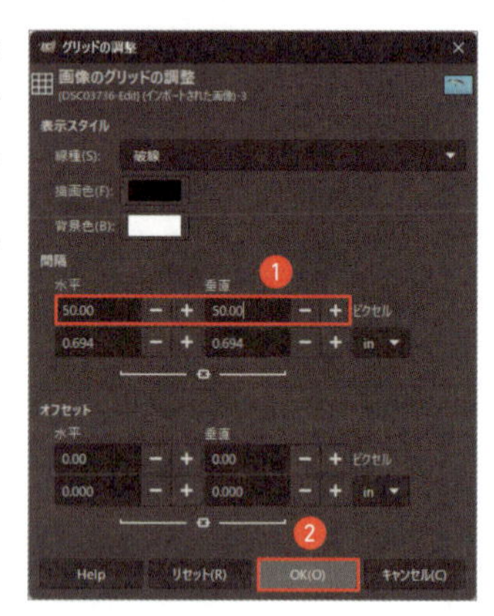

4 グリッドが破線に変わり、縦横線の間隔が広がりました。

MEMO ＜GIMPの設定＞ダイアログで設定する

グリッドは、＜編集＞メニューの＜設定＞を選択しても設定できます。＜GIMPの設定＞ダイアログで＜グリッド＞を選択して開く画面で設定します。

グリッドにスナップを有効にする

1 304ページを参考に、グリッドを表示します。

2 ＜表示＞メニューをクリックして❶、＜グリッドにスナップ＞をクリックして有効にします❷。

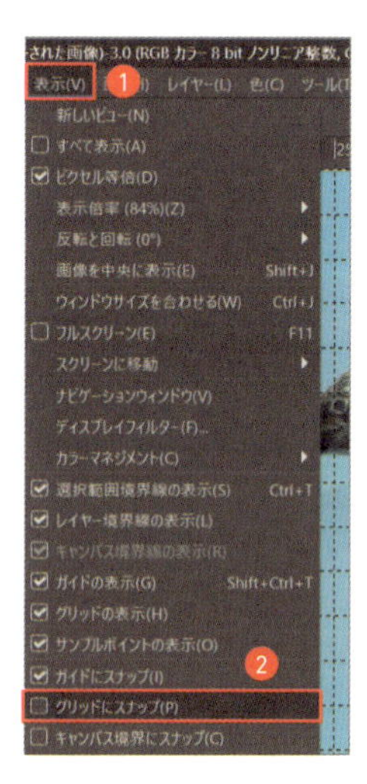

移動してグリッドにスナップさせる

1 ツールボックスの＜移動・整列＞グループの＜移動＞をクリックします❶。

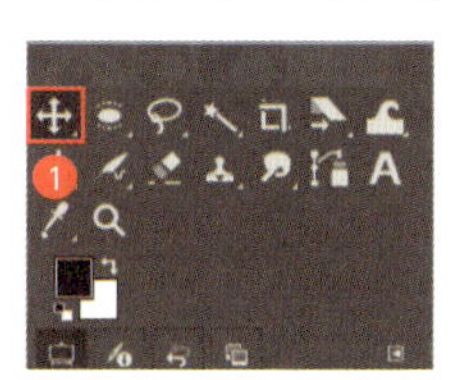

2 グリッドを目安にレイヤーをドラッグします❶。

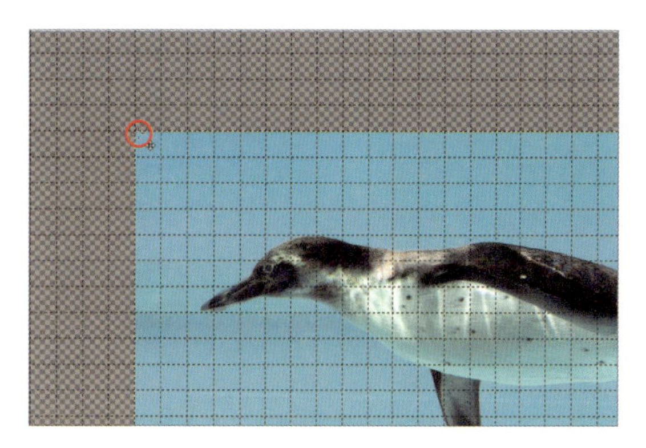

3 グリッドにレイヤーの角や辺が自動的に合わさります。

ルーラーの表示を切り替える

1 初期設定ではルーラーが表示されています。これを非表示にするには、＜表示＞メニューをクリックして❶、＜ルーラーの表示＞のチェックを外します❷。

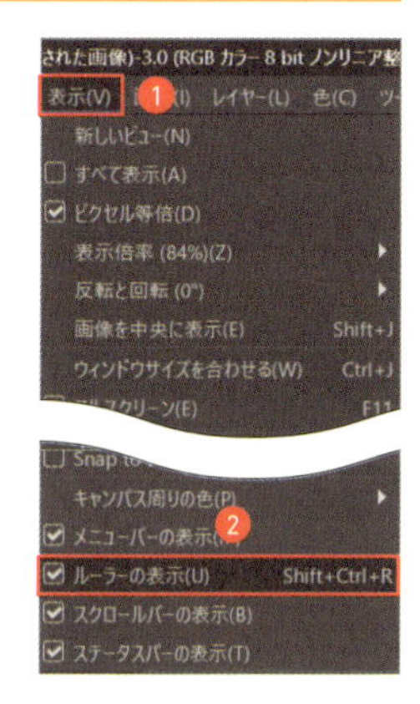

2 ルーラーが非表示になりました。

3 再度＜表示＞メニューをクリックして、＜ルーラーの表示＞にチェックを入れると、ルーラーが表示されます。

SECTION

06 自由にガイドを設定する

「ガイド」とは画像に垂直や水平の目安の線です。好きな位置に1本から複数本のガイドを配置して、レイヤーの移動や画像の分割に利用します。

SAMPLE re10_06.jpg

水平・垂直のガイドを引く

1 <表示>メニューをクリックして、<ルーラーの表示>を有効にしておきます。<表示>メニューをクリックして❶、<ガイドの表示>を有効にします❷。

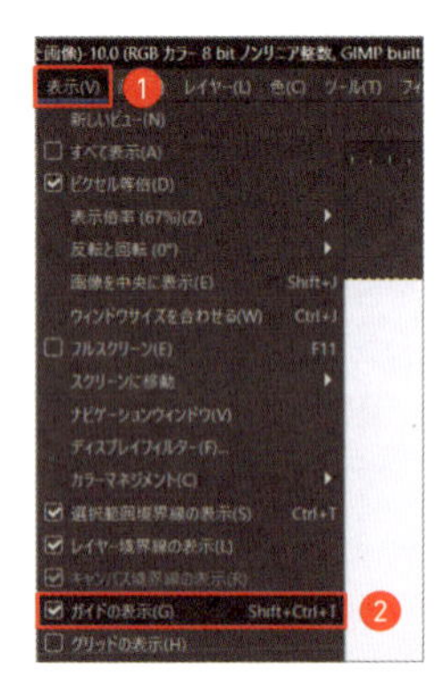

2 上のルーラーから画像にドラッグします❶。水平のガイドが1本引かれます❷。

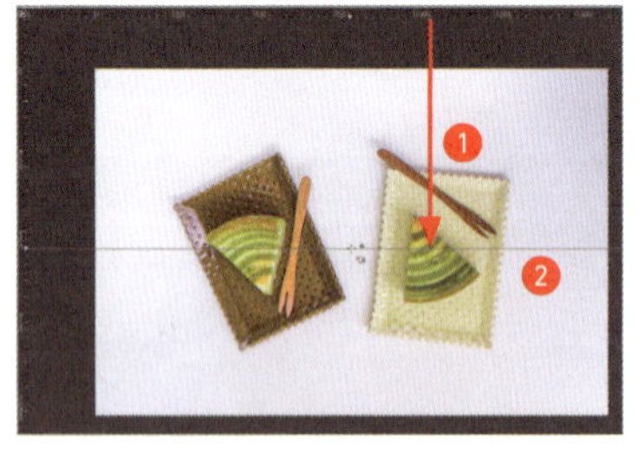

3 同じように上のルーラーから下にドラッグして❶、複数の水平ガイドを引きます❷。

4 左側のルーラーから右にドラッグします❶。垂直のガイドが引かれます❷。垂直のガイドも複数引くことができます。

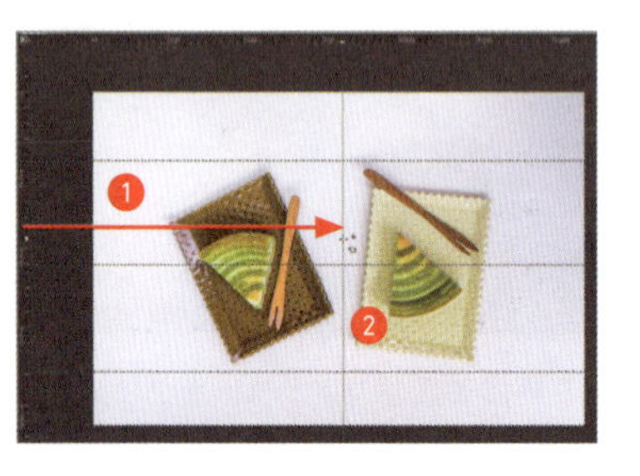

ガイドを移動・削除する

1 ツールボックスの<移動・整列>グループを右クリックして、<移動>をクリックし❶、<ツールオプション>の<機能の切り替え>で<つかんだレイヤーまたはガイドの移動>を選択します❷。

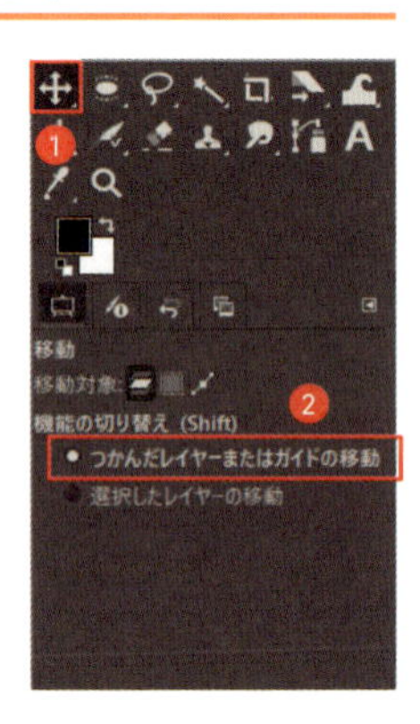

2 ガイドにポインターを重ねるとガイドが赤い破線に変わります。ドラッグして位置を微調整します❶。

3 水平、垂直いずれのガイドも上または左側のルーラーまでドラッグすると、ガイドが削除されます。

MEMO すべてのガイドを削除する

複数のガイドを一気に削除するには、<画像>メニューをクリックして、<ガイド>の<すべてのガイドを削除>をクリックします。表示されているすべてのガイドがまとめて削除されます。

SECTION 07

ガイドに合わせて画像を編集する

ルーラーから水平と垂直のガイドを作成すると、ガイドの角や辺にぴったり合わせてレイヤーを配置することができます。

SAMPLE re10_07.jpg

レイヤーをガイドに合わせる

1 306ページの方法で、あらかじめガイドを表示させておきます。

2 <表示>メニューをクリックして1、<ガイドにスナップ>を有効にしておきます2。

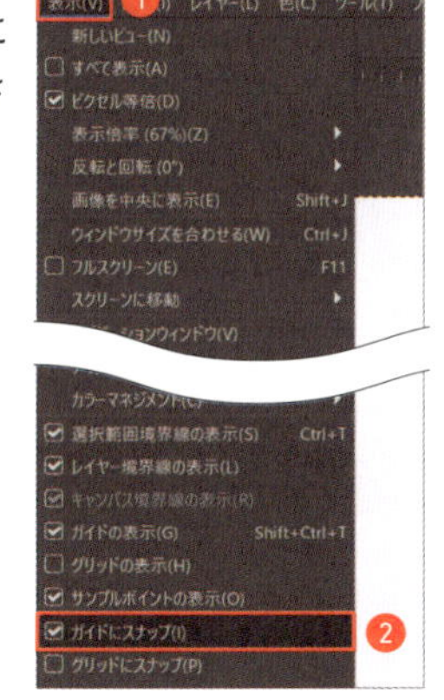

3 <移動・整列>グループの<移動>をクリックして、ガイドを目指して画像をドラッグします1。ガイドにレイヤーの角や辺を近づけると自動的にぴったり合わさります。

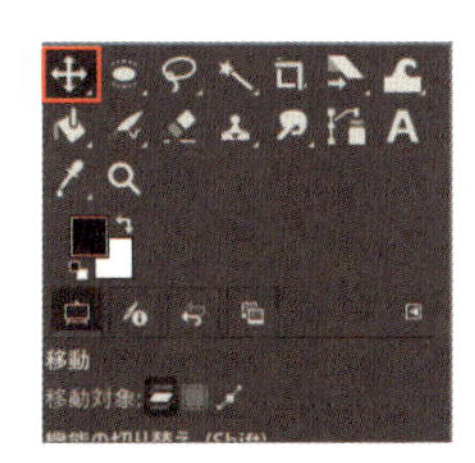

ガイドに合わせて分割する

1 306ページの方法で、画像を分割したい位置にガイドを引きます。

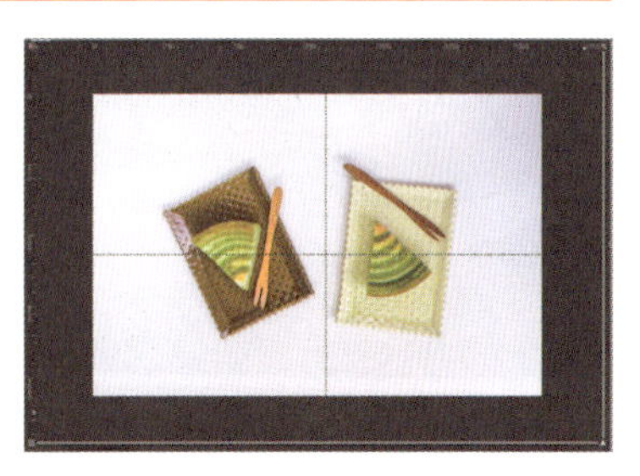

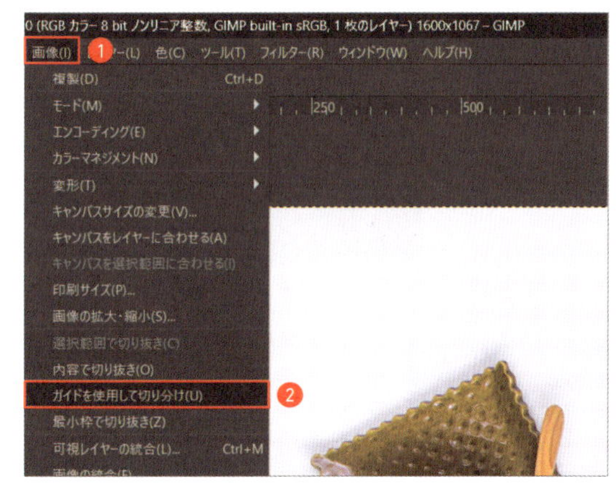

2 <画像>メニューをクリックして1、<変形>の<ガイドを使用して切り分け>をクリックします2。

3 元の画像のほかに、画像が4分割されて開きます。

SECTION 08

画像の中央にオブジェクトをスナップする

画像の中心で水平・垂直に交わる＜ガイド＞を作成しておくと、レイヤーの境界や角または中心を画像の中央にスナップさせたいときに便利です。

SAMPLE re10_08.xcf

≫ 画像の中央に水平・垂直のガイドを引く

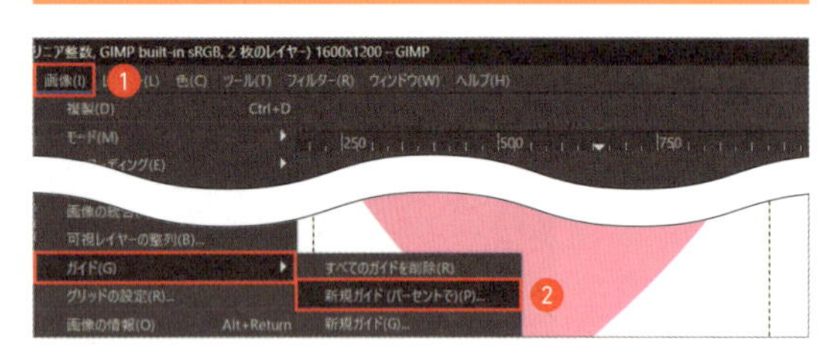

1 ＜画像＞メニューをクリックして①、＜ガイド＞の＜新規ガイド（パーセントで）＞をクリックします②。

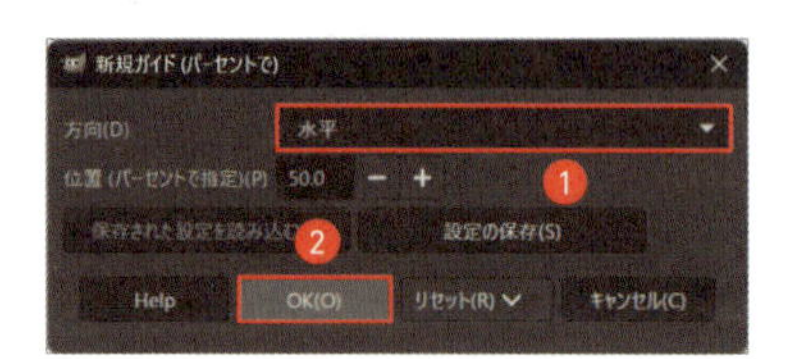

2 ＜新規ガイド（パーセントで）＞ダイアログが開きます。＜方向＞で＜水平＞を選び①、＜OK＞をクリックします②。

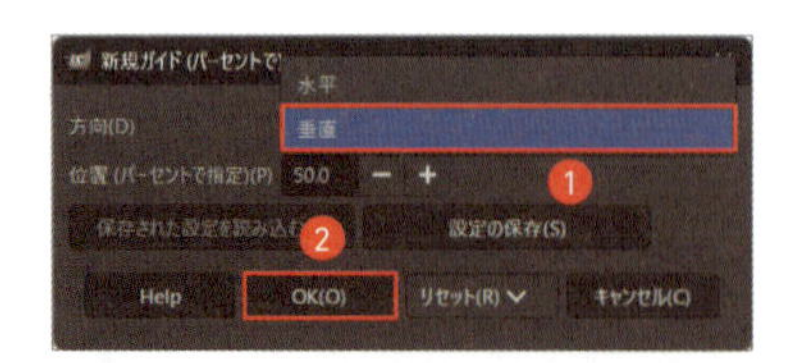

3 ①②と同様の手順で＜新規ガイド（パーセントで）＞ダイアログを再び開き。＜方向＞で＜垂直＞を選び①、＜OK＞をクリックします②。

4 画像の中央に水平および垂直のガイドが引かれます。

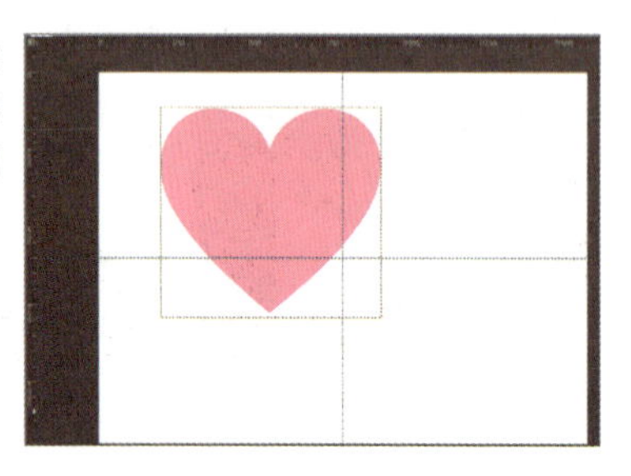

≫ オブジェクトの中心をガイドの交点にスナップする

1 ツールボックスの＜移動・整列＞グループを右クリックして、＜移動＞をクリックします①。＜機能の切り替え＞で＜つかんだレイヤーまたはガイドの移動＞を有効にします②。

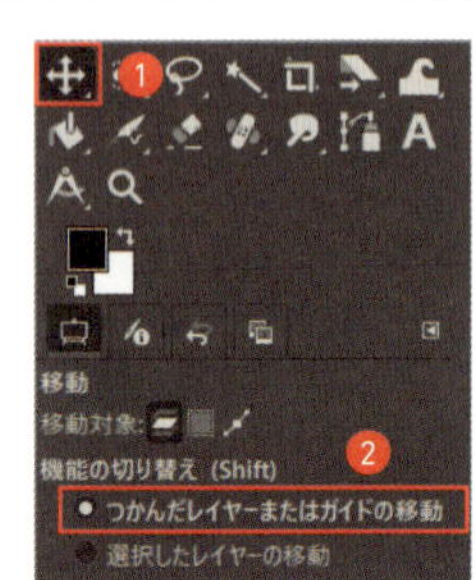

2 移動させたいオブジェクトをクリックすると中央に［+］が表示されます①。［+］をガイドの交点に向けてドラッグします②。

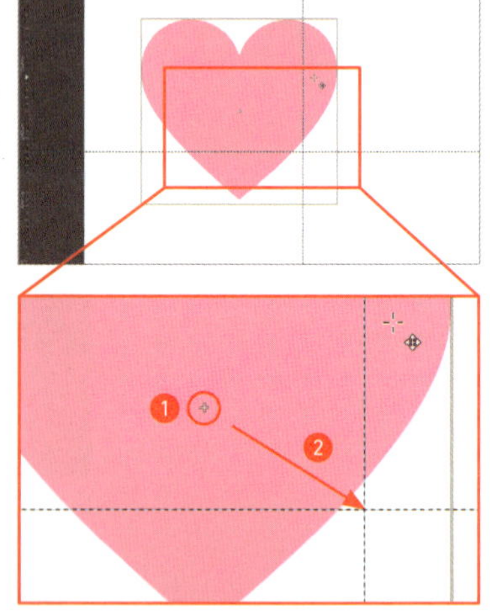

3 オブジェクトの中心がガイドの交点にスナップします。

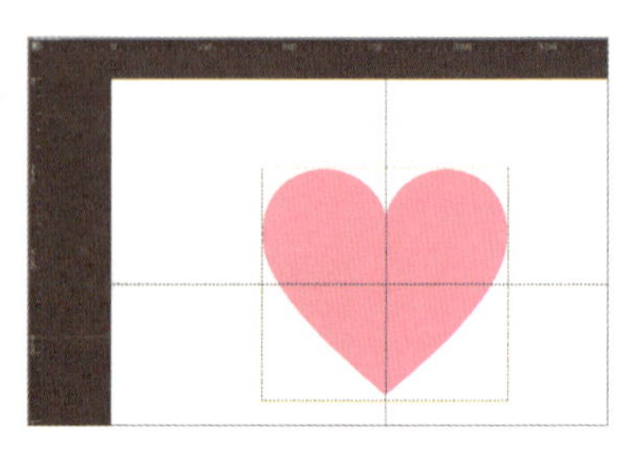

HINT ＜ガイド＞にスナップさせたくない場合は?

ガイドへのスナップを無効にするには、＜表示＞メニューの＜ガイドにスナップ＞を解除します。

SECTION

09 画像内の角度や距離を測る

画像上で2つのポイントの距離を測ります。ポイントを追加して角度を計測することもできます。

SAMPLE re10_09.jpg

角度と距離を測る

1 ツールボックスの<スポイト・定規>グループを右クリックして、<定規>をクリックします①。

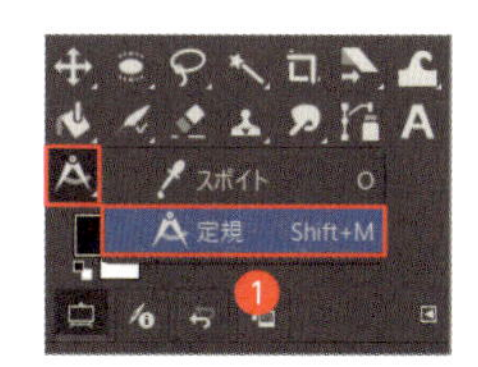

2 <ツールオプション>の<情報ウィンドウの使用>をクリックして有効にします①。

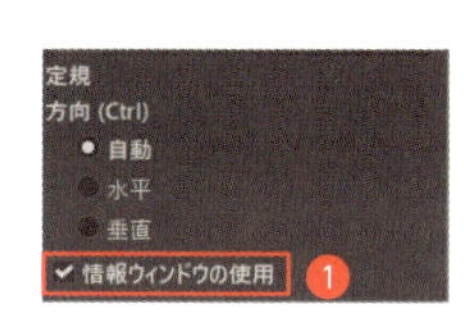

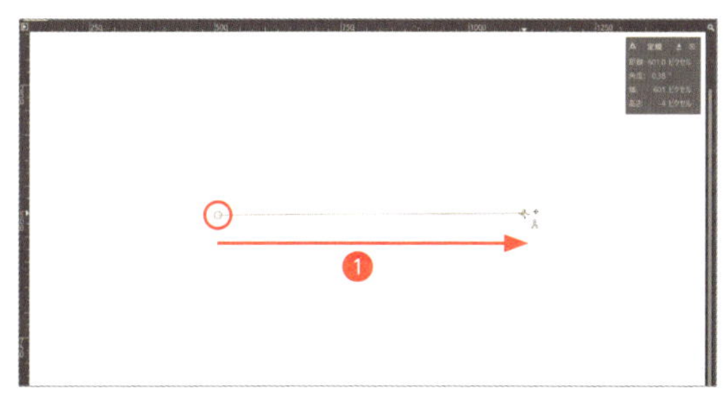

3 角度や距離を測る基点をクリックして、そのままドラッグします①。

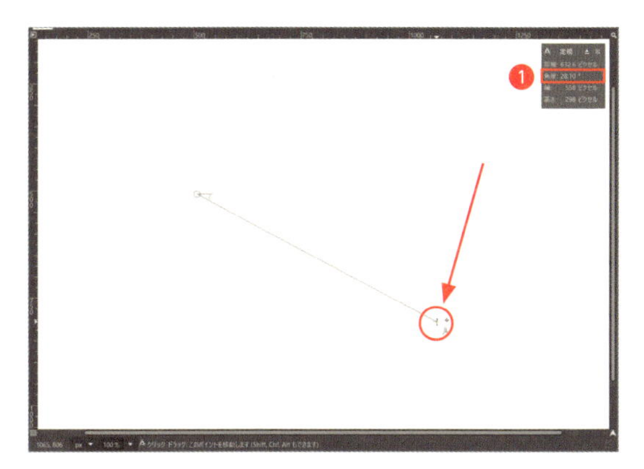

4 終点を回転させるようにドラッグすると角度が表示されます①。

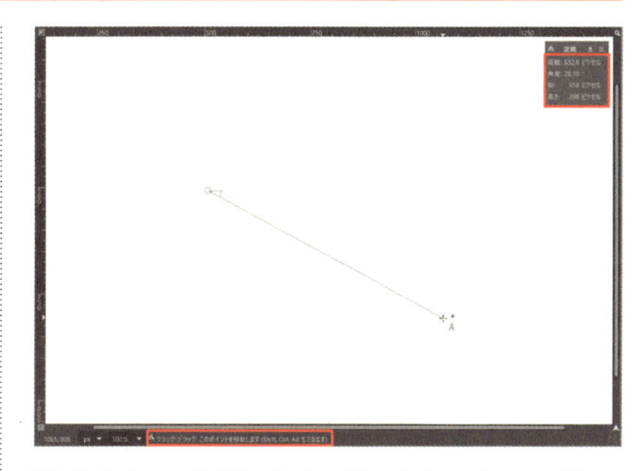

5 終点までの距離、角度、幅、高さのピクセル数が、<定規>ダイアログとステータスバーに表示されます。

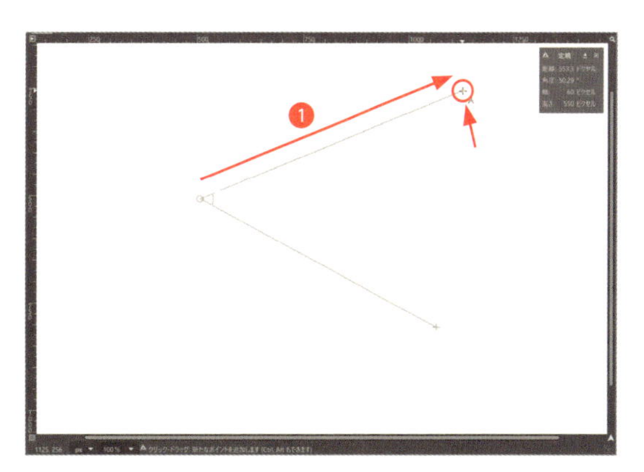

6 始点から Shift キーを押しながら再びドラッグすると、もう一つの線が伸びます①。終点をドラッグすると、2本の線の長さや角度を調整できます。

MEMO <定規>の解除

<定規>を消すには Esc キーを押すか、または他のツールに切り替えます。

Appendix

01 フィルターを活用する

フィルターとは

フィルターには様々な項目があり、さらに細かく分類されています。主に画像の形を変形するものや、画像に新たな効果を作り出すもの、画像の持っている特性を使って新たなイメージを作るものなどに分かれています。いずれのフィルターも、適用した直後であればさらに同じフィルターを重ね掛けしたり、同じフィルターの設定ダイアログを開いてかけ直すこともできます。

フィルターの効果をかける

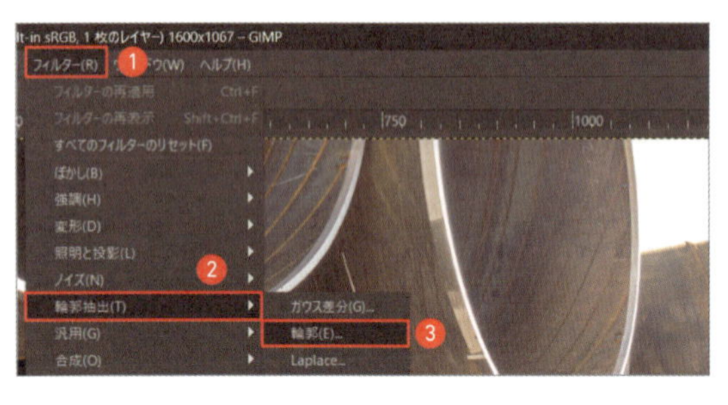

1 <フィルター>メニューをクリックし❶、カテゴリーを選択して❷、目的のフィルターをクリックします❸。ここでは<輪郭抽出>の<輪郭>をクリックします。

2 選択したフィルターの設定ダイアログが開きます。<プレビュー>にチェックを入れると❶、フィルターの効果を確認しながら効果の調整を行えます。<OK>をクリックします❷。

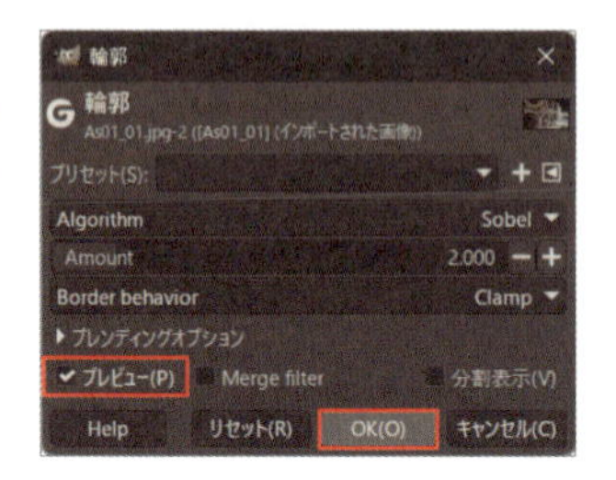

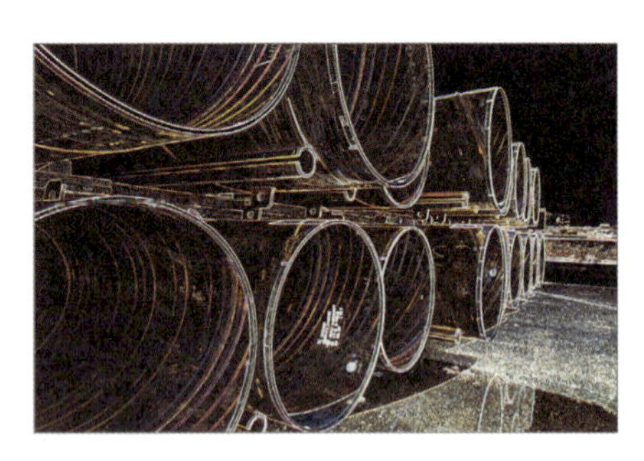

3 ダイアログが閉じ、設定したフィルターが適用されます。

前回のフィルターを再適用する

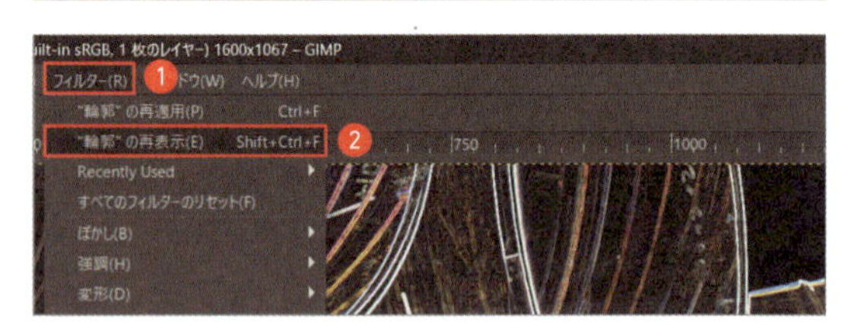

1 <フィルター>メニューをクリックして❶、<"○○"の再表示>をクリックします❷。

2 前回適用した設定値がそのままの状態で、フィルターの設定ダイアログが開きます。設定ダイアログで再調整をして<OK>をクリックします❶。

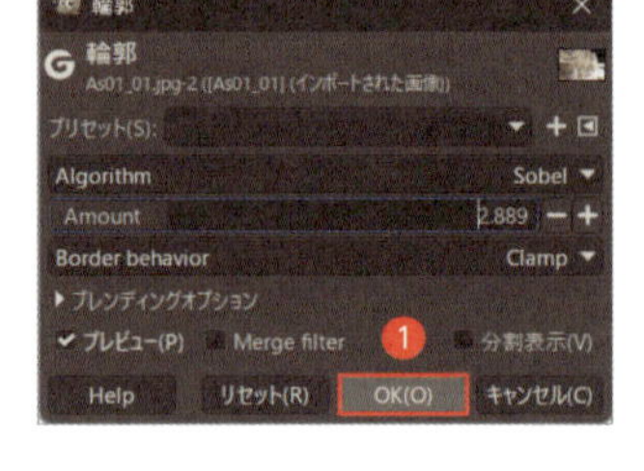

3 画像に効果が適用されます。

フィルターのサンプル

●ガウスぼかし

●モザイク処理

●シャープ（アンシャープマスク）

●極座標

●波

●グラデーションフレア

●CIE ICh ノイズ

●ネオン

●フィルムストリップ

●油絵化

●写真コピー

●ステンシルクローム

●ファジー縁取り

●古い写真

●幻

●紙タイル

●ジグソーパズル

●集中線

Appendix

02 ショートカットキー一覧

●<ファイル>メニュー

新しい画像	Ctrl + N
画像の生成（クリップボードから）	Shift + Ctrl + V
開く/インポート	Ctrl + O
レイヤーとして開く	Ctrl + Alt + O
最近開いたファイル	Ctrl +数字キー
保存	Ctrl + S
名前を付けて保存	Shift + Ctrl + S
エクスポート	Ctrl + E
名前を付けてエクスポート	Shift + Ctrl + E
ファイルマネージャーで開く	Ctrl + Alt + F
ビューを閉じる	Ctrl + W
すべて閉じる	Shift + Ctrl + W
終了	Ctrl + Q

●<編集>メニュー

元に戻す	Ctrl + Z
やり直す	Ctrl + Y
切り取り	Ctrl + X
コピー	Ctrl + C
可視部分のコピー	Shift + Ctrl + C
貼り付け	Ctrl + V
クリップボードから生成（画像）	Shift + Ctrl + V
消去	delete
描画色で塗りつぶす	Ctrl + ,
背景色で塗りつぶす	Ctrl + .
パターンで塗りつぶす	Ctrl + ;

●<選択>メニュー

すべて選択	Ctrl + A
選択を解除	Shift + Ctrl + A
選択の反転	Ctrl + I
選択範囲のフロート化	Shift + Ctrl + L
パスを選択範囲に	Shift + V
クイックマスクモード	Shift + Q

●<表示>メニュー

表示倍率を戻す	`
縮小表示	−
拡大表示	+
ウィンドウ内に全体を表示	Shift + Ctrl + J
フルスクリーン	F11
選択範囲境界線の表示	Ctrl + T
ガイドの表示	Shift + Ctrl + T
ルーラーの表示	Shift + Ctrl + R

●<画像>・<レイヤー>メニュー

可視レイヤーの統合	Ctrl + M
画像の情報	Alt + Return
新しいレイヤーの追加	Shift + Ctrl + N
レイヤーの複製	Shift + Ctrl + D
前面レイヤーの選択	Page Up
背面レイヤーの選択	Page Down
最前面レイヤーの選択	Home
最背面レイヤーの選択	End

●＜ツール＞・＜フィルター＞メニュー

矩形選択	R
楕円選択	E
自由選択	F
ファジー選択	U
色域の選択	Shift + O
電脳はさみ	I
塗りつぶし	Shift + B
グラデーション	G
鉛筆で描画	N
ブラシで描画	P
消しゴム	Shift + E
エアブラシで描画	A
インクで描画	K
MyPaint ブラシで描画	Y
スタンプで描画	C
Healing（修復ブラシ）	H
ぼかしシャープ	Shift + U
にじみ	S
暗室	Shift + D
Align and Distribute（整列）	Q
移動	M
切り抜き	Shift + C
回転	Shift + R
拡大・縮小	Shift + S
剪断変形	Shift + H
3D 変形	Shift + W
遠近法	Shift + P
統合変形	Shift + T
ハンドル変形	Shift + L
鏡像反転	Shift + F
ケージ変形	Shift + G
ワープ変形	W
パス	B
テキスト	T
スポイト	O
定規	Shift + M
ズーム	Z
ツールボックス	Ctrl + B
描画色と背景色のリセット	D
描画色と背景色の交換	X

フィルターの再適用	Ctrl + F
フィルターの再表示	Shift + Ctrl + F

●＜ウィンドウ＞・＜ヘルプ＞メニュー

レイヤー	Ctrl + L
ブラシ	Shift + Ctrl + B
パターン	Shift + Ctrl + P
グラデーション	Ctrl + G
ヘルプ	F1

INDEX

索引

英数字

あ行

か行

さ行

た行

な行

は行

ま行

や・ら・わ行

[著者略歴]
土屋徳子（つちやのりこ）
1990年代より漫画を描くかたわら、コンピュータグラフィックスによるイラストをネットで公開。これを機にPhotoshopやLightroom関連の解説書籍の執筆の機会に恵まれ、パソコン情報雑誌やネットにて画像編集テクニックを連載。主な著書に『すぐわかる GIMPではじめる フォトレタッチ講座』（アスキー・メディアワークス）、『Photoshop Lightroom CC/6 スーパーリファレンス for Windows & Macintosh』（ソーテック社）など。画像編集アプリのユーザーズマニュアルの執筆や、LinkedIn Learningでの画像・写真編集関連のEラーニング講師としても活動中。
https://www.linkedin.com/learning/instructors/8515172

●カバー・本文デザイン　waonica
●カバーイラスト　ヤマグチカヨ
●モデル撮影　鈴木文彦
●作例モデル　森菜津子（スペースクラフト・エージェンシー株式会社）
●DTP　リンクアップ
●編集　石井智洋

[お問い合わせについて]

本書の内容に関するご質問は、下記の宛先までFAXまたは書面にてお送りいただくか、弊社Webサイトの質問フォームよりお送りください。お電話によるご質問、および本書に記載されている内容以外のご質問には、一切お答えできません。あらかじめご了承ください。

〒162-0846 東京都新宿区市谷左内町21-13
株式会社技術評論社　書籍編集部「すぐに作れる ずっと使える GIMPのすべてが身に付く本［改訂新版］」質問係
FAX：03-3513-6181　技術評論社Webサイト：https://gihyo.jp/book/

なお、ご質問の際に記載いただいた個人情報は質問の返答以外の目的には使用いたしません。
また、質問の返答後は速やかに削除させていただきます。

すぐに作（つく）れる ずっと使（つか）える GIMP（ギンプ）のすべてが身（み）に付（つ）く本（ほん）［改訂新版（かいていしんぱん）］

2018年10月10日　初版　第1刷発行
2025年 7月15日　第2版　第1刷発行

著者　土屋徳子（つちやのりこ）
発行者　片岡 巌
発行所　株式会社　技術評論社
東京都新宿区市谷左内町21-13
電話　03-3513-6150（販売促進部）
03-3513-6185（書籍編集部）
印刷／製本　株式会社加藤文明社

ISBN978-4-297-14974-1 C3055
Printed In Japan